Het geheim van Whitecliff

Van Deirdre Purcell zijn verschenen:

Afscheid van Inisheer
Die nacht aan het meer
Als schelpen in het zand
Marmeren tuin

DEIRDRE PURCELL

Het geheim van Whitecliff

SIJTHOFF

© 2004 DEIRDRE PURCELL

The right of Deirdre Purcell to be identified as the Author of the Work has been asserted by her in accordance with the Copyright, Designs and Patents Act 1988.

First published in 2006 by Headline Book Publishing

© 2006 Nederlandse vertaling

Uitgeverij Luitingh~Sijthoff B.V., Amsterdam

Alle rechten voorbehouden

Oorspronkelijke titel: *Tell Me Your Secret*

Vertaling: Irene Ketman

Omslagontwerp: Marry van Baar

Omslagfotografie: Getty Images

ISBN 90 245 6059 4 / 9789024560592

NUR 340

www.boekenwereld.com

Voor Suzannah Allen

Wier moed en positieve instelling bij de ergste tegenslag me meer geïnspireerd hebben dan ik haar ooit zal kunnen zeggen.

I 🌰 De torenkamer

De dagen verstrijken. Wat je ook doet, hoezeer je je ook verzet, de dagen verstrijken.

In het begin, tijdens die verschrikkelijke eerste maanden aan het eind van 1944 en het begin van 1945, veranderde ongeloof eerst in razernij en toen in wanhoop. Het duurde enige jaren voordat ik aanvaardde dat ze me nooit zouden vrijlaten en dat ik hoogstwaarschijnlijk zou sterven zonder ooit nog een stap buiten de torenkamer van Whitecliff te zullen zetten.

In ons gezin hadden we het altijd de torenkamer genoemd. Dit was ietwat overdreven, want het was gewoon maar de grootste van de zolderkamers, waar in vroeger eeuwen meiden en huisknechten werden ondergebracht. Als kinderen mochten mijn broertjes, zusjes en ik die kamer als speelkamer gebruiken. Ze lag zo ver van de grote kamers, die het domein waren van onze ouders, dat we er zo veel lawaai konden maken als we wilden en we konden er met een gerust hart krijgertje spelen of knikkers over de kale vloerdelen laten rollen. We snuffelden in de hutkoffers die we daar boven vonden, maar om eerlijk te zijn vonden we weinig interessants. Er lagen alleen oud tuingereedschap en versleten keukengerei in en kaarten en boeken over Afrika, Azië en Zuid-Amerika, eens eigendom van grootvader, handelaar in thee, die iedere gelegenheid te baat had genomen om af te reizen naar de plantages van zijn leveranciers.

Ergens in het verleden, voordat onze familie hier kwam wonen, had iemand een doorbraak gemaakt naar het vensterloze vertrek naast

7

de torenkamer om een primitieve wasruimte aan te brengen. Daar hielden wij watergevechten, met angstig hart omdat we wisten dat er wat zwaaide als moeder of vader ons betrapte. Voor juffie waren we nooit bang, in elk geval niet heel erg, want het was juffie naar wie we toe renden met een geschaafde knie of een andere kindercrisis om getroost te worden. Juffie, een forse, goedhartige vrouw uit Rathlinney, ons dorp, gaf ons weliswaar slaag, maar nooit van ganser harte en altijd met zachte hand. En als onze ouders zich binnen gehoorsafstand bevonden deed ze het met een samenzweerderige knipoog, die ons aanmoedigde te krijsen alsof we gekeeld werden. Juffie was blij met haar betrekking bij ons. Ze was een oude vrijster met één vrijgezelle broer, en haar gezicht was ongelukkigerwijs mismaakt, al vanaf haar geboorte. Zelf noemde ze het een aardbeivlek, maar in mijn herinnering was aan een kant van haar gezicht de rimpelige huid vanaf de haarlijn tot de kaak helderpaars. Ze bleef bij ons tot ik, de jongste van het gezin, veertien werd en onze ouders meenden haar diensten niet langer nodig te hebben.

Ik moet nog vaak aan haar denken, zelfs nu nog.

Er lag nooit afgedankt speelgoed in de torenkamer, aangezien alles wat wij ontgroeid waren onder 'arme kinderen' werd verdeeld.

Waarin wij ons van 'arme kinderen' onderscheidden was onzelf nooit duidelijk. Onze vader, eigenaar van de Rathlinney Bazaar, bediende onze streek als grutter, leverancier van levensmiddelen, handelaar in brandstoffen, wijn, herenkleding, fournituren, ijzerwaren, landbouwwerktuigen, voetbekleding en modeartikelen voor dames: dat wisten we. We hadden juffie, en Whitecliff was een heel groot huis: dat wisten we ook. Naar ons eigen gevoel echter, was ons leven zelfs nog soberder dan dat van onze schoolkameraadjes. Whitecliff was tochtig en 's winters ijskoud en vochtig. Allemaal leden we aan wintervoeten en waren we voortdurend verkouden van het hele afstanden moeten afleggen over onze vloeren van steen of kale planken. Van de knusse bankjes en turfvuren die we in het voorbijgaan zagen door de ramen van de huisjes in Rathlinney was bij ons geen sprake. Whitecliff was gemeubileerd met bakbeesten van stoelen en canapés, enorme bruine tafels en monumentale, halflege porselein- en pronkkasten.

Vader, een gezonde, godvrezende man bij wie de behoefte aan comfort, laten we zeggen, ondermaats ontwikkeld was, legde de hoeveelheid brandstof die we in de haarden mochten verstoken aan banden. Verteert vandaag niet wat u morgen kan ontbreken, luidde zijn waarschuwing aan ons, en hij draaide de gaslampen constant zo laag dat je er niet bij lezen kon.

Aan tafel moesten we ieder beetje dat we kregen opeten 'want zulk goed voedsel krijgen jullie, kinderen, misschien nooit meer te zien'. Mijn zusjes en ik konden ons nooit eens opdirken, want moeder was een bedreven naaister. Ze hield haar eigen garderobe en die van vader piekfijn in orde en ze keerde de hemdkragen van de jongens, tot de stof zodanig versleten was dat ze alleen nog als stofdoek gebruikt kon worden. En voor ons, meisjes, verstelde of veranderde moeder onze kleren terwijl we groeiden. Ik, als jongste, heb niet één keer een spiksplinternieuwe jurk of jas uit een winkel gehad.

Dus naar ons eigen gevoel waren we even arm als ieder ander in de streek en was het een mysterie waarom we op school werden bespot om ons accent, omdat we bekakt waren, omdat 'als niet komt tot iet, dan kent iet zichzelve niet' voor ons zou gelden. Een keer noemde ik juffie, en werd toen zo uitgelachen dat ik die vergissing nooit meer maakte. Het kan eenzaam zijn als je in een Iers dorp uit het Grote Huis komt.

Toen het tijdstip naderde waarop ik zou worden opgesloten in de torenkamer, werden de hutkoffers, staande kapstokken en andere spullen verwijderd en begonnen ze de kamer met merkwaardig veel zorg in te richten. In de wasruimte liet vader een fonteintje, een closetpot met stortbak en trekketting en een klein bad installeren.

Onwetend van de eigenlijke plannen hielp ik mee met het opknappen, in de veronderstelling dat we het deden voor gasten. Achteraf gezien kan dat slechts fantasie zijn geweest. Wij, Shines, kregen weinig bezoek, de zakenrelaties van vader die wel eens te eten werden genood buiten beschouwing gelaten. Evenmin werden wij, kinderen, aangemoedigd om schoolkameraadjes mee naar huis te nemen. Dus toen me gevraagd werd om behang uit te kiezen uit het stalenboek dat vader op een avond mee naar huis bracht, was ik blij om erbij betrokken te worden. Ik was meer dan blij, ik was dolgelukkig omdat het betekende dat ze me misschien wel vergiffenis schonken.

De kamer mat vijf meter vijftig bij drie meter vijfenzestig – ik heb er vaak genoeg in op en neer gelopen om dit heel precies te weten –

en ze had één raam, dat vanaf halverwege de muur bijna tot aan het plafond kwam. Het zat zo hoog dat ik op mijn stoel moest staan om er door te kunnen kijken. Aan de buitenkant zaten tralies, om redenen die me tot op de dag van vandaag niet duidelijk zijn: de kelder niet meegerekend, telt Whitecliff drie verdiepingen met daarbij nog een zolderverdieping over de hele lengte en breedte van het huis. Iedere intelligente inbreker of insluiper die dapper genoeg was om vaders jachtgeweer te trotseren, zou de makkelijke weg naar binnen genomen hebben, door de slecht passende voordeur of de ramen op de begane grond, waarvan de houten kozijnen zelfs al voor mijn gevangenschap zo vermolmd waren door zilte regen en wind dat een paar keer duwen met een stevige schroevendraaier had volstaan om ze in hun sponning omhoog te krijgen.

Wat betreft de achterkant van het huis, mijn horizon, gedurende heel mijn gevangenschap is er zelfs nooit iemand onder mijn raam langsgelopen. Ons land, met aan weerskanten een hek van prikkeldraad, liep namelijk regelrecht naar de rand van het klif en dat was steil en ging zeventig of tachtig voet de diepte in. (Tegenwoordig is dat dertig à vijfendertig meter; ik wen maar moeilijk aan modernismen.)

Whitecliff is meer dan tweehonderd jaar oud en ik heb diep nagedacht over allerlei mogelijke redenen waarom juist het aanbrengen van tralies voor dít raam, het enige gevangenisraam in het hele huis, nodig werd geacht. Misschien omdat de kostbaarheden van een familie ooit in die kamer werden bewaard, ook al was ze ontoegankelijk van buitenaf. Misschien omdat werd gevreesd dat boerenjongens omhoog zouden klimmen langs een touw van in elkaar gedraaide lakens om hun gang te gaan met de meiden, indien dit raam onbeschermd bleef.

Of misschien werd hier een krankzinnige tante (of een krankzinnige eerste echtgenote) opgesloten, omdat men haar een gevaar voor zichzelf achtte. Of voor de reputatie van haar familie, mocht ze zichzelf de dood in storten.

Misschien klinkt het vreemd, twijfelachtig zelfs, gegeven de omstandigheden, maar op den duur begon ik mijn leefomgeving eigenlijk wel prettig te vinden en toen ik ten slotte besloot om mijn situatie te aanvaarden, ontdekte ik dat ik in een harteklop – ja, zo snel ging dat – vrij was.

Ik herinner me het moment, hoewel ik niet zou kunnen zeggen op welke dag of zelfs maar in welk jaar het gebeurde.

Lange tijd, gedurende vele jaren, wond ik trouw het horloge op dat ik van oom Samuel had gekregen voor mijn zestiende verjaardag, maar allengs begon me te dagen dat tijd ophoudt ertoe te doen wanneer je geen zeggenschap hebt over je leven. Dus borg ik het horloge op en van toen af aan leefde ik bij de cirkelgang van licht en donker, warmte en kou, stormen en windstilte; en bij de stipte komst van mijn blad met eten.

De tuinen van Whitecliff lagen aan de voorkant en de zijkanten van het huis. Het smalle terrein tussen zijn achterzijde en de rand van het klif was overdekt met stenen en distels, wat minimale verandering bood in kleur of begroeiing. Daarom moest ik, vanaf mijn stoel, afgaan op de lucht, de zee en de stand van de zon om me op de hoogte te houden van de seizoenen. Op die plek leerde ik uit ervaring te zien waar de zon zich bevond, behalve op de allersomberste dagen. Door de plaats waar de zon opkwam en onderging ten opzichte van mijn raam leerde ik ook de helling van de aardas waar te nemen. De zon en de zee werden mijn vrienden.

Het moment van mijn verlossing kwam onverwacht.

Het gebeurde hartje winter, tegen het middaguur op een dag dat golven met schuimkoppen zich in snelheid maten met de voortrazende wolkenflarden. Ik had mijn gebruikelijke positie ingenomen op mijn stoel bij het raam en ik tuurde ingespannen of ik activiteit kon ontdekken tussen de stenen aan de rand van het klif. Ik wist zeker dat ik beweging had gezien. Een woelmuis? Veldmuis? Een verwilderde kat? Of zelfs een konijn – ongebruikelijk voor die tijd van het jaar? Ik hield mijn adem in, opdat ik niet de geringste beweging maken zou.

Maar ja hoor… dáár. Ik werd er opgewonden van. Daar had je het weer… een konijn! Absoluut een konijn…

Terwijl ik keek, zat het diertje op zijn achterpoten, de oren omlaag, zenuwachtig bewegend tegen zijn rug, de voorpootjes dicht tegen zijn borst gehouden. Het zat met zijn kop naar Whitecliff toe, het inspecteerde onze grijze muren.

Ik concentreerde me enorm, in de hoop details te kunnen onderscheiden, ogen, het beweeglijke, knabbelende bekje.

Misschien was het geen konijn. Misschien was het een haas, een kleintje. Draai je om, rond, klein ding, zodat ik je staartje kan zien, de lengte van je poten... alsjeblieft draai je om...

Maar opeens brak het wolkendek open en ik moest mijn ogen dichtknijpen. Mijn raam zag uit op het oosten en wanneer de zon zich tijdens de korte dagen liet zien schitterde ze fel.

Ik wachtte met mijn ogen opendoen tot het licht zich terugtrok achter de wolken. Maar hoe goed ik ook keek, ik kon het konijn of de haas niet meer zien. Het dier was verdwenen of zijn schutkleur werkte doeltreffend.

Wanneer men zich in een situatie als de mijne bevindt, kan de kleinste tegenslag een ramp worden. Ik vloog van de stoel naar mijn bed. Ziedend van woede pakte ik mijn waterkaraf met de bedoeling die naar het raam te smijten, zonder dat het lawaai dat ik zou maken of het lot van de ruit me een steek schelen konden. En toen opeens besefte ik hoe absurd het was om kwaad te worden. Als wapen heeft dat immers alleen zin als degene op wie je boos bent fysiek aanwezig is.

Wie kon er hier op mijn woede reageren? Het behang? De muren? De enige quasi-mens in de kamer, voor altijd gevangen in zijn goedkope houten lijst, was *De lachende cavalier*. We keken elkaar aan. Hij bleef lachen. Ik lachte ook en mijn driftbui liep weg als heet water door een vergiet.

Die ochtend had ik schoon linnengoed gekregen, en terwijl ik op mijn kussens lag werd ik me bewust van de geur van de lavendelzakjes die moeder altijd in de droogkast hing. Het was vertroostend en prettig.

Ik zag mijn kamer alsof ze nieuw voor me was. Aan het plafond zag ik pleisterschilfers als boterkrullen hangen, de verschoten maar nog steeds vrolijke tuiltjes vergeet-mij-nietjes op het behang dat ik uitgekozen had, de subtiele kleuren in het oosterse tapijt op de vloer, mijn blauwfluwelen poef met de zijden kwasten, mijn tafel en stoel, mijn schrijfbehoeften en mijn borduurraam met zijn weelde aan kleurige draden, de vuurrode das die ik aan het breien was als een toekomstig kerstcadeau voor een vooralsnog niet bepaalde ontvanger.

Mijn vogelboeken, atlassen en woordenboeken stonden rechtop te wachten in het boekenrek. Eronder, het sierlijke ijzeren voeteneind van mijn ledikant en iets verderop de sierrand van delftsblauwe tegels rond de kachel.

Daar had je mijn olielamp; die toverlantaarn waarmee ik schaduwen op de muur kon werpen van kangoeroes, olifanten, konijntjes en zelfs van heren met hoge hoeden, door wanneer het mij beliefde urenlang mijn vingers te draaien en te krommen om ze te laten doen wat ík wilde.

Ik bracht het zelfs op om de kundigheid te waarderen waarmee er een stuk uit het massief eiken van mijn deur was gehaald om er een keurig, aan de buitenkant vergrendeld, doorgeefluik van te maken. Een keer, vrij in het begin, had ik de impuls gevoeld om het luik uit zijn scharnier te werken en me erdoorheen te wurmen. Ik probeerde het zelfs, maar het maakte te veel lawaai en hoewel ik me ver van de rest van het huis bevond, wist ik dat ze me toch zouden horen. Ook bleek de grendel erg sterk. Ze hadden niets over het hoofd gezien.

Die dag van mijn verlossing keek ik ook goed naar de andere afbeeldingen die ze me hadden toegestaan. Boven en achter me sloeg een stel jonge cyperse katjes naar veelkleurige katoenklossen. Op de muur naast de deur hing een prent van een herfstbos, en in zijn hoekje naast de schoorsteenmantel glimlachte, tussen beschermend gespreide vleugels de pastelkleurige beschermengel als een ietwat getikte oom. Dit was een cadeautje van juffie geweest.

Ik voelde me onthecht, Violet die boven Violets aardse lichaam zweefde.

Toen hoorde ik het. Ik zweer het. Zo duidelijk als het ruisen van de zee op het kiezelstrand onderaan het klif, hoorde ik gefluister: 'Berust nu, Violet Shine…'

Maar buiten betrok de lucht abrupt en alles werd zoals het daarvoor was geweest. Ik lag op mijn bed, in mijn oren het geluid van hagel die de tralies voor het raam geselde, en de enige beelden in de toren waren de reproducties en prenten die ik hierboven beschreef.

Het alarmeerde me niet dat mijn geest zulke kunstjes met me uithaalde. Daar was ik aan gewend. Soms, wanneer ik niet kon slapen, hoorde ik het behang ritselen om de aanzet te geven tot een gedachtenwisseling met de vloerplanken die een antwoord terugkraakten. Soms sprak ik hardop tegen deze levenloze objecten, uitsluitend om te bewijzen dat ik nog een stem had. (Soms hoorde ik zelfs antwoorden. In deze eenentwintigste eeuw zou ik het interessant vinden om iemand anders te ontmoeten die tientallen jaren 'eenzame opsluiting' heeft gehad. Ik zou graag van gedachten willen wisselen over deze geestelijke afdwalingen en wanen.)

Maar er zat veel zinnigs in dit laatste voorval. Waarom berust je nu niet, Violet Shine?

Inderdaad, waarom niet?

Uiteindelijk was ik niet het slechtst af in de wereld, of zelfs in Ierland. Ik had voldoende eten, licht en comfort. Niemand onderdrukte mijn gedachten of toomde mijn fantasie in. Aan mijn behoeften werd in alle opzichten tegemoet gekomen, behalve aan één: ik kon niet weg.

Het idee bevrijd te zijn van het niet-aflatend tobben was aanlokkelijk. Een ding stond vast: het ergste was gebeurd. Ik had geen zeggenschap over de toekomst en het had geen enkele zin meer om wrok te koesteren over het verleden.

Mijn waarnemingsvermogen gescherpt door de geuren van lavendel en de carbolzeep die moeder gebruikte op haar wasbord, voelde ik dat iets dat daarvoor keihard was begon mee te geven. Ik was zo vrij als ik zelf wilde zijn, en ook al hadden zij de strijd gewonnen, de oorlog had ik gewonnen.

Nerveus maar opgevrolijkt, sprong ik van het bed en stapte weer op mijn stoel om door de tralies en de schuin invallende hagel heen te kijken naar buitelende drieteenmeeuwen, naar vermetele waterspreeuwen en eenden die de donkergrijze deining moedig trotseerden, naar het van zeehonden zwangere zeewater.

2 ❦ Het lied van de wilde zwaan

Uw buren in Cruskeen Lawns: wilde zwanen, rotganzen, schuwe vossen en zilvervisjes – jakkiebah.

Concentreer je, Claudine!

Is een zilvervisje eigenlijk niet zoiets als een kever of een oorwurm? Nou, in Cruskeen Lawns geen gebrek aan dieren in het wild. Van het knagende soort dan. De laatste keer dat ik op het bouwterrein was, was daar niets anders te zien dan een modderlaag van wel anderhalve meter en niets anders te horen dan de pompen die miljarden poepbruine liters naar het estuarium afvoerden. Geen wonder dat ik zo bezig ben met vogels en andere vliegende beestjes. Ik wil dat die arme sloebers naar de lucht blijven kijken.

Verdikkeme, daar gaat mijn mobieltje. 'Hallo? O, dag Tom, ik zit te werken aan de brochure voor de Lawns. Wat is er?'

De daaropvolgende drie minuten krijg ik er geen woord tussen. Mijn baas, Tommy O'Hare, wil dat ik ga kijken naar een oud pand waarvan hij denkt dat het binnenkort op de markt komt. 'Als ik er zelf heen ga, maak ik de concurrentie wakker. Maar niemand zal er iets van denken als jij daar rondloopt.'

Ik voel mijn gezicht en mijn nek warm worden. Bedankt Tommy, denk ik, je wordt hartelijk bedankt dat je me zo hoog aanslaat. Uiteindelijk werk ik pas ruim tien jaar in deze branche…

Het pand blijkt Whitecliff te heten en mijn aandacht is gewekt. 'Ik ken dat huis. Maar het is vervallen. Waar heb je gehoord dat het in de verkoop gaat?'

'Ik heb zo mijn bronnen.'

'Het staat al jaren leeg, binnen is het vast een grote troep. En gaat er niet een verhaal…'

'Vergeet de verhalen. Vergeet het huis, meid. Er hoort zo'n tien hectare grond bij.'

Ik kan hem bijna horen kwijlen. Tien hectare aan de kust in North County Dublin is de droom van iedere projectontwikkelaar. Dichter bij Dublin dan Cruskeen Lawns? 'Wie is de eigenaar?'

'Dat is me niet helemaal duidelijk, maar ik moet dat kunnen achterhalen via het kadaster. Naar ik heb opgevangen, is het een ouwe vent of een oud wijffie in West-Ierland. Maar nu vind ik het belangrijk dat jij, zodra je klaar bent met de schrijverij, daarheen gaat en goed rondneust om te zien hoe de zaak ervoor staat. Je weet toch waar ikzelf naar zou kijken?'

'Ik denk zo dat ik in deze fase van mijn carrière…'

'Je bent een kanjer. Jij gaat je gang wel, hè? Geef me een belletje zodra je er geweest bent. Akkoord? Met dit ding zouden we het kunnen gaan maken.' Hij raakt weer op toeren.

Tommy O'Hare komt oorspronkelijk uit Dublin-stad, waar zijn ouders een kruidenierswinkeltje dreven in Camden Street. Hij is plat blijven praten, niet alleen omdat hij trots is op zijn afkomst, maar ook omdat hij gelooft dat een Dublins accent vertrouwen wekt bij klanten. ('Een echte, Claudie, zoals me ma en me pa. Niet zo'n modieus, half-Californisch type.') Hij is ongehuwd omdat, zoals ik hem altijd zeg, een vrouw wel gek zou wezen om aan hem te beginnen.

In een branche die door nationale of regionale groepen en zelfs multinationals wordt gedomineerd, is hij die vrije jongen: een zelfstandig ondernemer, die dat ook zo wil houden. Niettemin heeft hij altijd een groter deel van de koek willen hebben. O'Hare Property Consultants, ohpc, heeft een abonnement op de internetbijbel voor kopers en verkopers, myhome.ie. Maar met de overspannen onroerendgoedmarkt van Dublin krijgen we allemaal duizenden bezoekers op die website, dus is ons bedrijf hoofdzakelijk afhankelijk van mond-tot-mondreclame en advertenties in regionale bladen. We bemachtigden het Cruskeen Lawnsproject omdat Tommy op school zat met een van de belangrijkste spelers in Greenparks, het consortium dat het project tot ontwikkeling brengt. Het is verreweg het grootste wat we ooit hebben ondernomen. En al zijn de percentages niet om te ver-

smaden, toch zullen wij niet het grote geld maken dat de projectontwikkelaars gaan binnenharken. Dus mocht het ons lukken Whitecliff
onder de neus van de grote jongens weg te kapen, dan zou dit het begin van betere tijden kunnen zijn. Op dit moment hebben we zelfs
geen winkelpui of kantoor; allebei werken we voornamelijk vanuit
huis.

'Weet je, Claudie,' praat hij maar door, 'als dit ons lukt, afhankelijk
van de staat van het hoofdgebouw, zouden we zelfs zo'n luxe-hotel-
ding kunnen opzetten, met satellietbungalows waar mensen zelf kunnen koken, en dan zetten we er een goede landschapsarchitect op.
We zouden een fortuin verdienen. Hé, en we zouden er een golfbaan
bij kunnen doen. Dus, meid, als je er toch mee bezig bent, vraag dan
meteen even na bij monumentenzorg of het huis op hun lijst staat of
iets dergelijks.'

Ik ben niet langer geïrriteerd. Tommy is een absolute opportunist,
maar hij is mijn absolute opportunist. Hij heeft politieke ambities,
onze Tommy. Hij is lid van de regionale *cumann* van Fianna Fáil, gaat
naar iedere begrafenis binnen een actieradius van dertig kilometer van
het kantoor. Hij is ook een zacht ei, laat het percentage van OHPC
zakken als hij te maken heeft met huilerige mensen die hun eerste
huis kopen. 'Ik zal erheen gaan, maar eerst moet die brochure af en
om halftwee heb ik kijkers voor het huisje in Rush.'

'Laat jij die bezichtiging schieten. Die neem ik wel voor mijn rekening. Zodra jij dat Greenparksding eruit hebt ter lezing, dan jakker je
naar Whitecliff. Onthoud dat ik om halfzeven een cumannvergade-
ring heb, dus bel me daarvoor.'

'Begrepen, Tommy.'

'Sorry, sorry, sorry. Moet me haasten, dag!'

'Wil je niet weten hoe de kijker voor Rush heet?' Hij moet ontzettend opgewonden zijn over Whitecliff, als hij de naam van een potentiële klant vergeet te vragen.

'O, shit! Ja.' Ik hoor het geritsel van een krant. Hij maakt aantekeningen voor zichzelf in de marges, op papieren zakdoekjes, op alles
wat voorhanden is, zijn mouw incluis. 'Geef op!'

Wanneer hij eindelijk heeft opgehangen, zucht ik en richt me
weer op mijn tekst. Hoe laat je twaalf blokken flats, duplexwoningen
en zogeheten 'herenhuizen' begerenswaardig en romantisch klinken?
Althans, anders dan de tienduizenden identieke huizen die er mo-

menteel op de markt zijn. Haaks op Cruskeen Lawns bijvoorbeeld is er nog een aan ons estuarium grenzende lap drassig terrein vol kranen en graafmachines, waar druk wordt gewerkt aan het leggen van de funderingen voor een concurrerend project van ongeveer dezelfde dichtheid, dat NorthWater Plains moet gaan heten.

Goed, daar gaan we weer. 'Vlieg even vrij als de zeevogels bij Cruskeen Lawns…' Dat is niks. Daar gaan de klanten alleen maar van denken aan de hypotheek die als een aambeeld om hun nek hangt…

'Bent u de uitlaatgassen beu, die u inademt zodra u uw voordeur opendoet? Heeft u het gehad met dagelijks twee, drie uur forenzen? Waarom niet wakker worden van het lied van de wilde zwaan en 's avonds niets anders horen dan het roepen van de zeevogels en het gekwetter van neergestreken spreeuwen, terwijl de gouden zon weg-zakt achter de roze westelijke horizon? Er is ruimte om te ademen in en buiten deze groter dan gemiddelde appartementen…'

Hmm… Misschien was dit iets… Maar zingen wilde zwanen? En die westelijke horizon… Waar anders zou die rotzon moeten zakken? Bovendien ligt het project naar het oosten gericht. En 'groter dan ge-middelde appartementen'?

Soms wanneer ik bezichtigingen heb, wilde ik wel dat ik de moed bezat om een meetlint in de handen te stoppen van de arme dwazen die zo tuk zijn op kopen dat ze niet zien dat, in sommige gevallen, het meubilair op maat is gemaakt, kleiner om de kamers groter te laten lij-ken. Geconfronteerd met al die hoop, voel ik me dan zo'n schoft. Die glanzende ogen en die stiekeme knuffels wanneer ze denken dat ik niet kijk…

En waarom zit ik die onzin eigenlijk te schrijven? Ik ben eenen-veertig, met een cum laude in Engels. Ik wou dat Tommy inging op mijn voorstel om dit gedeelte van mijn baan uit te besteden aan een pr- of een marketingbedrijf, maar dat zou de marges nog kleiner ma-ken. 'Jij bent geweldig met woorden, Claudine. Een fantastische woordensmid. Ik daarentegen krijg al een hartaanval als ik een een-voudig briefje moet schrijven…' Zijn vleierij begint doorzichtig te worden.

Mistroostig bekijk ik mijn poging om reclametekst te schrijven. Wat zou ik moeten gaan doen als ik uit de makelaardij stapte? Lesge-ven wil ik niet. Daarvoor zou mijn *bachelors*, cum laude of niet, trou-wens niet voldoende zijn. Ik zou dan terug moeten naar de universiteit en doorstuderen. Doe mij een lol. Mijn computervaardigheden zijn maar zo-zo. Ik weet wat ik moet weten en daar houdt mijn interesse erin op. Geen kantoorbaan dus, in elk geval niets wat meer vergt dan wat ik voor OHPC doe. En Bob zou een toeval krijgen als ik het idee opperde om in een broodjeszaak of een kranten- en tijdschriftenwinkel te gaan werken. Ik zou het lekker vinden, een niet-veeleisend baantje waar ik de hele dag kon kletsen en regelen. Ik kan goed organiseren, denk ik. Hoe zou dat bij De Jongens vallen?

'Hoe gaat het met het vrouwtje, Strongy?' We heten Armstrong.

'Tja, ze is in de... eh... detailhandel gegaan...'

'Je bedoelt dat ze een winkel gaat beginnen? Gefeliciteerd, Strongy!'

Allemachtig, Claudine, schrijf die tekst nou gewoon. En wat zou pappie zeggen als hij je 's ochtends om halftwaalf nog steeds in je ochtendjas zag zitten? Zelf zag hij er altijd uit om door een ringetje te halen. En hij had er een hekel aan om na acht uur iemand in zijn gezin, Pamela incluis, minder dan helemaal gekleed en klaar voor de dag te zien.

3 ♥ Lussen

Greenparks en Cruskeen kunnen even wachten. Wanneer ik aangekleed ben en klaar om te vertrekken, fax ik mijn wervende tekst en wacht niet op een reactie.

Het is een heerlijke dag en ik ga er vast van genieten om buiten in de frisse lucht voor detective te spelen. De staat waarin Whitecliff eventueel verkeert doet er niet zo toe, het ligt op een schitterende locatie. Het is wat we noemen een toplocatie en voor de verandering is deze omschrijving correct. Maar bij het horen van de naam had ik mijn oren niet gespitst omdat ik er binnen de vastgoedwereld van tijd tot tijd over had horen praten, noch omdat ik het object van een afstand had gezien, maar omdat ik nieuwsgierig ben naar dat huis.

Ik heb zo'n rommelig geheugen dat belangrijke dingen vergeet maar vreemde, soms triviale details opslaat uit een toevallig gesprek. En Whitecliff was jaren geleden op een zondagochtend ter sprake gekomen, toen pappie, Pamela en ik aan een 'verwenontbijt' zaten in de Royal Marine in Dun Laoghaire. Op zaterdagen en zondagen ontbijten in luxueuze hotels was iets wat we vaak deden. Pappie vond dat hij voor de zaak in het openbaar gezien moest worden ('Je weet nooit wanneer een vriendelijke begroeting uiteindelijk tot een verkoop leidt, kindje!'), maar sociabel van aard als hij was, genoot hij er ook van.

Ik was vijftien of zestien, denk ik, maar in elk geval een tiener, en dat ontbijt moet zo aan het eind van de jaren zeventig geweest zijn. Ik besteedde niet veel aandacht aan het gesprek, maar was bij de les toen ik pappie en Pamela een discussie hoorde oppakken die al maanden doorsudderde bij ons thuis.

Op dat moment woonden we in Glenageary, maar er was al een poos sprake van naar iets beters verhuizen; Pamela had nooit van ons huis gehouden. 'Er is helemaal niets mis met de noordkant, Christy,' had ze die ochtend gezegd; mascara flitste over de babyblauwe ogen, de blonde paardenstaart zwiepte heen en weer. 'Daar staan een paar echt prachtige huizen. Bijvoorbeeld...' Ze gooide haar mes en vork neer, rommelde onder de tafel en trok een vel papier uit haar handtas. 'Wat vind je van dit huis, Whitecliff? Het klinkt perfect voor ons, prachtig uitzicht op zee, enorme woonvertrekken – stel je de feesten eens voor die we daar kunnen houden, schat – zelfs kamers op zolder. Het staat al een tijdje leeg en het moet allicht gerenoveerd worden, maar dat zal toch zeker geen probleem zijn? Er liggen lappen en lappen grond omheen. Jij zou naar hartenlust garages kunnen bijbouwen voor je oldtimers...' Ze stopte. In haar enthousiasme was pappies reactie haar ontgaan. Mij niet.

'Ben je uitgepraat?' Hij raakte geïrriteerd.

'Christy...'

'Geen sprake van. Discussie gesloten.' Hij keek mij aan en glimlachte. 'Alles naar je zin, kindje? Smaakt het?'

'Verrukkelijk, pappie. Het is heerlijk. En ik ben het met je eens, pappie. Ik wil absoluut niet naar de noordkant verhuizen. Maar als we dan toch moeten verhuizen, zou Sandycove leuk zijn, vind je niet?' Ik schonk hem een *Colgate*-glimlach en toen hij zich weer aan zijn roereieren wijdde, liet ik het wattage dalen tot een zoet lachje naar Pamela.

Ja, ik was een hatelijk, verwend loeder. Maar, en nu druk ik het zacht uit, Pamela en ik konden niet met elkaar opschieten. Het moet gezegd dat ik haar nooit een kans heb gegeven en hoewel ik mezelf ervan overtuigd had dat ze met pappie getrouwd was om zijn geld, kwam het er eigenlijk op neer dat ik haar niet kon vergeven dat ze me dwong mijn vader met haar te delen. Vanaf de allereerste dag besloot ik dat ik haar geen kans zou geven en ik ben nooit afgeweken van die plechtige belofte aan mezelf. (Geloof maar niet dat kinderen van vier dergelijke beslissingen niet kunnen nemen. Ik ben er het levende bewijs van dat ze dat kunnen.) Pappie had zo'n betoverd, geïsoleerd fort opgetrokken rond ons tweetjes, dat toen zij een bres sloeg in de verdedigingswerken, ik de rest van zijn leven heb geprobeerd om haar eruit te trappen en de gaten te dichten.

Pamela kwam in mijn leven op mijn vierde verjaardag. 'Zeg schattebout, hoe zou je het vinden om naar het circus te gaan met pappie en met pappies vriendin?' Zo jong als ik was voelde ik meteen aan dat dit een valstrik was en ik voelde me er beledigd door met een hartstocht zo diep dat ik het me nog steeds herinner. Erger nog, drie maanden later trouwde ze met hem op Barbados, met als getuigen alleen mij en twee personeelsleden van het hotel. Ondanks lokkertjes als 'een heerlijke vakantie' en een minibruidsjurk compleet met sluier en boeketje, was ik een stuurs bruidsmeisje.

Ik sloeg de Whitecliff-aanvaring op met de bedoeling hem te vragen wat het probleem was, maar in de paar daarop volgende dagen had ik hem nooit voor mij alleen en daarna was het een poos uit mijn gedachten. Daarna, het zal een maand of twee later geweest zijn, deelde hij mee, met haar aan zijn zijde, dat we zouden gaan verhuizen naar 'een fantastisch huis in Sandycove, twee keer zo groot als dit, Claudine, en pal aan zee. Je zult het geweldig vinden. Je vriendinnen zullen je benijden.'

Weer wat later bracht ik zijn rare reactie op het andere huis ter sprake, maar hij deed alsof hij me niet begreep. ('Wat voor reactie? Geen idee waarover je het hebt, kindje!') Wat mij in mijn overtuiging sterkte dat hij dat huis kende. Inmiddels hadden we ons geïnstalleerd in Sandycove en zodoende parkeerde ik mijn vragen en vergat ze vervolgens, tot ik in de makelaardij ging werken en over het huis hoorde praten. Maar toen was hij er niet meer om antwoord te geven op mijn vragen.

Makelaars praten over weinig anders dan over onroerend goed en van tijd tot tijd hoorde ik Whitecliff speculatief noemen als begerenswaardig object, erg geschikt om ontwikkeld te worden, zij het nooit als reële mogelijkheid en doorgaans in één adem met lugubere praatjes: de vrouw des huizes daar was krankzinnig geworden en werd opgesloten in een gesticht, ze vervloekte het huis, er waarden boze geesten rond in het huis en die moesten worden uitgedreven door de kerkelijke autoriteiten voordat er iemand in kon wonen.

Nee, ze werd niet krankzinnig, ze was niet opgesloten in een gesticht en bovendien was het niet de vrouw des huizes, het was de dochter, die had zelfmoord gepleegd en bij volle maan kun je daar 's nachts een vrouw horen schreeuwen. Ik had zelfs gehoord dat de ogenschijnlijk achtenswaardige familie, kooplieden in Rathlinney, een dorp in North County Dublin, bij een sekte zat. Dergelijke praat hoorde ik van goed opgeleide mannen van middelbare leeftijd, en ze vertelden dit in alle ernst. Een van hen vertelde me vanachter zijn biertje en zijn bril met schildpadmontuur dat er, naar zijn idee, in Whitecliff een vrouwelijke geest rondspookte, een aanzegster des doods.

De geruchten hebben pappie misschien afgeschrokken, maar aan de andere kant was de autohandel indertijd minder moordend en gesegmenteerd als nu en hij beleefde het hoogtepunt van zijn succes. Het was mogelijk, zelfs waarschijnlijk, dat hij auto's had verkocht aan de kooplieden van Whitecliff: hij deed zaken met de rijken en zijn reputatie strekte zich niet alleen uit tot in de stad maar ook naar heel Leinster. Misschien had hij een slechte ervaring met ze gehad.

Het is interessant dat Tommy denkt dat Whitecliff nu op de markt komt. Als het verkocht was toen Pamela al die jaren geleden met de brochure naar pappie wapperde, hadden de nieuwe eigenaars weinig met het object gedaan gedurende hun verblijf daar. De laatste keer dat ik die kant uit ging, kon ik zien dat het land half verstopt lag onder een wildernis van massa's braamstruiken, varens en doornstruiken. Klimop en buddleja waren begonnen bezit te nemen van het huis – dat immense huis – en wel in die mate dat onmogelijk te zeggen viel in welke staat het verkeerde, zeker niet op de afstand van waaraf ik het kon zien, op het strand eronder.

Terwijl ik voortzoef naar de kust brengen deze overpeinzingen me regelrecht terug naar pappie.

Ik adoreerde mijn vader, er is geen ander woord voor. Nog altijd kan ik, naast mijn verdriet om zijn dood, razend op hem worden omdat hij me in de steek liet, niet alleen emotioneel maar ook feitelijk. Hij stierf plotseling en in de afschuwelijke dagen en weken die volgden bleek dat hij doende was geweest om zijn testament te veranderen (Dat had hij me zelfs verteld: 'Beter laat dan nooit, hè, kindje? Ik heb het er gewoon te druk voor gehad en trouwens, wie gaat er op korte termijn dood? Ik niet!'), maar dat hij het nieuwe document voltooid noch ondertekend had. In het enige geldige testament, dat vele jaren daarvoor was opgesteld, liet hij alles na aan zijn 'geliefde echtgenote'.

Gek van verdriet en woede op hem, op Pamela en op de hele wereld, sleepte ik haar voor het gerecht om wat ik als mijn rechtmatig deel beschouwde toegekend te krijgen. Hierin slaagde ik maar gedeeltelijk. Pamela was de echtgenote van mijn vader geweest, ik was eenentwintig jaar en de rechter bepaalde dat ik een goede opleiding had genoten en dat er tijdens pappies leven goed voor me gezorgd was. Wel was hij van oordeel dat ik in staat gesteld moest worden om een huis voor mezelf te kopen, dat voldeed aan de 'standaarden' waaraan mijn vader me had gewend. Ook beval de rechter dat de proceskosten van beide partijen betaald dienden te worden uit de nalatenschap, dus ik – wraakgierig tot op het bot – had er wel voor gezorgd dat het niet allemaal naar haar toe ging.

Dit klinkt allemaal cru, ik weet het, maar zo en niet anders is het gebeurd en dat kan ik niet ongedaan maken. Ik weet ook dat ik deze manier van denken al lang ontgroeid zou moeten zijn, maar al vormt Pamela geen permanente onderhuidse irritatie meer voor me, toch is het helaas zo dat als iemand haar naam laat vallen de antipathie weer opvlamt. Ik schijn haar nodig te hebben als pispaal, als stootzak ter verlichting van de frustratie en het verlies die ik nog steeds ervaar. En hoe ik mezelf ook aanspoor om 'het los te laten' of 'niet zo zwaar aan haar te tillen' et cetera, et cetera, het is me tot nu toe niet gelukt. Maar dat gaat gebeuren. Spoedig. Echt waar. In zekere zin maak ik al vorderingen, want inmiddels lukt het me om beschaamd te erkennen dat ik haar tot zondebok heb gemaakt, en in het holst van de nacht durf ik ook te bekennen dat wat betreft het testament, ik degene was die de confrontatie zocht. Was ik minder halsstarrig geweest, dan hadden Pamela en ik waarschijnlijk best tot een schikking kunnen komen.

Maar het moet ook gezegd worden dat mijn vermoedens over haar belust zijn op geld terecht leken te zijn, want binnen een jaar na pappies dood had ze zowel het automobielbedrijf als het huis in Sandycove verkocht en was ze verhuisd naar Miami. Hiervan werd ik op de hoogte gesteld in een brief die ze stuurde. Ze deed Bob en mij de beste wensen toekomen plus een cheque van vijfduizend dollar. Ik gooide het briefje en de cheque in de vuilnisbak, maar Bob haalde ze eruit met het argument dat we de cheque goed konden gebruiken. 'Het is gewetensgeld, Bob!' protesteerde ik. 'Vijfduizend dollar? Uit een nalatenschap die miljoenen heeft opgeleverd?'

'Gewetensgeld of niet, Claudine,' zei hij, 'we staan rood.' Ik moest me gewonnen geven. Al hadden we het huis voor niets gekregen, het onderhoud en onze rekeningen moesten we toch echt zelf ophoesten, en indertijd waren we behoorlijk blut. Pamela nooit voor haar cadeau bedanken was daarom (schandalig) mijn enige manier geweest het haar betaald te zetten.

Wanneer ik terugdenk aan de jaren onmiddellijk volgend op pappies dood, kan ik die alleen maar beschrijven in termen van de afbeelding in mijn kinderbijbel, waarop Lucifer de opperaartsengel vanuit een bucolische omgeving van licht en glorie neervalt in een door vlammen verlichte, kolkende massa van duisternis en gegil. Toen pappie stierf, was ik die engel. Overdramatisch misschien, maar dat was echt hoe het voelde.

Men zegt dat je de eerste twee jaar na het verlies van een dierbare nooit grote beslissingen moet nemen, maar getormenteerd als ik was werd ik gegrepen door het malle idee dat ik moest wegbreken van mijn vorige leven en een frisse start moest maken. Ik besloot Dublin te verlaten en vond, de 'woonstandaarden' van de rechter op mijn eigen manier interpreterend, al snel een riant, split level huis met op de benedenverdieping een woon- en eetkamer, keuken en twee slaapkamers met badkamer en boven een grote slaapkamer met badkamer, een gezinsbadkamer en nog twee slaapkamers. Het was gebouwd als het woonhuis bij een voormalige stoeterij, waarvan de grond in afzonderlijke percelen verkocht was. Het lag op een steile helling in de landelijke omgeving tussen Garristown in North County Dublin en Ardcath in County Meath. Vanuit de voortuin hebben we uitzicht over vruchtbaar heuvelland dat zich uitstrekt tot de zee, een platina schittering achter de kranen van de haven van Drogheda. En op een heldere dag als vandaag wordt het uitzicht omlijst door de Mountains of Mourne en de heuvels van het Cooley Peninsula. Zodra de eigendomsoverdracht rond was trouwden Bob en ik in stilte en trokken we in het huis. Gedurende een poosje probeerde ik mezelf te helen door enorm actief te zijn, een thuis voor ons te scheppen en het onmiskenbare genot van seks te ontdekken. Terwijl Bob en ik de kneepjes van de kunst leerden, lieten we ons bed zingen en voor mij verdrong dat de pijn.

Terwijl ik met grote vaart over het viaduct over het Malahide-estuarium rijd, zie ik niet alleen de drukke zwermen vogels die wij als verkooplokkertje exploiteren, 'onze' kranen in Cruskeen Lawns en de 'hunne' in NorthWater Plains, maar achter het silhouet van de appartementen in Malahide Marina zie ik ook de wijde open zee. Als ik denk aan pappies leven na de dood, zie ik gek genoeg altijd het beeld voor me van hem en mijn moeder die vliegen en loopings maken door de lucht boven zee. Een zee. Om het even welke zee...

Ik moet de auto stoppen. Want na heel deze introspectie heb ik het weer, dat plotseling opwellende verdriet. Ruim twee decennia na pappies dood kan het me nog steeds overvallen. Mijn zicht vertroebelt. Ik doe mijn richtingaanwijzer aan en stop op de vluchtstrook om weer tot bedaren te komen.

De laatste tijd heb ik gemerkt dat deze aanvallen tweesnijdend zijn: terwijl ik om hem rouw, gaan mijn gevoelens ook uit naar haar, de moeder die, pas veertig jaar oud, stierf tijdens mijn geboorte. Het is vreemd om te bedenken dat ze, als ze was blijven leven, nu een oude vrouw van eenentachtig zou zijn geweest. Als ik aan haar denk, denk ik aan haar zoals ze was op haar zwartwittrouwfoto, vrolijk en lachend, in haar jaren-veertigmantelpakje en met haar kleine ronde hoedje op.

Nu wilde ik wel dat ik meer over haar en haar familie wist. Pappie, die onmiskenbaar van haar gehouden had, was hieromtrent echter nooit mededeelzaam geweest, ook niet toen ik ouder werd. Hij liet het bij het beantwoorden van mijn kinderlijke vragen over hoe ze eruitzag en hoe ze rook en hij verzekerde me dat ze vanuit de hemel van me hield. Hij heeft vast zijn redenen gehad voor zijn zwijgzaamheid en ik kan hier alleen maar naar raden. Wellicht had het te maken met zijn eigen verdriet en dat hij hertrouwde met Pamela die, naar mijn idee, waarschijnlijk jaloers was dat hij iemand anders dan haar parmantige persoontje had liefgehad. (Houd in gedachten dat mijn ideeën in dezen behoorlijk dubieus zijn!)

Pappie was heel wat ouder geweest dan mijn moeder, en terwijl hij nog enkele over het land verspreid wonende nichten en neven had, die we nooit zagen, was iedereen van haar familie overleden, zei hij. Hij kon nog een stapel korrelige, oude foto's laten zien van zijn kant, maar hij had er geen van haar kant. 'Ze bracht niets van die dingen mee, kindje, alleen die kiekjes uit haar studietijd, die ik je heb laten zien.'

Hij bleef volhouden dat ik op haar leek en als jonge tiener bestudeerde ik, in een poging om de gelijkenis zelf te zien, bij vlagen de aanwezige kiekjes van hun huwelijksreis in Zuid-Frankrijk en de slechts vier uit haar studietijd. Een daarvan moest op een feest zijn genomen, want er staan heel veel mensen op de achtergrond. Ze amuseerde zich duidelijk geweldig, afgaand op hoe ze uitdagend glimlachend over haar schouder in de camera kijkt. Toch zag ik, afgezien van haar en lichaamslengte, weinig van mezelf in haar.

Ze trouwden in Parijs. 'We vroegen een kelner en een serveerster uit het café waar we die ochtend ontbeten om onze getuigen te zijn, kindje. We moesten het hun met gebarentaal duidelijk maken, want ze spraken geen Engels. Zo grappig!' En achteraf gezien denk ik, door iets wat hij zich liet ontvallen, dat de familie van mijn moeder het huwelijk niet goedkeurde. 'Ze zouden toch niet naar de bruiloft gekomen zijn, ook al hadden we die hier gehouden. Ik denk niet dat ze me mochten.'

'Waarom niet, pappie?' Ik was verontwaardigd bij het idee dat iemand mijn geweldige vader niet gemogen zou hebben.

'Ze vonden me te oud voor haar, dat weet ik. Maar soms gedragen volwassenen zich dom zonder dat hier aanleiding toe is.'

Dus ik danste mijn eerste eenentwintig jaar door, terwijl hij me verafgoodde en vader en moeder tegelijk voor me was. Ik had aan hem genoeg en, als ik eerlijk ben, was ik eigenlijk niet zo in haar geïnteresseerd. Tot het te laat was. Toen ik ouder werd nam ik me echter van tijd tot tijd halfslachtig voor om onderzoek naar haar te gaan doen. Pappie had bijvoorbeeld verteld dat haar familie een boerderij had gehad, dus de boerenorganisaties zouden een goed aanknopingspunt zijn geweest. En ik had moeiteloos een kopie van haar geboortebewijs kunnen krijgen. Maar op de een of andere manier had ik het altijd te druk met andere dingen en het ontbrak me aan de inzet om het aan te pakken. Misschien is dit er het jaar voor om te beginnen, denk ik nu, terwijl ik in het handschoenenvakje naar papieren zakdoekjes zoek.

Dat ik haar de laatste tijd mis is verwarrend voor me en feitelijk kan ik het niet eens onder woorden brengen, want ik heb immers weinig idee van wie of wat ze was. Ik heb alleen een heel vaag benul van wat ik mis. Ik heb haar trouw- en verlovingsring en een gouden halsketting, die ik allemaal continu draag, maar dat is het dan wel. Een vest, een paar schoenen of een handtas zouden geholpen hebben om me met haar te identificeren, maar Pamela was grondig geweest en er bevond zich niets persoonlijks van mijn moeder in ons huis. Wat meubelstukken betreft, in de afschuwelijke nasleep van pappies dood nam ik, jong, gekweld en heetgebakerd als ik was, vrijwel niets mee uit Sandycove naar mijn nieuwe huis en mijn nieuwe leven, afgezien van de fotoalbums. Die beslissing betreur ik nu enorm.

Ja, ik ben een wees, denk ik, terwijl ik door mijn overvloedig stromende tranen van zelfmedelijden heen lach. Maar deze keer werkt spot niet om mezelf hiermee te laten ophouden.

De dag waarop pappie stierf, op het feest voor mijn eenentwintigste verjaardag, werd de dag waaraan ik alle andere dagen ben gaan afmeten. Tijdens de uitvaartdienst enkele dagen later, had ik het gevoel alsof ik was gestrand op een zandbank in een snelstromende rivier. Rechts van me stroomde de toekomst naar gevaar en het onbekende. Links van me zoog de maalstroom van het verleden – mijn leven met pappie – aan mijn voeten, erop uit om mijn zwakke greep op het leven te ondermijnen.

Bob, wollig in zijn verkoperspak dat afhing van zijn smalle, jonge schouders, was die dag in de kerk. We hadden afspraakjes met elkaar gehad, maar nu verhoogde ik de inzet. Het is een bekend verhaal. Studentenmeisje leert aantrekkelijke jongste verkoper kennen die bij pappie werkt, flirt, wordt verliefd en kort daarop, wanneer ze een persoonlijke crisis beleeft, smeekt ze hem met haar te trouwen, omdat ze de pijn van het verlies niet aankan. Een echtgenoot, een minnaar vult de leegte, volgens het sprookje. En, zoals ik al zei, gedurende een poosje was dit ook zo, zeker in de slaapkamer.

Af en toe verbeeld ik me dat ik de teleurstelling, dik als smog, zie op het gezicht van mijn man en ik schrijf het toe aan desillusie. Misschien had hij aangenomen dat hij door met mij te trouwen ook met de zaak trouwde. Maar na Pamela's grote uitverkoop was hij gedwongen om een andere baan te zoeken. Hoewel hij nog steeds in de autobranche werkt, is dat als bedrijfsleider en niet als eigenaar. Maar ik moet het hem nageven, hij klaagt nooit en zet gewoon door. Dit jaar is hij behoorlijk opgemonterd omdat zijn bedrijf is verhuisd van de chique maar in verval geraakte locatie in Dublin-stad naar een ultramoderne showroom op de nieuwe autoboulevard bij Airside in Swords. Het complex is grotendeels nog in aanbouw, maar Bobs tent staat er helemaal voltooid te blinken, en het is overwegend aan hem te danken dat zij als een van de eerste dealers van start zijn gegaan. Het is ook dichter bij huis en hij hoeft niet langer met de andere forenzen op dat immense parkeerterrein te zitten dat iedere ochtend rondom Dublin ligt.

De laatste tijd heb ik mezelf er een paar keer op betrapt dat ik me afvraag wat ons bij elkaar houdt. Misschien omdat ik zo huilerig ben valt me nu ineens in dat ik zijn teleurstelling, als dat is wat het is, wellicht verkeerd geïnterpreteerd heb. Misschien geldt die teleurstelling eerder ons huwelijk dan zijn carrière. Weten we van elkaar nog wat we dromen?

Toen ik jong was en een sentimenteel idee had van het huwelijk (uiteraard niet dat van pappie en Pamela!), stelde ik me het voor als twee boten, aaneengebonden om samen een brede rivier, de 'hoop', af te drijven naar een bestemming die 'geluk' heette. Misschien bestaat zoiets helemaal niet. Misschien is er in de stabielste huwelijken sprake van twee boten op twee gescheiden, meanderende rivieren met een eigen stroomsnelheid, die slechts incidenteel samenkomen wanneer ze bij toeval in een rustig meer geraken.

Schei toch uit, Claudine, denk ik, je leest te veel! Beheers je. Dan zal je wees zijn. Het is me wat, op jouw leeftijd! Je bent gezond, in goeden doen, hebt een man die goed de kost verdient en met wie je het heel aardig kunt vinden, een prachtig huis en, ook al is het geen reuzebaan, werk waarbij je niet aan een bureau geketend zit. De helft van de wereldbevolking zou er veel voor geven om zo gelukkig te zijn.

Ik snuit mijn neus, terwijl het verkeer bulderend voorbijschiet met een twinkeling van spiegels en een flits van wieldoppen en niemand zelfs maar een blik op me werpt.

Nou ja, denk ik, zelf zou ik ook niet naar mij kijken, snotterend hoopje tegenstrijdigheden dat ik ben.

4 🍒 Zwaaien naar Matthew

Enkele maanden nadat ik was opgesloten in mijn torenkamer vroeg ik – en kreeg ik – mijn cello. Dat was in februari, vlak voor mijn zeventiende verjaardag. Zoals ik al zei aanvaardde ik in het begin mijn lot niet en een groot deel van de tijd ontkende ik het en was ik verbitterd. En toen, op een ochtend ontwaakte ik met de gedachte dat muziek misschien zou helpen.

Dit is, of beter gezegd was, mijn familie.

Mijn vader was Roderick Shine, die als enig kind Whitecliff en het familiebedrijf erfde van zijn vader. Fiona, mijn moeder, die de bizarre bijnaam 'Fly' droeg, werd geboren in Dundonald, in het noorden van Ierland. Ik heb er geen idee van hoe ze elkaar leerden kennen. Hun persoonlijke aangelegenheden werden nooit besproken in aanwezigheid van ons, kinderen. En het werd ook niet aangemoedigd dat we ernaar vroegen. De grootouders van beide kanten waren al voor mijn geboorte overleden en naar ons weten bezaten we slechts één andere nauwe bloedverwant, oom Samuel, de ongetrouwde broer van mijn moeder. Mijn broer, Samuel junior, was naar hem vernoemd.

Oom Samuel, caféhouder, was mijn peetvader. Wij kinderen zagen uit naar zijn jaarlijkse bezoek aan ons in juli, niet alleen vanwege zijn altijd royale cadeaus maar ook vanwege de opgewekte, vrolijke stemming die hij in ons bedaarde huishouden teweegbracht. Wat zijn persoonlijkheid aangaat had hij niet meer van mijn moeder kunnen verschillen. Beiden waren ze klein van stuk, maar waar zij frêle was en doorgaans uitdrukkingsloos, was hij gezet en rood in het gezicht en bezat hij een bulderend stemgeluid en ogen die verdwenen in de rimpels eromheen wanneer hij lachte. Zijn joviale lach galoppeerde naar buiten op een zadel van bieradem. Zoals later zal blijken, had ik redenen om hem dankbaar te zijn.

Misschien dat onze ouders zeven kinderen namen vanwege dit gebrek aan bloedverwanten.

Mijn oudste zuster was Johanna, die later mijn beste vriendin werd. Na haar kwamen successievelijk Marjorie, Samuel junior, de tweeling James en Thomas, Matthew en ten slotte ikzelf, Violet Jane. Vreemd genoeg werden alle kinderen in januari en februari geboren. Johanna, de tweeling en Matthew in januari. Marjorie, Samuel junior en ik in februari. Volgens juffie kwam dit vast door iets wat in het water van Whitecliff zat!

In 1945, tegen het einde van de oorlog, hadden we drie van mijn vier broers verloren.

Matthew bezweek aan tuberculose toen hij nog maar zes was. Hij stierf op 22 februari 1933. Wij kinderen werden in quarantaine gehouden en zodoende gebeurde het dat ik op mijn vijfde verjaardag, twee dagen later, vanachter een raam toekeek toen zijn doodskist het huis uit werd gedragen.

Het was mijn eerste kennismaking met de dood, voor het eerst dat ik een lijk zag. Ik had geen overleden grootvader of grootmoeder te kussen of te bewenen gehad. Ik had zelfs nog nooit een kip gezien waarvan de nek was omgedraaid of het gegil gehoord van een varken dat werd gekeeld. Een deel van ons land was met groenten bebouwd, we hadden een boomgaard en kassen voor tomaten, maar we hielden geen vee, nog geen kippen voor de eieren. Gelet op ons sobere huishouden lijkt dit misschien vreemd, maar moeder gruwde van vuil en zij vond het onzin om alle bezigheden te moeten verrichten die gepaard gaan met het houden van gevogelte en andere dieren, terwijl wij als belangrijkste handelaars in het dorp van elke leverancier in de wijde omtrek alles tegen kostprijs konden betrekken. We hadden katten, maar dat waren geen huisdieren want ze mochten per se niet binnenkomen. Zelfs als ze buiten in de tuin naar ons toe kwamen, mochten we ze geen melk geven of aaien, want dat zou ze alleen maar aanmoedigen. Moeder tolereerde de katten louter omdat ze muizen en ratten weghielden. Ze moesten zichzelf maar zien te redden op het land en werden daarom zelden gevoerd.

Zoals de meeste kinderen hadden we om een hond gesmeekt, maar ze was keihard: 'Dit gezin heeft geen hond nodig, want dieven zullen in dit huis niets van hun gading vinden.' Een keer overwoog vader om een paard te gaan houden. We hadden immers voldoende weidegrond, zij het dat die verpacht was aan plaatselijke boeren voor hun vee, maar daarvan kon hij een deel terugnemen. We bezaten zelfs een kleine stal met drie boxen, maar ook over het paard sprak moeder haar veto uit.

Dus het was een enorme schok voor me toen arme Matthew stierf en de dagen rond de uitvaart staan me nog zeer helder voor de geest.

Zo kan ik nog tot in detail beschrijven hoe juffie de twee slinger-klokken stilzette, voordat hij vanuit het sanatorium teruggebracht werd naar huis. 'Waarom doe je dat, juffie? Waarom doe je dat?' Jengelend liep ik achter haar aan door de hal, waar ze het staand horloge had stilgezet, de salon in, waar ze de pendule wilde gaan stilzetten. Ze tilde me op en legde haar misvormde wang tegen de mijne. Die was nat, dat herinner ik me nog. 'De komende paar dagen moet jij het al-lerbraafste, liefste deerntje van de wereld zijn, Violet,' zei ze. 'O, got-tegot... je arme, ongelukkige ouders...'

Vader kwam toen binnen en verbaasd zag ik dat hij hele pakken zwarte stof in zijn armen droeg. Juffie droogde haar ogen aan de mouw van haar jurk en ze zette me neer. 'Loop nu maar vlug naar Jo-hanna,' zei ze tegen me. 'Ze is in de keuken en ze geeft je wel een kom melk. En denk erom dat je muisjesstil moet zijn.' Ze nam enkele lappen van vader over en terwijl hij er een over een schilderij hing boven de grote sofa, sleepte zij een stoel naar de schouw, zodat ze de spiegel boven de schoorsteenmantel kon bedekken.

In plaats van naar de keuken te gaan rende ik naar boven, op zoek naar moeder. Achter haar gesloten deur hoorde ik het dreunen van de diepe stilte binnen de nog diepere stilte die als een deken over het huis lag. Ik kan die sfeer opnieuw oproepen, wanneer ik maar wil. Nog steeds kan ik de nerf van het hout voelen en hoe dat warmer werd, toen ik mijn gezicht tegen haar deur drukte.

Beneden was de situatie niet beter. Johanna stond daar met een be-traand gezicht en een stijve, afwerende rug de gootsteen te boenen, alsof die niet al even schoon was als een nieuw porseleinen bord. Ik rende naar haar toe en omklemde haar benen. 'Juffie zegt dat je me een kom melk moet geven,' zei ik snikkend, niet wetend waarom ik verdrietig was.

'Ga aan tafel zitten, Violet,' zei Johanna bits. In plaats van me op te tillen, zoals ik had verwacht, liep ze toen snel naar de provisiekast, waar ze de mousselinen lap van een van de grote witte kannen haalde en melk in een kom schonk. 'Hier,' zei ze, toen ze die op tafel zette.

'Ik heb er geen trek in,' dreinde ik.

'Dan niet.' Ze pakte de kom weg en smeet de inhoud in de gootsteen, waarna ze het schrobben hervatte. Dit gedrag was zo helemaal niets voor Johanna, dat ik ophield met huilen en in mijn borstkas iets kouds en slijmerigs voelde wriemelen. Dit moet mijn eerste bewuste herkenning van angst zijn geweest.

Hoewel Matthew op een doordeweekse dag was gestorven, voelde het als een zondag. Mijn andere broers en zusters waren van school naar huis gehaald. Vader had de zaak in Rathlinney gesloten en juffie had opdracht gekregen om ons onze zondagse kleren te laten aantrekken.

In plaats van met juffie in de keuken te eten, wat we behalve op zondagen altijd deden, moesten we nu naar de eetkamer, waar ze een vuur had aangestoken en de tafel had gedekt voor de lunch. De geur of smaak van een appel doet me nog steeds denken aan het geknetter dat ons sombere zwijgen die middag accentueerde, want we brandden houtblokken van een omgevallen appelboom.

We werden naar onze kamers gestuurd, toen later op die dag de begrafenisondernemer het lijk vanuit het sanatorium naar ons huis overbracht. Ondertussen was Matthews bed naar beneden gedragen, naar de salon, die we zelden gebruikten. Toen ik daar samen met de anderen binnenging omklemde ik juffies hand. Alle sofa's en crapauds waren tegen de muur geschoven en vader zat in een zwart pak onnatuurlijk stil op een rechte stoel naast Matthew, die helemaal in het wit lag: wit nachthemd, wit kussensloop, sneeuwwitte sprei. Het was Matthew niet. Ik staarde vol afgrijzen naar wat hij geworden was: vooruitspringende botten onder strakgespannen grijzig witte huid; een dunne blauwe streep waar zijn lippen hadden horen te zijn; dunne, transparante oogleden, weggezakt in oogkassen zo diep dat ze de ogen van mijn broertje niet hadden kunnen bevatten.

In de tocht flakkerden de vlammen van wat in mijn kinderogen wel honderden witte kaarsen leken, waardoor de was spetterde. Ik voelde hun hitte en mijn serge jurk kriebelde. 's Morgens was het mooi weer geweest, maar dat was omgeslagen. De regen, opgezweept door windstoten, geselde nu de tuindeuren aan de ene kant van de grote kamer, dan weer de erker aan de andere kant, zodat ons gezin, ons huis en arme Matthew gevangen leken in het middelpunt van een cirkel van geweld. 'Je moet hem een kus geven, Violet,' fluisterde juffie in mijn oor. 'Dat hoort een goed christenmens te doen. Wees een grote meid.'

Ik moest er niet aan denken en begon te huilen. Ik strekte mijn armen in de lucht, zodat ze me zou optillen. 'Sst,' zei juffie troostend, terwijl mijn broers en zussen Matthew om de beurt kusten. Thomas en James huilden openlijk. Een hikje was het enige waardoor Samuel junior zich, als de oudste zoon, liet verraden. Johanna en Marjorie waren stil, maar de tranen stroomden langs hun wangen.

Ondertussen had ik mijn hoofd in juffies zachte, dikke nek begraven. Ze rook altijd naar rozen (terugblikkend, neem ik aan dat dit de geur van haar talkpoeder moet zijn geweest). 'Vooruit Violet. Dit hoor je te doen,' fluisterde ze.

'Nee!'

Maar ik was een gehoorzaam kind en ik liet me overreden om hem dan tenminste één keer aan te raken als ik hem niet wilde kussen. Met een hand hield ik me angstvallig vast aan juffies blouse en ik boog voorover om met de andere zijn handen aan te raken die gevouwen op de sprei lagen. Ik schrok, want het waren niet de vingers van mijn broer geweest die ik aanraakte, maar iets dat even scherp en hard was als de klauwen van een poesje.

Was ik daarvoor angstig geweest, nu raakte ik in paniek. Dit was niet het broertje net boven mij, die met een gezonde blos op een bezemsteel stokpaardje met me had gereden door de torenkamer. Ik gilde van angst en juffie moest me uit de kamer verwijderen.

Ik herinner me geen kerkdienst, maar ondanks mijn toen prille leeftijd en dat het zo lang geleden gebeurde heb ik een duidelijke herinnering aan Matthews kleine, afschuwelijke begrafenisstoet, ergens de volgende dag. De bomen stonden vol in het blad onder een hoog aan de hemel staande, felle zon. Ons gazon was al enkele weken niet gemaaid en de glanzende toppen van de grashalmen golfden in de zachte wind.

Moeder had beslist dat geen van de kinderen zou meegaan naar het kerkhof en zodoende bestond de rouwstoet uit slechts drie voertuigen: de lijkwagen met zijn glinsterende zilveren franje, de oude zwarte auto van onze priester, en die van vader, detonerend geel. Moeder zat naast hem. Ik kon haar gezicht niet zien; ze was gesluierd.

Terwijl de drie wagens langzaam over de oprijlaan naar het hek reden, stond ik voor een raadsel. De dag ervoor, zelfs diezelfde ochtend nog, had juffie me telkens weer verzekerd dat Matthew regelrecht naar de hemel zou gaan. Maar ik zag hem helemaal nergens de lucht in gaan. Hij lag nog steeds opgesloten in zijn witte kist op de lijkwagen, die daar reed alsof het gewoon een oude tractor uit de buurt was.

Ik wist dat de witte kist waarin hij lag was dichtgespijkerd. Hoe moest hij eruit komen? Ik raakte bevangen door paniek, het lag in mijn binnenste als een bal van ijs en vuur die dreigde te knappen. 'Wanneer komt hij eruit?' vroeg ik aan juffie, die naast me zat op een vensterbankzitje in een van de erkers in de salon.

'Sst, liefje!' Ze tilde me op en gaf me een knuffel. 'Zeg hem nu maar vaarwel. Zeg het uit het diepst van je hart en ziel. Maar maak je geen zorgen over hoe hij in de hemel zal komen. Wanneer de zon vanavond ondergaat en niemand kijkt, zal God Matthew in Zijn armen nemen en regelrecht met hem omhooggaan. Dat doet Hij stilletjes met kinderen. Het is daarboven zo heerlijk, Violet. Geen school, geen regels, geen karweitjes, enkel de hele tijd pret maken. God weet dat iedereen naar de hemel wil en hij wil alle zusjes en broertjes op aarde die op hun beurt moeten wachten, niet verdrietig maken.'

Ik dacht hierover na, terwijl ik naar de zich langzaam verwijderende stoet bleef kijken. 'Met wie moet hij dan spelen, juffie? Ik wil met hem mee.'

'Jij moet op je beurt wachten. Er zijn daar zo veel kindertjes en zo veel heerlijke spelletjes, dat Matthew geen minuut alleen zal zijn. Als jij hier op aarde een braaf meisje bent, dan zal Matthew wanneer God voor jou komt aan de hemelpoort staan om je al het leukste speelgoed te laten zien en de leukste plekken om te spelen. Dat heeft hij dan allemaal voor je uitgekozen. Hij zal het heerlijk vinden om je te zien, kind.'

Het klonk aannemelijk, spannend zelfs en mijn paniek ebde weg. 'Hoe zal God hem vanavond weten te vinden als de zon ondergaat?'

'Foei!' berispte juffie me. Daarna moest ze haar neus snuiten in de grote witte zakdoek die ze altijd bij zich droeg. 'Wat leren ze jou op die zondagschool, Violet Shine? God kan alles. Dat moest je onderhand weten.'

De wagens waren bijna bij de bocht in onze oprijlaan. 'Moet ik zwaaien, juffie?'

'Dat is precies wat je doen moet. Zwaai je broertje nu maar gedag, lieve Violet.' Dus terwijl mijn broers en zusjes op de andere twee vensterbankzitjes hardop huilden en elkaar vasthielden, zwaaide ik enthousiast van waar juffie en ik zaten. Ik zag het helemaal voor me, al het speelgoed, treintjes zelfs, die in de hemel waren klaargelegd en op Matthew wachtten.

James was de volgende die begraven werd, elf jaar later. Dit vond plaats in de nazomer van 1944, dat noodlottige jaar. De tweeling had zich in februari van dat jaar in Belfast opgegeven voor de militaire dienst, meteen na hun achttiende verjaardag. Vader had ze weten te overtuigen dat ze in elk geval tot dan moesten wachten. Zoals zoveel andere jongens die bereid waren om over hun leeftijd te liegen tegen de officier die rekruten aanwierf, hadden ze eerder willen gaan.

Toen ze werden opgeroepen had ik alleen maar vluchtig afscheid van hen genomen, want inmiddels was ik verliefd op Coley Quinn en ik kon, afgezien van hoe ik aan toezicht kon ontsnappen om hem te kunnen zien, aan weinig anders denken dan aan zijn haar, zijn ogen, zijn harde, sterke mond, zijn gladde, witte schouders en zijn brede rug. Toen James en Thomas kwamen vertellen dat ze vertrokken om voor de vrijheid te vechten, omhelsde ik hen, vertelde hun hoe knap ze eruit zouden zien in hun nieuwe uniformen en, nadat ze me ervan hadden verzekerd dat ze na hun opleiding verlof zouden krijgen, wenste ik hun het beste en tot ziens. 'Jullie zullen trouwens wel niet echt hoeven vechten. Iedereen zegt dat de oorlog nog voor de kerst is afgelopen.' Ik deed er luchthartig over, praatte na wat ik had gehoord van volwassenen en van Coley Quinn. Coley, wiens familie grasland van ons pachtte, werkte in de zuivelfabriek en hoorde daarom al het laatste nieuws.

Meneer De Valera had ons, Ieren, buiten die akelige oorlog gehouden en voordat we er direct door getroffen werden, vonden wij op Whitecliff die oorlog enkel irritant. We moesten iedere avond verduisteren en als leverancier konden we niet aan voldoende thee, suiker, fietsbanden of lampolie komen om onze klanten tevreden te houden noch om in onze eigen behoeften te voorzien. Coley had wat boter voor me mee kunnen smokkelen, maar dat zou mijn ouders attent hebben gemaakt op onze verhouding en daarom veinsde ik verontwaardiging: 'Niet wanneer onze soldaten honger lijden, Coley!'

Mijn vader was een bewonderaar van De Valera, zij het niet van 's mans republikeinse denkbeelden. Hij vond dat ze er dezelfde sociale en morele idealen op na hielden voor ons land. Op St. Patrick's Day in 1943 had hij onze radio op iets anders gezet, omdat hij op de BBC iets saai vond, en bij toeval hoorde hij toen een krakerige De Valera enthousiast zijn droombeeld van Ierland uiteenzetten. Als ik het juist heb vertelde De Valera dat hij wilde dat 'wij het leven leiden dat God verlangt dat de mens leidt', en dat ons platteland zou blaken van de knusse boerderijen en weergalmen van de kreten van atletische jeugd. Vader citeerde dit dikwijls en er was een korte periode dat er een zalige huivering door me heen trok bij de gedachte aan wat meneer de Valera en mijn vader zouden vinden van wat Coley Quinn en ik uitspookten.

Later had ik tijd te over om mijn oppervlakkige afscheid van mijn tweelingbroers te betreuren: James, opgewonden bij de gedachte aan een groot avontuur; Thomas, de stilste van de twee, deed alsof hij net zo zelfverzekerd was. Ze waren geen identieke tweeling en hadden zeer verschillende karakters. Thomas liet zich altijd leiden door zijn extravertere tweelingbroer en ik vermoed nu dat hij alleen maar in het leger ging omdat James dat een mieters idee vond.

Na hun vertrek naar het front, drie maanden na hun opleiding, nam James maar twee dagen aan gevechtshandelingen deel voordat zijn stelling onder vuur kwam te liggen bij het invallen van de avond. Ik plengde vele tranen toen ik het hoorde, maar ik denk dat ik nog in schoktoestand verkeerde door mijn opsluiting. Dat, tezamen met het verlies van mijn geliefde, was mijn dagelijkse obsessie en die oversteeg alle rampen van buitenaf.

Het was niet makkelijker voor me toen ook Thomas sneuvelde, in 1945, tijdens de laatste dagen van de oorlog. Opgesloten, met het gevoel dat leven en verlies zich tot in de oneindigheid uitstrekten en zonder enige afleiding door Coley Quinn of iemand anders, liet ik me gaan en stortte overvloedige, zelfs theatrale tranen. Op de avond dat ik dit laatste nieuws hoorde was er een volle maan en terwijl ik, op die gevoelige leeftijd van zeventien jaar, mijn gezwollen ogen opsloeg naar het empathische licht dat door het raam van mijn gevangenis naar binnen stroomde, was ik ervan overtuigd dat ik krankzinnig zou worden.

Indertijd beschikte ik alweer over mijn cello en na Thomas' begrafenis probeerde ik gedurende enkele dagen om mijn eindeloze vrije tijd te benutten met het componeren van klaagliederen om mijn drie verloren broers en om die ander, over wie ik aanstonds zal vertellen. Gecombineerd met mijn eigen hopeloze situatie was de emotie intens, maar ik miste vaardigheid en kennis bij het componeren en het enige wat ik uit mijn instrument wist te halen was het gejammer van een *banshee*.[*]

[*] *Banshee* is een vrouwelijke geest wier gejammer een sterfgeval aankondigt.

5 ♥ Een perfecte ochtend

Die laatste dag van ons, van pappie en mij samen, begon zo vrolijk. Hoewel ik de uitslag van mijn slotexamen nog niet binnen had, wist ik dat ik het goed gemaakt had en dat ik me dus kon toeleggen op het geweldig hebben.

Zelfs het weer was op mijn hand. Ik had van opwinding niet kunnen slapen en ik was klaarwakker toen om tien over vijf 's ochtends mijn slaapkamer baadde in het licht van de opgaande zon. Ik sprong uit bed. Eenentwintig, dacht ik, terwijl ik diep inademde en de zware gordijnen opentrok.

Ons huis lag aan de overkant van de weg langs een ronde baai. Op de ene kaap konden we James Joyce's Martellotoren zien en op de andere kant de lange vinger van het havenhoofd van Dun Laoghaire, dat streng naar Engeland wees. De wereld trok aan mijn raam voorbij en als ik daar overdag maar lang genoeg stond zag ik niet alleen de vloten jachten van de zeilverenigingen verderop aan de weg voorbijkomen, maar ook zeeverkeer van over de hele aardbol, reusachtige veerboten en containerschepen, boten met steenkool en andere vracht- of passagiersschepen die de haven van Dublin binnenstoomden of verlieten.

Maar die ochtend stond er geen Golf voor ons hek.

Ik staarde naar de lege weg en naar de uitgestrekte zee waarover een zachtgele gloed lag. Ik was een pietsie teleurgesteld. Ik had er onverbloemd op gezinspeeld dat ik voor mijn verjaardag de donkergroene Golf wilde hebben, die ik op pappies voorterrein had zien staan. Het zou echt iets voor hem zijn geweest om de auto die och-

39

tend met een strik eromheen voor het hek neergezet te hebben.

Maar daarvoor is nog genoeg tijd, dacht ik. Waarschijnlijk wilde hij hem vullen met dozen champagne of ballons.

Ik voelde me er niet schuldig over dat ik om zo'n groot cadeau had gevraagd. Tenslotte werd ik maar één keer eenentwintig en bovendien kregen veel van mijn vrienden en vriendinnen trofee-auto's voor hun eenentwintigste verjaardag. Een van hen kreeg zelfs een appartement in een van de moderne blokken die in sommige delen van Dublin begonnen te verrijzen. Ik schoof het raam omhoog en ademde de zachte, zilte lucht in. Eenentwintig! Het leek nog maar een paar jaar geleden dat pappie me voor het eerst naar de grote school bracht. En moest je me nu zien, volwassen. Pappies grote meid, op de drempel van de mooiste dag van mijn leven, met felicitaties, cadeaus en pret, met als hoogtepunt het feest vanavond. In het verleden had ik wel eens een steek van jaloezie gevoeld bij het horen over grote feestelijke familiebijeenkomsten bij mijn vrienden thuis, die overigens nooit lang duurden als ik afging op de verhalen over de ruzies! Maar vanavond had ik voordeel bij het ontberen van familie, aangezien we geen oude tantes of ooms of andere afgeleefde types hadden die per se uitgenodigd moesten worden. Op mijn feest kwamen alleen mijn eigen vrienden en we zouden ons reusachtig amuseren. Heel eventjes vroeg ik me af hoe mijn moeder eruit zou zien of zich zou gedragen als ze hier was geweest, maar zoals de jeugd eigen is, vervloog die gedachte eigenlijk alweer voordat ze goed en wel in me was opgekomen. Ik heb haar nooit gekend, uiteindelijk…

Ik had voor een zwart-en-witthema gekozen, dus de sneeuwwitjes konden stralen en de anderen konden in lompen komen als ze dat verkozen. Pappie zou er natuurlijk zijn en Pamela, en een stel grote klanten waarvan hij dacht dat het nuttig kon zijn om ze uit te nodigen. 'Weet je zeker dat je het niet erg vindt, kindje? Ze blijven niet lang. Ze zullen jullie niet in de weg zitten.' In de achtertuin stond een feesttent met bloemen en gehuurde stoelen, waar cateraars voor een aan tafel genuttigde maaltijd zouden zorgen. De hele benedenverdieping van het huis was ontruimd en als disco ingericht. Het zag er naar uit dat ook het weer meewerkte. Die ochtend was ik zowat misselijk van opwinding.

Maar eerst ging ik lunchen met pappie en Pamela in de grote, besloten eetzaal van het Berkeley Court.

Pappie was verrast geweest over mijn keuze van waar we mijn verjaardagslunch zouden gebruiken. 'Weet je dat wel zeker, kindje? We zijn daar al zo vaak geweest en eenentwintig worden is een grote gebeurtenis in ieders leven. Ik zou je overal mee naartoe nemen. Naar Parijs zelfs. Als we een vroege vlucht nemen, kunnen we op tijd voor je feest terug zijn.'

'Laat het maar aan mij over, pappie. Misschien moet ik er nog wat verder over nadenken.' Ik zette, zogenaamd, een zorgelijk gezicht en in de dagen erop had ik hem geplaagd en gezegd dat het tijd voor me werd om het leven ernstig op te nemen en dat ik, in plaats van hem toe te staan me eventjes mee naar Parijs te nemen, waarschijnlijk eens moest beginnen met het echte leven tegemoet te treden. We zouden een gelegenheid moeten kiezen waar minder bevoorrechte mensen als wijzelf gedwongen waren te eten: een eenvoudig tentje met kale tafels ergens in een smerig straatje.

Ondanks al het geplaag, was ik nooit van plan geweest om ergens anders heen te gaan voor mijn verjaardagslunch dan het Berkeley Court Hotel. Het was 'ons' restaurant, van pappie en van mij, en ik wist dat het hem plezier zou doen als ik ervoor koos om een van de belangrijke gebeurtenissen in mijn leven daar te vieren. Hij had mij, of mij en Pamela, altijd meegenomen naar het Berkeley voor grote dagen of als er iets te vieren viel. Grote, dikke stukken rosbief, doorregen als een wegenkaart, zwart van buiten en zacht en rood van binnen. Behalve de mangetout en ratatouille waren er ook ouderwetse groenten, zoals raapjes en kool. Bestek zo zwaar dat je er een hernia aan overhield als je er te veel tegelijk van optilde. Zelfs als klein kind had ik me nooit geïntimideerd gevoeld door de plechtige stilte, het gedoe met zilveren ronde deksels op de borden, het indrukwekkende dessertkarretje en de fluisterende obers. Integendeel, ik voelde me er zeker bij, lekker en glamoureus, alsof niets mij ooit kon gebeuren door de dikke wanden en wandtapijten heen.

Het was nog te vroeg om mensen te bellen. Ik liep weg bij het raam en ging met opgetrokken benen op bed zitten. Ik telde mijn zegeningen en mijn robuuste gezondheid, mijn supervrijgevige paps en mijn ontzettend knappe vriendje dat bezig was carrière te maken, waren daarvan niet de minste. En niet te vergeten mijn eigen goede resultaten op de universiteit.

Ik was me terdege bewust van mijn bevoorrechte leven, zeker

waar het het behalen van mijn graad betrof. Eerlijk gezegd begreep ik niet hoe een aantal van mijn medestudenten het redden. Op het University College Dublin was Engels studeren geen makkie. Je moest er hard aan trekken om de boel bij te benen. Maar sommige studenten moesten naast het volgen van colleges en werkgroepen en het op tijd inleveren van werkstukken om te kunnen eten ook nog eens voor een schijntje ploeteren in cafetaria's of op andere plekken. Bij sombere gedachten als deze, placht ik te denken aan de gelijkenis van het geliefde kind waarvoor het vetgemeste kalf geslacht werd. Van mij werd net zo intens gehouden, en daar kon ik zelf toch niets aan doen?

Toen ik klein was had pappie me op vrije dagen of in schoolvakanties overal mee naartoe genomen, zelfs mee op zakenreis. Een keer hadden we een fantastisch weekeinde in Londen en voordat we naar huis gingen nam hij de middag vrij en namen we de trein naar Brighton. 'Gewoon om de ervaring!' zei hij 's morgens, en hij lachte erbij op die wat hese manier van hem. 'Wij zijn een eilandvolk en we zouden verplicht moeten worden om de wereldwonderen te bekijken. Onze regering zou ons subsidie horen te geven om de Eiffeltoren, de Taj Mahal, de Chinese Muur en de Grand Canyon te gaan zien. De pier van Brighton kan zich daar niet mee meten, kindje, maar het is een begin.' Ik zal toen elf zijn geweest.

Ik zette de radio naast mijn bed aan en tegen de kussens geleund lag ik me te verheugen op het heerlijke leven dat voor me lag.

Ik vroeg me af of Bob al wakker was en wat hij voor me in petto had. Later die ochtend zou ik koffie met hem gaan drinken in de Royal Marine. Ik hoopte dat hij mijn cadeau bij zich zou hebben.

We hadden 'het' nog niet gedaan. Natuurlijk hadden we met elkaar gevreeën en elkaar gestreeld, maar daarmee hield het op. Het kwam door mij: iets hield me tegen, wat weet ik niet echt. Misschien was protestant zijn het probleem. Op het gebied van seks zijn we een beetje gereserveerd. Misschien komt dat omdat we in Ierland zo in de minderheid zijn dat we vinden dat we extra om onze reputatie moeten denken. Wat de reden dan ook was, ik vond het gewoon niet goed om voor het huwelijk met mijn vriend naar bed te gaan, en ik was me er altijd van bewust dat pappie in me teleurgesteld zou zijn als hij erachter kwam. En dat zou hij; pappie kwam altijd overal achter.

Die dag kon ik niet wachten om Bob te zien. Misschien zou hij me ten huwelijk vragen. In de Royal Marine de ring bij zich hebben, hem uit zijn zak halen of hem in een glas champagne laten vallen of hem verstoppen in een broodje. Als ik daar vanavond toch mee voor de dag kon komen bij de meisjes, dacht ik blij. Ik zou het niet rondbazuinen, het niet aankondigen of zo. Ik zou gewoon wapperen met de glimmer en ze ermee imponeren.

Ik fantaseerde nog wat door. Als we trouwden, zouden we het wel redden. Pappie had Bob enkele maanden terug bevorderd tot verkoper, dus had hij een grote salarissprong gemaakt en zijn provisie groeide. En zelfs al zou ik geen topbaan kunnen vinden, een die goed betaalde, pappie zou ons niet op zwart zaad laten zitten. Hij zou ons de aanbetaling geven voor zo'n nieuw appartement. Voor een huis zelfs, hoewel in een appartement wonen zo exotisch klonk, zo New Yorks...

In sommige opzichten, moest ik mezelf bekennen – zij het dat ik me daar een beetje schuldig over voelde – was het fantastisch om enig kind te zijn, vooral als je een meisje was.

Dat was natuurlijk op 1 juni 1983, de dag waarop alles instortte.

6 ❧ *Een sikkel*

Zodra je van de nationale en regionale autosnelwegen af bent is North County Dublin – ofwel Fingal, zoals het heet sinds het district in drie bestuurlijke regio's is gehakt – een doolhof van smalle kronkelwegen, landwegen en doodlopende wegen. In deze tijd van het jaar breiden de hagen en grasbermen zich, ondanks de inspanningen van de dienst wegbeheer, dermate uit dat ze er voor de argeloze reiziger allemaal hetzelfde uitzien, alsof een bende dolle planologen had samengespannen om hem of haar te laten verdwalen.

Het heeft natuurlijk ook een positieve zijde: de bermen zijn onmogelijk groen en dooreengeweven met vingerhoedskruid, speenkruid, madeliefjes en hier en daar zelfs plukken klaprozen. Erachter staan dikke rijen duizendblad, groene wilg, witte meidoorn en hazelaar. Alles tiert welig. Tot dusver is het jaar uitzonderlijk mild geweest. Nat, dat wel, maar ook warm. De algehele temperatuurstijging op aarde, ongetwijfeld. Laat maar komen!

Voor het ogenblik ben ik verdwaald. Ik ken Whitecliff alleen van een afstand, massief en hoog boven ons op zijn klif, wanneer Bob en ik op het strand lopen met Jeffrey, onze hond. (Ik weet het, ik weet het! De naam was Bobs idee. Toen we de hond kregen was hij net bezig in *Kaïn en Abel*, een van de misschien drie romans die hij heeft gelezen in zijn hele leven. Ik had de energie niet om erover te kibbelen.)

Ik was al twee doodlopende wegen afgehobbeld om uiteindelijk eerst bij een boerenhek te belanden en vervolgens op het vol schroot liggende terrein van een garage annex machinewerkplaats. Ik kwam in de verleiding om de weg te vragen, ondanks Tommy's waarschuwingen: 'Zorg ervoor, Claudie, dat niemand weet waarvoor je belangstelling hebt. Je weet hoe die plattelanders zijn.' Maar ik stelde het uit om het nog een keer op eigen kracht te proberen.

Tommy kan melodramatisch doen, maar dat is geen probleem voor me. Het houdt de boel interessant en, eerlijk gezegd, vind ik het leuk dat ik me nu gedraag als een spion in vijandelijk gebied.

Ik minder snelheid en probeer me te oriënteren. Hagen rechts van me, hagen links van me en voor me zo'n verkeersbord met een krabbel, dat me waarschuwt voor scherpe bochten. Krijg wat, denk ik. Ik kan net zo goed even pauzeren. Ik stop de auto in de berm, zet de motor af, draai de ramen omlaag en word overweldigd door die typische geur van zomer op het Ierse land. Hij is tegelijk zuur en zoet: kuilvoer, modder en warme koeienmest gecombineerd met jong gras, plantensap, wilde bloemen en, vanwege de nabijheid van de zee, een vleugje ozon.

Geen wind. Geen auto's, tractoren, landbouwmachines of graafmachines, aangezien iedereen binnen spuugafstand aan zijn of haar warme maaltijd zit. Deze uithoek van het land is het soort plek waar de mensen die worden achtergelaten door de forenzen hun hoofdmaaltijd nog altijd midden op de dag eten. Er is niet eens veel geluid van vogels, alleen af en toe wat gedempt getjilp. De vogels hebben het in dit seizoen druk en geen tijd om te zingen. De hardste geluiden komen daarom van zoemende bijen in de hagen en brommende vliegen boven koeienflatsen op het glinsterende asfalt.

Ik zie twee koolwitjes neerstrijken op dezelfde witte bloesem en schermutselen om het bezit ervan. Dit is het goede leven, denk ik, en begin aan mijn eigen lunch, een pakje zoete Thai chili chips. Eigenlijk zou ik het haasten moeten opgeven en ook OHPC en iedereen die ermee te maken heeft, om dat in te ruilen voor mijn tuin, kniebroek, wandelschoenen en een stel leuke Labradors.

Ik pak de stafkaart die op de passagiersstoel ligt uitgespreid. Whitecliff staat aangegeven in het midden van een dicht web van wegen en akkertjes, aan de rand van de buurtschap Maghcolla. Het probleem is dat ik niet weet waar ik nu ben. Ik zou evengoed honderd meter van de ingang af kunnen zijn als zes kilometer. Misschien moest ik maar terugrijden naar Rathlinney, waar ik had getankt, en opnieuw beginnen.

Ik was al enige jaren niet in Rathlinney geweest. Het is, of was, zo'n achterafdorpje waar je nooit doorheen kwam als je van A naar B reed, zo te zeggen. Je moest er echt naartoe willen.

Hoewel OHPC bij geen van de nieuwbouwprojecten daar betrokken was geweest, wist ik dat zoals de meeste gehuchten in Fingal ook Rathlinney bij Forenzenland getrokken was. Maar toen ik er binnenreed, was ik verbaasd over de mate en de schaal van de veranderingen sinds ik het voor het laatst had gezien. Vanuit de grazige weilanden van weleer is het bestormd door uitgestrekte nieuwe wijken, identieke huizen in lange, rechte rijen. Voor de aannemer is het makkelijker en goedkoper gas, water en elektriciteit zo aan te leggen dan in bochten. Rathlinney was vroeger een gat, en 'bestormd' is wellicht het verkeerde woord in de context van zijn nieuwe inwoners want dit dorp heeft verandering omhelsd. Afgezien van een nieuwe school, kan het nu bogen op een bloemist, een coffeeshop, een Montessorikinderdagverblijf en een opgekalefaterd postkantoor.

En dan was er ook nog de winkel die vroeger de Rathlinney Bazaar was. Ik durf het niet met zekerheid te zeggen, maar volgens mij is die enorm veel groter geworden.

In mijn herinnering was het zo'n ouderwetse winkel waar ze van alles verkochten. Er was een benzinepomp, een achtererf en in het grote, bruine interieur waren gegalvaniseerde emmers, kaplaarzen en emaille borden uitgestald naast levensmiddelen en laden waar 'Damesonderbroeken' op stond. Vandaag had ik in de moderne, in pasteltinten geschilderde zaak niet alleen voorraad voor mijn provisiekast kunnen krijgen, maar ook geld uit de muur kunnen halen en een krant kunnen kopen of een tijdschrift, een wenskaart voor iedere gelegenheid, een kop koffie, een compleet warm ontbijt, Europese broden, een fles wijn uit een land of streek van mijn voorkeur. Zelfs een dvd had ik er kunnen huren. Ik vraag me af wat de vroegere eigenaars hiervan gevonden zouden hebben.

Ik gooi mijn hoofd achterover en keer de chipszak om om de laatste kruimels in mijn mond te gieten. Had ik dat niet gedaan, dan zou ik de weg naar Whitecliff misschien gemist hebben. Er zijn namelijk kruimels op de schouder van mijn jasje gevallen, en wanneer ik me omdraai om ze weg te vegen, valt mijn oog op iets lichts. Een oud bord dat met zijn achterkant in de greppel ligt, half begraven in vegetatie.

Privéterrein
Geen doorgaand verkeer
Verboden toegang voor onbevoegden

Ik had er de hele tijd naast gestaan!

Rechtopstaand was het bord ooit misschien afschrikwekkend geweest, maar op zijn rug op een berg brandnetels en onkruid zegt het iets over hoe de machtigen ten val zijn gekomen, ook al omdat de toegangsweg nu een schemerige tunnel is. De bultige grasbodem zit vol gaten en plassen, zelfs op deze droge, warme dag. Ogenschijnlijk is er in geen jaren een voertuig overheen gereden. Zonder een groep mannen met kapmessen, die voor me uit loopt om de lange braamstruikslierten weg te kappen, ga ik de lak van mijn auto niet riskeren.

Ik grijp de kaart weer om vanaf het huis landinwaarts te kijken en ontdek – mits ik gelijk heb en dit de toegangsweg tot Whitecliff is – dat het pad kort is, misschien nog geen achthonderd meter.

Er zit niets anders op dan de benenwagen nemen. Ik pak mijn notitieboekje, controleer of de camera in mijn handtas zit, sluit de auto af en duik het pad in. Wat ik al niet doe voor Tommy O'Hare! Binnen twee minuten heb ik een pijnlijke schram op mijn wang en op mijn laarzen met leren zolen glijd en glibber ik weg op nat mos en op slijm van een andere orde, waarover ik maar liever niet nadenk.

Wanneer ik weer opduik in het genadige licht zie ik minder dan tien meter bij me vandaan twee scheefhangende, verroeste hekken tussen twee stenen pilaren die bespikkeld zijn met gele korstmos. Ze zijn vastgemaakt met zware ijzeren kettingen waar een enorm, nieuw uitziend hangslot op zit. Rechts en links van de pilaren staan de restanten van wat een indrukwekkende afscheidingsmuur geweest moet zijn. Een groot deel ervan is ingestort, maar op sommige plaatsen is hij nog wel twee meter hoog.

Het huis is niet zichtbaar, maar dat verwachtte ik ook niet. Ik had het altijd van onderaf op het klif zien staan en de topografische lijnen op de stafkaart laten een bodemstijging zien aan de voorzijde van het huis.

Ik loop naar het hek. Er is een bordje op bevestigd:

Een grappenmaker had met een spuitbus de woorden erna onzichtbaar gemaakt en vervangen door:

NOOIT GEVONDEN WORDEN.

Ik moet erom lachen. Ooit zal er vanaf dit hek een brede oprijlaan naar het huis hebben gelopen, die nu nog slechts zichtbaar is als een overgroeid spoor en dreigt te verdwijnen door een tangbeweging van dikke, doornige braamstruiken, hier en daar gebroken door felgele kronen van gaspeldoorn of een omgewaaide boom. Hoe moet ik bij dat huis komen? Voor de lol rammel ik gewoon maar wat aan de zware kettingen om de hekken. Zoals ik al verwachtte, geven ze niet mee.

Ik loop langs de grensmuur, stop bij iedere bres om te kijken of ik er misschien door kan. Degene van wie het landgoed is zal toch wel af en toe controleren in wat voor staat het verkeert. En als de eigenaar, zoals Tommy zegt, in het westen van Ierland woont, zou hij dan niet iemand van hier betalen om een oogje in het zeil te houden? Nou, als hij dat doet, wordt hij in de maling genomen, denk ik, terwijl ik langs de muur sjok. Ik loop zo wel een kleine kilometer, in elk geval een minuut of tien, zonder een mogelijke toegang te vinden.

Bij een van de grotere, deels ingestorte stukken muur, waarachter de hindernis van braamstruiken formidabeler dan ooit lijkt, besluit ik dat het welletjes is. Misschien moet ik het een andere dag proberen vanaf de kant van het klif. Ik leg mijn notitieboekje op een van de gevallen stenen en haal mijn mobiele telefoon tevoorschijn om Tommy te bellen.

Het is hier frisser dan in het labyrint van weggetjes dat me hierheen voerde, maar ook hier is het erg stil en de piepjes van de toetsen klinken hard.

Tommy's telefoon geeft meteen zijn voicemail. 'Hallo, met mij…' begin ik, maar dan krijg ik zo'n schok dat ik notitieboekje en telefoon uit mijn handen laat vallen. De telefoon valt bij de klap uit elkaar in telefoon, batterij en batterijdeksel, maar de val wordt gebroken door het dikke moskussen op de meeste stenen.

Op centimeters afstand van me is een man verschenen. Hij kwam tevoorschijn uit de één meter dikke braamstruikmat.

Zijn kin is stoppelig, zijn dikke haar is kort maar ongekamd en zijn kleren zijn gescheurd. Zijn broek wordt opgehouden met een rafelig stuk blauw koord, het soort dat je in vissershavens op de kades ziet. Hij is oud, althans dat denk ik. Zijn gezicht telt evenveel lijnen als mijn stafkaart. Dat stelt me gerust, maar dan valt me op dat te midden van alle rimpels zijn ogen, die flets zeemans-blauw zijn, erg wakker kijken. In zijn hand heeft hij een sikkel.

We kijken elkaar strak aan.

Ik wil zo snel als ik kan wegrennen, maar schat in dat hij weliswaar oud is, maar ook lang, recht en pezig en waarschijnlijk harder kan lopen dan ik. 'U heeft me erg laten schrikken.' Ik herken mijn stem niet.

'Wie bent u?'

'Ik heet Claudine Armstrong. Ik ben... Ik ben toerist.' Zag ik die sikkel net bewegen in zijn hand? 'Ik... Ik was aan het wandelen en stuitte op deze muur. Ik vroeg me gewoon af waar hij heen liep. Aangenaam kennis te maken.' Ik steek hem mijn hand toe, wat hij negeert.

Hij kijkt afkeurend. 'Bent u een nieuwe van de sociale? Waar is die andere?'

Het duurt heel even voordat ik doorheb waarover hij het heeft. 'Nee, ik heb niets te maken met de sociale dienst.'

'En wat moet dit dan?' Met zijn vrije hand pakt hij mijn notitieboekje op en zwaait ermee. 'Als u van de sociale bent, zeg ze dan maar dat het best met me gaat. Het enige wat ik wil, is dat iedereen me met rust laat. Ik ben zo gezond als een vis.'

Hij kijkt me nog steeds heel vreemd aan, alsof hij me taxeert, me ondervraagt zelfs. Ach, krijg wat, denk ik, dit is bezopen. 'Ik verzeker u, het is niet de bedoeling u lastig te vallen.' Ik hoop dat ik gezaghebbend klink, bazig. 'Het spijt me als ik dat wel heb gedaan. En mag ik nu mijn notitieboekje terug hebben, alstublieft?' Ik steek mijn hand uit.

Hij houdt zijn hoofd scheef, bestudeert me nog steeds. Het is een impasse.

'Blader erdoorheen, als u wilt. U zult zien dat er niets in staat wat met de sociale dienst te maken heeft, of wat voor instantie ook.'

'Wat doet u hier dan?'

'Ik zei al, ik ben gewoon een...'

49

'Ik geloof u niet.'

'Dat is niet mijn probleem, meneer…'

Hij laat het notitieboekje een beetje zakken. 'U bent een knappe vrouw. Wist u dat?'

Dit is surrealistisch, maar bang ben ik niet meer. 'Mag ik alstublieft mijn boekje terug?'

In plaats van mij mijn eigendom terug te geven, draait de man zich abrupt om en met de gebogen, niet dodelijke kant van de sikkel slaat hij op de braamtakken die het dichtst bij hem zijn. Tot mijn verbazing vallen ze heel even opzij en wordt er een smal pad zichtbaar, breed genoeg voor een persoon. Het is zo slim gecamoufleerd dat ik het uitsluitend bij toeval had kunnen ontdekken.

Hij stopt het notitieboekje in zijn oude jasje. 'Lust u een kopje thee? Raap die telefoon op en volg me.' Hij neemt me van hoofd tot voeten op. 'U hoeft er niet zo angstig uit te zien. U kunt toch altijd 112 bellen?' En hij lacht een gaaf gebit bloot.

Een kopje thee. Het is meer dan surrealistisch, het is buitenaards. Ik sta in tweestrijd. Zal ik rennen voor mijn leven, weg bij deze krankzinnige of mijn razende nieuwsgierigheid stillen? Mijn nieuwsgierigheid wint. Bovendien kan ik mijn onbetaalbare OHPC-notitieboekje niet achterlaten. Het staat vol telefoonnummers van klanten en onmisbare informatie over diverse objecten, om nog maar te zwijgen van mijn prachtige reclameproza. 'Dank u. Heerlijk.' Ik probeer te glimlachen terwijl ik mijn mobieltje bij elkaar raap.

'Klaar?' Hij keert zijn rug naar me toe. 'Blijf dicht bij me, anders loopt u schrammen op.' Hij kijkt achterom, wacht tot ik, als een daad van vertrouwen, pal achter hem kom staan op luttele centimeters afstand van zijn rug, waar de doordringende geur van zijn jasje zelfs de scherpe reuk van de varens verdringt. Vervolgens zijn we, met hem als majordomus die zijn sikkel naar links en naar rechts zwaait en ik die probeer hem niet op zijn hakken te trappen, net een armeluisfanfare, terwijl we hortend vooruitkomen naar waar het huis zou moeten staan.

7 🍀 *De meidoorn*

Ik ontmoette Coley Quinn op vrijdag 17 maart 1944. Het was St. Patrick's Day en vroeg in de middag.

Na het ontbijt en de kerk trok moeder zich terug in haar kamer en Johanna ging in de buurt op bezoek bij een vroegere schoolvriendin die voor St. Patrick's was overgekomen uit Dublin. Vader benutte de zeldzame vrije werkdag om zich op te sluiten in de eetkamer en daar wat administratie af te handelen.

In juli 1943 was ik klaar met de nationale school en sinds september reisde ik dagelijks naar Balbriggan naar de particuliere school waar Johanna en Marjorie voor mij op hadden gezeten. Ik werd er onderwezen in Frans, Latijn, Engelse literatuur en aardrijkskunde. De dames Biggs, mijn leraressen, rapporteerden gunstig over me, en vader had me gezegd dat als mijn vorderingen zo goed bleven, hij in overweging zou nemen om me na de oorlog een jaar naar Frankrijk te sturen om de taal vloeiend te leren spreken.

Ik vond dit geweldig, maar het was pas maart en ondertussen voelde ik me niet prettig op Whitecliff. Het huis leek groter dan ooit met, afgezien van vader en moeder, alleen mijn allerliefste Johanna als gezelschap. Marjorie woonde in Dublin, mijn tweelingbroers logeerden enkele dagen bij oom Samuel in het noorden, voordat ze zich voor de opleiding bij het leger meldden, en ook Samuel junior was in Dublin, waar hij aan Trinity College studeerde.

Vooral de maaltijden vond ik een kwelling, aangezien mijn arme zuster, een stil en verlegen persoontje, nooit goed in algemene conversatie was geweest en vader de gewoonte had aangenomen om onder het eten de krant te lezen.

De eerste keer dat het gebeurde was moeder verbijsterd geweest. 'Roderick,' zei ze, 'je weet toch dat men aan tafel niet hoort te lezen?' Hij had zijn krant laten zakken en zei op ijzige, verdraagzame toon: 'Misschien niet, Fly. Maar ik zal het heroverwegen wanneer een van jullie, vrouwen, een gespreksonderwerp aansnijdt dat me interesseert.' Moeder bloosde, maar vanaf dat moment richtte ze zich op mij.

Ik bleef haar echter vaak het antwoord schuldig op haar onsamenhangende vragen over wat ik op school had gedaan. Zodoende nuttigden we onze maaltijden grotendeels in een stilte, die slechts onderbroken werd door beschaafde geluidjes van bestek op porselein.

Zonder Johanna was het huis op die St. Patrick's Day stiller dan ooit. In mijn eigen kamer probeerde ik wat opgaven te maken voor aardrijkskunde, maar ik kon me niet concentreren. Misschien kwam dat omdat de economische neergang van de tinmijnen in Cornwall me niet echt interesseerde, maar er speelde meer. Het was de sfeer in huis. De dag strekte zich voor me uit als een saaie, mistroostige zomp. Deze gevoelens van ontevredenheid en onrust had ik vaker. Ik vond het moeilijk om me eroverheen te zetten.

Die middag gaf ik de strijd met de tinmijnen op, gooide mijn boeken aan de kant en na een vergeefse poging om aan de tweeling te schrijven – wat voor vrolijks viel er te melden uit dit verstikkende huis – liep ik naar de salon beneden om een roman te zoeken die ik nog niet gelezen had, of andere lectuur. Eenmaal daar echter, werd mijn blik naar de heldere lucht buiten getrokken en ik zette me neer op een vensterbankzitje. Met mijn armen om mijn knieën geslagen keek ik naar onze narcissenweelde, onze 'host of golden daffodils', om met William Wordsworth te spreken. Vele jaren geleden waren ze door een voorouder geplant en inmiddels allang verwilderd onder de beuken en nu groeiden ze aan weerskanten van onze oprijlaan, helemaal tot aan het hek. Ze stonden daar als een vrolijke erehaag deinend en ritselend te wachten op de komst van een belangrijke bezoeker.

Vlak voor het raam pikten twee musjes druk in het grind. Ja, ze mochten dan een kort leven hebben, maar anders dan ik waren zij tenminste vrij. Ik was nu zestien en ik vond dat ze me moesten respecteren en me ook de vrijheid moesten geven om mijn eigen beslissingen te nemen. Het was niet eerlijk, niet rechtvaardig ook, dat ik hier begraven was in dit – ik zocht naarstig naar een treffende omschrijving – open sepulcrum.

Ik keek om me heen in de salon. Het felle, vroege voorjaarszonlicht was niet vriendelijk voor het meubilair en de overige interieurstukken die – afgezien van toen Matthew er in zijn witheid had gelegen – sinds onheuglijke tijden op precies dezelfde plaats hadden gestaan. Alles maakte een sjofele indruk, zelfs vergeleken met de eenvoud van het ouderwetse klaslokaal bij de dames Biggs. En wat de boeken aangaat; die waren meer dan sjofel. Ze waren dood. Ik had alles gelezen wat ik van die verzameling wilde lezen.

Toch moest ik iets constructiefs zien te vinden om die middag te doen, want als vader of moeder me lummelend aantrof, zou ik weer aan het werk gezet worden aan het familie-opus: de Shine-quilt van dit jaar.

In andere jaren had ik zonder een onvertogen woord hard meegewerkt, maar nu verzette ik me tegen mijn afgedwongen bijdrage aan de bazaar die onze kerk altijd in juli organiseerde, en die toch niet vanwege een oorlog afgeblazen kon worden. Ons gezin doneerde altijd een lappendeken om te verloten. Moeders stiksels waren verfijnd en het patroon was ieder jaar anders. Hierdoor werd de verloting een van de hoogtepunten van de kerkbazaar en deden er velen aan mee. Maar met kerst had moeder kougevat, waar ze maar niet vanaf kwam. Dit jaar vroeg ze daarom meer hulp dan anders van Johanna en mij.

Zelfs hierbij werd ik niet eerlijk behandeld. Terwijl mijn zuster mocht helpen bij het belangrijke werk, het naaien van de lapjes op het patroon dat moeder op vetvrij papier had getekend, bestond mijn taak eruit om met een rijgsteek elk van die lapjes een voering te geven van uit oude lakens geknipte stukjes katoen. Het ene na het andere eentonige lapje.

Ik nam snel een besluit. Ik ging op onze nationale feestdag niet aan een quilt zitten naaien, hoe waardig het doel ook was. Ik rende de trap weer op, trok mijn wollen jas en handschoenen aan, wikkelde een sjaal om mijn hoofd en was gereed om uit te gaan. Ergens heen. Waar dan ook heen.

Ik klopte op de eetkamerdeur en zonder op een reactie te wachten, stak ik mijn hoofd om de deur. 'Ik ga wandelen, vader.'

Hij keek niet op van zijn uitgespreide registers en rekeningen. 'Ga niet te ver weg, Violet.'

'Nee hoor, vader, ik ga langs het klif wandelen. Misschien ga ik naar het strand. Ik kan wel wat frisse lucht gebruiken. Ik heb hoofdpijn.' Dat was een leugentje om bestwil.

'Goed, goed.' Hij zette zijn bril af om zich in zijn ogen te wrijven. Het viel me op dat hij ouder dan zijn jaren leek en voor het eerst zag ik dat zijn grote handen vlekkerig en ruw waren. Dit kwam niet van de winkel, hoewel zijn werk daar er waarschijnlijk ook toe bijgedragen had. Als vader de zaak niet had geërfd, had hij wellicht een ambacht gekozen. Hij had veel plezier in fijn timmermanswerk en verrichtte ook veel van de reparatiewerkzaamheden in en om het huis. Hij zou een goede boterham verdiend hebben als meubelmaker. Wanneer de tijd het toestond sloot hij zich op in een van de bijgebouwen met zijn draaibank en schaaftafel, en een keer maakte hij een bankje uit een oude taxusboom die op het kerkhof door een storm was geveld. Het nam een ereplaats in bij ons thuis en werd zeer bewonderd door onze gasten, hoe zelden we die ook hadden. 'Blijf niet te lang weg. Misschien heeft je moeder je nodig,' zei hij nu, en terwijl hij nog steeds in zijn ogen wreef, viel me ook op dat hij kromme schouders had gekregen. De combinatie van tekens van veroudering, verzwakking zelfs, schokte me. Hoewel mijn ouders mijn leven nog steeds bepaalden, zag ik hen zelden als individuen.

'En wees voorzichtig als je de trap naar het strand af gaat,' sprak hij verder. 'Hij is versleten en wordt gevaarlijk. Ik zal er binnenkort eens naar moeten laten kijken. Nog meer geld! Je zult zien, ik eindig nog eens in het armenhuis.' Hij zuchtte, zette zijn bril op en boog zich weer over zijn paperassen.

Mijn vader, een grote, forse man van een meter tachtig of meer, liet nooit iets van kwetsbaarheid zien, zeker niet tegenover zijn gezin. Toen ik hem zo over de rijen cijfers gebogen zag zitten, had ik met hem te doen. Misschien, dacht ik hem toegenegen, moet ik aanbieden dat ik hem wil helpen met zijn berekeningen. 'Vader...'

Met een achterwaartse handbeweging gelastte hij me te gaan. Het gebaar smoorde mijn zachte gevoelens wel zo grondig dat ik, terwijl ik naar zijn grijze achterhoofd staarde, tot mijn eigen schrik de neiging moest onderdrukken om mijn tong tegen hem uit te steken. Of aan te kondigen dat ik zou weglopen en in een Marokkaanse harem ging. Natuurlijk deed ik geen van beide. 'Ik ben over een uurtje wel terug,' zei ik.

Buiten, in de gierende wind, schitterde het zeeoppervlak fel van de zonnediamanten, mooi maar kil. In plaats van me op het strand te wagen, liep ik daarom over het klif. Ik hield de kraag van mijn jas tegen mijn kin met gehandschoende handen. De storm rukte aan mijn hoofddoek en het werd zo'n gedoe om die op te houden dat ik hem losknoopte, in mijn zak propte en de wind uitnodigde te doen wat hij niet laten kon.

Toen ik de grens van onze grond bereikte – een prikkeldraadhek langs de noordkant van, wat wij noemden, het zeeveld – had ik zo moeten worstelen dat ik ervan buiten adem was. Mijn haar was uit de vlecht geraakt en zwiepte in mijn gezicht. Maar ik was pas twintig minuten buiten en wilde niet al zo snel terug. Ik trok mijn kraag strakker om mijn hals en bleef enkele ogenblikken hangen in de hoek van het veld om naar twee vissersbootjes te kijken die niet ver uit de kust voeren. Ze waren druk bezig met alles wat vissersboten op zee zoal doen. Ik kon de mannen op het dek onderscheiden, ze werkten, stakerige, voorovergebogen figuurtjes. Vreemd dat ze op St. Patrick's zijn uitgevaren, maar toen herinnerde ik me die beroerde oorlog en de voedselschaarste. Waarschijnlijk visten ze voor hun gezinnen.

Misschien had mijn wandeling me lichamelijk een beetje goed gedaan, maar mijn humeur was er niet door verbeterd. Waarom voelde ik me toch zo dikwijls kregel? Waarom kon ik niet dankbaar zijn en de manier waarop wij leefden accepteren? Waarom telde ik mijn zegeningen niet, zoals juffie me altijd aanspoorde te doen wanneer ik kribbig was? Ten slotte had ik het in materieel opzicht beter getroffen dan de meeste andere Ierse meisjes, zoals moeder nooit naliet op te merken, en het in alle opzichten veel beter getroffen dan de arme, lijdende meisjes in de landen waar het oorlog was. Ik was aardig om te zien, althans Johanna en juffie hadden me dat doen geloven. Zelfs Marjorie, als ze in een goede bui was, hield mijn gezicht wel eens op tegen het licht en zei me dan dat ik gezegend was met het knapste uiterlijk van het gezin.

Het tellen van mijn zegeningen hielp nu alleen niets. Ik had zin om hard te gaan rennen, te rennen en te rennen en pas te stoppen als ik arriveerde in Londen, Parijs, Florence of New York. Niet voor het eerst voelde ik het als pech om als meisje in Ierland geboren te zijn. Ik had gelezen over Karen Blixen, Amelia Earhart, ja zelfs over Florence Nightingale, maar geen van hen was Ierse. Geen van hen had moeten leven in een groot, somber huis zoals Whitecliff, of als ze dat wel hadden gemoeten, hadden ze het initiatief bezeten om te ontsnappen. Geen van hen had in een land moeten leven waar het aantal boeken, zelfs Ierse, op de index almaar groeide, of waar je naar hortende films moest kijken omdat de kussen eruit gesneden waren. Geen van hen had in een land moeten leven dat deze maand van de buitenwereld was afgesneden door een blokkade van onze havens. Dit kwam omdat we neutraal bleven, en nu mochten we nog niet eens naar Engeland reizen. Vader had Johanna en mij gewaarschuwd dat we in gesprekken met mensen uit de streek, nooit maar dan ook nooit mochten laten vallen dat de tweeling getekend had bij het Britse leger. 'Je weet nooit hoe ze daarop reageren,' zei hij. 'We moeten voorzichtig zijn. Niet alleen om politieke redenen. Tenslotte zijn we afhankelijk van hun klandizie.'

Het kwam mij voor dat iedereen in het district allang wist dat Thomas en James dienst hadden genomen. In Maghcolla hield je niet makkelijk iets geheim. Maar ik sprak vader niet tegen. Mijn argumenten zouden, anders dan die van Samuel junior bijvoorbeeld, van tafel geveegd zijn.

Ja, een meisje in Ierland zijn was zeker een nadeel. Anders dan jongens, die hun eigen beslissingen konden nemen en eropuit konden trekken om de wereld te zien als ze daartoe de behoefte voelden, moesten wij meisjes de tijd doden, op wat voor saaie manieren ook, tot er een man verscheen. Wat lag er voor me in het verschiet tussen nu en wanneer ik trouwde? Ik wilde per se geen onbetaalde dienstbode worden, zoals Johanna.

Sinds juffie niet meer bij ons was, had ik niemand meer met wie ik over deze gevoelens kon praten. Johanna was een lieve schat, maar het zou onaardig zijn geweest om bij haar mijn hart uit te storten. Ze zou zich zorgen over me zijn gaan maken. Erger nog, ze zou bang geweest zijn dat ik weldra iets doen of zeggen zou waardoor het evenwicht binnen het huisgezin werd verstoord. Voor Johanna was een rustige omgeving, of die nu echt of gespeeld was, alles.

Misschien had ik met Marjorie kunnen praten, die veel wereldser geworden was na haar verhuizing naar Dublin vanwege haar secretaresseopleiding. Maar haar zag ik zelden. Haar bezoekjes aan thuis waren onregelmatig geworden omdat, vermoedde ik, ze het zo leuk had met nieuwe vrienden.

Zelf was ik nooit goed geweest in vriendschap sluiten. Op de nationale school bleven de andere meisjes hetzij op een afstand – uit ontzag voor onze positie in de gemeenschap – of ze waren gemeen en plaagden me en trokken aan mijn haar wanneer de onderwijzeres niet keek. Ze scholden me uit dat ik te damesachtig was om mijn handen vuil te maken of ze zelfs maar in water te steken. Ze dreven de spot met mijn uitspraak en staken de draak met de woorden die ik gebruikte. 'Kijk wie er een woordenboek heeft ingeslikt, kijk wie er een woordenboek heeft ingeslikt,' zongen ze hatelijk op het schoolplein als ik een woord van meer dan twee lettergrepen gebruikte. Hoewel ik snel leerde en vrijwel alle antwoorden kende op vragen van de onderwijzeres, leerde ik om nooit spontaan mijn vinger op te steken om het antwoord te geven. Op die school was indruk proberen te maken een doodzonde.

Bij de dames Biggs had ik het beter, maar tegen de tijd dat ik op die school kwam, was het al te laat. Geslotenheid was een ingewortelde gewoonte geworden en hoewel een paar van mijn nieuwe klasgenootjes enige toenadering zochten, reageerde ik hierop met iets ongepasts of nietszeggends. Als gevolg hiervan wist ik, of vermoedde ik, dat ook deze meisjes achter mijn rug om me lachten. Maar het was irrelevant of ze dit al dan niet deden, want hoe meer ik ernaar verlangde om vriendinnen te maken des te krampachtiger ik werd.

Op zee waren de vissers klaar met wat ze ook aan dek gedaan hadden en de boten voeren parallel aan elkaar weg, onder een slordig dak van zeemeeuwen. Ik sloeg ze enkele minuten gade, maar werd rusteloos (alweer!) en omdat er verder niets interessants te zien was besloot ik dat er niets anders op zat dan naar huis te gaan.

Maar toen ik me omdraaide, bleef ik meteen weer stilstaan. Ik zag een lange, magere jongen die een slappe sigaret uit zijn mondhoek had hangen en me vanaf de andere kant van het prikkeldraad stond op te nemen. Hij kwam me bekend voor. Was het een jongen uit het dorp? Ik kon hem in ieder geval niet onmiddellijk plaatsen. Hij had weerbarstig, rossig haar dat zo armoedig lang was dat het over zijn kraag hing. Zijn ogen waren blauw, maar van een lichtere tint dan de mijne, omlijst door lichte wimpers.

Hij stond me schaamteloos aan te staren.

'Wat moet je hier!' barstte ik uit, voordat ik besefte dat de jongen aan de andere kant van het prikkeldraad stond en dus niet op ons land.

Ik had mijn reputatie dat ik de madame uithing waargemaakt. Hij gaf me de tijd niet om me te herstellen of te verontschuldigen, maar riposteerde: 'Ik ken jou hetzelfde vragen.' Hij zei 'ken' en geen 'kan'.

Ik werd venijnig. 'Ik woon hier.'

'Dat weet ik. We pachten van jullie. Dik vier hectare.' De jongen duwde wat haar van zijn voorhoofd weg, maar liet nog een stevige lok hangen.

Toen wist ik hem te plaatsen. Hij was een van de Quinns uit Rathlinney. Ik had hem een paar keer gezien, toen hij met zijn vader meekwam om de jaarlijkse pacht voor het grasland af te dragen. Vanonder de kraag van mijn jas steeg een kleur als hete punch omhoog. 'Mijn excuses. Ik vergat heel eventjes dat dit onze grens was.'

Ik had het er alleen maar erger op gemaakt. De hitte op mijn wangen groeide aan tot een vuurzee. Ik wilde dat zich een Cornwallse tinmijn opende en me opslokte, maar iets aan de vaste blik in de lichte ogen van de jongen bracht me tot bedaren. Ik stak hem mijn hand toe. 'Ik was onbeschoft. Kunnen we het overdoen? Ik ben Violet Shine. Wie ben jij?'

'Ik weet wie je bent en waar je woont,' onderbrak hij me en in plaats van mijn hand te pakken, haalde hij de sigaret uit zijn mond en doofde hem zorgvuldig door hem over de zijnaad te strijken van zijn corduroy broek. 'Ik heb alle recht om te staan waar ik sta. Het is jullie veld niet.'

Ik werd weer zelfverzekerd. Als ik onbeschoft was geweest, dan was hij erg onbeschoft geweest. 'Dat weet ik.' Ik trok mijn hand terug. 'Dat heb ik net gezegd, maar misschien luisterde je niet. Ik heb mijn excuses aangeboden, maar jij hebt kennelijk niet genoeg manieren om ze te aanvaarden.'

Met de gedoofde sigaret nog in zijn hand, hield hij zijn hoofd scheef. 'Ik heb het je vergeven, Violet Shine,' zei hij zo ernstig en met zo'n doordringende blik, dat ik onderaan mijn nek de hitte weer voelde ontbranden.

Precies op dat moment – en ik dankte God voor zijn goedertierenheid – blies de wind loshangende haarslierten voor mijn gezicht. Ik gebruikte mijn beide handen om ze weg te halen en zag de jongen glimlachen. 'Het is een winderige dag, Violet Shine,' zei hij. En toen: 'Nu jij jezelf hebt voorgesteld, ik heet Coley Quinn.'

8 ❦ De tinmijnen van Cornwall

Coley, Coley, Coley Quinn. Coley, Coley, Coley!

Ik verfoeide het niet langer om een meisje te zijn en ik voelde me allesbehalve mistroostig en rusteloos. Nee, ik voelde me zo energiek en bezield dat ik op school in de klas niet in mijn bank kon blijven stilzitten.

Voor Pasen eindigden de lessen van de dames Biggs op de laatste vrijdag van maart, en met het oog op onze voorjaarsproefwerken analyseerden we wederom de neergang van de zielige tinmijnen. Maar in plaats van dat het onderwerp me verveelde (Saai? Mijnen?), sprak het iedere vezel van mijn fantasie aan – in mijn eentje kon ik het delven van Cornwalls tin nieuw leven inblazen. Of het nu hondenweer was of niet, ik zou mijn vingers stuk werken tot op het bot, als ik bij de ingang van mijn mijn met de meisjes het erts sorteerde dat door de jongens en mannen naar boven was gehaald.

Nog beter, ik zou de allereerste vrouwelijke mijnwerker worden. Zonder te malen om mijn eigen veiligheid zou ik afdalen in die stinkende, benauwde schachten naar de diepste en onveiligste spelonken en het kassiteriet, dat het metaal bevatte, tot de allerlaatste bak toe winnen. Ik zou tot aan mijn middel door het water waden om nieuwe ertslagen te vinden en ondanks de verstikkende hitte van wel veertig graden Celsius zou ik mijn collega-mijnwerkers aansporen om de moed erin te houden, zodat we de economische kansen van tin konden doen herleven. Wanneer mijn inspanningen vrucht droegen, zou ik een heldin zijn in Cornwall. Op dorpspleinen zouden er standbeelden van me worden geplaatst.

Natuurlijk zou ik bescheiden blijven, het koninklijk aanbod van een titel afslaan. Op het voorplein van Buckingham Palace (waarheen ik door elkaar afwisselende gespierde mijnwerkers langs juichende Cornwallse menigtes was gedragen in een witzijden draagstoel) zou ik een reverence maken voor de koning van die mensen. Terwijl de wind mijn haren uit mijn aantrekkelijk gebruinde gezicht blies, niet chaotisch in dikke, onflatteuze slierten, maar in een volmaakte stralenkrans, zou ik mijn reverence maken. 'Nee, dank u, majesteit. Ik ben weliswaar overmand door dankbaarheid voor het eerbetoon dat u mij ten deel wil doen vallen, en dat kom ik u hier ook persoonlijk vertellen, maar ik ben maar een eenvoudig Iers meisje en wij zijn een republiek. Ik ben blij dat ik heb kunnen bijdragen aan het economisch herstel van de tinmijnen in Cornwall, maar de daad op zich heeft me voldoende genoegen gegeven. Ik ben verloofd met een Ier. Na ons huwelijk zijn wij voornemens om onze kinderen zo op te voeden dat ze de Ierse natie koesteren en liefhebben. Vandaar dat er geen sprake van kan zijn dat ik op de voordracht kan ingaan.'

Hierop draaide de koning, die mijn pit en onbaatzuchtige filantropie nu nog meer bewonderde, zich om naar de hoveling naast zich en zei: 'Sakkerloot! Wat een meid!'

'Violet! Violet! Violet Shine!' Op boze toon onderbrak juffrouw Sarah Biggs mijn dagdroom. 'Let eens op!'

'Sorry, juffrouw Biggs.' Ik was terug in ons groen met beige klaslokaal. Buiten regende het en het meisje met wie ik een bank deelde liet ons blad schudden door de energieke wijze waarop ze een vlakgom hanteerde om een fout in haar kaart van de mijnen uit te gummen. Juffrouw Biggs, die zich niet liet vermurwen door mijn boetvaardigheid, trok haar strengste gezicht. 'Jij weet zeker zoveel, Violet Shine, dat je kennelijk geen reden ziet om nog meer te leren. Zou je ons van je kennis willen laten profiteren en de klas vertellen wat het woord "allotroop" betekent en tin hierbij als voorbeeld nemen?'

'Natuurlijk, juffrouw Biggs. Allotropie is het voorkomen van een element in twee verschijningsvormen. Tin is een allotroop van kassiteriet.' Ik had het kunnen zingen. 's Avonds zoefde ik door mijn huiswerk. Het leek wel alsof de liefde niet alleen mijn hart maar ook mijn hersens groter had gemaakt.

Juffrouw Biggs, ofwel De Puist, zoals we haar achter haar rug noemden vanwege haar slechte huid, keek me onderzoekend aan. Ik zag dat ze verbaasd was, maar ze gaf niet op. 'Uitstekend, Violet, maar dit zou je uit je hoofd geleerd kunnen hebben. Ik hoor graag een ander voorbeeld van je. Iets praktisch.'

'Een diamant en een stuk grafiet zijn allebei een allotroop van koolstof.'

'Ik ben onder de indruk.' Ze oogde teleurgesteld.

Een halfuur later hadden we Engelse literatuur van de andere juffrouw Biggs, Lucy, een rustiger, zachtmoediger variant van haar zuster. We hadden *Woeste Hoogten* van Emily Brönte moeten lezen en zouden nu de stijl en de verhaaltechniek van de auteur bespreken.

Met mijn pasverworven inzicht in de liefde, vond ik echter dat onze lerares een karikatuur maakte van het boek omdat ze zich alleen richtte op structuur en stijl en zich gegeneerd snel afmaakte van hoe diep de hartstocht ging tussen Catherine en Heathcliff. Dus toen ik aan de beurt was om een passage voor te lezen, het stuk waarin Heathcliff aan de huishoudster bekent dat hij gepoogd heeft Cathy op te graven uit haar graf, stopte ik dermate veel energie en drama in mijn optreden dat juffrouw Biggs er versteld van stond. 'Hemeltje lief, Violet, dat was uitstekend! Zo levendig heb je nog nooit voorgelezen.'

'Dank u, juffrouw Biggs,' zei ik met een zelfgenoegzaam lachje en onder een verwonderd zwijgen van de andere meisjes in mijn klas nam ik weer plaats. Juffrouw Biggs keek het lokaal rond en zei: 'We worden niet vaak zo prettig onderhouden. Ik denk dat we Violet maar moesten vragen of ze nog wat wil voorlezen, meisjes.'

'Ja,' klonk er in koor, dus ik ging weer staan.

De lerares liet haar vinger over de opengeslagen bladzijde glijden en keek toen op. 'Ah, hier heb ik het, Violet. Waarom lees je niet iets verderop het stuk voor waarin Heathcliff vertelt over de gevoelens die hem niet willen verlaten? Begin bij: "Wanneer ik in de huiskamer zat samen met Hareton."'

'Dank u, juffrouw Biggs.' Ik haalde diep adem en ik probeerde me in te leven in de passage, waarbij ik het geluid van de striemende regen tegen de klapperende schuiframen van het leslokaal gebruikte ter versterking van de tragedie. 'Wanneer ik in de huiskamer zat samen met Hareton, leek het of ik haar zou tegenkomen als ik naar buiten ging; wanneer ik over de hei wandelde, alsof ik haar op de terugweg zou tegenkomen. Wanneer ik van huis wegging wist ik niet hoe snel ik terug moest komen; ze *moest* ergens op de Hoogten zijn, ik wist het zeker!

En wanneer ik op haar kamer slaap – dat heb ik wel afgeleerd – kon ik daar niet gaan liggen; want zodra ik mijn ogen sloot was ze ofwel buiten voor het raam, ofwel bezig de panelen opzij te schuiven, of ze kwam de kamer binnen of legde haar lieve hoofd te ruste op hetzelfde kussen als toen ze een kind was. En dan moest ik mijn ogen openen om haar te zien. En zo deed ik ze elke nacht wel honderd keer open en dicht – om telkens teleurgesteld te worden! Het was een marteling!'

'Bedankt Violet, bedankt,' onderbrak juffrouw Biggs me; nogal haastig, vond ik, want ik begon er net in te komen, omdat ik begreep hoe de arme man zich voelde.

Na me bedankt te hebben en te zeggen dat ik weer kon gaan zitten, draaide onze lerares zich om naar het schoolbord. 'Welnu meisjes, met Emily Bröntes tekst en Violets geweldige voordracht ervan, denk ik dat we voldoende hebben geleerd voor het opstelonderwerp voor vanavond.' Daarna schreef ze in haar krullerige schoonschrift: 'Geeft Heathcliffs gedrag na Cathy's dood blijk van een afglijden in krankzinnigheid? Beargumenteer.'

Zoals ik al zei een karikatuur.

Die les was de laatste van de dag en toen we ons naderhand onder onze paraplu's bij de bushalte verzamelden om elk ons weegs te gaan, zag ik eerbied in de ogen van mijn klasgenoten, of dacht dat te zien. 'Wat las jij fantastisch. Had je het voorbereid? Heb jij soms onderricht gehad in voorlezen, Violet?' Dit, jaloezie, kwam van het meisje dat altijd de beste van de klas was met proefwerken.

'Ach, laat haar toch met rust, Mary Quigley!' snauwde Mary Kelly tegen de Bolleboos, waarna ze liefjes tegen mij glimlachte. 'Zou je zin hebben om een keer 's avonds bij ons te komen eten, Violet?' Mary Kelly was een uilskuiken, maar erg mooi en omdat ze drie oudere broers had was een uitnodiging om bij haar thuis te komen eten erg in trek. Het overkwam mij nu voor het eerst.

'Dank je. Enig, Mary.' Ik trok een gezicht naar de Bolleboos. Ik was een serie-bekkentrekker geworden. Ik was niet langer verlegen. Ik liep het risico om ook nog eens populair te worden.

'Reusachtig, Violet.' Mary lachte haar betoverende Barbara Stanwyck lach naar me. 'Puik.' Mary Kelly ging geregeld naar de bioscoop en haar taalgebruik was doorspekt met dergelijke woorden. 'We gaan met het hele gezin naar Wexford met Pasen, Violet,' voegde ze eraan toe, 'maar ik zal je schrijven en dan spreken we iets af.'

Zoals de zaken ervoor stonden echter, zou ik geen gehoor kunnen geven aan haar uitnodiging, als die ooit al kwam.

Die eerste ontmoeting met Coley resulteerde in een bewust nonchalante afspraak om elkaar nog eens te ontmoeten, op dezelfde plek. 'Ik vind het leuk om met je te praten, Violet Shine. Kunnen we dat nog eens doen, denk je?' vroeg hij. 'Wat dacht je van zondag?'

Ik stemde daar zonder enige aarzeling mee in, want ik kon me niet voorstellen dat ik op zondag geen toestemming kreeg voor een wandeling. 'Lijkt me leuk.'

'Puik.'

'Ja.'

'Tot zondag.'

'Ja.'

'Zondag.'

'Tot ziens...' We bleven hangen en praatten nog wat. Zo lang dat ik de tijd uit het oog verloor en bijna werd gesnapt door moeder, toen ik hijgend en verwaaid via de achterdeur Whitecliff binnen wilde glippen. Ze stond in de kelderkast naast de keuken waar we eten bewaarden en waar de grotere, onhanteerbaarder potten en pannen stonden. Op het moment dat ik de deur openduwde, liet zij met veel gekletter een pan vallen en hoorde me niet binnenkomen. Zodoende kon ik de deur weer sluiten en glurend door het raam buiten wachten, tot ik haar zag weglopen. Het lot was me goed gezind die dag, of misschien juist niet. Het raam naast de achterdeur, waar ik wachtte, lag precies onder de torenkamer, twee verdiepingen hoger.

Die eerste avond, de avond van St. Patrick's Day, vroeg Johanna, die mij het beste kende, bij herhaling of ik iets onder de leden had. En toen ik iedereen gedag zei, merkte zelfs vader de blos op mijn wangen op. 'Het lijkt wel of je koorts hebt, Violet. Voel je je wel goed?'

'Ik voel me prima, dank u vader.'

'Ik hoop dat je je geen zorgen maakt over je proefwerken?'

'Helemaal niet, vader. Ik heb hard gewerkt en heb er het volste vertrouwen in. Bedankt dat u ernaar vraagt.'

Zijn vraag was overigens terecht. Ik leed aan een soort koorts; een duizeligmakende hitte in mijn bloed, die aanhield zolang ik met Coley bleef omgaan.

Onze tweede ontmoeting op de zondag was, zoals te verwachten valt, vanuit mijn gezichtspunt bijzonder gecompliceerd. In mijn fantasie was het allemaal zo theatraal geworden – zouden we kussen? – dat ik naar mijn eigen gevoel het gevaar liep om te knappen van opwinding en nervositeit. Wat als hij niet kwam?

Mijn hersenen gonsden, mijn lichaam voelde koortsachtig aan van ongeduld en toch moest ik tijdens de zondagse lunch stilzitten en belangstelling veinzen voor de dorpsroddeltjes die juffie meebracht aan tafel bij een van haar zondagse bezoekjes. Sinds haar pensioen werd ze geregeld bij ons uitgenodigd. Om geen aandacht te trekken, at ik mijn bord leeg en dwong mezelf om ook de prei waaraan ik zo'n hekel had op te eten.

Er was één gevaarlijk moment. Bedaard kauwend ging ik helemaal op in mijn fantasie, maar opeens kreeg ik door dat het gesprek aan tafel stokte. Iedereen keek naar mij.

'Juffie vroeg je iets, Violet.' Vanaf zijn plaats aan het hoofd van de tafel keek vader me ontstemd aan.

Ik wierp een blik op Johanna, maar die sperde haar ogen om aan te geven dat zij me niet kon helpen.

'Het spijt me, juffie.' Ik deed mijn best om nederig te klinken. 'Ik zat aan iets te denken.'

'Zo is ze nu al een paar dagen, juffie,' zei moeder afkeurend. 'De hemel zou kunnen neervallen, en Violet zou het niet merken. Wat moeten we met haar?'

'Ach, ze is jong,' zei juffie met een glimlach tegen mij. 'U weet vast nog wel hoe het was om zelf jong te zijn, mevrouw.' In alle jaren dat juffie voor onze familie werkte had ze mijn moeder nooit iets anders genoemd. 'Maak je geen zorgen, duifje,' zei ze tegen mij. 'Ik vroeg alleen maar naar je lessen.'

Ik haastte me om haar, en alle anderen aan tafel, te verzekeren dat het met mijn lessen wel puik zat. Ze trokken hun wenkbrauwen naar elkaar op, maar corrigeerden mijn taalgebruik niet.

Koffie – we gebruikten het substituut uit oorlogstijd, geroosterde cichorei – dronken we altijd in de serre, zelfs 's winters. Goddank vonden ze mij er nog te jong voor. Nadat Johanna met afruimen had geholpen was ik vrijgesteld, zoals altijd. 'Als je het niet erg vindt, moeder, wil ik later op de middag misschien wat wandelen als ik mijn huiswerk heb gedaan.'

'Goed hoor.' Moeder gebaarde me weg te gaan. Ik kuste juffies goede wang en ontsnapte.

Coley en ik zouden elkaar om vier uur ontmoeten bij hetzelfde door de wind geteisterde boompje in het zeeveld, aan onze kant van het hek dit keer. Niemand zou me thuis missen als ik om halfzeven terug was voor het eten. We hadden dus tweeënhalf uur.

Hij wachtte op me, gehurkt in het gras, een hand beschermend om een brandende sigarettenpeuk. 'Weet je zeker dat ik aan deze kant van het hek mag komen?' Hij keek ondeugend, maar toch zag ik dat hij net zo nerveus was als ik.

'Natuurlijk. Begin daar alsjeblieft niet weer over…' Moest ik blijven staan of naast hem gaan zitten? Als ik dat deed, zou ik dan geen grasvlekken krijgen op mijn goede jas of mijn rok zelfs, en zou moeder of iemand anders thuis dan niet weten dat ik iets had gedaan wat niet mocht? Die ochtend had ik me met uiterst veel zorg aangekleed, dit aangetrokken, dat aangetrokken en het even zo snel weer afgekeurd. Johanna was geschokt toen ze kwam kijken waarom ik iedereen te laat liet komen voor de kerk. 'Jeetje, Violet! Je bed lijkt net de bijna-nieuwstal op een liefdadigheidsbazaar!'

Toen ik daar onder de meidoorn stond te weifelen, greep Coley mijn hand. 'Kom zitten. We willen toch zeker geen aandacht trekken?' Hij trok me naast zich.

Hoewel de boom ons beschutting bood tegen de harde noordooster was de grond koud. Maar ik voelde me niet onbehaaglijk. Noch konden vlekken me nog een zier schelen: een probleem daaromtrent pakte ik wel aan indien het zich voordeed.

Al zaten we minstens dertig centimeter van elkaar af, toch voelde ik de warmte van Coley Quinns lichaam, als was het een spiegel die hitte reflecteerde, tegen het mijne. 'Ik zal terug moeten zijn voor verduisteringstijd,' babbelde ik, 'maar halfzeven is genoeg tijd.'

'Tof.' Coley was in de weer met het draaien van een sigaretje. 'Ja, dat is tijd zat.'

Mijn ervaring met interactie tussen de seksen was geheel en al gebaseerd op boeken en op incidenteel bioscoopbezoek, dus niets had me voorbereid op de storm van gevoelens die nu in me werd ontketend. Aan het spelen met mijn broers had ik in dat opzicht ook niets gehad. Ik wist absoluut niet wat ik verder moest zeggen of doen.

Coley daarentegen scheen precies te weten hoe hij zich gedragen moest. Hij ging steunend op een elleboog achterover liggen alsof hij op het strand lag of naast een zwembad in Hollywood en trok aan zijn

sigaretje tot er niets van over was. Daarna begon hij aan een lang verhaal over iemand die hij kende in het dorp, die gearresteerd en voor
vijf jaar opgeborgen was wegens geld stelen uit de armenpot in de katholieke kerk.

Ik luisterde zonder iets te horen. Ik keek naar Coley's lippen terwijl hij praatte en rookte, naar hoe ze bolden en verstrakten rond de
sigaret en zich daarna tuitten om de rook uit te blazen. Ik keek naar
hoe de huid rond zijn ogen rimpelde wanneer hij in de zon tuurde.
Terwijl hij gesticuleerde bekeek ik de onverwachte delicaatheid van
zijn lange vingers vol nicotinevlekken. Juffie, om maar te zwijgen van
moeder en vader, zou onsteld zijn geweest bij het zien van die vingers. Bij ons thuis rookte niemand. Alleen het idee al.

'En, Violet Shine, wat vind jij daar nou van?' besloot Coley zijn
verhaal en hij keek naar me op. Ik was preuts rechtop blijven zitten.
Mijn rug begon zeer te doen. 'Vijf jaar in de nor,' ging hij verder,
'voor iemand van wie je toch zeggen kunt dat hij het geld harder nodig had dan een paar van de zogenaamde behoeftigen in deze pa-
rochie. Hebben jullie een armenpot in jullie kerk?'

'Ik... ik geloof van niet.' Ik had er nog nooit over nagedacht. 'Wij'
deden op een andere manier aan liefdadigheid, nam ik aan. 'Onze ge-
meente houdt een collecte en een liefdadigheidsbazaar. Telt dat?'

'Kweetniet.' Hij haalde zijn schouders op. 'Waar zullen we het nu
eens over hebben?' Hij ging rechtop zitten en draaide zich om zodat
we elkaar in het gezicht keken. 'Vertel me over je familie.'

Ik keek hem onderzoekend aan en zocht tevergeefs naar iets van
sarcasme of ironie op zijn gezicht. 'Jij wist toch alles van ons?'

'Alleen wat ik op de zuivelfabriek in Rathlinney hoor.' Hij begon
toen beduidend platter te praten. 'Ik hep gehoord dat jelui van borden met gouwe randen vreet en smult van patrijzen uit je eige pere-
bome.' Hij kreeg lachrimpels.

'Wij eten precies hetzelfde als jullie,' zei ik vinnig. 'Althans, ik
denk dat we dat doen. Kopen ze bij jou thuis bij Rathlinneys Bazaar?'

'Wij verbouwen onze eigen groenten,' erkende hij, 'maar verder...' Hij staarde me nu openlijk aan.

Er gebeurde iets vreemds. Ik zag mezelf door zijn ogen. Ik zag mijn
blauwe satinetjurk met dubbele plooien en met de witte ceintuur,
manchetten en kraag, ik zag mijn zwarte t-balkschoenen en 'goede'
kousen (ze waren van *fil d'écosse*, maar wel transparant; zijde en nylon

waren in die jaren niet te krijgen), mijn appelgroene das, een kerstcadeau van moeder, met twee soorten wol in een ingewikkeld patroon gebreid.

Sta me toe om af te dwalen en te beschrijven wat de spiegel in het algemeen liet zien. Ik was een fijn gebouwd meisje van meer dan gemiddelde lengte en indertijd voldoende ijdel om te menen dat ik mooie ogen had. Ze waren, geloofde ik, groter dan doorsnee en van een erg donkerblauw. Ook mocht ik me verheugen in het hebben van goedgevormde enkels. Ik was minder trots op mijn neus en mond. De eerste was naar mijn smaak te veel een mopsneus en de laatste te breed en te vol. Die zondag echter, toen ik mezelf door Coley's ogen bezag, was ik bang dat zijn blik een kritische was. Ik bracht mijn hand naar mijn haar. 'Is er iets niet goed? Mijn haar…'

Langzaam schudde hij zijn hoofd. 'Draag je het wel eens los?'

Mijn donkere, bijna zwarte, kroezende haar – de wanhoop van juffie die ermee had moeten worstelen toen ik klein was – was zoals altijd in een zware vlecht gedwongen. Johanna had het haar van moeder, fijn en blond. Marjorie en ik hadden dat van vader geërfd, dat als hij het niet altijd heel kort had gehouden, zijn toch al grote hoofd nog groter had doen lijken. Vandaag had ik me bijzonder veel moeite getroost om mijn haar tot op de laatste weerspannige streng in een vlecht te dwingen. 'Loshangen? S-soms,' stotterde ik.

'Het is satijnachtig, net als bij een paard. Mag ik het aanraken?'

Mijn hart deed iets in mijn borstkas, het schoot omlaag en omhoog, en daarna draaide en zwalkte het rond. 'Best.'

Coley Quinn deed meer dan mijn haar aanraken. Hij vroeg me om met mijn rug naar hem toe te komen zitten en daarna haalde hij het uit de vlecht, nam er de tijd voor, streek iedere streng die vrijkwam glad. De sensaties die mijn huid onderging waren onbeschrijflijk. Het voelde alsof mijn hele lichaam beurtelings in warm en koud water werd gedompeld. Ik denk dat ik begon te beven.

Toen mijn haar helemaal loshing, draaide Coley Quinn me om zodat ik hem aankeek, legde zijn beide handen om mijn nek en met gespreide vingers tilde hij mijn haar op. Ik voelde me hulpeloos, niet in staat me te verzetten en ik boog mijn hoofd om hem te helpen. 'Het is zo mooi,' zei hij schor, en liet het als een waterval over mijn schouders vallen. 'Jij hebt geluk, Violet Shine. De helft van alle vrouwen in dit land besteedt het zuurverdiende loon van hun man aan permanenten en watergolven.' Zijn stem sloeg over en voordat ik het wist had hij mijn haar losgelaten, voorzichtig een hand op mijn borst gelegd en me gekust en daarmee was mijn leven voorgoed veranderd.

9 ❦ Lelietjes-van-dalen

'Claudine? Wat is dat voor een naam? Frans of zo?'

'Ja. Mijn moeder overleed bij mijn geboorte en zij wilde dat ik zo heette.' De oude man neemt me met scherpe blik op, verwacht meer, maar ik weet echt niet wat ik verder moet zeggen. Toch word ik vandaag voor de tweede keer overspoeld door verdriet. Dit keer gaat het gepaard met een beeld van haar dood terwijl ze mij het leven schenkt. Ik schraap mijn keel. 'Dat is tenminste wat pappie zei. Ik heb het haar uiteraard nooit zelf kunnen vragen.'

Mijn gastheer, die had gezegd dat ik hem Pat moest noemen 'omdat iedereen aan de overkant van de plas me zo noemde toen ik in de bouw zat', kijkt me nog enkele seconden langer aan.

Dan ziet hij kennelijk iets dat hem waarschuwt niet verder op dit onderwerp in te gaan en hij wijdt zich verder aan zijn Volcanoketel. Tot dan heb ik er nog nooit een gezien. Het is een kegelvormig, dubbelwandig object van blik met een opening en het is een centimeter of zestig hoog. De dubbele wand ligt rond een holle kern. Ik kijk gefascineerd toe als hij uit een oud melkblik water in het compartiment tussen de twee wanden schenkt en vervolgens verscheurd papier en wat takjes propt in het gat middenin. Bovenaan laat hij een flapje papier en een twijg uitsteken. 'Achteruit!' Hij strijkt een lucifer aan en houdt die bij de vuurmakers.

'Binnen luttele seconden is er een hoge vlam en ik vind de gloed er nogal gevaarlijk uitzien, ook al heeft hij het machientje op een platformpje gezet van twee planken over twee muurtjes van baksteen. Ik hoor dat het water rond het vuur al begint te zingen. 'Ben je niet bang dat er brandend papier in de varens waait en er brand komt?'

'Ik ben voorzichtig. Ga zitten, neem er je gemak van.' Hij wijst met zijn duim naar een gehavende leunstoel waaroverheen geel geolied doek ligt.

'Het is zo klaar. Ik hoop niet dat je suiker gebruikt. Heb ik niet. Trekt insecten aan.'

'Maar je hebt maar één stoel. Waar ga je zelf zitten, Pat?'

Hierop stampt hij naar wat eruitziet als een kleine, maar keurige, persoonlijke stortplaats waaruit hij drie verschoten reddingsgordels trekt. Hij legt ze op een stapel en gaat rechtop staan. 'Goed voor de aambeien, hè?' Hij lacht. Hij heeft een opmerkelijke lach, een schrikwekkende hondenblaf.

Tussen mijn vingers voelt de handtas geruststellend stevig aan. Dit is geen droom of fantasie. Op dit moment zit ik in de open lucht met een oude man die thee zet maar een sikkel heeft.

Het is nu alleen te laat om de benen te nemen. Ik verwijder het oliedoek en ga zitten. De stoel, tot op de draad versleten, zit comfortabel. Terwijl ik de vaardige, rustige bewegingen van de man in de gaten houd, kijk ik eens goed naar wat duidelijk zijn thuis is.

We bevinden ons op een open plek van ongeveer zeven bij tien meter, die omringd wordt door wat in andere situaties wellicht afval genoemd zou worden – zwart kuilvoerplastic, wrakhout, half verrotte planken in alle soorten en maten, bergen plastic zakken, een roestende koelkast zelfs – maar alles heeft een functie. Het zwarte plastic is opgevouwen en ligt in keurige, symmetrische stapels onder stenen, de zakken zijn volgestopt en bovenaan dichtgeknoopt, het hout is op grootte op stapels gelegd en een deel ervan is tot brandhout gehakt.

Naast het Volcanoplatform is een groot barbecuerooster over een vuurkuil gelegd. Er staat ook een zelfgemaakte tent, een soort tipi, van nog geen meter hoog. Hij bestaat uit dekkleed zoals je dat wel op vrachtwagens ziet, dat over een raamwerk van takken is gelegd en op zijn plaats wordt gehouden door dubbele rijen grote stenen op de grond. De flappen van de ingang staan open en ik kan een slaapzak zien op een grondzeil, met aan het hoofdeinde een ouderwetse prent van een engel in pasteltinten.

Aan de zijkant van de tent zie ik een ruwe tafel van planken die bij elkaar worden gehouden met spijkers die lang geleden verroest zijn en vlekken op het hout hebben gemaakt. Langs de randen staat de rest van het huisraad. Een enorme hutkoffer doet dienst als primitieve gereedschapsschuur. Hij is op zijn kant gezet met het deksel open. Er zijn haken en planken in bevestigd, zowel in de koffer zelf als in het deksel, om er zagen in onder te brengen, een hamer, een bijl, een houten hamer, allerlei doosjes met spijkers en schroeven, schroevendraaiers, paktouw, stukken draad en objecten waarvan ik de naam niet ken. Een stuk dekzeil, dat momenteel is opgerold, dient als deur.

Tegen de hutkoffer staat een koelkast, waarvan de deur wordt opengehouden met een baksteen. Het is de provisiekast annex keukenkast van de oude man. Er staan een koekenpan en een gedeukte aluminium steelpan in, drie mokken, een kom, twee borden, wat bestek in een jampot, drie blikopeners in verschillende graden van geavanceerdheid, bonen in tomatensaus, sardines, houdbare melk, theezakjes, een gesneden brood, twee kuipjes boter, appels, een groot pak cornflakes en een tros zwart wordende bananen.

'Onder de indruk van mijn stulp?' Hurkend voor de Volcano giet hij kokend water over in een witte porseleinen theepot met een motiefje van lelietjes-van-dalen en een gouden randje. Een merkwaardig object binnen de context van de rest, denk ik. 'Nou en of. En wat een prachtige theepot, trouwens. Is dat soms een familie-erfstuk?'

Ik heb het nog niet gezegd of ik weet dat dit een miskleun is, want hij werpt me een ijzige blik toe.

'Nee.'

Van nu af aan zal ik mijn mond dichthouden. Deze oude man wil me niets persoonlijks toevertrouwen. Mocht hij dat wel willen dan is het vast een hele historie.

Ik bedwing mijn nieuwsgierigheid en kijk toe als hij de theepot voor me op de grond neerzet. 'Laat dat maar even trekken.' Vervolgens begint hij te redderen, zet de tafel neer, mokken, lang houdbare melk, twee lepels. 'Ik heb helaas geen koekjes. Ik verwachtte geen bezoek.' Hij gaat op zijn stapeltje reddingsgordels zitten, pakt de theepot, draait de inhoud rond en giet daarna enkele testdruppels op de grond. 'Die is wel goed.'

Terwijl we drinken zit hij in de typische houding van zelfverzekerde mannen: hoofd omlaag, benen wijd, vrije hand die daar ontspannen tussen bungelt (Het valt me op dat hij lange, fijngevormde vingers heeft). Hij schijnt geen behoefte te hebben aan een praatje, ik wel. 'Heerlijke thee. Hoe lang woon je al zo, Pat?'

'O, al een poos. Sinds ik terug ben van overzee.'

'Uit Engeland, bedoel je?'

'Ja. Londen. Manchester. Coventry. In de bouw.' Zijn tongval is Iers, maar ik hoor er ook echo's in van grootstedelijk Engeland.

'En waarom ben je juist hier neergestreken?'

'Iets van mij,' zegt hij op een toon die geen duidelijkheid verschaft. Hij kan hebben bedoeld dat zijn motieven van persoonlijke aard waren of dat hij hier in alle beslotenheid zit. Ik kies voor het laatste. 'Hier zal niemand je lastigvallen.'

'Klopt.' Hij kijkt voor zich uit. 'Niemand valt me hier lastig.' Hij is op zijn gemak, daar op zijn belachelijke hoop. Ik moet mezelf voorhouden waarom ik hier ben, en al intrigeert de man me, zijn geschiedenis horen is niet het doel van mijn komst.

'Is het geen prachtdag, Pat?' De zon laat een vochtige maar zoete geur uit de aarde opstijgen, muskusachtig bijna. En anders dan de zware stilte op de landwegen en laantjes, trilt de lucht van het gezang van een leeuwerik.

'Zeker, zeker.' Hij kijkt nog steeds voor zich uit.

'En…' Ik neem een slok van de afkoelende thee en vraag dan opzettelijk nonchalant, '… dit huis hier. Whitecliff. Wat jammer dat men het zo te gronde heeft laten gaan, vind je niet? Van wie is het tegenwoordig?'

'Van wie het is?' herhaalt hij en kijkt me opnieuw aan op die intense manier van hem. 'Ik mag een boon wezen als ik weet van wie het nu is.' Hij haalt zijn schouders op. 'Denkelijk van een steenrijke projectontwikkelaar. Maar misschien wel niet. Misschien is het van niemand.'

'Het moet van iemand zijn. Hoelang is het al zo verwaarloosd?'

'Heb al in geen jaren iemand in de buurt van het huis gezien.' Weer haalt hij zijn schouders op. 'Dit is het soort huis waarover je verhalen hoort, het soort geleuter waar mensen niet mee ophouden. Schrikt mensen af, vermoed ik.' Vanonder zijn borstelige wenkbrauwen kijkt hij me strak aan.

'Verhalen? O, ja… ergens heb ik wel eens iets opgevangen. Iets over een geest, of dat het hier spookt of iets dergelijks?'

Opnieuw staren we elkaar woordeloos aan. Hij doorbreekt de stilte als eerste. 'Hoe heette je ook alweer voordat je getrouwd was?'

Dit is zo'n onverwachte wending dat het me van de wijs brengt. 'Hoe weet jij nou dat ik getrouwd ben?'

Hij wijst naar mijn trouwring. 'Ach, natuurlijk. Ik heette Magennis.'

'Wie was jouw vader?'

'Pardon?'

'Zijn naam!' Hij is ongeduldig. 'Zijn voornaam?'

'Christopher. Chris.'

Hij knikt. 'Autohandelaar.' Het is geen vraag.

'Hoe weet jij dat?'

'Iedereen kent Chris Magennis immers. Magennis Motors, toch? Alles met centen uit het graafschap ging naar hem.' Hierop kijkt hij naar de grond. Wat een vreemde man.

'Ook de mensen hier uit het huis?'

'Kan best. Weet het niet zeker hoor, maar ik denk van niet. Voor zover ik weet haalden zij de hunne uit het noorden. Hielden ze jaren op de weg tot ze helemaal op waren.' Hij kijkt weer op. 'Dus jij bent Chris Magennis' dochter. De wereld is klein.'

'Dat kun je wel zeggen.' Ik ben teleurgesteld dat er geen sprake geweest schijnt te zijn van zo'n connectie met Whitecliff. Het wordt tijd om naar huis te gaan. Ik kom een andere keer wel terug, denk ik, en benader het huis dan vanuit een andere richting, via het klif is het meest kansrijk. 'Bedankt voor de thee,' begin ik, maar hij onderbreekt me.

'Waarom ben je eigenlijk geïnteresseerd in Whitecliff?'

Ik onderschat deze man niet. Het mag dan een vagebond zijn die buiten bivakkeert, maar er ligt een heldere, intelligente blik in zijn ogen.

'Als je mijn notitieboekje openslaat, zul je zien dat ik bij een makelaardij werk. En voordat je hoog in de boom klimt, wij zijn niet steenrijk. Het is mijn baas en ik. We hoorden dat dit huis mogelijk op de markt kwam en hij stuurde me hierheen om poolshoogte te nemen.'

Hij denkt hier even over na. Dan, nog steeds nadenkend, giet hij langzaam de theeblaadjes uit zijn mok op de grond. 'Je zult het huis wel willen bekijken.'

Bijna laat ik mijn eigen mok vallen. 'Heb jij dan een sleutel?'

Hij staat op. 'Kom mee. We hebben niet de hele dag de tijd en het gaat straks regenen.'

Ik kijk omhoog naar de stralende blauwe lucht. Maar ik doe hem na en giet wat er nog in mijn mok zit op de aarde.

Het was begin april 1944 en ik was dolgelukkig. Er was geen school vanwege Pasen, mijn taken thuis waren licht, Samuel junior zou vanuit Trinity thuiskomen en hierdoor zouden mijn ouders minder aandacht dan normaal voor mij hebben.

Ik had mijn voorjaarsproefwerken goed gemaakt en mijn ouders verkeerden in de veronderstelling dat ik met smart zat te wachten op het einde van de oorlog, zodat ik naar Frankrijk kon gaan. Zij wisten natuurlijk niet dat Whitecliff verlaten het laatste was waaraan ik dacht. Met de zorgeloosheid de jeugd eigen hoopte ik erop dat onze isolatie van de rest van Europa zou voortduren. Dit werd uiteraard wat getemperd door schuldgevoel vanwege de tweeling. Ik hield van mijn broers, maar ik vrees dat ik in die periode erg weinig aan ze dacht. Feitelijk dacht ik aan niets en niemand anders dan aan Coley Quinn.

In de laatste helft van maart wist ik door de nu en dan onzekere uitdrukking op Johanna's gezicht dat zij voelde dat er iets met me was. Zoals altijd echter hield ze haar mening voor zich, waarvoor ik haar dankbaar was.

In heel de streek, in de hagen en op de velden, bogen de meidoorns door onder het uitzonderlijk vroege gewicht van roomkleurige bloesem. Wanneer ik er in Coley's gezelschap naar keek vanaf een van onze hoger gelegen velden scheen het patroon van door wit bezoomde, onregelmatige groene rechthoeken me toverachtig toe. 'Gods dambord,' noemde hij het, en hij bevestigde daarmee wat ik met iedere vezel van mijn hart wist: dat dit geen gewone jongen was maar een bijzonder fijnbesnaard mens. Ook al kon vrijwel alles in die periode voor Coley en mij toverachtig of vol van betekenis zijn, de mensen in Maghcolla deelden onze opvattingen over de meidoorn niet. 'Er is dit jaar te veel van die doornbloesem,' zei juffie, toen ze op een zondag weer bij ons op bezoek was. 'En ik heb het nog nooit zo vroeg zien komen,' liet ze erop volgen. 'Daar kan niets goeds van komen.'

Misschien is het anders in deze moderne tijd, maar in die dagen werden doornbomen geassocieerd met geesten, elfen, graven en heidense rituelen. Boeren die hun land wilden ploegen zouden een eenzaam opgeschoten exemplaar nooit uitgraven, of het nu in de weg stond of niet. Verder werd gezegd dat Christus' martelkroon van meidoorntakken gevlochten was, dus zou het ongeluk brengen als men de bloemen in huis haalde. Niet dat moeder zich daarvan wat aantrok. Ze vond het maar rooms bijgeloof en hield eraan vast om ons huis ermee op te fleuren wanneer ze daar zin in had. Pas vele jaren later kwam ik erachter dat meidoorn ook werd geassocieerd met gedoemde geliefden. Had ik dit geweten dan zouden Coley en ik misschien geen meidoorn gekozen hebben om briefjes voor elkaar achter te laten en voor onze gestolen momenten samen. Indertijd trok hij noch ik zich iets aan van ouderwetse overtuigingen.

In de weken van eind maart en begin april bleef ik het een wonder vinden dat mijn, inmiddels bijna dagelijkse, afspraakjes tot dusver niet ontdekt waren. Coley ondervond kennelijk weinig hinder zich aan mijn rooster aan te passen. In de zuivelfabriek gold werktijdverkorting en Coley's baas was gul met toestemming voor afwezigheid geven als Coley zei dat hij vrij moest hebben om voor het vee van de Quinns te zorgen.

Thuis had ook ik een verhaaltje verzonnen en vader en moeder verteld dat de dames Biggs vonden dat ik meer frisse lucht nodig had, want het was ze opgevallen dat ik een beetje pips zag. Met name vader was een groot voorstander van gezondheid en goede conditie, dus na een korte ondervraging, zette geen van beide ouders nog vraagtekens bij mijn plotse en enthousiaste bekering tot het buitenleven. Ze wisten dat ik in ieder geval nooit ver weg kon. Ik had geen eigen geld voor bussen of taxi's en door de brandstofschaarste en -distributie vanwege de oorlog waren er niet veel transportmogelijkheden. Daarom vloog ik zo dikwijls als ik kon naar onze meidoorn, even snel en recht op het doel af als een zwaluw die in de schemering nestwaarts keert.

Op het oog was ons plekje ideaal. Het veld waarin onze boom stond lag indertijd braak en werd zelden geïnspecteerd. Hij stond aan de rand van het klif, waardoor we van drie kanten iemand konden zien naderen en door het golvende landschap was onze plek niet te zien vanuit Whitecliff.

Dat voorjaar verwaarloosde ik mijn eten, mijn gebed zelfs. Mijn dagboek daarentegen nam de omvang aan van een roman.

Het was geen echt dagboek met een boekslot, maar eerst één gewoon schoolschrift en later een tweede. Ik verstopte ze in de zak van een oude winterjas van Marjorie, die in een katoenen hoes achter in mijn kleerkast hing.

Coley, Coley, Coley Quinn, schreef ik in dat schrift. Ik herhaalde zijn naam in verschillende letters. In plaats van dat ik Franse of Latijnse werkwoorden vervoegde, fantaseerde ik over kant, sluiers en vazen bloemen in dorpskerkjes, en ik schreef ondertussen: 'Violet Quinn,' 'Violet Jane Quinn,' 'Violet Shine-Quinn,' 'Violet Quinn-Shine,' en ook: 'Violet Jane Shine-Quinn,' wat zelfs ik een beetje erg veel vond.

Urenlang schreef ik onze twee namen in blokletters op, waarna ik de letters die we gemeenschappelijk hadden wegstreepte om het spelletje 'liefde, haat, aanbidding, kussen, flirten, trouwen' te spelen. Om de gewenste uitkomst te krijgen speelde ik vals door de namen te manipuleren, door mijn tweede voornaam ertussen te zetten of die van Coley (die tot zijn grote verlegenheid Norman was). Maar wat ik ook deed, niets leverde 'trouwen' op.

Het op een na beste kreeg ik er wel uit. 'Coley Quinn' boven 'Violet Jane Shine' liet zien dat hij me aanbad en ik van hem hield. 'Coley Norman Shine' boven 'Violet Shine' keerde dit om, dan hield hij van mij en aanbad ik hem. Beide stelden tevreden, want houden van en aanbidden waren twee kanten van dezelfde medaille, immers?

Ik was opgetogen over deze uitkomst en ik had het idee dat ik op één lijn stond met de monniken die hadden gezwoegd op het *Book of Kells*, terwijl ik urenlang met verschillende kleuren inkt de letters van onze namen verfraaide met rozen, madeliefjes en andere, onbepaalde, bloemsoorten.

Ondertussen moest ik ervoor zorgen dat Mijn Geliefde, in die termen dacht ik, niet ontdekt werd. Daarom kwam ik tegemoet aan ieder verzoek van vader, iedere opdracht van moeder en ik was vastbesloten om, thuis in elk geval, een voorbeeldige dochter te zijn.

Als ik dit volhield, sloot ik niet uit dat mijn ouders me komende zomer voldoende zouden vertrouwen om me alleen – al was dat niet erg waarschijnlijk – een tocht wel zo ver als naar de badplaats Bettystown te laten ondernemen. Wat zouden Coley en ik samen genieten in de zandduinen bij het noorderstrand! Zelfs als Johanna en/of Samuel junior als chaperonne werden meegestuurd, dorst ik te hopen een van de twee of hen allebei om te kunnen kopen om me een uurtje alleen op stap te laten gaan.

Op een avond stapte Johanna onaangekondigd mijn kamer binnen en trof me al harten en pijlen rond Coley's naam tekenend aan. Ik ging er zo in op dat ik haar niet had horen kloppen of aankomen, tot ze achter me stond.

Ik verborg de bladzijde onder een hand en sprong toen op om haar aan te pakken. 'Waarom besluip jij me zo stiekem, Johanna? Dit is mijn kamer. Ik wil het niet hebben dat mensen me bespioneren!'

'Ik heb aangeklopt, Violet!' Ze sperde haar ogen open en er lag een gepijnigde uitdrukking in.

'Nietes! Je moet niet tegen me liegen!'

'Wel waar! Echt!'

Mijn slaapkamer keek uit op de tuin aan de voorkant van het huis en de zon ging die avond op spectaculaire wijze onder met een zachtoranje gloed. Het vlinderschuifje in het lange, steile haar van mijn zuster glom op in dat licht. Johanna droeg het haar altijd in een scheiding opzij en om het uit haar gezicht te houden had ze een hele verzameling van zulke schuifjes. Door dit kapsel leek ze jonger dan haar jaren.

Ik sloeg mijn armen om haar heen. 'Het spijt me, Johanna, het spijt me dat ik tegen je schreeuwde.'

In plaats van mijn verontschuldiging te aanvaarden, maakte ze zich uit mijn omhelzing los en liep achterwaarts naar de deur, alsof ze bang was dat ik haar zou slaan.

'Niet weggaan.' Ik liep haar achterna. 'Waarom moest je me hebben?'

'Niets belangrijks. Ik ben het vergeten.'

'Je maakte me aan het schrikken. Dat was alles.'

Ze glimlachte, maar ze verliet de kamer met een nog steeds betrokken gezicht. Hoeveel had ze gezien en begrepen? Ik moest erop vertrouwen dat ze niets tegen vader en moeder zou zeggen. Ik vertrouwde erop. Ik vertrouwde erop dat niets in de kosmos mijn sublieme geluk verstoren zou. Mijn geluk was voorbeschikt. Het oversteeg ieder benepen familiebelang.

Arme Johanna, dacht ik. Ik was mijn zuster gaan zien door het filter van een nieuwe, grotere gevoeligheid. Ze was drieëntwintig, had haar opleiding zeven jaar eerder voltooid en nooit de wens uitgesproken om secretaresse of iets anders te worden. In mijn ogen leidde ze een saai leven. Ze hielp met de boekhouding van de zaak, maar moeder vond het beneden Johanna's waardigheid dat ze achter de toonbank zou staan. Dus toen het niet meer nodig geacht werd dat juffie bij ons thuis werkte, werden veel van de huishoudelijke taken overgenomen door Johanna.

Voor mijn zuster bestond de enige hoop op ontsnapping uit Whitecliff, naar mijn idee, uit het opduiken van een geschikte echtgenoot. Wederom vanuit het verwaande gezichtspunt van een zestienjarige, had ik dus medelijden met haar. Ik vond het niet eerlijk dat zij door een toevalligheid gedwongen werd een Jane Austenleven te leiden, terwijl Mijn Geliefde en ik rondwervelden in een leven dat door een Brönte bedacht had kunnen zijn.

Hoewel we het elkaar nog nooit in woorden bekend hadden (en ik betwijfelde of Coley de roman ooit gelezen had) beschreef de heftigheid van de Onderdrukte Passie tussen Catherine Earnshaw en haar Heathcliff volmaakt wat hij en ik voor elkaar voelden. Sterker nog, de roman was in dit opzicht zo accuraat, dat ik het moeilijk te geloven vond dat hij in 1847 was gepubliceerd, in de oude tijd, bijna een eeuw voordat ik hem verslonden had. Sinds ik de roman door toedoen van de dames Biggs ontdekte, had ik mijn lievelingspassages herlezen en herlezen totdat je door de verkleuring aan de rand van de betreffende pagina's precies kon zien waar ze stonden.

De Grootte van Onze Liefde terzijde gelaten, waren er vele treffende overeenkomsten tussen het romanverhaal en het onze. Die lieve, verstandige juffie had niettegenstaande haar misvormde gezicht best model kunnen staan voor de empathische huishoudster, Nelly Dean.

En wat betreft de aantrekkingskracht van de heide op Catherine en Heathcliff, ons vlakke, groene landschap zou vergeleken daarmee wat tam kunnen lijken, maar dat was alleen oppervlakkig zo. Tijdens een storm, wanneer de verstuivend zeeschuim meevoerende wind aan onze ramen rammelde en zo hard huilde dat je geen gesprek kon voeren zonder je stem te moeten verheffen, wanneer de golven ons kiezelstrand opaten en zo hard tegen het klif stuksloegen dat Whitecliff op zijn grondvesten leek te trillen, dan kon ik heel goed geloven dat ik niet op het platteland van Maghcolla woonde, maar in de schaduw van de steile rotsmassa's van Noord-Yorkshire. Mijn liefde voor Coley had mijn ogen geopend voor de natuur en, zoals hij en Catherine misschien zouden zeggen, voor veel andere zaken bovendien.

Toen de dames Biggs ons op de laatste dag van het semester om halftwee lieten gaan voor de paasvakantie, ging een aantal leerlinges, waaronder mijn nieuwe vriendin Mary Kelly, naar de film. Dat hadden ze zo afgesproken. Ik had de uitnodiging om mee te gaan afgeslagen. Na school haastte ik me naar de halte van de bus naar Rush, Skerries en Loughshinny in plaats van die naar Balbriggan die ik altijd nam. Coley en ik hadden plannen gesmeed voor een geheim uitstapje.

Ik had moeder niet verteld dat we die dag vroeg vrij kregen en ze verwachtte me gewoon met de bus van vijf uur thuis. Coley en ik konden nu drie heerlijke uren samen zijn. Hij had een fiets en zou me op de stang naar huis rijden en me een heel eind voor ons hek afzetten.

Indertijd was Loughshinny een klein, rustig havenplaatsje met enkele verspreid staande huisjes met een rieten dak en een halvemaanvormig zandstrand. (Misschien nog steeds. Mijn bezoekje daar met Coley, zestig jaar geleden, was tegelijk mijn laatste.)

Hij was er al toen ik uit de bus stapte en ik rende naar hem toe. We kenden niemand in dat dorp, voor zover ik wist. En al kenden we er wel mensen, wat dan nog? Die dag voelde ik me onoverwinnelijk.

De middag was stil, ook aan de waterkant waar we hand in hand liepen en praatten, begeleid door het klots-klots-klots tegen de kust van één telkens terugkomend golfje. Het was eb en de enige activiteit vond plaats op de havenmuur, waar een stel mannen aan het prutsen was met trossen, boeien en kreeftenfuiken.

Het fascineerde me hoe ik opeens zoveel te vertellen had, zoveel innerlijke gedachten om te uiten, over mijn eigen situatie, die in de wereld en alles erin. Ik besefte dat we ons voor het eerst sinds onze kennismaking gedroegen als vrienden die ook geliefden waren, omdat de gespannen intensiteit nu ontbrak die iedere ontmoeting tot een uitputtingsslag maakte.

We klommen naar een klein plateau dat uitkeek over zee en toen we in het zanderige gras zaten uit te rusten begon ik hem zomaar allerlei grappige verhalen te vertellen over de dames Biggs, vooral over De Puist, en daarna ditjes en datjes over mijn familie. 'We verwachten dat Samuel junior zal doorstuderen…'

'Heet hij zo? Samuel junior?' Coley trok een wenkbrauw op.

'Eigenlijk alleen Samuel, maar we hebben ook een oom Samuel dus…'

'En noemen jullie hem in de wandelgangen "Junior"?'

'Brutaaltje!' Ik sloeg hem speels (of gaf hem een tik, zoals Emily Brontë gezegd zou kunnen hebben). 'En dat van iemand uit een familie van wie iedereens naam eindigt op 'ie' of 'y'. Hoe heten jullie ook alweer? Coley, Bridgie, Ginnie, Florrie, Millie? En je moeder?' Net als ik was Coley de jongste thuis. Hij had geen broers, alleen vier nog ongetrouwde zusters, dus hij woonde in een door vrouwen gedomineerd huis.

Hij moest een beetje lachen. 'Dat weet je best. Mijn moeder heet Monnie. Monica voor jou.'

'Monnie. Hmm.' Ik deed alsof ik nadacht. 'En jij hebt de vermetelheid om ons uit te lachen vanwege een Samuel junior?'

'Hé! Da's niet eerlijk. Onderling geen "vermetelheid" hoor.'

'Sorry.' Ik was onze afspraak vergeten: geen dure woorden. 'Ik wilde zeggen dat je heel brutaal bent, Coley Quinn!'

Hij greep me vast, kietelde me onder mijn armen en we rolden op en onder elkaar en moesten zo verschrikkelijk lachen. Natuurlijk ging het lachen over in kussen, maar ik riep hem een halt toe toen ik bang was dat we te ver zouden gaan.

We gingen weer rechtop zitten.

In de loop der weken hadden we elkaar maar weinig over onze families verteld. Anders dan ik had Coley geen gebrek aan familieleden. Over heel de wereld verspreid had hij ooms, tantes, neven en nichten. Ik kreeg de indruk dat het een twistziek stelletje was, wanneer ze het klaarkregen om met zijn allen bijeen te komen voor bijvoorbeeld een doop of een begrafenis. Coley had me bekend dat hij het heerlijk vond om op het land te zijn met mij, niet alleen vanwege Onze Liefde maar ook vanwege de rust.

'Vertel me over je gestorven broertje.' Hij speelde met mijn vlecht, inmiddels een gewoonte.

Ik vertrouwde hem mijn verdriet toe. Hoewel het jaren en jaren geleden was, merkte ik dat ik over de begrafenis van mijn broertje vertelde alsof het gisteren was gebeurd. De pijn bewoog me nog steeds tot tranen. Ik kon niet verder vertellen.

Coley wiegde me in zijn armen en liet me uithuilen. Al snel had ik mezelf weer onder controle. 'Dankjewel, Coley. Dit spijt me zo. Ik hoop niet dat ik je in verlegenheid heb gebracht.'

'Niks hoor.' Hij kuste mijn wang. 'Niets wat jij doet zou mij in verlegenheid kunnen brengen, Violet. Nooit.' Hij hield me een stukje van zich af en we keken elkaar aan. Ik werd ijskoud en ademloos en het leek net alsof er in mijn maag werd geboord. Ik zag dat Coley iets dergelijks onderging.

Zonder een woord te zeggen wisten we allebei dat dit 'het' was.

We stonden snel op. Coley pakte mijn hand en we liepen naar de landtong waar een akker met inmiddels kniehoog opgeschoten wintergerst lag. Op weg erheen lieten we een fazant schrikken, die afwisselend over de akker rende, hupte en vloog. We strekten onze halzen en konden aan het golven van het gewas zien waar het dier zich bevond. Beiden deden we alsof onze gedachten uitsluitend de vlucht van die in paniek geraakte vogel golden. Alsof we niet op onze bestemming toeliepen.

Toen Coley zeker wist dat we een plekje gevonden hadden waar niemand ons kon zien, bleef hij stilstaan en keek me diep in de ogen. 'Weet je zeker dat je dit met me wilt doen, Violet?'

'Ja. Nee. Ik bedoel ja.'

'Weet je het absoluut zeker?'

Mijn adem hing als een uitzettende ballon in mijn borstkas. 'Ja.' En toen: 'Maar ik heb het nog nooit gedaan.'

Hij glimlachte een beetje maar bleef toch ernstig kijken. 'Ik ook niet.'

'Dan leren we het samen. Het komt goed.' Ik voelde me dapper. Coley Quinn zou me van een zinkend schip gered hebben, volgens mij. Zijn leven voor me hebben geriskeerd.

Met hem vrijen was precies zoals ik het gedroomd had, hoewel ik tot dan een vaag benul van de details bezat. Feitelijk was ik totaal onwetend en geen van mijn romans was – ook niet als je tussen de regels door las – erg informatief geweest. Onwetendheid had me evenwel niet weerhouden van nachtelijke fantasieën.

Sinds ik Coley kende waren deze fantasieën van een ongekende hevigheid. Vanwege de verbazingwekkende energie die ik opeens bezat, kwam de slaap toch al moeilijk. Dus al woelend en draaiend had ik een aantal scenario's bedacht.

Coley en ik reden op gespierde schimmels door een woeste, romantische woestijn ergens in Noord-Afrika. Er was niemand te bekennen. We stegen af en ontkleedden ons en stonden naakt en trots voor elkaar. Hij nam me in zijn armen, zijn huid tegen de mijne…

Coley en ik zaten in een kleine, open boot op een uitgestrekte, kalme zee, allebei naakt; er lagen stapels kussens in de boot. Coley kuste mijn mond en rolde toen boven op me, zodat mijn zachte, blote buik tegen de zijne drukte…

Er waren andere fantasieën, maar zodra ik mijn ogen sloot om een van deze twee opnieuw te beleven, raakte ik me vanzelf 'beneden' aan, wat gevoelens opriep die ik niet durf te beschrijven. Natuurlijk wist ik dat er bij vrijen meer gebeurde dan naakte lichamen die elkaar voelden, hoe heftig die sensatie ook was; maar wat?

Het had geen zin om het aan Johanna te vragen, ook niet indirect. En ik zou er niet over gepiekerd hebben om het aan moeder te vragen. Maar sinds ik Coley kende, had ik dikwijls gewenst dat Marjorie thuis was. Marjorie met haar kortgeknipte haar en modieuze schoenen. Ze rookte zelfs had ik ontdekt toen ik haar paffend aantrof in een van de bijgebouwen.

In een eerdere fase, toen ik begon na te denken over wat vrijen inhield, had ik de moed bij elkaar geraapt om het juffie rechtstreeks te vragen. Maar ze was onbegrijpelijk wollig geworden. 'Wanneer de tijd daar is, zul je vanzelf alles weten. Maar onthoud goed dat je jezelf moet bewaren voor je echtgenoot. Het is het grootste geschenk dat je een man kunt geven en geen man zou het prettig vinden om te denken dat zijn bruid het aan een ander had weggegeven. Zodra het is weggegeven, Violet, krijg je het nooit meer terug.'

Ik geloof niet dat ik een dom of oppervlakkig iemand ben, en in haar algemeenheid was het heel duidelijk wat juffie bedoelde. Toch wilde ze er niet verder op ingaan, dus ik was niet wijzer omtrent wat mijn geschenk nu precies inhield.

Maar die dag in Loughshinny kon ik me geen beter iemand dan Coley Quinn voorstellen om het aan te geven.

11 🌹 *Chirurgische precisie*

Mozes schrijdt door de Rode Zee.

Dit beeld komt in me op wanneer ik de vagebond volg, want de braamstruiken lijken als bij toverslag voor hem te wijken, terwijl hij beheerst met zijn sikkel zwaait; rechts, links, rechts, links. Het lopen over de ongelijke grond valt niet mee. Mijn jasje plakt aan de zijden blouse eronder en aan mijn kuiten voel ik dat het land oploopt. Wanneer ik in westelijke richting kijk, zie ik dat er een zware wolkenbank op ons af komt golven. De oude man zou wel eens gelijk kunnen hebben dat er regen op komst is.

We bereiken de top van een kleine heuvel en daar voor ons ligt het huis; geblindeerde ramen, afgebrokkelde schoorstenen die de hemel doorboren.

Hij blijft stilstaan zodat ik hem kan inhalen.

Toen ik Whitecliff vanaf het klif of het strand zag, op een kleine kilometer afstand, had het huis romantisch droevig geleken. Een wat-zonde-huis. Een wat-zou-ik-dat-graag-onder-handen-nemen soort huis. Van dichtbij zie ik zo dat je erg diepe zakken nodig hebt om hier nog iets bewoonbaars van te maken.

We zijn aan de voorkant beland, voor de met een hangslot vastgemaakte dubbele deuren. Ze liggen beschut in een bladderend portiek met zuilen, dat aan weerskanten wordt geflankeerd door drie ver uitspringende erkers met gesloten luiken. Hoewel de braamstruiken goed zijn opgeschoten, zijn ze hier nog maar net begonnen met het weven van hun tapijt, want hier en daar kan ik nog sporen van grind zien. Ooit moet hier een halvemaanvormig parkeerterrein of een draaicirkel geweest zijn.

De dubbele voordeur, compleet met zijn gerafelde bellekoord, maar verweerd tot op het kale hout, zou wel eens het meest solide onderdeel van het huis kunnen zijn. De sponningen van de ramen zijn verrot, aan het maaswerk van schoorstenen op het huis ontspruit een gezond buddleja-gewas, veel van de goten en regenpijpen bungelen als waren het afgedankte krukken aan doorgeroeste steunen. Ernstiger is dat er daar waar leien ontbreken dakspanten zichtbaar zijn, en dat er veel voegsel is weggebrokkeld, zodat het de vraag is hoe lang de muren het nog houden. Zonder het binnen bekeken te hebben, zou ik zeggen dat Whitecliff vergeven is van natte rot, droge rot en van wat je verder maar kunt bedenken. Iedere projectontwikkelaar zou in minder dan een seconde besloten hebben dat het tegen de vlakte moest.

Dit alles gezegd hebbende, ook al ziet het huis er treurig uit, het draagt zijn leeftijd bevallig, een tot armoe vervallen douairière, maar één wier aristocratische botten, het bellekoord aan de deur incluis, door haar lompen heen schitteren. Ik ben verliefd.

'Vroeger stonden er hier langs de laan grote beuken met narcissen eronder.'

Dit bevestigt mijn vermoeden dat de keuze van de oude knaap voor Whitecliff als illegaal onderkomen geen toevallige is geweest en dat er een vorm van emotionele gehechtheid in het spel moet zijn. Maar de toon waarop hij het zegt is vreemd en hij slaat me gade, bijna alsof hij op een reactie hoopt. Maar ik houd mezelf voor dat ik tijd noch behoefte heb om voor amateurpsycholoog te spelen. Ik ben hier voor zaken. Dus in plaats van te graven, ga ik voor het compromis: 'Wat is er met de beuken gebeurd? Beuken horen toch eeuwen mee te gaan?'

'Geveld. Ik hoorde dat ze naar een zagerij zijn gegaan.' Hij slaat me nog steeds gade.

Ik glimlach en dat ontwapent hem kennelijk.

Hij kijkt naar de lucht, waar de eerste wolk voor de zon is geschoven. 'We krijgen een plensbui.'

'En, Pat, zouden we naar binnen kunnen?'

Hij bekijkt me met iets van minachting, peinst. 'Ik ben niet geschift, zoals sommige mensen misschien denken. Ik weet heel goed dat er een dag kan komen dat ik moet toestaan dat ze voor me zorgen. Ik kan een been breken of kanker krijgen. Op mijn volgende verjaardag word ik negenenzeventig, maar zolang als ik mijn ene been voor het andere kan zetten, wil ik hier blijven.'

'Dat is niet aan mij, vrees ik.' Ik heb medelijden met de man, maar wat kan ik doen? 'Als de eigenaar het hier verkoopt of wil ontwikkelen dan, om eerlijk te zijn... ik betwijfel of ze je dan hier laten blijven, Pat.'

'Maar...' Hier aarzelt hij. '... tegen de tijd dat ze het juridisch met me hebben uitgevochten...' Hij ziet er ontmoedigd uit. 'Alsjeblieft. Ik zit hier lekker.'

'Dat begrijp ik,' maar het bevreemdt me. Het is bijna alsof hij denkt dat ik invloed zal hebben op zijn lot. 'Luister, het zou tegenover jou niet eerlijk zijn als ik niet probeerde om jou te laten inzien dat het waarschijnlijk maar een kwestie van tijd is. Dit huis trekt aandacht. Wij zijn een klein makelaardijtje. Als mijn baas heeft gehoord dat het waarschijnlijk op de markt komt, kun je er zeker van zijn dat anderen het ook hebben gehoord. Hij heeft me hier met spoed heen gestuurd in de hoop de meute voor te zijn.'

'Mmm.' Hij denkt hierover na. De temperatuur is wat gezakt en ik begin het nu koud te krijgen. 'Ik moet het er maar op gokken, denk ik,' zegt hij langzaam. 'Maar aan de andere kant, ik kan er op een ochtend ook tussenuit knijpen en de plas weer oversteken. Ik heb daar nog vrienden. Jij zou hier op een ochtend kunnen komen,' zegt hij, zijn schouders stoer ophalend, 'en geen spoor van me vinden. Ik reis even lichtbepakt als een mus.'

'Ik hoor je. Je vertelt me dat je een vrij man bent.'

'Zolang je dat maar onthoudt.'

'Dat zal ik.' Ik kijk langs de grijze hoogte van het huis omhoog, terwijl er een gedachte zeurt in mijn achterhoofd. 'Ik weet dat het al een hele poos is, maar hoelang precies woon je zo?'

'Zowat achttien jaar. Sinds ik voorgoed terugkwam van de overkant.'

'En niemand heeft geprobeerd om je hier weg te krijgen?'

'De sociale dienst een paar keer.' Van opzij werpt hij me een blik toe, dan rochelt hij en spuwt. 'Maar die hebben het opgegeven. Je kunt een mens niet gedwongen ergens laten wonen waar hij niet wil.'

Ik probeer niet te kijken naar waar de fluim is geland. 'Hoe doe je dat met water en zo, en wat als je ziek wordt?'

'Ik red me.' Hij zegt het kortaf. 'Er is goed water op dit land. En ziek worden doe ik niet.'

'En geen familie?'

'Mijn generatie is niet meer. Overal op aarde begraven. Chicago, Perth in Australië, Schotland, steden in Engeland.'

'En hoe kom je aan geld?' Later zal ik tijd hebben om over dit gesprek na te denken. 'Die levensmiddelen in je kamp?'

'Mijn pensioen wordt naar het postkantoor in Rathlinney gestuurd. Ik haal het daar iedere week op en ook wel eens post.'

Het ligt op het puntje van mijn tong om te zeggen dat hij dus niet helemaal in afzondering leeft. Hij heeft al toegegeven dat de autoriteiten van zijn bestaan op de hoogte zijn, en als de mensen van het postkantoor in Rathlinney van hem afweten, weet iedereen van hem af. Maar ik denk dat ik beter niet verder kan vragen. Ik laat mijn blik op hem rusten. Hij ziet er sjofel uit, dat zeker, maar in vele opzichten ook fantastisch. En dan opeens komt dat wat in mijn achterhoofd zeurde bovendrijven. 'Weet je, misschien heb je hier wel de zogenoemde rechten van een kolonist. Dat heet 'nadelig bezit'. Ik zal weliswaar moeten opzoeken welke rechten jij eventueel op dit land kunt laten gelden, maar ik meen dat men volgens de wet maar twaalf jaar iets bewoond moet hebben. En nu ik erover nadenk, er is nog een andere wet en die geldt indien een object officieel als zijnde verlaten kan worden aangemerkt.'

'Officieel verlaten, hè?' Weer kijkt hij me strak aan met die ondoorgrondelijke gezichtsuitdrukking waarvan ik nerveus word.

'Die informatie hebben we allemaal op kantoor,' ploeter ik door. 'Ik zou het zo voor je kunnen uitzoeken.' Jij bent me een onroerendgoedonderhandelaar, Claudine Armstrong. Tommy vermoordt je als hij er ooit achter komt wat jij aan deze man vertelt.

Maar Tommy hoeft zich geen zorgen te maken. 'Ik ben geen boer,' zegt de oude man. 'Ik heb geen belang bij land. Ik hoef geen rechten van een kolonist of zoiets. Ik wil met rust gelaten worden, mijn laatste levensdagen slijten zonder iemand iets verschuldigd te zijn of dat iemand mij iets verschuldigd is. Hoe vaak moet ik je dat nog vertellen? Ik hoef niets, van niemand. Zeg, wil je dat huis nou nog vanbinnen zien of niet? Er staan geen meubels in hoor, er slingert alleen wat oude huisraad rond.'

'Dat geeft helemaal niet, Pat. Moet je luisteren, ik heb geen zin om je "Pat" te blijven noemen. Hoe heet je echt?'

Hij wikt en weegt. 'Colman,' zegt hij dan. 'Maar er is niemand die me zo noemt, alleen de sociale dienst. Deze kant uit.' Hij loopt weg.

Vreemd genoeg ben ik in mijn nopjes dat hij me heeft vertrouwd, terwijl we de halve cirkel oversteken en nu over nog tamelijk open grond om de zijkant van het huis heen lopen. Meteen om de hoek passeren we de zwarte resten van een lang geleden afgestorven boom. 'Ook een beuk?'

'Ja.'

'Ziet er verbrand uit.'

'Bliksem waarschijnlijk.' Hij loopt gewoon door.

We zijn terechtgekomen op een open plek bovenop het klif. De achterkant van het huis staat, schat ik, minder dan vijfentwintig meter van de rand af. Op de uiterste rand zie ik hekpalen en draad, die in een vreemde hoek buitenwaarts hangen. 'Erosie?'

'Ja.' Hij grijnst. 'We zitten nog wel vijftig jaar veilig hoor, misschien wel honderd. Er verdwijnt jaarlijks een centimeter, in sommige jaren wel vijf. Er zijn ook jaren dat er niets erodeert.'

We staan naast een pomp die in goede staat lijkt te verkeren. Nu weet ik waar hij zijn water vandaan haalt. Ik loop naar de achterdeur en raak de vliegenkast aan die ernaast aan de muur hangt. Het hout is aan het rotten, maar de gaasdeur is nog goed, zij het roestig. Dan kijk ik omhoog.

Vanuit dit standpunt, zonder het portiek en de ronde lijnen van de erkers die de voorzijde van het huis een zachter aanzien geven, maakt Whitecliff een hoge, loodrechte en barre indruk. Vlak onder de overhangende dakrand zit een getralied raam. 'Zijn de zolders bewoonbaar?'

'Weet niet.' Hij zegt het bits waardoor ik niet verder vraag, en haalt ondertussen een sleutelring uit zijn broekzak om een op het oog recentelijk aangebracht hangslot te openen. Is hij soms een excentrieke huisbewaarder?

Hij duwt de krakende achterdeur open, wat resulteert in het krabbelgeluid van kleine nageltjes op de stenen vloer.

Muizen.

Ik blijf stokstijf staan en sluit mijn ogen, zodat ze allemaal kunnen wegstuiven. Ik haat ze, maar als ik ze niet hoef te zien verdraag ik ze. OHPC's jachtgebied bestrijkt vele zeer oude objecten en als ik de zenuwen kreeg van ieder wollig wezentje dat ik tegenkwam, zou ik een bijzonder zenuwachtige – en in aanwezigheid van klanten erg armzalige – onderhandelaarster zijn.

'Je kunt je ogen opendoen, Claudine.' Hij blaft zijn lach. 'De kust is veilig.'

We staan in een grote, ouderwetse keuken waar geen meubels in staan, afgezien van een reusachtige tafel van grenen, zo dik dat hij onverwoestbaar lijkt. Hij is in zeer goede staat en anders dan het smerige, ijzeren fornuis is de tafel schoon. Ik zie er cornflakesdozen op staan, pakjes soep en theezakjes, alles opgeborgen in plastic zakken met een metalen sluitdraad. De granieten gootsteen is ook in gebruik. Er staat nog een blik melk naast en een fles Cif en op de vensterbank ligt een schuurspons. Ik draai me weer naar de tafel om. Zoek naar een neutrale opmerking die ik kan maken. 'Je eet veel cornflakes, hè?'

'Ja.' Hij kijkt om zich heen. 'Dit hier is de keuken, zoals je ziet.' Hij klost op zijn zware werkmanslaarzen door de keuken en opent de bovenste helft van een deur door een ouderwetse grendel open te schuiven. 'En hier heb je de provisiekast. Droog, hoor.'

Ik gluur naar binnen. Het is er donker, maar er is voldoende licht om te kunnen zien dat de kast niet leeg is. Er staat geen eten. Maar op de planken en aan de haken zie ik oud keukengerei. Potten en pannen, nog een vliegenkast, houten lepels, gardes, enorme melkkannen, pudding- en mengkommen, een reusachtige metalen bak, vermoedelijk is het tin, maar dat valt bij dit licht moeilijk te zeggen. Allemaal bescheiden objecten die eens heel nuttig waren. Over de halve deur heen reik ik naar een oud vergiet, emaille over metaal, van een type dat je tegenwoordig niet meer ziet en waar je waarschijnlijk een klein fortuin voor zou moeten neertellen in een antiekzaak in Dublin. Degene die het huis ontruimde vergat of negeerde de provisiekast. Op de een of andere manier vind ik dat navrant, terwijl ik het vergiet in mijn handen ronddraai. Het is gebutst en er zijn grote schilfers emaille af.

'Waarom neem je het niet mee?'

'Pardon?' Ik ben verbaasd.

'Neem het mee naar huis als souvenir.' In het beetje licht dat binnenvalt door de open achterdeur lijken zijn oude ogen te glinsteren. Nu weet ik waar de theepot vandaan komt.

'Weet je zeker dat dat kan?' Ik wil het vergiet niet en tegelijk weer wel hebben.

'Wie zegt van niet?'

'Goed dan.' Ik maak mezelf wijs dat ik het meeneem om hem een plezier te doen. En het voelt belachelijk om het rond te dragen terwijl ik hem achterna loop over de stenen vloer van de hoge hal, waar het schemerig is omdat alle kamerdeuren die erop uitkomen gesloten zijn evenals de luiken van de portiekramen. Het enige meubelstuk hier is een stoffige staande kapstok (circa jaren vijftig van de vorige eeuw en niet passend bij dit huis), maar tegen het verschoten behang zie ik de kleuriger contouren van meubelstukken, zoals bijvoorbeeld de open rechthoek van een haltafel en een nogal vreemde halvemaanvorm bij de dubbele deuren. Ik neem alles in me op, maar tegelijk verbaas ik me over de verandering die over mijn gids is gekomen. Zodra hij de provisiekastdeur sluit, wenkt hij me bijna gebiedend 'deze kant uit, graag' te komen.

Zijn verklaringen dat hij geen eigendomsrechten nodig heeft of hebben wil zijn allemaal prima, maar voor het eerst komt nu in me op dat hij misschien wel helemaal niet de huisbewaarder maar de eigenaar van Whitecliff is. Dat is niet ondenkbaar en hij gedraagt zich nu met de trots van een eigenaar die een bezoeker rondleidt in zijn huis. In de huizenhandel kom je allerlei onconventionele en rare mensen tegen, en uiteindelijk woont Tommy's 'ouwe vent' misschien wel niet in het westen van Ierland.

De keuken blijkt verreweg de meest intact gebleven ruimte in Whitecliff. De salon moet vroeger iets geweldigs zijn geweest, denk ik, als we er binnen stommelen en daarmee het stof doen opdwarrelen. Ook al draagt het vertrek zijn verwaarlozing als weduwendracht, door zijn drie erkers, parketvloer – de meeste blokken zijn kromgetrokken – en enorme schouw van roomkleurig marmer, is het niet moeilijk om je voor te stellen dat hier in vroeger dagen chique partijen en zelfs bals zijn gehouden. 'Dit is vast erg veel waard.' Verbaasd dat de schouw het zo lang heeft overleefd zonder gestolen of gevandaliseerd te zijn loop ik erheen en raak zijn kille pracht aan. Het is een soort schouw dat ik nooit eerder heb gezien... of toch soms? Er zeurt een vage herinnering in mijn achterhoofd, maar ze wil niet helder worden. Van belang is de schoorsteenmantel: aan weerskanten welft hij omhoog, als de armen van een Balinese danseres. Werd hij misschien geïmporteerd uit de Oriënt? 'Was de familie erg rijk? Ze bezat de winkel in het dorp, is het niet?'

'Mmm.' Ook hij raakt de schouw aan.

'Kende je ze?'

'Iedereen in de streek kende de familie. Het waren de hotemetoten hierzo.'

We verlaten de salon en lopen de hal weer door. 'We gaan nu naar boven, maar wees wel voorzichtig. De treden kunnen glad zijn.' Hij moet zijn stem verheffen, want het huis wordt getroffen door een salvo van de regen die hij al voorspelde. 'Ik zal je de eetkamer en de serre op de terugweg laten zien, goed?'

'Ik lever me helemaal aan je over.'

De brede, in een bocht lopende trap is van steen. Hij is ietwat uitgesleten. Zelfs in het duister zie ik in het midden van iedere trede de lichte, glimmende holte. Het is prachtig.

'Zou me niks verbazen als we een donderbui kregen,' schreeuwt de oude man, die me al tien of elf treden voor is, over zijn schouder. Zijn laatste woorden echoën, want even plotseling als de regen begon, is hij opgehouden.

De trap komt uit op een brede overloop met een balustrade, zo groot dat men daar alleen al een feest zou kunnen houden. Als ik dit huis zou verkopen, met zijn erkers, de schouw, de hal met zijn hoogte van twee verdiepingen en niet te vergeten de trap, dan zou ik dit portaal denk ik opvoeren als een van de grote bekoringen van dit huis. Ik zou het een minstreelgalerij noemen. Als de luiken van de zeven hoge ramen op deze bovenverdieping open zouden zijn, dan zou dit hele portaal ook zonder eigen ramen baden in natuurlijk licht. Nou, die brochure zou ik dolgraag schrijven, denk ik. Ik voel een sterke neiging om alles wijd open te gooien en niet omdat ik de boel moet taxeren. Nee, ik wil de longen van deze *grande dame* frisse lucht laten inademen.

Zoals ik al zei, ik ben gewend aan oude, zelfs zeer oude panden en ik raak niet geïntimideerd door grootte of potentiële waarde, maar de atmosfeer die hier hangt heeft iets wat ik niet helemaal pak. Het zijn niet de luiken of het stof of zelfs niet de droefgeestigheid die uitgaat van een huis dat heel lang heeft leeggestaan. Het is meer dan dat. Een soort verwachting of macht, alsof Whitecliff balanceert op de rand van iets. Afbraak of redding?

Over eigenaardig gesproken; wat heb ik vandaag toch? Terwijl ik mezelf niet beschouw als bijgelovig of vatbaar voor suggestie, is Whitecliff absoluut vat op me aan het krijgen.

Met mijn vrije hand duw ik voorzichtig tegen enkele spijlen. Er zit geen beweging in. Ik duw harder, nog steeds geen beweging. Ze zijn solide. 'Vakmanschap zoals dit krijg je niet meer tegenwoordig.' Oreer ik nu tegen mezelf? 'Nou, gelukkig is de regen opgehouden,' voeg ik eraan toe om maar iets te zeggen. 'Het was maar een buitje.'

'Weinig zin om de slaapkamers in te gaan.' De oude man slaat me weer gade. Dat constante oplettende geloer begint een beetje eng te worden. 'Zijn trouwens bijna allemaal hetzelfde, alleen de grootste is een beetje groter. En die vloerdelen, dat weet ik niet zo zeker.'

'Hoeveel slaapkamers?'

'Zeven.'

Diep onder mijn middenrif voel ik iets. Ik herken dit gevoel, want ik heb dit twee keer eerder ervaren, maar nooit zo intens als nu. Opwinding. Ik wil dit huis hebben. 'Kunnen we dan ten minste de grootste bekijken?'

De oude man steekt het portaal over. Het valt me op dat hij aan de zijkant blijft lopen, de oude loper mijdt die in het midden over de kale vloerdelen ligt om te voorkomen dat hij die met zijn laarzen bevuilt. De slaapkamer die hij me laat zien komt overeen met wat ik verwacht in een huis van deze grootte. Hij heeft twee hoge schuiframen en biedt een naargeestige aanblik met behang dat van de muren valt met dikke, donkere schimmelkolonies langs de randen en tegen het plafond. Maar de oude zat ernaast met de vloerdelen. Ze zijn van eiken en prachtig, ook al zijn ze stoffig en dof en moeten er enkele vervangen worden. De druk op mijn maag wordt sterker. Ik draag een zijden Fortunyjapon met platte plooien, terwijl ik bij het knapperende houtvuur achter het rooster van mijn marmeren schouw beneden zit. Het appelgroen waarin de salon geschilderd is wordt geaccentueerd door roomkleurige sofa's en roomkleurige damasten gordijnen voor de ramen. Hier en daar licht kleur op in kussens, schilderijen, de nieuwe stof waarmee de vensterbankzitjes overtrokken zijn – misschien een dessin van rode papavers. Straks komen mijn gasten voor het diner. Boven de pianosonate uit die zachtjes uit de het hele huis bestrijkende geluidsinstallatie klinkt, hoor ik het vage gekletter uit mijn keuken in de verte waar de cateraars de laatste hand leggen aan het eten dat ze zullen opdienen in mijn door kaarsen verlichte eetkamer.

Een tafelklok slaat het uur. Ik neem nog een slok van mijn cocktail, die roze glinstert in mijn loodkristallen glas. Dan zet ik het glas op zijn onderzetter en sta op. Ik ben gereed. Het huis is gereed.

'Zeg, als je genoeg hebt gezien, moesten we maar eens gaan.'

'Sorry, ik geloof dat ik aan het dagdromen was.'

'Dat geloof ik ook!' Hij loodst me naar buiten, sluit de deur en loopt naar de trap.

'Even nog. Ik wil een beetje overzicht krijgen.' Ik loop naar de overzijde van het portaal en keer daar om het geheel in de lengte te bekijken. Terwijl ik dat doe, zie ik naast me een deur die me eerder niet is opgevallen. Hij springt iets terug in zijn eigen nis en is smaller dan de andere. Misschien een linnen- of een bergkast, denk ik, en duw ertegen voordat ik doorkrijg dat hij naar buiten toe opengaat. Ik trek.

Ik sta verwonderd te kijken en probeer te bedenken wat ik nu zie.

Stel je zo'n Amerikaanse filmscène voor waarin iemand een kelderdeur opent en dan zie je een smalle trap omlaag in een nauwe opening tussen twee muren.

Keer de richting van de trap om en dan begin je het te snappen. Maar dat is niet het enige interessante.

Ik zie waar ooit een trap naar een overloop boven liep. Ik zie de verbinding waarmee de bovenste trede vastzat aan de vloer van die overloop. Ik zie de lucht tussen de blootliggende balken en dwarsbalken van het dak boven een gat in het plafond van de overloop. Ik hoor het drup-drup-drup van regenwater dat door het beschot valt en ik zie die druppels aan snelheid winnen als ze tien meter omlaag vallen en voor me neer petsen.

Ik kijk omhoog naar de zolderverdieping. De toegang tot de zolder is verwijderd met uiterste, zelfs chirurgische precisie. Hoewel de muren sporen en diepe butsen vertonen is er geen snipper verrot of omlaaggevallen hout te bekennen. Het enige wat nog rest van de trap zijn twee steile treden naar nergens.

12 ❧ *Zilveren visjes*

Ik deed een poging om die avond niet aan tafel te hoeven verschijnen, toen ik thuiskwam uit Loughshinny. Ik voelde behoefte om alleen te zijn, in mijn kamer. Ik was naar lichaam en geest vol van de gewichtige gebeurtenissen van de middag. Nu Coley en ik één vlees waren geworden, moest ik rust hebben om erachter te komen hoe het voelde een echte vrouw te zijn.

Opgewonden en angstig tegelijk, zat ik in een wanhopig conflict gevangen. Ik wilde mijn kostbare, blij makende geheim koesteren, maar tegelijk viel het me moeilijk om niet uit te schreeuwen: 'Kijk allemaal naar me! Kijk allemaal! Ik ben veranderd! Ik ben veranderd! Kan iemand het zien?'

Maar toch moest ik toen ik thuiskwam op de tijd dat ik verwacht werd, dankzij Coley die al zijn zenuwen en spieren had ingespannen om me daar op zijn fietsstang te krijgen, vanaf het hek rustig de laan af kuieren alsof er niets was gebeurd en doen alsof mijn enige emotie tevredenheid was dat de paasvakantie me wachtte.

Ik was verre van rustig. Veel van mijn agitatie kwam voort uit de ontdekking dat de daad zelf niet was geweest wat ik ervan verwachtte. Van tevoren onkundig van wat er dan gebeuren zou, had ik me de geslachtsdaad voorgesteld als iets dromerigs en langzaams en zo romantisch dat we als zilveren visjes zouden drijven in onze eigen huid. Hoewel Coley zijn uiterste best had gedaan om zich in te houden, vond ik het allemaal nogal snel gaan en ook een beetje gewelddadig.

Coley scheen mijn verwarring aan te voelen, want naderhand kuste hij me wel honderd keer of meer toen we elkaar, verborgen door het wuivende gewas, vasthielden. Hij vroeg me telkens of het wel goed met me was. 'Heb je geen spijt, Violet?'

'Natuurlijk niet, Coley,' zei ik teder, terwijl ik het schrijnende gevoel tussen mijn benen probeerde te negeren.

Ik had er geen spijt van. Ik zat alleen met vragen.

'Echt niet?' Hij streelde mijn gezicht. 'Heb ik je geen pijn gedaan? De volgende keer zal het prettiger voor je zijn, echt waar.'

'Het had niet prettiger kunnen zijn,' loog ik. 'En echt, je hebt me niet bezeerd.' Ik staarde omhoog naar de eenzame zeemeeuw met zijn gestrekte vleugels op de trapeze van de wind. Toen haalde ik diep adem en met iedere gram hartstocht die ik kon opbrengen, kuste ik mijn geliefde. 'Ik hou van je,' verklaarde ik, en dit zeggen was heftiger voor me en roerde me meer dan wat we zojuist samen hadden gedaan.

'En ik hou van jou.' Hij trok me naar zich toe en omhelsde me zo hard dat mijn rug er pijn van deed. Daarna nam hij wat afstand en keek me in mijn ogen. 'Weet dat ik van je hou, Violet Shine.' En heel even, als in een roes, dacht ik dat ik uit elkaar zou vallen, een vuurwerkfontein schoot omhoog naar de sterren.

Ik zou niet weten welke route we namen naar Whitecliff. En al bleef Coley zo ver als maar kon uit de buurt van de gewone weggetjes, toch was ik bang dat ik herkend zou worden door een kennis van vader of moeder. Wat ik me herinner van toen we over de hobbelwegen langs zee reden, is de zware ademhaling van mijn geliefde in mijn nek en tegen mijn wang en de greep van zijn bovenarmen die me in evenwicht hielden op de dwarsstang.

Hoewel ik de overweldigende behoefte voelde om de gebeurtenissen in alle rust te overpeinzen, wilde moeder er niet van horen dat ik de avondmaaltijd oversloeg, toen ik zei dat ik wilde gaan liggen. 'Ik ben erg moe, moeder. U weet toch dat ik erg hard gestudeerd heb en ik heb helemaal geen honger. Ik denk dat ik vanavond liever vroeg naar bed ga. Nu meteen, eigenlijk.' Hierop gaapte ik demonstratief.

'Nonsens.' Ze keek op van haar werk aan de Shine-quilt. 'Je moet eten, Violet. Maar ik zie inderdaad dat je gloeit. Misschien overdrijf je dat in de frisse lucht zijn een beetje. Je zult opknappen van een goede maaltijd en vannacht mag je naar hartelust slapen. Maar na het eten heb ik jou en Johanna nodig voor de quilt. We zijn erg achter, dat weet je.'

'Maar moeder…'

'Morgenochtend mag je uitslapen.'

Ik aarzelde. Ik moest dringend naar mijn kamer. Ik kon niet bedenken wat ik verder zeggen moest.

'Ben je ziek, Violet?' Ze legde haar stuk quilt neer, vouwde haar handen en trok haar, wat Johanna en ik noemden, onderzoekende gezicht. 'Het is toch niet je vriendin, is het wel?' Bij ons thuis werd onze menstruatie zo genoemd.

'Nee.' Ik vreesde dat als ik dit aangreep als excuus voor mijn verhitte uiterlijk, iemand, misschien dokter Willis, dingen zou ontdekken die ik liever geheimhield. Ik had gehoord dat artsen het meteen wisten als een vrouw geen maagd meer was.

'Dat weten we dan. We eten eieren. Zou je nu naar de keuken willen gaan om Johanna te helpen met de salades.'

'Mag ik dan tenminste mijn schoolkleren uitdoen en iets anders aantrekken, moeder?'

Ze keek me scherp aan. 'Jouw toon bevalt me niet, Violet. Misschien is het maar goed dat je een poosje vrij bent van school, dan kunnen we jou wat beter in de gaten houden. Je mag je verkleden. Snel.' Ze nam de quilt weer ter hand.

Ik haastte me naar boven, naar mijn kamer en sloot de deur. Daarna wierp ik me half in vervoering, half schuldbewust op het bed en sloot mijn ogen om het gevoel weer op te roepen van Coley's warme, energieke lichaam dat op het mijne stootte.

Ver weg in huis hoorde ik de deurbel rinkelen. We hadden zo'n ding aan een koord, buiten aan de voordeur, dat zo luid galmde dat het overal in huis te horen was. Ik maakte me in het geheel geen zorgen over wie er zo laat op een vrijdagmiddag op bezoek kwam…

Ik had me een beetje vals gevoeld toen ik probeerde de wildheid van mijn geliefde te evenaren. Ik was opgewonden, natuurlijk – wat wij deden voelde grandioos en volwassen en dapper – maar niet dat ik me erdoor liet meeslepen zoals hij. Als het niet Coley was geweest met wie ik het had gedaan, zou ik misschien wel angstig geworden zijn toen zijn kussen en liefkozingen plichtmatig werden in plaats van aandachtig, toen zijn gezicht verkrampte alsof hij leed, toen hij kreunde alsof hij pijn had…

Voor mij was de ervaring mede gekleurd door onverwachte lichamelijke gewaarwordingen en angsten: dat schrijnende gevoel bijvoorbeeld, tezamen met vrees dat deze woeste activiteit me uit elkaar zou scheuren. Platvloerser, was ik me bewust van de aarde onder me en dat de achterkant van mijn rok vlekken zou krijgen van gras of bloed of andere sappen die zouden leiden tot de ontdekking van mijn losbandigheid.

Ik noem de minder leuke kant van het gebeurde alleen omdat dit me indertijd in verwarring bracht en omdat ik vind dat ik eerlijk moet zijn. Ik wil zeker niet de indruk wekken dat ik teleurgesteld of geschokt was. Verre van. Coley Quinn was Mijn Geliefde en we Bedreven de Liefde en niets op aarde zou de glans af halen van wat we samen hoorden te voelen. Daarom besloot ik dat als het gebeurde ik me zou concentreren op de hitte van zijn huid, de hardheid van zijn buik en dijen, de sterke geuren die we samen voortbrachten…

Die middag was ik te verlegen geweest om naar zijn lichaam te kijken. Maar ik had mijn blik niet afgehouden van zijn gezicht, van de hoge jukbeenderen waarvan ik was gaan houden, de enigszins wolfachtige tanden, het weerbarstige haar, de kuif waarvan ik fantaseerde dat hij zo van de versiering op een Etruskische vaas kwam. Nu besefte ik dat ik ernaar verlangde om meer te zien.

Ik besloot dat Coley Quinn en ik de volgende keer een beschutter plekje moesten zoeken, omdat we dan volledig naakt zouden zijn. Ik voelde mijn bloed razen bij de gedachte, toen ik daar op mijn bed lag die avond.

Ik wist dat ik niet veel tijd had, maar was verslaafd aan wat mijn fantasie wilde. Dus terwijl Martin, onze deeltijdarbeider, precies onder mijn open raam, ssh-ssh, het grind aanharkte en de geur van gebakken eieren opsteeg vanuit de keuken een verdieping lager, verzon ik snel een romantische situatie.

Ik situeerde ons ergens op een beschutte open plek in een bos. Nee, beter nog, we zouden tegenover elkaar staan op een hooggelegen stuk rotsige, woeste grond. Geen acht slaand op gevaar, niet bij machte onze wederzijdse hartstocht voor elkaar te bedwingen, terwijl de wind gierde en aan onze haren rukte, graaiden we naar elkaars kleren tot ze afvielen als vaandels tijdens een veldslag…

Nee. Ik zou het tempo aangeven. Ik zou zorgen dat Coley langzamer deed. Ik zou hem dwingen zijn handen op zijn rug te houden, terwijl ik hem uitkleedde, hemdknoop na hemdknoop, tot hij in zijn ondergoed stond. En wanneer hij daar stond, zijn borstkas glinsterend in de zonneschijn – het zou winderig zijn, maar ook zonnig en warm – dan zou ik hem vanonder verwaaide haarslierten aankijken en hem vragen mijn vlecht los te maken, zoals eerder. 'En wanneer je daarmee klaar bent, Coley, zou je dan mijn blouse willen losknopen? Mijn borsten, verpakt in rood satijn, zien uit naar de liefkozing door jouw handen. Ze snakken ernaar bevrijd te worden uit hun robijnrode omhulsels en door jouw lippen gekust te worden…'

Het feit dat ik nog geen draad satijnen ondergoed bezat, scharlakenrood of anderszins, maakte niet uit. Voor Coley zou ik satijn hebben. Hoe dan ook.

Opgaand in beelden als deze, hoorde ik Johanna niet op mijn deur kloppen, tot ze erop bonkte en schreeuwde: 'Violet! Violet? Wat ben je daarbinnen aan het doen? Het is etenstijd en moeder wordt erg boos. En er is nieuws. Ze wil ons iets vertellen… Violet!'

'Sorry,' riep ik terug. 'Ik ben in slaap gevallen. Ik kom meteen naar beneden!' Ik sprong van het bed.

'Maak alsjeblieft voort,' riep ze.

'Ik kom eraan!' Ik trok mijn rok uit en liet hem in een gekreukte hoop op de grond liggen.

Opeens bedacht ik dat dit Bewijs zou kunnen zijn. Daarom raapte ik mijn rok op en propte hem achter in mijn kleerkast.

Toen ik de eetkamer in kwam stormen, zaten ze aan tafel op me te wachten. Moeder en vader wierpen afkeurende blikken in mijn richting, maar tot mijn verbazing berispten ze me niet, toen ik kwam aanzetten met mijn verontschuldigingen en uitleg.

'We hebben allemaal honger. Ga zitten, Violet.' Moeder schudde haar servet uit maar, ondanks haar toon, zat er iets ongewoons, iets vrolijks in de manier waarop ze dat deed en het viel me op dat haar wangen roze waren. Moeder was een bleke vrouw die haar emoties ferm onder controle hield, waardoor die levendigheid van nu ongewoon was.

Ik herinnerde me dat de deurbel was gegaan en ook Johanna's opmerking over nieuws. 'Wat is er gebeurd?' Ik keek mijn beide ouders aan terwijl ik plaatsnam.

Moeder wierp een blik op vader. 'We hebben een telegram gekregen,' zei ze glimlachend.

'Een telegram?' Ik was gealarmeerd, haar glimlach ten spijt. Zolang als ik leefde hadden we maar twee telegrammen ontvangen, beide naar aanleiding van de dood van verre verwanten. En in ons dorp, waar naast James en Thomas ook andere jongens en mannen dienst hadden genomen om mee te vechten aan geallieerde zijde, brachten telegrammen de laatste tijd vooral slecht nieuws.

'Ja, Violet,' zei vader geduldig. 'We ontvingen een telegram van James. Thomas en hij komen volgende week thuis. Ze hebben enkele dagen verlof, voordat ze gemobiliseerd worden.'

'Fantastisch!' Op dat moment was er niet veel voor nodig geweest om mijn blijheid te laten omslaan in vervoering. Maar het was voorwaar een heerlijke ontwikkeling. Leven in het huis. Lawaai. Activiteit.

Camouflage.

'Wanneer komen ze?'

'Vandaag over een week, kennelijk.' Vader begon aan zijn eieren.

Moeder volgde zijn voorbeeld. 'Dat geeft ons net zes dagen. Het is maar goed dat jij vakantie hebt, Violet. Jullie, twee meisjes, zullen moeten bijspringen. We moeten van alles in huis halen, de slaapkamers moeten gelucht, enzovoort.' Weer wierp ze vader snel een blik toe, alvorens verder te spreken. 'En dan is er nog iets.'

'O?' Allemaal keken we haar aan.

'Morgen over een week geven we een feest ter gelegenheid van Samuel juniors eenentwintigste verjaardag, en ook vanwege de thuiskomst van de tweeling. We hebben niet veel tijd, daarom stel ik voor om juffie te vragen om ons te komen helpen. Ze wordt oud maar ze is nog sterk en ze is vast haar organisatorische talenten niet kwijt. Ik hoop dat jij ermee akkoord gaat, Roderick, dat we haar vragen te komen. We hebben niet veel tijd.' Tijdens dit betoog was haar stem omhooggegaan, tot ze bijna uitdagend klonk. Allemaal wisten we dat de oorzaak hiervan niet het tijdelijk weer aannemen van juffie was, maar het feest.

We hadden nooit feesten gegeven op Whitecliff. Ook niet voor de eenentwintigste verjaardag van Johanna of Marjorie. Ik veronderstelde dat Samuel junior, de beoogde erfgenaam, altijd al was voorbeschikt voor een feest bij het bereiken van zijn meerderjarigheid, zij het stilzwijgend.

'Maar hij is pas in februari jarig,' zei vader zwakjes. 'En stel dat ik het goedvind. Het is oorlog, Fly. Waar halen we het eten en drinken voor een feest vandaan? En horen we niet te wachten tot hij echt eenentwintig wordt? Is dat niet wat men normaliter doet?'

'Het moet volgende week. Dan is de tweeling thuis. En wat eten en drinken aangaat, moeten we ons maar behelpen. Daarvoor zal iedereen begrip hebben.' Moeders toon duldde geen tegenspraak. 'We moeten bericht sturen aan Samuel junior op Trinity en aan Marjorie in haar flat, Roderick. Doe jij dat? En zorg ervoor dat ze er niet onderuit kunnen.' Ze keek omlaag, naar haar bord, en speelde met een slablaadje. 'Alleen God weet waar we allemaal zullen zijn op het moment van de eigenlijke verjaardag in februari.'

Er daalde stilte neer op onze tafel toen we beseften waarom ze had besloten het feest nu te geven.

Vader doorbrak die stemming met iets wat hij ons te vertellen had. 'Ik heb ook een verrassing voor jullie. Ik heb iets besloten. We krijgen een telefoon in huis. We kunnen niet afhankelijk zijn van telegrammen voor nieuws van onze kinderen.'

'Wordt dat niet wat duur, Roderick?' Moeder keek ernstig.

'Ik hoop dat je de ironie hoort in wat je zegt, Fiona.' Vader trok spottend een wenkbrauw op. 'Hoeveel denk je dat we bij elkaar moeten zien te krijgen om een overdadig feest te geven? Als we ons dat kunnen permitteren, kunnen we ons ook een telefoon permitteren. Bovendien kan ik wat bijstellen aan het gebruik van de telefoon in de winkel. We steunen er veel te veel op. We zijn lui geworden, gebruiken de telefoon in plaats van onze voeten of fietsen.'

Vader had het apparaat in de Bazaar laten installeren zodra de lijn het dorp bereikte. Wij waren Rathlinney 3, derde in de volgorde van belangrijkheid, na het postkantoor en de pastorie.

Wat een veelbewogen dag. Ik overdacht alles nog eens terwijl ik het gebakken ei aansneed en de diepgele dooier over mijn bord liet lopen. Fantastisch dat de tweeling even thuiskwam. Het was zelfs nog fantastischer, nee, wonderlijk, dat we tot het geven van een feest besloten op de dag dat ik vrouw was geworden.

Alleen was het in die context niet zo fantastisch dat ik de volgende week, slovend, aan huis gebonden zou zijn. Toen kwam er een verrukkelijke gedachte in me op. 'Wie nodigen we uit voor het feest, moeder? Mogen Johanna en ik bijvoorbeeld onze vrienden uitnodigen?'

Johanna keek op. 'Ja, moeder. Ik zou Shirley kunnen vragen. Die komt vast wel voor het weekeinde.'

Voor zover ik wist was Shirley, een oud-klasgenote van mijn zuster, haar enige vriendin.

'Misschien.' Moeder glimlachte haar toe. Die opperbeste stemming werd gewoonweg verontrustend. Vervolgens keek ze mij aan. 'Wie heb jij in gedachten, Violet?'

'Ach,' zei ik luchtig, 'gewoon wat mensen van de dames Biggs. Mary Quigley, Mary Kelly. En natuurlijk een paar jongens. Als het een echt feest voor Samuel juniors eenentwintigste verjaardag moet zijn, met dansen bijvoorbeeld, dan moeten we er immers voor zorgen dat de aantallen in evenwicht zijn?' Ik hield mijn adem in toen de drie anderen me verbaasd aankeken.

'Wat voor jongens?' vroeg vader.

'Nou,' improviseerde ik, 'Mary Kelly heeft aardige broers. En af en toe loop ik wel jongens tegen het lijf die ik nog van de nationale school ken.' Ik strooide wat namen rond. 'Mensen zoals Peter Cronin van de drogist en John Milford de zoon van de bedrijfsleider van de zuivelfabriek, Coley Quinn... zulke mensen.'

Ze keken me nog steeds aan. Ik meed Johanna's blik.

'Ik wist niet dat er kinderen van Quinn bij jou in de klas zaten, Violet.' Dit was moeder. 'Het zijn brave mensen, maar...'

'Luister, moeder, vader, Johanna,' viel ik haar in de rede om haar van het pad af te krijgen dat de Quinns weliswaar fatsoenlijke mensen waren, maar niet ons soort, 'het hoeft niet per se Coley te zijn. Hij zat trouwens een klas of zo hoger dan ik. Maar dat ik op zijn naam kom is omdat ik hem wel eens tegenkom in het dorp. Zoals ik ook anderen tegenkom. Dat doe ik niet expres. Het gebeurt gewoon. We wonen op het Ierse platteland, waar mensen elkaar kennen.'

Ik was echt op dreef en niet meer te stoppen. 'Trouwens, bij nader inzien, Mary Kelly en haar familie zitten met Pasen in een huis in Wexford. Dus het heeft geen zin om ze te vragen, zelfs niet als we hun adres wisten. Misschien moest ik Coley Quinn vragen of hij een zusje meebrengt. Ik geloof dat een van hen bij de tweeling in de klas heeft gezeten. Zou dat een goed idee zijn?'

Tot dan had ik niet geweten dat ik zo vindingrijk kon zijn.

'Ik maak me de laatste tijd zorgen over wat jou bezielt, Violet.' Moeder wierp vader een blik toe. Beiden keken ze afkeurend maar dat was, denk ik, eerder uit verbazing over mijn geklets dan over wat ik voorstelde.

Ik bond iets in. 'Ik ben geen kluizenaar, hoor,' zei ik op verzoenlijker toon. 'Ik ga naar school, waardoor ik met de bus op en neer naar

Balbriggan reis. Soms mag ik van jullie naar de bioscoop. Ik ben zestien. Vinden jullie dan niet dat ik gelijk heb? We beschikken niet over een grote vrienden- of familiekring waaruit we kunnen kiezen. Dus áls we dan een feest geven, moet het toch ook een echt feest zijn? De tweeling en Samuel junior mogen vast iedereen die ze maar willen uitnodigen. Moet dat dan ook niet gelden voor Johanna en mij? En Marjorie ook. Misschien heeft ze in Dublin wel een aanbidder.' Ik riskeerde alles.

Mijn ouders wisselden een blik uit. 'We zullen erover nadenken,' zei moeder. 'Maar, en knoop dit in jullie oren, meisjes, als we jullie verzoek inwilligen, dan kunnen het geen onbeperkte aantallen zijn. Feesten zijn duur. Zeker in deze tijden van schaarste. En, niettegenstaande onze reputatie in de streek, wij zijn niet rijk. En nu opschieten en afeten. De Shine-quilt is nog lang niet af.'

'Ja, moeder.' Ik nam een hap van mijn bijna koude gebakken ei. Ik was trots.

13 ❦ Steenpuisten

'Dat viel toch reuze mee, zeg nou zelf? Is het geen prachtmens?'

'Ja, het ging prima.' Bob en ik staan in de deuropening van ons huis te zwaaien naar zijn peetmoeder, zijn vierentachtigjarige tante Louise, oud-tante feitelijk, die héél voorzichtig in haar turquoise Daihatsu stapt. Speciaal zo besteld. Alle auto's van Louise moeten turquoise zijn – goede vibraties, schijnbaar. 'Ze steekt in prima vorm.'

Hij kijkt me aan, zoekt een ondertoon. Evenals ikzelf is Bob enig kind en beide ouders kwijt. Daarom is zijn tante Louise belangrijk voor hem.

'Ik meende het!' praat ik wuivend door, terwijl Louise onze oprit tot gruis vermaalt. Bij iedere auto die ze koopt verslijt ze minstens drie versnellingsbakken. Ze is een vaste grap in de werkplaats van Bobs autobedrijf. 'Voor haar leeftijd is ze ontzagwekkend.'

'Voer jij de hond?' vraagt Bob, nadat zijn tante onze poort uit is.

'Tuurlijk.'

'Zie je, de wedstrijd begint dadelijk...'

'Ik zei toch dat ik het zou doen.'

Hij aarzelt. 'Je was erg stil vanavond.'

'Ja?'

'Onder het eten heb je nauwelijks iets gezegd. Is er iets, Cee?'

Het afkorten van namen en het gebruiken van bijnamen vormt onderdeel van ons groepsethos: Strongy'n'Cee, Slats'n'Jo-Jo, Pick'n'Dairine, Muddle'n'Clare, onveranderlijk in koppels. 'Sorry, Bob.' Ik sluit de deur. 'Ik was wat in gedachten.'

'God sta ons bij. Ik haat het wanneer vrouwen nadenken!' Hij glimlacht maar hij acht het niet verstandig, uit ervaring waarschijnlijk, om te vragen waarover ik nadacht. Bovendien zie ik dat hij popelt om naar de tv te gaan.

'Vooruit jij. Ik ruim de keuken wel op.'

'Weet je zeker dat je het niet erg vindt?'

Ik zie dat hij er met zijn hoofd al niet meer bij is. 'Vort jij.' Ik geef hem een duwtje en terwijl ik hem nakijk, neem ik de draad weer op van mijn innerlijke analyse van onze relatie. Het begon me op te vallen dat Bob vaker zo'n gesloten gezicht heeft, maar telkens als ik vroeg of er iets aan scheelde, antwoordde hij dat hij nadacht over zijn werk.

Ik ben niet dom. In ieder lang huwelijk komen pieken en dalen voor, dat kan ook niet anders – of, om de water-analogie er weer even bij te slepen, misschien zijn onze boten voor het moment van elkaar gescheiden.

Bob is een aantrekkelijke man, die zichzelf fysiek in voortreffelijke conditie heeft gehouden. En al is hij wel eens wat nonchalant, in het algemeen is hij grootmoedig en aardig. Anders dan ik, die in mijn gedachten onaardig over hem kan zijn. En al heeft hij zijn egocentrische momenten en is hij recentelijk – en dat is een nieuwe ontwikkeling – stinkend naar drank laat thuisgekomen onder het mom dat hij klanten moest fêteren, moet ik erkennen dat hij een makkelijk iemand is om mee samen te leven en dat hij me nooit tegenhoudt. Ik vermoed dat als ik hem vertelde dat ik jakboter wilde gaan importeren en geld nodig had om naar de bron in Nepal te reizen, hij in geamuseerd ongeloof zijn hoofd geschud zou hebben en toch de cheque uitschreef. Zijn uiterlijke houding ten opzichte van ons huwelijk valt, denk ik, het best te omschrijven als nonchalant fatsoenlijk. Dus tot mijn schande komt iedere negativiteit over hem vanuit mijzelf.

Waarom dan? Wat is er fout?

Ik weet het niet. Laat ik het eens vanuit zijn gezichtspunt proberen te bezien, denk ik, terwijl ik langzaam de keuken in loop. Wat draag ik bij aan het geheel?

Ik ben trouw. In de loop der jaren heb ik signalen opgepikt van diverse mensen en ik geef toe dat ik nu en dan heb geflirt, maar nooit ben ik in de verleiding gekomen om echt een affaire te beginnen. Ik laat me ontharen met was, zet een lichter streepje in mijn haren, gebruik de trimfiets en heb daarom mijn figuur behouden. Hoewel er heel wat minder vaart zit in ons seksleven, niemand had het tempo waarmee het begon kunnen volhouden, heeft hij hier nooit zijn ontevredenheid over uitgesproken, tenminste niet openlijk.

Ik breng een beetje geld binnen. Ik onderhoud ons huis op de manier waarop hij het graag onderhouden ziet: op ieder moment van de dag of nacht kan Bob Armstrong een klant uitnodigen voor een borrel, en hij zou geen onopgeschud kussen aantreffen, noch een vloertegel die hem niet tegemoet blonk.

In de keuken ga ik aan de half afgeruimde tafel zitten. We eten hier, tenzij we bezoek hebben – tante Louise telt niet als 'bezoek'. En bezoek hebben we tegenwoordig zelden. Met de moderne normen ten aanzien van drinken en autorijden, verlaten Bobs vrienden en collega's de hoofdstad ongaarne. Bovendien is nu we allemaal zo welvarend zijn, eten in restaurants heel gewoon geworden. En wie heeft er nog tijd om grote, ingewikkelde maaltijden te bereiden?

Ik buig me voorover om arme, geduldige, oude Jeffrey een klopje te geven. Hij ligt onder de tafel, zijn zachte blonde kop steekt eronder uit, zodat ik zijn smekende hondenogen niet kan missen. 'Ik ben je niet vergeten, ventje. Je krijgt zo je eten, goed?' Als ik weer rechtop ga zitten valt mijn oog op het oude vergiet dat ik van Whitecliff heb meegenomen. Ik heb het afgewassen en geschrobd tot het pannensponsje uit elkaar viel. Het weigerde echter koppig om te gaan glimmen en staat als een lompe, verwijtende, kleine dinosaurus op ons keukeneiland onder de wokken, bossen knoflook, gedroogde kruiden en lavendel die ik aan ons 'Victoriaanse' droogrek heb opgehangen.

Dat vergiet is een steenpuist op de volmaaktheid van de keuken. Ik wend mijn blik ervan af en kijk naar de roestvrijstalen spatplaten, de vries-koelcombinatie die nog net niet praten kan, en de granieten gootsteen; een moderne, inferieure kopie van die in Whitecliff. Is het niet om te gillen dat we tegenwoordig het sobere verleden meer na-apen naarmate we welvarender worden?

Waarom smijt ik dat oude vergiet niet nu meteen weg? Ik ben al half opgestaan van mijn stoel, wanneer ik plotsklaps en onredelijk volmaaktheid haat. Ik wil slordigheid en wanorde, een omgeving waar het niet uitmaakt dat het bestek niet zwaar in de hand ligt of dat er van een aantal borden schilfers af zijn. Mijn huis, denk ik terwijl ik naast onze Wedgewood dekschalen in een glazenkast sta, zou een metafoor voor ons huwelijk kunnen zijn: blinkend, aantrekkelijk, ge-bruiksvriendelijk en met een holle kern, waarschijnlijk omdat er geen kinderen zijn om die te vullen.

Dit is louter een constatering en geen kwestie. Het is nooit een kwestie geweest tussen Bob en mij en evenmin was het dat afgrijselij-ke moderne fenomeen, een leefstijlkeuze. We zouden graag kinderen gehad hebben, verwachtten ze te zullen krijgen en hadden ze zeker verwelkomd. Maar toen er in de loop der jaren niets gebeurde, aan-vaardden we dat allengs gewoon. Gelet op alle boeken en krantenar-tikelen die er zijn over vrouwen die geen zee te hoog gaat om toch maar bevrucht te raken, maken wij met onze aanvaarding mogelijk een abnormale, zelfs kille indruk. Zelf heb ik niet het gevoel dat we dat zijn. En mocht ik het mis hebben, nou dan is dat maar zo.

'Verdorie!' Ik spring overeind. Ik word doodziek van al dat navel-staren. 'Kom op, Jeffrey! Eten?' Hij staat bijna boven op me, terwijl ik zijn bak vul met een mengsel van droogvoer en de restanten van onze biefstuk van vanavond. Bob en Jeffrey zijn gek op biefstuk. We eten het minstens drie keer per week.

Terwijl hij zich te goed doet aan zijn maaltijd, leeg ik zijn waterbak en vul die opnieuw. In de keuken van Whitecliff had ik de kranen boven de gootsteen moeten proberen. Ik had de oude man moeten vragen of het huis op de waterleiding is aangesloten. Maar dat zou geen probleem hoeven te zijn, zeker niet als het bijbehorende land wordt ontwikkeld...

Ik zet de tweede bak neer en tegen de gootsteen geleund sla ik gade hoe mijn hond van zijn eten geniet. Met zijn lange haren, korte poot-jes en globale afstamming van terriërs is hij niet volmaakt. Maar over levenskunst zou hij me het een en ander kunnen leren en ik benijd hem zijn ongecompliceerde leventje. Eten. Wandelen. Slapen. Eten. Slapen. Wandelen. Jeffrey, altijd redelijk en geduldig, is zonder man-keren blij wanneer een van ons zijn riem pakt. Hij is blij als hij ons het huis in ziet komen. Hij is blij wanneer we een bal voor hem weggooi-en of de achterdeur opendoen om hem buiten te laten en hij achter vogels of katten aan kan. Voor hem is het aanbreken van een nieuwe dag als het ware kerst van voren af aan, iedere dag zit vol verbazing-wekkende mogelijkheden en op zijn minst vol nog meer verrukkelijk slapen, eten, jagen, drinken, wandelen én nog meer liefde.

Hij houdt van ons. Het doet er niet toe of wij van hem houden of niet, hij houdt gewoon van ons. Achter mijn ogen prikken sentimentele tranen. Goeie god! Nu huil ik al om een hond! Ik laat Jeffrey eten en ga naar onze slaapkamer boven, waar het bed vanzelfsprekend perfect is opgemaakt, waar de ingebouwde kleerkasten op maat gemaakt zijn en de potjes en flesjes op mijn toilettafel op grootte geordend staan. Ik trek de la open om mijn haarborstel te pakken en terwijl ik door mijn spiegelbeeld heen staar naar wat er ook achter moge liggen, begin ik stevig te borstelen.

Wat ligt er aan gene zijde? Meer van hetzelfde? Meer opgewekte lachjes als ik uit naam van OHPC klanten tot de aankoop van een huis verleid? Meer biefstukmaaltijden en zondagse wandelingen met Bob en Jeffrey? Meer lawaaiige uitjes met onze vriendenkliek naar kroegen en trendy restaurants in Dublin?

Ik ben te afhankelijk van Bob. Ik heb een vriendin nodig.

Toen ik eenentwintig was ging ik vanuit pappies beschermende armen regelrecht in die van Bob. En passant gaf ik toen alle vriendinnen en vrienden prijs die ik op school en op de universiteit had gemaakt. Zelfs in die periode van groot leed en paniek wist ik eigenlijk best dat dit gevaarlijk was. Maar in de loop der jaren praatte ik mezelf aan dat het toch allemaal dik in orde was: had ik geen geluk met mijn mooie huis en aantrekkelijke echtgenoot, die al even aantrekkelijke vrienden met goedverzorgde vrouwen of vriendinnen had?

Ik houd op met borstelen en staar naar mijn spiegelbeeld. Hoeveel van al die meisjes en jongens op het feest voor mijn eenentwintigste verjaardag hadden na pappies begrafenis echt geprobeerd om contact te houden? Geen een was het trieste antwoord. Maar, had ik daar zelf moeite voor gedaan? Had ik contact gezocht of om hulp gevraagd?

Nee.

Toen ik weer opdook uit die poel van rouw, die nog eens werd gecompliceerd door het juridische gedoe met Pamela over geld, was ik getrouwd en woonden we ver buiten Dublin. Ik herinner me vaag de keren in het begin, dat de telefoon ging en de een of de ander voorzichtig informeerde hoe ik het maakte. Mijn 'prima' klonk altijd opgewekt en we besloten zo'n gesprek steevast met beloftes elkaar eens te zien en contact te houden. Ik wist dat dit nooit gebeuren zou en in minder dan twee jaar na mijn noodlottige eenentwintigste verjaardag was het gedaan met die telefoontjes en was ik wat sociaal leven aangaat Bobs aanhangsel.

Ik had mijn blinkende huis en een zeer actief seksleven, maar ik wilde ook deel gaan uitmaken van mijn woonomgeving. Tenslotte was Bob de hele dag weg en ook al was ik nog steeds dol op seks, Bob was 's avonds vaak – logisch – te moe. Om te beginnen ging ik bij een plaatselijk koor, maar dat liep anders dan ik had gehoopt, al heb ik een aardige stem en werd ik in mijn jeugd gevraagd om als alt bij het schoolkoor te komen. Het enige wat ik wilde was een quasi-creatieve uitingsmogelijkheid en een beetje sociaal contact. Al snel echter kreeg ik genoeg van de onderhuidse machtsspelletjes die ik bespeurde bij de zogenaamde aanvoersters van het koor en ik trok me allengs geruisloos terug.

Daarna dook ik in het liefdadigheidscircuit – theepartijen voor Alzheimer, koffie-ochtenden voor het hospitium, diner-dansants en caféquizzen voor kankerbestrijding, rivierblindheid, een bezoek van een leukemiepatiëntje aan Disney World. Je kunt het zo gek niet noemen of ik collecteerde ervoor. Na zeven of acht jaar gaf ook dat me geen voldoening meer. Op een dag, toen ik in onze buurtsuper het mededelingenbord bekeek, ontdekte ik een handgeschreven advertentie:

Persoonlijk Assistente gezocht voor directeur van
onderneming in de regio. Moet in bezit zijn van
rijbewijs. Administratieve ervaring wenselijk maar niet
noodzakelijk, want PA zal interne opleiding krijgen.

In een opwelling belde ik het telefoonnummer en ontmoette Tommy O'Hare.

Onze (Bobs) groep viert verjaardagen samen. We worden uitgenodigd voor elkaars feesten als er een nieuw huis betrokken is of een kind de eerste communie doet. Wij vrouwen vergezellen onze mannen naar golftoernooien in Zuid-Spanje of Miami en soms doen we iets zonder de mannen. We maken dan uitstapjes als meisjes onder mekaar naar een beautyfarm of naar de Avoca Handweavers in Wicklow, waar we lunchen en de tapijten en dekens met hun schitterende kleurschakeringen bevoelen, en de spitsvondige snufjes voor in het huishouden en de ragfijne japonnetjes. Onder het slaken van halfschuldbewuste, half-uitdagende, ze-kunnen-de-pot-op-kreetjes van verrukking overhandigen we onze supplementaire credit cards en verklaren we dat we dit vaker moeten doen.

Maar we zijn geen vrienden. We weten niets van wat vrienden over elkaar horen te weten. Het bewijs hiervan is dat een scheiding binnen de groep altijd als een schok komt. We herstellen ons echter snel en verwelkomen de man en zijn nieuwe vrouw (het is altijd de man die blijft). En zij moet zo snel mogelijk geïntegreerd worden opdat de incisie in onze gezamenlijke onderbuik gehecht kan worden.

Beneden hoor ik een triomfantelijk gebrul: 'Ja, ja, ja!' Bobs team heeft gescoord. Ik leg de haarborstel terug en terwijl ik dat doe valt mijn oog op de verflenste envelop waarin de vier studietijdfoto's van mijn moeder zitten. Ik staar ernaar, pak hem op en met trillende handen haal ik de vier kiekjes eruit. Mijn moeder steekt de O'Connell Bridge over, met een hand op haar baret zodat die niet zal afwaaien. Ze staat met drie andere meisjes voor een bakstenen gebouw in Dublin. Ze zit op een stoel, met een opengeslagen boek op haar schoot. Maar de foto die ik wil bestuderen is die waarop ze flirt met de camera, in feestpose over haar schouder kijkend. Als dochter van een welgestelde kruidenier/boer (ik heb me nooit kunnen voorstellen dat pappie met iemand zou trouwen die uit een andere inkomensgroep als die van hemzelf afkomstig was) hoorde ze waarschijnlijk bij een kring van mensen die naar huisfeesten door heel Ierland ging. Maar op deze foto staat ze naast een schouw, waarvan één kant zichtbaar is en die krult omhoog als de arm van een Balinese danseres. Als er nog zo'n schouw als deze bestaat, dan eet ik Tommy's Rolodex op.

Mijn moeder was aanwezig op een feest op Whitecliff. Mijn familie had een connectie met dat huis. Het kan me niet schelen of die oppervlakkig was, in de vorm van er naar feesten gaan. Maar ze was er vast meer dan eens geweest. Het feit dat er maar één kiekje van bestaat zegt niets. Camera's waren niet zo alomtegenwoordig als nu...

Geen wonder dat ik het gevoel had dat dat huis me riep.

Jeetje, ik word bijgelovig op mijn oude dag. Het kan me niet schelen. Ik moet hoognodig praten met die eigenaar in het westen. Zelfs als hij haar zich niet precies herinnert, kan hij me misschien in de juiste richting sturen, naar iemand anders die op dat feest was en zich haar mogelijk herinnert. Hij zal zich absoluut het feest herinneren. Oude mensen mogen dan moeite hebben met het kortetermijngeheugen, hun herinnering aan gebeurtenissen in een ver verleden verbetert. Is dat niet zo?

Weer gebrul vanuit de woonkamer. Bobs team heeft weer een

doelpunt gemaakt. Dit zou een goed moment kunnen zijn om hem bij de kraag te grijpen en niet alleen omdat ze winnen. Bob heeft net de bedrijfsresultaten voor het eerste kwartaal binnen en tot dusver ziet het tweede kwartaal er ook goed uit. Hij zal zijn halfjaarlijkse bonus wel krijgen. Ik schuif de foto in het vakje van mijn portefeuille en nadat ik de andere drie heb teruggestopt in hun envelop, ren ik de trap af, waarbij ik mezelf tot een rustiger tempo dwing voordat ik de woonkamer in ga. Ik wil hem niet laten schrikken.

Hij hangt op de sofa en terwijl de tv, op schreeuwvolume, dat irritante gefluit laat horen waarmee een herhaling wordt aangegeven, bekijkt hij met veel geritsel de sportpagina's van de *Irish Times*.

Ik ga naast hem zitten. 'Zit je hier echt naar te kijken, Bob,' vraag ik met een stem die schel klinkt van opwinding.

Hij kijkt verbaasd op. 'Dat weet je toch. Hoezo?'

'Ik wil je iets vragen.'

'O! Dit ga ik niet leuk vinden, hè?' Maar hij wordt afgeleid omdat de sportcommentator opnieuw begint te krijsen. 'Sorry,' zegt hij, wanneer het een beetje rustiger wordt. 'Wat wilde je me vragen?'

'Moet ik wachten tot de wedstrijd is afgelopen?'

Hij kreunt. 'Doe dat nou niet, Cee. Je weet dat ik daar een hekel aan heb.'

Goed. Ik wil dat je vijf minuten naar me luistert. Vijf minuten maar. Daarna mag je vragen stellen, goed?'

Hij kijkt op zijn horloge, maar daar neem ik geen aanstoot aan, want ik zie dat ik zijn volle aandacht heb. 'Hoeveel houd je van dit huis?' Ik struikel haast over mijn woorden.

Hij legt de krant neer. 'O, god. Daar gaan we weer. Wat is dat nou voor een vraag? Zou ik hier wonen als ik er niet van hield?' Hij maakt een brede armzwaai, die de hele boel bestrijkt, van binnen en van buiten, de bleek blauwgroene, gesegmenteerde bank, het plasmascherm, de exclusieve salontafel uit Duitsland die uit een stuk gezandstraald glas is gemaakt, de keitjes op de oprit buiten die zijn zwarte BMW complementeren. 'We hebben er in elk geval genoeg in geïnvesteerd.'

'Je kunt hier om allerlei redenen wonen. Dit huis is prachtig, maar in sommige opzichten onpraktisch. Geen van onze vrienden krijgen we hierheen, om maar een voorbeeld te noemen. Hoe vaak we ze ook uitnodigen, altijd hebben ze een excuus. En er is geen openbaar vervoer. Maar je zou daar allemaal genoegen mee kunnen nemen, omdat je misschien denkt dat het te veel gedoe is om te verhuizen.'

'Is het nu alweer nestelseizoen? Hoe lang gaat het dit jaar duren voordat je eroverheen bent?'

'Ik ben bloedserieus, Bob. Het tijdstip is toeval.'

'De laatste twee keer dat we dit doormaakten, meende je het ook serieus, Cee. Zullen we het er een andere keer over hebben, in het weekeinde misschien? Maar ondertussen om je vraag te beantwoorden: ik houd van dit huis. En het is te veel gedoe om te verhuizen.' Met een toegeeflijk hoofdknikje verlegt hij zijn blik naar de tv, waar de zaken kennelijk onder controle zijn. Daarna keert hij terug naar de sportpagina's.

Ik moet toegeven dat hij gelijk heeft met dat nestelgedoe. Heeft niets te maken met mijn werk, maar het is nog geen januari of op zijn laatst februari, of ik begin me grondig te verdiepen in woontijdschriften en woningmarktsupplementen, zoals andere vrouwen mode- en roddelbladen lezen. Twee keer ben ik zover gegaan dat ik betaald heb om een huis op bouwkundige mogelijkheden en gebreken te laten bekijken, waarna ik twee keer ter veiling ging maar bij beide gelegenheden terugschrok voor het nemen van de laatste horde. Bob tolereerde het, tot hij er een patroon in zag. Hij heeft het volste recht om me niet serieus te nemen.

Maar niet dit keer. 'Ik wil dat je luistert.' Ik schuif naar hem toe op de bank en pak de krant uit zijn handen. 'Dit is anders.'

'Het is altijd anders.' Hij kreunt opnieuw. 'Het is een jaarlijks terugkerend ritueel van je. Ik dacht dat je van dit huis hield, Cee.'

'Ik hield er ook van. Nog steeds. Maar vergeet niet dat dit huis ook een investering was. Ik schat, en Tommy is het daarmee eens, dat het minstens twintig keer in waarde is gestegen sinds we het kochten. Misschien wel meer.'

'Het is een ketting, Cee. Alles is omhooggegaan.'

'Niet het huis waarover ik het heb. Ik vroeg je om vijf minuten. Die zijn nog niet om. En mag ik dit zachter zetten?' Ik werp een blik op de tv. 'Je wedstrijd duurt nog een halfuur en jullie staan voor.'

'Jij weet je momenten wel uit te kiezen. Goed dan.' Weer kijkt hij op zijn horloge, maar halfslachtig.

Ik pak de afstandsbediening en zet het volume op een aanvaardbaar niveau, om hem vervolgens zo snel en beknopt als ik kan over het huis te vertellen. Ik schets mijn vermoedens over natte rot, droge rot, het dak, de noodzaak van isolatie en nieuwe ramen, de braamstruiken, alles. Ik gooi het over de persoonlijke boeg. 'Ik wil niet de rest van mijn leven voor Tommy O'Hare het land door rennen, Bob. Dit zou een geweldige kans zijn. Tommy's belangstelling zal uitgaan naar de grond, dat wed ik je. Hij had het over een hotel, maar wanneer hij de staat waarin het huis verkeert ziet, bestelt hij onmiddellijk de sloopkogel. Het is geen man voor details. Ik zie de details. Het huis is zonder meer een bouwval, maar om die reden zal hij het ons goedkoop geven. Ik zou er geweldige dingen mee kunnen doen.'

'Hoeveel zou het kosten om de boel te restaureren?' Hij kijkt strak voor zich uit.

'Een, een punt vijf maximaal. Daar red je het mee.'

'Anderhalf miljoen?' Nu is hij bij de les. Zijn wenkbrauwen zijn tot in zijn haargrens geschoten. 'Plus de kosten om het te kopen? Cee, ben je helemaal knetter?'

'In Dublin zijn er doodgewone halfvrijstaande huizen die van eigenaar veranderen voor een punt vijf en veel meer.' Ik laat me niet tegenhouden. 'Dat krijgen we makkelijk voor dit huis hier. Wil je alsjeblieft met me mee naar Whitecliff komen om te kijken?'

'Whitecliff?' Hij is gechoqueerd. 'Heb je het over dat huis? Dat is een complete ruïne.'

'Zo ziet het er uit en ik denk dat het ook zo is. Maar het kan gerestaureerd worden. Daar verwed ik mijn ziel onder. Het uitzicht is subliem! Structureel is het pand in orde, min of meer. Het heeft zeven slaapkamers. Je zou de schouw in de salon moeten zien! Zes erkers op de begane grond, Bob. Zes. Een prachtige minstreelgalerij. Immens. Daar kun je een symfonieorkest op kwijt. Denk eens aan de feesten die we kunnen geven.'

'Wacht eens even. Heb jij die bouwval al bekeken? Wat heeft het voor zin dat je er met mij over praat?' Hij wordt boos. 'Bovendien, wij zitten niet in die klasse. Je praat te groot…'

'En het is dichter bij Dublin dan we hier zitten.' Ik geef hem geen tijd om door te praten. 'Er is een treinstation op maar drie kilometer afstand.'

'Toe, Claudine, net nu alles zo goed gaat.' Dat hij mijn volledige naam gebruikt laat zien hoe ontzet hij is.

'Jij hebt je zaak en die zie je nog steeds als een uitdaging,' druk ik hardnekkig door. 'Ik heb behoefte aan iets beters in mijn leven dan te proberen om als tussenpersoon op te treden voor twee mensen die pingelen om een duizendje of maar een paar honderd meer of minder op de prijs van een piepklein huisje in de rimboe. Je weet maar nooit, wie weet wil ik wel een pension beginnen' – ik ga nu in de vrije val – 'zo'n luxueus-logeren-in-een-landhuisding...'

'Een luxe pension? Wat weet jij nou af van de hotelbusiness?'

'Wat wist ik af van de huizenbusiness voordat ik bij OHPC kwam? Toe, Bob. Ik wil zo graag dat je erover nadenkt. Wanneer heb ik je ooit gevraagd om iets voor me te doen. Iets echts?'

'En die laatste twee huizen dan waarvan je helemaal overtuigd was en waarop je toen niet eens een bod uitbracht?'

'Ik geef toe dat je helemaal gelijk hebt dat je dat zegt. Maar ik zeg je aldoor dat Whitecliff anders is.' Ik weet niet helemaal zeker of ik hem het volgende al zal vertellen, maar doe het dan toch. 'Het... het riep me, Bob.' Ik vertel hem over de foto van mijn moeder die bij de schouw werd genomen. 'Ik weet van mezelf dat ik niet bijgelovig ben. En ik weet dat jij dat helemaal niet bent. Maar kun je misschien begrijpen waarom ik voel dat dit huis voor ons is?'

Hij kijkt wanhopig naar mij en dan door het grote raam naar de BMW. Naar het prachtig verzorgde gazon, de groenheid zelve. Naar de beukenhaag, naar de taxusborders, de eivormige bloembedden waar de zonnecellampen als elfenpaddestoelen vrolijk beginnen op te gloeien in de schemering. 'Ik erken dat enige connectie met je familie je zou kunnen aangrijpen. Maar ze is daar alleen maar op een feest geweest.'

'Misschien pappie ook wel.' Plotseling bedenk ik dat dit misschien de bron van mijn vaders misnoegen geweest kan zijn. Misschien is er op dat feest iets voorgevallen. Misschien hadden de ouders van mijn moeder hem afgewezen of zoiets.

Bob staart voor zich uit. 'En wat dan nog? Ze waren daar op een feest. En jij hebt je besluit over dat huis genomen op grond van één bezoekje? Een paar miezerige minuten in die bouwval?'

Hij heeft een fout gemaakt. Hij heeft zich op mijn terrein begeven. 'Het is niet ongebruikelijk om zo snel tot een besluit te komen over een pand. Het is wetenschappelijk bewezen dat beslissingen over het kopen van huizen genomen worden binnen veertien tot zeventien seconden nadat de eventuele gegadigde over de drempel is gestapt.

Zoiets. In elk geval secondenwerk. Daarom laten we verkopers vuur aanleggen, kaarsen branden, koffie zetten en brood bakken. We willen dat ze alle zintuigen prikkelen. We proberen hun ervan te overtuigen dat ze geen huis verkopen maar een leefstijl, iets ondefinieerbaars, het vooruitzicht op geluk. Ik weet dat dit huis voor mij is zonder dergelijke opzetjes. Ik ken Whitecliff. Ik ken het tot in mijn botten.'

Bob kijkt me met een gekwelde blik aan.

'En er is nog iets.' Ik ga tot het uiterste. 'Er zit daar een oude man die we onderdak moeten geven. We zouden een bungalowtje voor hem kunnen bouwen, of zo. Hij is wat onaangepast, maar toch bewonder ik hem. Ik zou hem niet zomaar kunnen wegsturen.'

'Wat voor een oude man?' vraagt hij zwakjes.

'Eigenlijk iemand met woonrechten. Hij woont buiten tussen de braamstruiken.'

Bob slaat zich op zijn knie en barst in hulpeloos lachen uit. Ook in mijn eigen oren klonk dit laatste nogal knetter. En dan noemde ik nog niet eens de afgehakte trap. Ook ik begin te lachen.

Ik nestel me naast hem om naar zijn wedstrijd te kijken. Zolang we nog samen kunnen lachen, denk ik…

En het is maar goed ook dat we goedgeluimd zijn, want op de buis scoort de tegenpartij.

14 ❦ *Stalen ros*

De opwinding en drukte op Whitecliff in de dagen volgend op moeders aankondiging brachten niet alleen veel leven maar ook meer vrolijkheid dan ik thuis ooit had meegemaakt. Zelfs vader werd erdoor aangestoken. Hij vroeg wederdiensten aan zijn leveranciers en klanten en bemachtigde voor ons niet alleen een bescheiden hoeveelheid bloem, maar ook wat thee en echte steenkool voor de schouw in de salon en ook twee kostbare dikke plakken chocolade.

De bloem was bestemd voor brood, maar toen zaten we toch nog met het lastige vraagstuk van de verjaardagstaart. Zelfs vader kreeg daar niet voldoende meel voor los, laat staan de hoeveelheden gedroogd fruit en suiker die we nodig zouden hebben. Juffie kwam echter met een oplossing. Zij wist van een vriendin van een vriendin, een vrouw in Drogheda, die zich had gespecialiseerd in het maken en versieren van kartonnen taarten voor bruiloften en andere feesten, en die zagen er heel echt uit. 'Nood breekt wet, mevrouw,' zei ze tegen moeder. 'Je kunt ze niet van echt onderscheiden, tenzij je zou proberen ervan te eten natuurlijk. In deze moeilijke tijden heeft iedereen taarten van karton.'

Ik veronderstel dat de gasten er wel begrip voor zullen hebben.' Moeder probeerde er nuchter onder te blijven, maar ze piekerde over de andere beperkingen. Het moeten sluiten van de verduisteringsgordijnen rond halfzeven, was zo'n probleem. Ons feest moest derhalve om vijf uur beginnen, zodat we nog wat van het daglicht konden profiteren.

Ik kreeg de indruk dat voor haar een feest geen echt feest was als het niet in de felle gloed van kroonluchters de hele avond kon doorgaan. Ongetwijfeld romantiseerde ik dit. Nu ik vrouw geworden was bezag ik alles door een roze bril. 'We hebben zat licht, moeder!' zei ik op warme toon tegen haar. 'We hebben hopen olielampen en talgkaarsen.'

Maar dit verzoende haar niet. 'Ik haat die verschrikkelijke oorlog. Hoeveel langer moeten we dit nog verduren? Van inventief zijn en je moeten behelpen wordt een mens zo moe.'

Juffie had er gretig in toegestemd om te komen helpen, toen moeder het haar vroeg. Voor de duur zou ze blijven logeren, zodat ze niet steeds van en naar het dorp hoefde te komen.

'De duur', zo noemde ze het. Dat vond ik erg grappig, zoals ik het ook grappig vond dat wat de Engelse *Times* 'oorlog' noemde, in de Ierse kranten 'noodsituatie' heette. Omdat ik zo in de wolken was, zag ik overal humor in en wanneer ik veilig alleen in mijn kamer was, was ik geneigd tot giechelbuien.

Met het verstrijken der dagen echter raakte ik gefrustreerd en dat temperde mijn vreugde. Tijdens juffies verblijf bij ons lukte het Coley Quinn en mij één keer om elkaar te zien, een paar minuten maar! Want vanaf het moment dat moeder haar plan aan ons bekendmaakte, werden Johanna en ik aan het werk gezet om het huis gereed te maken voor de thuiskomst van de tweeling en het feest. We werkten zelfs zondag door, wasten lampetkannen af, schuurden baden, klopten ieder tapijt in het huis, hingen donzen dekbedden te luchten. We stoften schilderijranden en stoelpoten af, zetten tafels in de was, zwabberden slaapkamers, schudden veren matrassen op, luchtten ze en verschoonden de bedden. Een hele dag waren we bezig om het parket in de salon en de eetkamer schoon te maken en toen we kwamen vertellen dat we daarmee klaar waren, kregen we blikken Cardinal-poets toegestopt om er de natuurstenen tegels in het portiek mee te bewerken. Iedere keer als we klaar waren met een taak, vond moeder er nog drie voor ons. We stelden het schrobben en glanzend oppoetsen van de stenen in de hal uit, want die was zo groot dat het ons wel een dag ging kosten.

Het was niet alleen dat ik Coley niet zag, ik kreeg amper de kans om in mijn kamer over hem weg te dromen, afgezien van vlak voor het slapengaan. Wanneer de fysieke arbeid van overdag erop zat en de verduisteringsgordijnen 's avonds gesloten waren, dan mocht ik niet ontsnappen, nee, dan moest ik zwoegen op mijn lapjes voor de Shine-quilt. Moeder naaide aan de eigenlijke quilt op haar relatief goed verlichte werktafel, maar omdat we ook op lamppetroleum bespaarden vanwege het feest, moesten Johanna en ik dicht op elkaar zitten werken bij het vage, gele schijnsel van een klein lampje. We zaten aldoor in elkaars schaduw en ik zag bijna dubbel tegen de tijd dat we 's avonds verlof kregen om ons terug te trekken.

Ik haatte die lapjes stuk voor stuk verschrikkelijk. Ook haatte ik de stilte van die avonden, een stilte die alleen doorbroken werd door het tikken van de klok of af en toe een kuchje. Vader wilde dat wij werden beschermd tegen het oorlogsnieuws dat de BBC uitzond, en de Ierse zender zond vanuit Athlone op beperkte schaal muziek uit. Naar mijn smaak was die muziek bezadigd en ouderwets, maar niettemin zou ik het verwelkomd hebben. Moeder was er echter zeer stellig in dat ze zich helemaal moest kunnen concentreren op haar naaiwerk en ze verbood ons de radio aan te zetten. Dus iedere keer dat ik mijn naald door de stof prikte of me naar het lampje boog om te kunnen afhechten, zwoer ik mezelf wrokkig dat ik volgend jaar een manier zou vinden om me voor deze vervelende klus te drukken.

Maar er kwam geen klacht over mijn lippen en wat me aldoor gaande hield was de heerlijke wetenschap dat vader en moeder er, na nog enig strategisch gezanik, in hadden toegestemd dat Johanna en ik mensen mochten uitnodigen voor het feest.

Toch kookte ik inwendig op de maandagochtend na het tochtje naar Loughshinny, met nog maar vijf dagen te gaan. Johanna was boven uitnodigingen aan het schrijven, die 's middags op de post moesten. Moeder had bij kantoorboekhandel Haly in Dublin kaarten met een gouden rand besteld, maar het was te kort dag geweest om de uitnodigingen te laten drukken. Nu was de belangrijke taak van ze schrijven aan Johanna toevertrouwd, vanwege haar prachtige handschrift. Het mijne werd als slordig beschouwd.

Ik had keukendienst gekregen en moest zilver poetsen in het bijzijn van moeder en juffie, die tafellakens en linnen servetten aan het uitzoeken waren voor de was. Ik voelde me helemaal niet lekker, niet alleen door het saaie, vieze werkje, maar ook omdat de keuken vol stoom was van de wasteilen op het grote fornuis. Haarslierten plakten op mijn wangen en mijn kleren waren klam van het zweet. Zelfs ademhalen was onaangenaam.

Toen ging moeder in de kelderkast stijfsel pakken en zag dat ze daar te weinig van had. 'Roderick is al naar de zaak.' Moeder keek zorgelijk. 'Ik wil de was vandaag zo graag gedaan hebben. Het droogt buiten zo lekker.' De tafellakens deden er minder toe, maar servetten moesten en zouden kraakhelder zijn met messcherpe vouwen.

Ik legde het vismes waaraan ik werkte neer. 'Ik zal voor u naar het dorp gaan, moeder.'

'Hoe zou je daar moeten komen?'

'Lopend natuurlijk.'

'Nee,' zei ze beslist. 'Ik ken jou, Violet. Je zou treuzelen en er veel te lang over doen. Jij kunt beter blijven doen waarmee je bezig bent.' Ze draaide zich weer om naar juffie. 'We kunnen in elk geval wassen, juffie, en wanneer Roderick vanavond thuiskomt, stuur ik hem terug voor de stijfsel. Dan haal ik het goed vanavond zelf bij een tweede spoeling door de stijfsel en dan moeten we maar het beste hopen van het weer morgen.'

'Ik zou juffies fiets kunnen nemen.' Ik wilde het niet zo snel opgeven.

Ook al was juffie tegen de zeventig, ze ging nog altijd overal heen op wat zij haar stalen ros noemde. Een strenge, hoge, zwarte fiets met een gebogen frame en een hoekig, verchroomd stuur met daarop een gigantische, zilverkleurige bel die ze zo goed poetste dat het ding zelfs op een grijze dag nog schitterde. Ze had me erop leren fietsen op onze laan. 'Wat vindt u ervan, juffie?' Moeder nam de stapel servetten in ogenschouw, die voor haar op de tafel lag. 'Eigenlijk moesten we maar profiteren van de zon vandaag.'

'Wat steekt er voor kwaad in? Laat haar gaan.' Juffie keek niet op van het damasten tafellaken dat ze op vlekken controleerde. 'Als we stijfsel nodig hebben, hebben we het nodig. Zul je voorzichtig zijn in het verkeer, Violet?'

'Ja, juffie, wees maar niet bang.' Voordat ze van gedachte konden veranderen, deed ik mijn zaklinnen schort al af.

'En neem ook wat blauwsel mee,' zei moeder, terwijl ik mijn schort opvouwde. 'Ik denk dat we voldoende hebben, maar ik zit er liever niet om verlegen.'

'Zal ik doen, moeder.' Ik was al bij de achterdeur. Juffie zette haar fiets altijd tegen de achtermuur, onder de vliegenkast.

Toen ik naar de zijkant van ons huis fietste wist ik dat wat ik van plan was hondsbrutaal en gevaarlijk was. Maar wilde ik Coley te pakken krijgen, al was het maar voor een paar minuten, dan zat er volgens mij niets anders op dan naar de zuivelfabriek te gaan waar hij op dit uur van de ochtend werkte. Of zou horen te werken. Ik was dit weekeinde zo tot het huis veroordeeld geweest dat ik niet naar onze boom had gekund om te kijken of er een briefje van hem lag, en nu wilde ik geen kostbare tijd verliezen met erheen gaan.

Aan het einde van de laan gekomen, had ik mijn verhaal al klaar, zij het dat het zwak was: omdat ik op weg naar de winkel toch langs de zuivelfabriek kwam, wilde ik Coley persoonlijk uitnodigen voor het feest.

Ik trapte zo hard naar het dorp op juffies oude bottenrammelaar, dat ik rood aangelopen was tegen de tijd dat ik de zuivelfabriek kon zien, een meter of tweehonderd vanaf de eerste huizen in het dorp. Om mezelf gelegenheid te geven om tot bedaren en op adem te komen – en om aannemelijk te maken dat ik 'toevallig' langskwam op weg naar onze winkel – stapte ik af en plukte een bos wilde bloemen in de overwoekerde berm.

Ik plukte in het wilde weg sleutelbloemen en wat roodachtige bloeisels waarvan ik de naam niet kende. Die morgen waren mijn zintuigen even oververhit als mijn lichaam, en zelfs als ik nu terugkijk hoor ik nog het absurde balken van een ezel in de verte, het knakken van de bloemstengels die ik afbrak, het gedempte gekwinkeleer op de velden en in heggen. Ik ruik nog de geuren van aarde en geplet gras en koeienmest. Geluiden en geuren die ik nooit had opgemerkt voordat ik Coley Quinn ontmoette.

Ik legde mijn oogst in het mandje aan het stuur en, vurig biddend dat Coley er toch maar mocht zijn, fietste ik naar het dorp, waarbij ik mijn best deed er nonchalant uit te zien. Mijn hart bonkte echter, en niet alleen bij het vooruitzicht mijn geliefde te zien. Ik kwam hier zo brutaal aangezet dat het vader mogelijk ter ore kwam. Maar deze overweging legde het af tegen de roekeloze, allesoverweldigende gevoelens die hoorden bij verliefd zijn. Ik geloofde oprecht dat mijn brutaliteit ongestraft zou blijven.

Toen ik de brede betonnen plaats voor de zuivelfabriek bereikte zag ik in de menigte kletsende en rokende boeren die wachtten tot hun melk naar binnen werd gebracht twee boeren staan die ik van naam kende. Ze waren klant bij de Rathlinney Bazaar (zoals vermoedelijk de meeste zo niet alle andere dat ook waren). 'Dag Marcus, dag Barney,' riep ik, en toen ze zich omdraaiden, aan hun pet tikkend om ook mij te groeten, remde ik af en aarzelde alsof me nu pas iets inviel. 'Is Coley Quinn er misschien? Ik ben onderweg naar de winkel, maar als hij op de fabriek is dan heb ik een boodschap voor hem van vader en moeder. Is het trouwens geen heerlijk weer?'

'Nou en of, juffrouw Shine, goddank,' riep de boer die Barney heette. 'Coley is daar.' Hij wees naar de loods van de zuivelfabriek.

Ik zag mijn geliefde verdiept in gesprek met een andere man, terwijl ze in diens melkboekje bladerden.

Alle gesprekken en praatjes werden gestaakt toen de mannen me nakeken. Ik duwde juffies fiets, waarvan de wielen nu opeens erg veel lawaai maakten, naar de loods. Coley moet beseft hebben dat er iets gaande was en draaide zich om nog voordat ik bij hem was. Zijn ogen werden groot, heel eventjes maar, en vervolgens legde hij een koelbloedigheid aan den dag waar ik hem om benijdde. Hij liep me tegemoet.

'Goedemorgen, juffrouw Shine. Waarmee kunnen we u van dienst zijn?'

'Goedemorgen, Coley.' Ik hoopte dat zijn klant die me even nauwlettend gadesloeg als alle andere mannen mijn vuurrode wangen zou toeschrijven aan het fietsen in de zon. Ik sprak heel luid. 'Heb je misschien even? Ik kom met een boodschap voor je van Whitecliff.'

'Natuurlijk. Zal ik die van u overnemen?' Hij pakte het stuur van juffies fiets en duwde die voor me uit naar de zijkant van het gebouw.

Zodra we uit zicht waren draaide hij zich naar me om, met ogen die vlamden van opwinding. 'Violet.' Hij wilde me beetpakken en hij zou me in zijn armen genomen hebben als ik hem niet had afgeweerd.

'Sst! Niet doen!' Mijn moed liet me in de steek. Dat we ons schaamteloos aan het zicht van al die boeren onttrokken was gekkenwerk en ik kon me de blikken voorstellen die op het voorterrein gewisseld werden. Ik had hem eigenlijk alleen willen vragen of hij kans zag om even bij de zuivelfabriek weg te mogen.

'Dit was een vergissing,' taterde ik, 'maar ik had echt een boodschap voor je...' Ik vertelde hem snel dat hij was uitgenodigd voor het feest. 'En wil je alsjeblieft een van je zusters meenemen?' Ik begon achteruit weg te lopen.

'Wacht, Violet, wacht nou! Jij wilt dat ik met een zus op een feest bij jullie thuis kom?' Ik druk me zacht uit als ik zeg dat hij verwonderd keek.

'Je krijgt een uitnodiging per post.' Ik was te bang om nog langer te blijven. 'Luister, ik zal proberen of ik een briefje voor je kan neerleggen onder de boom.' Ik kuste hem snel, rechtte mijn schouders, greep gauw mijn fiets en duwde hem de hoek van de loods weer om.

Hij was zo alert om me op de voet te volgen. 'Wilt u uw ouders voor me bedanken, juffrouw Shine? Wat was de datum ook alweer?' riep hij, terwijl ik voor de neus van mijn gefascineerde publiek juffies stalen ros besteeg.

'Volgende… volgende week dinsdag,' zei ik haperend. 'Ze sturen de brief naar je huis. En doe onze groeten aan je familie.' Ik wilde mijn voeten op de pedalen zette maar miste er een, zodat ik de binnenkant van mijn kuit aan de ketting schaafde. Ik ging nu goed zitten en wiebelde weg met alle waardigheid die ik wist op te brengen. De ezel balkte weer. En, om zout in mijn wonden te strooien, werd dit gevolgd door een koor van maar deels onderdrukt snuiven en hoog giechelen van de mannen.

Mijn korte tochtje naar de winkel kan ik slechts beschrijven als een nachtmerrie van zelfverwijt en angst. Als mijn hart overactief was toen ik de zuivelfabriek naderde, dan bonkte het nu. Ik voelde me misselijk en duizelig. Ik kreeg zelfs een akelig zoete smaak in mijn mond. Was het bloed? Had ik op mijn tong gebeten?

'Wat is er gebeurd, meissie?' Sheila, de vrouw die al zo lang als ik me kon herinneren bij ons in de winkel werkte, keek geschrokken op toen de deurbel rinkelde en ik binnenstormde.

'Niets!' bracht ik hijgend uit. 'We komen stijfsel te kort, dat is alles. En we hebben ook blauwsel nodig.'

Vader, die corned beef had staan snijden, veegde zijn handen af aan zijn slagersschort. 'Wat nu, een noodsituatie?' Hij grinnikte. Vader maakte nooit grapjes, dus kennelijk was ook hij aangestoken door de sfeer van algehele vrolijkheid die bezit had genomen van Whitecliff.

Op ieder ander moment zou ik blij gereageerd hebben op deze nieuwigheid, maar niet nu. 'Ja, vader, een beetje wel. Ze zitten met smart te wachten tot ik met stijfsel terugkom!'

'Hier, Violet.' Arme Sheila, die reageerde op de overduidelijke staat van paniek waarin ik verkeerde, sleepte haar forse lichaam naar de hoek van de winkel waar de droge waren op de planken lagen. Ze pakte de stijfsel en het pakje blauwsel en wierp ze me zowat toe. 'God, dit is een grote gebeurtenis, niet?'

'Inderdaad, Sheila. Bedankt hoor!' Ik draaide me om en rende terug naar de deur. 'O, trouwens, vader, ik vergat u iets te vertellen,' zei ik toen in wanhoop. 'Op weg hierheen kwam ik langs de zuivelfabriek, en Coley Quinn was daar. Dus ik ben even gestopt om hem te zeggen dat we hem en zijn zuster uitnodigden voor ons feest. Dat was toch goed, hoop ik?'

15 ❦ *De huid niet verkopen*

Ik heb nieuws voor Tommy, en Tommy heeft ook nieuws voor mij. Wanneer ik hem de volgende ochtend opbel vertelt hij me om te beginnen dat het huis geen monument is.

Dat kan goed zijn, dat kan slecht zijn, afhankelijk van hoe je ernaar kijkt. Voor Tommy betekent het dat Whitecliff gesloopt kan worden als hij vindt dat het niet de moeite waard is om het te restaureren. Vindt hij dat wel, dan moet ik mijn zaken goed op een rijtje hebben, voordat hij begint te bedenken wat hij allemaal kan doen met het huis.

Tegen de opdracht in, had ik hem niet meteen gebeld maar daarmee gewacht tot ik thuis was van mijn tochtje. Ik had voor mezelf helemaal duidelijk willen hebben welke koers ik voor mijn eigen belang wilde varen, voordat ik met hem sprak.

Ik had bellen uitgesteld totdat ik zeker wist dat hij veilig en wel in zijn *cumann*vergadering zat. 'We spreken elkaar morgen, Tom,' kwetterde ik toen opgewekt tegen zijn antwoordapparaat. 'Sorry, dat ik zo laat terugbel, maar het was gecompliceerd om bij Whitecliff te komen. Maar het is me uiteindelijk gelukt. Het zal enige discussie vergen. Spreken elkaar morgen, dag!'

'En? Hoe staat het erbij?' De telefoonlijn knettert van zijn opwinding. 'Ben je in het huis zelf geweest? En ben je gesnapt?'

'Nee, niemand heeft me gezien,' lieg ik. 'Het is onmogelijk dat iemand me gezien heeft. Zelfs als je er over de oprijlaan heen gaat, lijkt het op een voettocht door het Amazone-oerwoud. Ik verzeker je,

Tom, je komt er niet makkelijk in. Het is maar goed voor ons dat veel van het hout verrot is.' Daarna, voordat hij verdere vragen kan stellen, praat ik door over de dingen waarvan ik vind dat ze in het oog springen: het vervallen interieur, het grote vochtprobleem, het rampzalige dak. Toch pas ik op wat ik zeg, want ik wil niet dat hij besluit tot sloop voordat hij het huis heeft gezien. Wanneer Tommy zich eenmaal iets in zijn hoofd heeft gezet, krijg je het er erg moeilijk weer uit, ongeacht wat de harde feiten zijn.

'De grond?'

'Dat is een geheel andere zaak. Geweldige mogelijkheden, Tom.' Ik ben zo enthousiast, ik ben net het koopjeskanaal op tv. 'Goed en droog, prachtig golvend zonder al te heuvelachtig te zijn. Het is overwoekerd door braamstruiken, varens en allerhande groeisels…'

'Ach.' Tommy wuift dat weg, zoals ik van tevoren wist dat hij zou doen. Waar boeren braamstruiken op hun weilanden met tussenpozen verbranden om het land vruchtbaarder te maken met de as, is wildernis voor projectontwikkelaars en aannemers nooit een probleem. Als waren ze Noord-Amerikaanse invasietroepen, rijden ze met hun monstrueuze machines gewoon het terrein binnen en ontwortelen de hele boel. 'Heb je dat Greenparksstuk trouwens nog de deur uit gekregen?'

'Ja, hoor. En ik kom naar je toe. Ben er over een uur. We moeten praten.'

'O-o. Je komt toch niet je ontslag indienen, Claudine?'

'Nee, ik neem nog eventjes geen ontslag, opportunist die je bent. Maar pas op je tellen.' Dit is een staande grap, maar er zit een ondertoon van ernst in. Tommy is als de dood dat ik het zal doen, en ik weet ook waarom. Hij zou een nieuw iemand nooit zo gek krijgen om genoegen te nemen met zijn systeem van (niet-)archiveren, aantekeningen op de achterkant van enveloppen, en de manier waarop hij zich vastbijt in sommige zaken met uitsluiting van eventuele andere. Een jong iemand, zelfs een die als nummer een van zijn jaar afstudeerde met een prachtdiploma in onroerendgoedbeheer, zou helemaal de kluts kwijt raken. In de loop der jaren hebben Tommy en ik ons aan elkaar aangepast: ik weet van tevoren wel wat hij zal gaan doen; hij doet niet moeilijk over mijn werktijden.

Tommy sluit zijn deur nooit af, en wanneer ik zijn huis binnenkom tref ik hem aan aan de kleine tafel in zijn chaotische keuken waar uitpuilende mappen, een Rolodex en een prehistorische telmachine, zo eentje met een slinger, vechten om ruimte op het aanrecht met waterketel, vaatwerk, magnetron, broodrooster en eten in blik. Eigenlijk is de kleinste slaapkamer in zijn huis het kantoor, maar het bevalt hem daar niet en het vaakst en het liefst werkt hij in zijn keuken. Hij hoort me niet binnenkomen.

'Ha, Tom! Zie ik dat de echtgenote druk bezig is?'

'Watte?' Hij kijkt op.

'De nieuwe echtgenote.' Ik wijs naar zijn hoorbaar slurpende vaatwasmachine, weliswaar aangesloten maar nog steeds midden in de keuken, omdat hij haar nog niet in de bestemde ruimte naast het aanrecht heeft geschoven.

Hij werpt er een blik op. 'Je had gelijk dat je me die hebt laten kopen, Claudie. Geweldig ding. Plof neer.'

'Je gebruikt hem in elk geval.' Ik ga tegenover hem zitten. 'Wat zijn dat?' Ik zie dat hij enkele vlekkerige, grofkorrelige fotokopieën aan het bekijken is.

'Heb gisteren enkele kruiwagens ingeschakeld. Ik weet nu van wie de tent is.'

'En?' Ik houd mijn adem in.

'Het is geen oude vent, zoals ik eerder zei, maar een oud besje. Heet Collopy en ik heb een adres van haar in West-Cork. Maar bij inlichtingen zeiden ze dat haar nummer uit het telefoonboek is verwijderd. Kennelijk heeft het wijffie anderhalf jaar geleden het tijdelijke met het eeuwige verwisseld en het nummer is nog niet opnieuw geregistreerd. Maar je weet zelf hoe lang dat duren kan. Er is een enorme achterstand. Er is een zuster. Hoogbejaard, veronderstel ik. Waarschijnlijk heeft zij het geërfd. Het zou ook een executieverkoop kunnen zijn.'

'Ik begrijp het.' Verkoop door een executeur kan een langdurige affaire zijn, maar de zuster van de eigenares had vast dezelfde informatie over mijn moeder.

Hij tuurt op de achterkant van een verfrommeld bonnetje. 'Haar adres is ergens ver weg in de Atlantische Oceaan. Mijn contact zegt dat je om er te komen eerst een muilezel nodig hebt en daarna een kano.' Hij giechelt. 'Moet je horen,' zegt hij, 'in alle ernst, je hebt geen kano nodig maar kennelijk is het aan de kust.' En dan doet Tommy me een voorstel dat me als muziek in de oren klinkt, want ik had het zelf willen voorstellen. 'Wat zou je ervan vinden om daarheen te gaan, Claudie? Doe alsof je daar op vakantie bent. Neus rond. Kijk hoe de vlag erbij hangt. Zelfs als het een executieverkoop is, weet je nooit wat er te ritselen valt door een persoonlijke ontmoeting.'

In mijn hoofd zit ik al in de auto, maar ik wil niet te gretig klinken. 'Luister, Tom, dit is groot... dit zou de klapper kunnen worden voor ons. Waarom ga jij zelf niet?'

'O, nee.' Hij kijkt ontzet, ik had niet anders verwacht. Voor hem is alles wat buiten de beschaving ligt indianengebied. Hij voelt zich ongemakkelijk op iedere plek die meer dan zeventig kilometer buiten het stadscentrum-zuid van Dublin ligt. En hij is hier alleen maar in, wat hij zelf noemt, de rimboe komen wonen omdat het grutterszaakje van zijn ouders, al voor hun dood, hard achteruit holde. Er speelt nog iets anders. Als het niet anders kan doet Tommy natuurlijk zaken met oude dametjes, maar met hen is hij nog teerhartiger dan met mensen die hun eerste huis kopen. Het valt hem zwaar om zich tegenover hen hard op te stellen, hoe vaak hij ze dan ook besjes of oude wijven mag noemen. 'Niks hoor, jij gaat,' zegt hij. 'In die contreien ben ik niets waard, dat weet je immers. Ik versta nooit een woord van wat die lui zeggen. En het is bovendien een zaak die geschikter is voor jou. Van vrouw tot vrouw, je weet wel, Claudie, medeleven en zo.'

'Laat me er even over nadenken.'

En vervolgens doet Tommy alsof hij me niet heeft gehoord.

'Gisteravond op de *cumann* sprak ik Ferdy Macken. Hij zei dat als wij serieus geld achter ons weten te krijgen, hij ervoor zal zorgen dat we niet omhoog komen te zitten.' Ferdy, een politiek maatje van Tommy, is de regio-manager voor een van de grotere banken. 'Hij zegt dat hij me aan wat mensen zal voorstellen.'

'Hoe ben je te weten gekomen dat het object op de markt kwam? Ik ga daar niet helemaal naartoe op grond van een gerucht.' Ik vertel hem niet dat ik naar Alaska zou zwemmen om dat huis voor mezelf te bemachtigen.

'Het is niet zomaar een gerucht. Trek in een bakkie, Claudie?' Hij hijst zichzelf overeind en dribbelt naar het aanrecht, ontwart een snoer uit twee andere snoeren, vult de waterkoker, steekt de stekker in het stopcontact en gaat dan aandachtig boven de koker hangen alsof hij het water zo kan dwingen sneller aan de kook te raken.

'Niet zomaar een gerucht. Wat is het dan wel?'

Hij weifelt en draait zich dan naar me om. 'Men heeft de zuster zien binnengaan bij de notaris daar.'

Ik leun achterover op mijn stoel. 'Dat is alles? Daaruit bestaat jouw informatie? De bejaarde zuster van de overledene werd betrapt op een bezoek aan haar notaris?'

Hij wil me niet recht aankijken. 'De notaris is een neef van een vent die ik daar ken. Ik heb hem ooit een dienst bewezen en we raakten toevallig aan de praat...' Hij kijkt schichtig.

'"Toevallig", Tom?' Begrijp me nu niet verkeerd, Tommy O'Hare is in wezen eerlijk. Maar omdat OHPC zo'n kleintje is, doet het noodzakelijkerwijs handel op waar die zich voordoet. OHPC draait op contacten en informatie, opgedaan in kroegen en golfclubs, overal waar mensen bijeenkomen, plus op een goeie gok natuurlijk. 'Die vent die jij kent,' vraag ik langzaam, 'wat doet hij voor de kost?'

'Hij is, eh, veilingmeester.'

'Wacht eens even. Wil jij zeggen dat de notaris van die vrouw zijn neef de veilingmeester belde, die jou vervolgens een wederdienst bewees door je te tippen dat zij haar erfenis mogelijk op de markt gooide?'

'Dat zeg ik in het geheel niet.' Hij doet zijn best om verontwaardigd te klinken. 'We wonen in Ierland, Claudie. We zijn een klein land en je weet hoe het hier gaat. Die vrouw woont kennelijk in een gehucht van niks. Wie weet heeft ze het in de dorpswinkel tegen iemand gezegd; ze kan het aan iedereen verteld hebben. Iemand kan het gehoord hebben, toen ze op straat met haar mobieltje liep te telefoneren. Je weet hoe dat gaat...'

De ketel water is aan de kook en schakelt zichzelf uit met een klik. Tommy draait zich om en zet de thee.

'Weet je nog dat ik zei dat ik ergens over wilde praten met je?' Ik praat tegen zijn rug.

'Jaah...'

'Herinner je je dat ik vertelde wat een puinzooi het huis is, maar dat de locatie subliem is en de grond goed en droog en het uitzicht ongehoord mooi. Dit is niet iets voor mensen die hun eerste huis kopen, Tom. Ik zag dit voor me als een project voor de hogere inkomensklassen. Vrijstaande huizen, zoiets als Millionaire's Row, zie je het?'

'Jaah?' Hij komt met twee mokken naar me toe en kijkt me doordringend aan. 'Dat weten we. Waar wil je nou heen, Claudie?' Hij gaat zitten.

'Waar ik heen wil, is dat als we dit object binnenslepen, ik wil dat jij het huis losmaakt van de grond. Ik wil dat je het object splitst in twee kavels. Ik wil het huis hebben met misschien een halve hectare grond eromheen vanwege de privacy. En ik wil het tegen kostprijs. Jij hebt het over diensten bewijzen, Tommy, en ik verzeker je dat je dik in het krijt staat bij mij.'

'Jij wil het huis? Schei toch uit, Claudie. Wat moet je ermee? Het staat op instorten, volgens jouzelf.'

'Ik wil het restaureren. Erin wonen.'

'Je maakt een grapje!' Hij begint te lachen, maar wanneer ik niet meelach, houdt hij daarmee op. 'Sodeju, je meent het echt.'

'Doodernstig.'

Zijn ogen versmallen zich. 'Vertel jij me wel de waarheid over dat huis? Is het echt zo slecht als jij het voorstelt?'

'Geloof me, het is in slechte staat.'

'En weet jouw man van dat idiote idee?'

'Ik heb het hem gisteravond verteld.'

'En hij vindt het een goed idee?'

'Nee,' zeg ik je eerlijk, 'maar hij trekt wel bij.'

Tommy staart me aan en ik kan zijn hersens bijna horen knerpen. 'Jij gaat gewoon naar West-Cork,' zegt hij langzaam. 'Kijkt hoe ver je komt met het ouwe wijffie. Krijgen wij het in handen, dan praten we. Lijkt je dat wat?'

'Sorry, dat lijkt me niks. Eerst sluiten wij samen een deal en pas dan zeg ik of ik naar West-Cork wil gaan.'

'Ik kan zelf gaan, hoor.'

'Zou je kunnen doen.'

We staren elkaar strak aan.

Hij grijnst spottend. 'U bent een keiharde onderhandelaarster, mevrouw Armstrong.'

'U heeft het me goed geleerd, meneer O'Hare.' Ik spring overeind en geef hem een enthousiaste knuffel.

'Ho-ho!' protesteert hij. 'Niet in het bijzijn van de vaatwasser!'

Ik stap naar achteren en grijns als een idioot naar hem. 'Ik zal je niet teleurstellen, Tom. Dat beloof ik je. Als dat object te koop is, sleep ik het voor ons binnen. Zeg maar tegen vriend Ferdy dat het kat in het bakkie is.'

'Laten we de huid niet verkopen voor de beer geschoten is. Hierzo.' Hij rommelt in de papieren op tafel, pakt er een vel uit en steekt het me toe. 'Net per koerier bezorgd. Jouw vrienden van Greenparks hebben dit afgekeurd.'

'Best, best; ik zal het wat oppoetsen.' Niets kan mij van streek maken. Ik heb voor vandaag genoeg gedaan. Het enige wat me nu te doen staat, vertel ik mezelf en ondertussen bekijk ik de ontmoedigende rode cirkels en doorhalingen in mijn doorwrochte lofrede op de verrukkingen van Cruskeen Lawns, is zorgen dat ik in West-Cork kom. Ik ben niet alleen enthousiast over het huis, ik heb mezelf al bijna wijsgemaakt dat de oude vrouw mijn moeder heeft gekend of in elk geval iemand zal weten die dat heeft gedaan.

16 ♥ *Lampionnen in de bomen*

Johanna en ik mijmerden dagenlang over wat we op het feest zouden dragen. Ik besloot ten slotte dat het iets wits moest zijn in contrast met mijn teint. We beraadslaagden over ons haar: of zij het hare zou opsteken, of ik het mijne zou laten loshangen; allebei los, besloten we. Verder – terwijl ik probeerde te beoordelen hoeveel rouge en gezichtspoeder ik me kon permitteren zonder dat moeder me naar mijn kamer zou sturen om het af te wassen – maakte mijn zuster zich zorgen over het welzijn van haar vriendin Shirley. 'Ik weet dat ze onderwijzeres is, Violet, maar in wezen is ze ontzettend verlegen, weet je. Ik hoop dat ze zich amuseert. Ze is mijn persoonlijke gast, dus ik voel me verantwoordelijk voor haar.'

Het was de dag voor het feest, en we zaten op onze knieën in de hal de stenen vloer te schrobben en te dweilen alvorens die op te poetsen. Er was een plaatselijke band geëngageerd, die op de overloop boven ons zou spelen. We hoopten dat de gasten zouden dansen, en het was aan ons om voor een hiertoe geschikte vloer te zorgen. Johanna wrong haar dweil uit. 'Komt jouw vriendin, Mary Kelly?'

'Ze zit in Wexford met haar familie. Dat heb ik je toch al verteld, Johanna.' Te laat besefte ik dat ik haar had afgesnauwd. Telkens als mijn korte gastenlijstje ter sprake kwam, schrok ik 'De andere Mary, Mary Quigley, komt wel,' zei ik, het een beetje rechtzettend.

'Dat was ik vergeten, sorry.' Johanna keek somber.

'O, kijk, daar hebben we een stukje gemist.' Op de wollen mat die ik als kussentje onder mijn knieën had liggen schuifelde ik naar de hoek van de vloer naast de trap. Ik wilde niet dat mijn zuster dieper zou ingaan op wie ik had uitgenodigd. Voor de vorm had ik Mary Quigley uitgenodigd, ervan overtuigd dat ze niet zou komen. Maar tot mijn ergernis liet ze per kerende post weten de uitnodiging aan te nemen. Ik was van streek bij de gedachte dat ik de hele avond met haar opgezadeld zou zitten, maar ik hoopte dat ik een van mijn broers zo ver kon krijgen haar onder zijn hoede te nemen en aan vrienden voor te stellen. Ik moest vrij zijn om iedere gelegenheid aan te grijpen die zich voordeed voor Coley en mij.

Ondertussen moest ik alert blijven. Ik vond het veelzeggend dat Johanna het onderwerp Coley Quinn nooit had aangeroerd. Uiteindelijk had ze me zijn naam horen noemen, tijdens die avond aan tafel toen het plan om een feest te houden voor het eerst ter sprake kwam. Toch had ze me niet een keer naar hem gevraagd, terwijl we onder het werk vrijwel uitsluitend babbelden en mijmerden over het andere geslacht. Wie zou de tweeling hebben uitgenodigd? Ze hadden vier uitnodigingen elk mogen versturen. Hoeveel jonge mannen zou Samuel junior meebrengen uit Dublin? Wat zouden dat voor jongens zijn? Zouden ze nog vrij zijn of zouden ze meisjes meenemen? Toch bleef ik me slecht op mijn gemak voelen over wat Johanna eventueel gezien kon hebben van wat ik in mijn dagboek had geschreven, toen ze opeens naast me stond.

Wat vader en moeder betreft, die waren enorm afgeleid door de bijna chaotische toestand waarin het huishouden verkeerde door al die voorbereidingen. Zo kon het gebeuren dat toen vader, door moeder gestuurd, naar me toe kwam met de gastenlijst en ik moest bekennen dat mijn enige drie gasten Mary Quigley, Coley Quinn 'en natuurlijk Florrie Quinn, zijn zusje' waren, hij hier kennelijk niets vreemds in zag. Behalve dan dat hij er een grappende opmerking over maakte. 'Dat is een opluchting, Violet. Na dit feest ben ik aan de bedelstaf, dus elke vermindering helpt. Maar wat is er gebeurd met dat leger dat jij zou vragen? Moeder schijnt te denken dat je van plan was om een heel bataljon uit te nodigen.'

Dankbaar dat hij fronsend naar de lijst in zijn hand keek en niet naar mij, mompelde ik iets over niet toegekomen zijn aan meer mensen uitnodigen. Toen kon ik het niet weerstaan om het nog mooier te maken: 'Ik heb er nu spijt van mensen gevraagd te hebben. Tenslotte is het niet mijn feest. Maar deze drie heb ik gevraagd en dat kan ik niet meer ongedaan maken.'

'Ja, ja, best kind,' zei hij over zijn schouder, terwijl hij haastig weg-liep. Ik was helemaal slap.

Toen ik het weer veilig achtte, ging ik weer naast Johanna zitten schrobben en tot mijn opluchting bracht ze het gesprek op Marjorie. Niemand wist of onze zuster alleen zou komen of in gezelschap. Kennelijk was ze daar geheimzinnig over geweest, toen ze vader in de winkel aan de telefoon had. 'Ze zei dat ze het nog niet zeker wist,' meldde hij, 'maar wel dat we maar een extra bed in gereedheid moes-ten brengen voor het geval dat.'

'Als ze een aanbidder meebrengt, brengt hij misschien een vriend mee, Johanna,' plaagde ik, terwijl ik mijn rug hol trok om de pijn te verlichten. 'Misschien vind jij ook een vrijer!'

'Schei uit, Violet!'

Ik merkte dat ik een gevoelige plek had geraakt en liet het onder-werp rusten. 'We krijgen het nooit allemaal op tijd af.'

'Ja hoor,' zei ze zonder haar werk te onderbreken. 'We zullen wel moeten.'

Hoewel men dat op de dag voor het feest niet gedacht zou hebben, was de een week durende campagne weliswaar hectisch, maar ook georganiseerd, niet alleen dankzij onze gratis arbeid maar mede dank-zij juffies huishoudelijke talenten en moeders aangeboren evenwich-tigheid – ook al begon ik aan dat laatste te twijfelen. Tijdens het harde werken en de roerigheid verwachtte ik dat ze prikkelbaar zou zijn, maar het tegendeel was waar. Ondanks dat ze geregeld bezwoer dat ze spijt had het vermaledijde woord 'feest' ooit genoemd te hebben, bespeurde ik een zekere lichtheid in haar toon en zelfs een spranke-ling in haar ogen. Ze lachte veel vaker dan anders en, hoewel ik er geen eed op kan doen, ik meende haar een keer te hebben horen neuriën onder het strijken. Moeder vermaakte zich!

Etenstijden liepen die week gezellig in het honderd. In plaats van erop te staan dat we op vaste tijden met zijn allen aan tafel zaten, stond moeder juffies dubbelgeslagen boterhammen op te eten bij de wastei-len of terwijl juffie en zij kasten leeghaalden. (Waarom? Voor Johan-na en mij was het een mysterie waarom zelfs de linnenkast piekfijn in orde moest zijn. Waren onze gasten bij ons thuis soms uitgenodigd voor een inspectietocht?) Ze dronk haar soep zelfs uit een kop, in plaats van met een lepel uit een kom, en Johanna en ik mochten van haar hetzelfde doen.

Het klinkt vreemd, maar nooit eerder was het echt in me opgekomen dat mijn moeder wellicht eens een zorgeloos meisje was geweest. Maar nu ik haar vrolijk haar taken zag verrichten en grappen hoorde maken met juffie, begon ik me af te vragen of zij het dagelijks leven op Whitecliff misschien net zo benauwend vond als ikzelf. Ik herinnerde me de laatste keer dat we met het gezin naar het variété waren geweest in het Theatre Royal in Dublin, hoe het me had verrast om haar uit volle borst te horen lachen. Gelet op haar onberispelijke, beschaafde voorkomen was het verbijsterend om haar zo ongeveer het langste en het hardste te horen schateren in dat bomvolle theater.

Ik aarzelde om conclusies te trekken. Hemeltje, dit was mijn moeder! En ik wilde niet al te lang stilstaan bij haar gevoelens, of zelfs deze metamorfose. Ik moest niet zacht worden of mijn dekking laten zakken, omdat dit ertoe kon leiden dat ik ongewild mijn geheim verried. Bovendien hadden wij op Whitecliff niet de gewoonte om onze gevoelens te bespreken en wat mijn moeder en mij aanging, zou het woord 'generatiekloof' – hoewel toen nog niet in zwang – van toepassing zijn geweest.

Tijdens die week van voorbereidingen klaagden wij, meisjes, niet. Niet alleen omdat dit geen zin gehad zou hebben, maar omdat de vervelende werkjes deze ene keer een doel hadden: we werkten om Whitecliff op haar voordeligst te laten uitkomen. Ook al had ik de smoor in dat ik in huis was opgesloten, toch bedacht ik voor mezelf dat hier boos om worden geen zin had. Ik moest geduld oefenen en beperkte me tot het uiten van mijn frustraties in mijn dagboek, iedere avond weer.

Op de dag voor het feest geurde het huis als een veld door de armenvol loof en groene takken en witte meidoorn (meidoorn!) die moeder overal in hoge vazen had geschikt. Toen we klaar waren met de hal, waar de tegels zodanig glommen dat ze wel van porselein hadden kunnen zijn, werden we naar het portiek gestuurd om dat aan te pakken. En toen we laat op de avond die laatste grote klus af hadden, glansden zijn twee pilaren – afgeboend met warm water en soda en vervolgens met zachte lappen opgewreven – als marmer. Er viel niets meer te doen. Het leggen van de laatste hand aan het proviand werd uitgesteld tot op het allerlaatst, en wat ons betrof was het huis klaar, vanbinnen en vanbuiten.

We riepen moeder om ons werk te komen inspecteren. Van meet af aan de juiste indruk geven, zei ze met stelligheid, was belangrijk vanwege de toon die dit zette voor de hele avond. We hielden ons wat afzijdig terwijl zij haar kritische blik liet gaan over de pilaren, het glimmende koperbeslag op de deur, de natuurstenen tegels, zo glad en schoon dat zelfs in het licht van de schuin invallende avondzon nog geen stofdeeltje te ontdekken viel. Ook hadden we de kwast van het bellekoord gekamd, die nu even zijig was als de staart van een wedstrijdpony. Zelfs moeder met haar onmogelijk hoge eisen moest erkennen dat alles tip-top in orde was. 'Dit is goed werk, meisjes,' zei ze en keek op naar de snel roze kleurende lucht. 'Laten we hopen dat het weer zo blijft.'

En opeens zei ze met een heftigheid die ons verbaasde, bijna schokte zelfs: 'Ach, wat heb ik de pest aan die rotoorlog! Als dit een echt feest was, hadden we lampionnen in de bomen en brandende toortsen langs de laan. Ieder raam in het huis zou fel verlicht horen te zijn!'

Met open monden staarden mijn zuster en ik haar aan. Dit was niet de moeder die wij kenden. Dit was een hartstochtelijke vrouw. Ze vloekte. We geloofden onze oren niet.

Zijzelf ook niet. Ze keek ons snel aan en duwde toen een losgeraakte haarsliert terug in haar chignon. 'Sorry.' Ze was weer zedig als vanouds en meed onze blik. 'Het was niet mijn bedoeling om zo nukkig te klinken. Ik gaf jullie het slechte voorbeeld met mijn taalgebruik. Doe dat dus niet na, meisjes. En natuurlijk wordt ook dit een echt feest. Kijk, heeft Martin niet ook zijn best gedaan?'

In de loop der dagen had onze arbeider onvermoeibaar gewerkt, opdat toch onze gasten een goede eerste indruk zouden krijgen. Op de fluwelige gazons aan weerskanten van de oprijlaan was er geen sprietje onkruid te bekennen. Voor de portiek was het grind zorgvuldig in ingewikkelde concentrische krullen geharkt, en hiermee was Martin urenlang in de weer geweest. Moeder, die zich ongetwijfeld schaamde voor haar uitbarsting, waarschuwde ons nu op haar strengste toon dat we het niet moesten wagen om over het grind te lopen. Tot het feest de volgende middag begon, verordonneerde ze, moest de familie eromheen lopen en de achterdeur gebruiken.

Inmiddels had ik me voldoende van de schrik hersteld om erop te wijzen dat oom Samuel, die de tweeling had opgehaald van hun opleidingskamp nabij Belfast, ieder moment kon arriveren. 'Als hij het grind niet mag bederven, waar moet hij dan zijn auto parkeren?'

'Hij is familie. Hij zal op de laan moeten parkeren,' zei ze bruusk. 'Vader ook, wanneer hij thuiskomt. Jij blijft in de hal op de uitkijk staan, Violet. Zodra er iemand komt aanrijden, loop jij erheen en legt het uit. Voor het huis wil ik het leeg houden. En trap niet op de rand van het grind wanneer je ze opvangt! Loop er met een boog omheen over het gras.'

Ik vond het niet erg om voor schildwacht te moeten spelen. Eigenlijk vond ik het prettig, omdat het me de kans gaf om mijn gedachten op orde te krijgen. Het komende uur viel er zo'n stroom van mensen binnen, dat niemand een minuut voor zichzelf zou hebben. We verwachtten niet alleen oom Samuel met de tweeling, maar ook Marjorie en Samuel junior, die samen uit Dublin kwamen. Vader was ze gaan afhalen bij de bushalte.

'Nou,' zei moeder en ze speldde haar schort los, 'ik moet nu naar binnen. Maar ik moet zeggen dat jullie twee meisjes de afgelopen week enorm geholpen hebben. Jullie hebben fantastisch samengewerkt. Bravo!'

'O, moeder, dank u wel!' Moeder prees ons nooit en impulsief sloeg ik mijn armen om haar nek om haar te omhelzen.

'Alsjeblieft, Violet!' Maar toen ze zich losmaakte glimlachte ze. 'Waar was dat nu voor nodig?'

'Nergens voor,' zei ik, bijna in tranen. Ik kon mijn gevoelens niet uiten. Ik was blij met dit, nooit eerder voorgekomen, compliment, blij met de voor haar doen ongewone uitbarsting, blij om haar de afgelopen week blij gezien te hebben, blij dat ons hele gezin dit weekeinde bij elkaar zou zijn en dat er thuis blijdschap heerste, maar het allermeest was ik blij omdat ik verliefd was en ik Coley Quinn de volgende dag zou zien, hoe nerveus we dan allebei ook zouden zijn.

Moeder keek me onderzoekend aan. 'Ga jij huilen, Violet?'

'Nee, moeder. Echt niet. Misschien ben ik gewoon moe.'

'Ik denk dat we allemaal moe zijn,' zei ze. 'Ik hoop dat het dit waard is.' Weer keek ze omhoog naar de hemel met zijn Titiaankleuren. 'Tijd voor de verduisteringsgordijnen. En ik moet nodig uit deze oude kleren. Wanneer iedereen er is, eten we allemaal samen. Juffie is bezig om de tafel in de eetkamer te dekken.' Ze lachte ons allebei nog eens toe en raakte toen mijn wang aan. 'Lieve meid.'

Ik raakte hierdoor van streek. Onze familie, zei ik al eerder, loopt niet met haar emoties te koop en deze spontane liefkozing bracht me tot tranen.

'Lieve hemel,' zei moeder, met een vragende blik naar Johanna, 'wat heb ik nu weer gedaan?'

'Niets. Niets,' zei ik sniffend. 'Ik zei u toch al dat ik erg moe ben.' Ik zocht naar de zakdoek in mijn schortzak.

'Gaat u nu maar, moeder,' zei mijn zuster. 'Ik blijf wel bij haar.'

'Dat hoeft niet.' Ik snoot mijn neus. 'Het spijt me. Ik heb geen idee wat me opeens mankeerde, maar ik voel me nu weer prima. Ik heb te weinig gegeten en ik ben moe, daarvan zal het wel gekomen zijn. Ik heb echt honger, jullie niet? Je hoeft niet te blijven, Johanna. Jij wilt je vast ook verkleden en wassen. Ik vind het helemaal niet erg om in mijn eentje op de auto's te wachten. Het duurt vast niet lang.'

Het was niet echt aardig van me. Ik vond Johanna's gezelschap nooit een last, maar ik snakte naar een momentje voor mezelf. Ik wist alleen niet hoe ik dat duidelijk moest maken zonder haar te kwetsen. Weer zei ze tegen moeder dat ze bij me zou blijven en er zat niets anders voor me op. Eigenlijk deed het er ook niet zo toe.

Dus nadat onze moeder was vertrokken, liepen wij op onze tenen door onze schone hal naar de salon. We zochten een vensterbankzitje uit waar we de hele laan konden overzien. Ik ging met mijn rug tegen een openstaand luik zitten en sloeg mijn armen om mijn hoog opgetrokken knieën. Door de open ramen boven ons kwam de stilte binnen, die soms gepaard gaat met de zonsondergang. 'We horen ze voordat we ze zien,' zei ik, met een bewonderende blik op de rood getinte kronen van de beuken. 'Kijk eens naar die prachtige lucht, Johanna! En wat vliegen de zwaluwen hoog! Morgen wordt het mooi weer. Vind jij deze tijd van de avond ook niet heerlijk?'

'Ja.' Ze klonk als in gepeins verzonken.

Ik zat tevreden in de stilte die hierop volgde, tot ik me ervan bewust werd dat mijn zuster onrustig leek. 'Is er iets?' Ik wendde mijn blik af van de zonsondergang en keek naar hoe ze daar zat met haar gevouwen handen op haar schoot. Ze had een sjaal om haar haren gewikkeld, zigeunerstijl, en in het zachte licht deed ze me denken aan die ietwat melancholieke gestalten op de schilderijen van Breughel, waar de jongste juffrouw Biggs zo dol op was – ze nam er dikwijls ansichten en reproducties van mee naar de kunstgeschiedenisles om die aan ons te laten zien.

'Er is helemaal niets, Violet,' zei Johanna, 'maar…'

'Ja?' zei ik aanmoedigend.

'Ik had er eerder over willen beginnen, al een paar keer eigenlijk, maar ik bracht de moed niet op. Ik weet dat het me ook niet aangaat.' Ze frommelde aan een rokplooi.

Ik wist natuurlijk onmiddellijk wat ze bedoelde. Maar vreemd genoeg probeerde ik het niet tegen te houden, maar voelde ik het onbedwingbare verlangen om ermee naar buiten te komen. Terwijl ze naar woorden zocht, had ik met haar te doen, maar niettemin ging ik trekken. 'Jou niet aangaat? Wat gaat jou niet aan?'

'Ik… ik denk gewoon dat je morgen voorzichtig moet zijn. Dat is alles,' stamelde ze.

'Voorzichtig met wat?'

'Op het feest.'

'Leg me eens uit wat je bedoelt, Johanna?' Ik zwaaide mijn voeten op de grond en rechtte mijn rug.

'Dat weet je best!' riep ze.

'Nee, Johanna. Echt waar niet.'

Toen we elkaar aankeken zag ik hoe ik haar van streek had gemaakt en vol wroeging sloeg ik een arm om haar tengere schouders. 'Het spijt me, Johanna. Vergeef me. Ik wilde je niet verdrietig maken. Je bent de beste zus van de hele wereld, echt. Ik weet best wat je bedoelt. En ik zal voorzichtig zijn. Dat beloof ik.'

'Ik bedoel niet alleen morgen, Violet.'

'Dat weet ik.' Ik wilde haar nog meer geruststellen, maar toen hoorden we het toek-toek van vaders motor. We wisten dat het die van zijn auto was, er was, om in muzikale termen te spreken altijd een zestiende noot rust, een tikje tussen twee toeks. 'Ik ga wel.' Ik liet me van het zitje glijden. 'Ga jij je verkleden, Johanna. Mij maakt het niets uit wat Marjorie of Samuel junior van me denkt. Naar hun idee ben ik waarschijnlijk toch al reddeloos verloren.'

Ze kon hier zelfs niet om glimlachen.

Ik gaf haar weer een knuffel. En maar zeggen dat onze familie niet met haar emoties te koop loopt, dacht ik. 'Luister, Jumie,' – ik gebruikte de naam die ik als klein kind voor haar had, toen ik haar echte naam nog niet kon uitspreken – 'maak je nou geen zorgen om me; en nogmaals, het spijt me.'

'Het is je vergeven.' Ze veegde haar tranen af met de palm van haar hand. 'Schiet op, Violet, we moeten klaarstaan. De auto is er bijna en we willen niet dat moeder op oorlogspad gaat…'

17 ❦ Ontspan, Violetje

Oom Samuel stond met een glas whisky in zijn hand in de erker van de salon naar de gazons te kijken. 'Waarom maken jullie daar geen tennisbaan voor de jongelui, Fly? Jullie hebben ruimte zat. Dat gazon daar aan de zijkant is ideaal.'

Telkens wanneer oom Samuel op bezoek kwam en ik hem en mijn moeder samen hoorde praten, besefte ik opnieuw hoeveel van haar noordelijke tongval ze was kwijtgeraakt. 'Ik heb nu wel wat anders te doen dan over tennisbanen nadenken.' Ze veegde een verdwaald stofje van de schoorsteenmantel. Ook al was het tien voor vijf, nog steeds was ze bezig met trekken en schikken, opschudden en verschuiven.

Aangezien het feest zo vroeg begon, hadden we besloten dat avondkleding niet kon, maar in een rechte jurk van koningsblauw satijn met lovertjes en schoudervullingen en het ceintuurtje met glittergesp, vond ik dat moeder er *à la mode* uitzag. De hemel mocht weten waar ze in die tijden van schaarste zulke stof vond, maar ze had er voldoende van gevonden – en ook de tijd – om er de jurk van te maken en er haar schoenen mee te overtrekken. Ook de gespen van haar schoenen waren met glitterstof overtrokken.

Ik was vergeten hoe aantrekkelijk ze was, maar die middag zag ze eruit alsof ze zo uit een tijdschrift was gestapt. Ze had rouge op haar wangen aangebracht en haar haren opgemaakt in een rol langs de haargrens, zoals indertijd de mode was.

'U ziet er fantastisch uit, moeder,' zei ik haar toelachend, terwijl ze naast waar ik zat de opbindband van het gordijn vastmaakte. 'U ruikt ook heerlijk.' Moeders lievelingsgeur was een watertje dat naar citroenen en vanille rook. Het werd speciaal voor haar gemaakt bij een ouderwetse drogisterij in Belfast en haar over de post toegestuurd.

'Dank je, lieve,' zei ze, ondertussen door de deuropening de hal inkijkend om er vervolgens met tikkende hakjes heen te lopen. 'Roderick?' riep ze luid, om zichzelf verstaanbaar te maken boven het geluid van de band uit die, reeds aanwezig op de overloop boven, de instrumenten aan het stemmen was. 'Johanna? En jullie, jongens, boven! Zijn jullie bijna zover?' Zelfs dit was iets nieuws. Moeder die haar stem verhief!

'Ik ben klaar, moeder.' Samuel junior kuierde langs haar heen de kamer in. 'Klaar, bereid, en bekwaam. Middag, Sam.' Hij begroette onze oom op zijn weg naar het buffet, waar hij een *gin and It* voor zichzelf mixte. De naam van die cocktail had me altijd geïntrigeerd, tot ik die bewuste avond te weten kwam dat dat '*It*' niet voor een geheim en exotisch bestanddeel stond, maar voor Italiaanse vermouth.

Zelf was ik al klaar vanaf halfdrie, maar bang dat ik weer aan het werk gezet zou worden, was ik nog maar net naar beneden gekomen. Ik zat op een vensterbankzitje van waar ik een oogje op de arriverende gasten kon houden. Zo nerveus dat ik zeker wist dat men het zien kon, vouwde ik mijn handen zodat ze niet zouden trillen en ik bad dat Coley niet als eerste zou arriveren. Om meteen daarna van gedachten te veranderen en bad dat Mary Quigley niet de eerste gast zou zijn, om toen toch weer terug te keren naar Coley. Welke duivel had bezit van me genomen, dat ik Coley had gevraagd om bij mij thuis te komen?

Oom Samuel kwam naast me zitten en gaf me een knipoog. 'Heb jij inmiddels een oogje op iemand, Violet? Zijn er jonge knullen die ik in het vizier moet houden?' Ik was zo gespannen dat ik zelfs van dit milde grapje een schok kreeg en rood in het gezicht werd.

'Nee maar!' riep Samuel junior. 'Je hebt een gevoelige plek geraakt, oom!'

'Let niet op hem.' Oom Samuel gaf me een klopje op mijn knie. 'Je bent een lieftallig meisje. Je hebt er nog nooit zo goed uitgezien als vanavond en ik wed dat je vanavond een hooivork nodig zult hebben om de jongens van je af te houden.' Ik bloosde nog dieper, waarop hij zich tactvol omdraaide en uit het raam keek. 'Het weer laat ons niet in de steek. En, vertel me eens, hoe gaat het op school? Ben je bijna klaar?'

'Ja, oom.'

Oom Samuel was er altijd heilig van overtuigd geweest dat niemand te veel onderwijs kon krijgen. Ik herinner me de keer, ik zal een jaar of vijf zijn geweest, dat ik tijdens een samenzijn met de hele familie bij hem op schoot zat, en hij de uitspraak deed: 'Er komt een dag dat kleine meisjes, zoals Violet hier, geen genoegen meer nemen met de tweede rang. Ik heb het over de universiteit, jongens. Er komt een tijd dat er aan die van Dublin meer meisjes zullen studeren dan jongens.' Alle volwassenen in de kamer hadden maar eens geglimlacht om die onzin.

Juffie, voor de gelegenheid in het zwart met een witte schort voor, kwam de salon binnen. Ze liep heel langzaam, want ze droeg de zilveren punchkom die normaal alleen met de kerst tevoorschijn kwam.

'Dat was een heerlijke lunch, juffrouw.' Oom Samuel neigde zijn hoofd hoffelijk naar haar, en juffie was hiermee zo in haar sas dat ze, volgens mij, stellig een kniebuiging had gemaakt als ze niet bang was geweest om dan punch te morsen. 'Dank u wel, meneer. Het spijt me dat het zo'n vliegwerk was. Maar morgen, dan wordt het een echte zondagse lunch.' Ze zette de kom in het midden van het tafeltje voor de openslaande terrasdeuren en rangschikte de kommetjes vervolgens. 'Is het niet heerlijk alle jongelui weer om ons heen te hebben, al is het maar voor even? Maar we zullen er het beste van maken!'

Juffie was net zo in de stemming als wijzelf. In sommige opzichten zelfs meer, want zij hoefde weinig te bewijzen. De hele week had ze als een paard gewerkt, en nu vond ze het prima om die avond als eerste serveerster te fungeren – vandaar het quasi-uniform. Ze had een meisje uit het dorp gerekruteerd om haar te helpen. 'Is het niet wat aan de vroege kant voor sterke drank, jongen?' Ze keek strak naar de borrel die Samuel junior zich had ingeschonken.

'Toe, juffie, wees nou geen spelbreker.' Hij bleef vrolijk. 'Ik ben inmiddels volwassen. En ben ik niet de eregast?' Schalks hief hij zijn glas in haar richting en dronk.

Ze tuitte haar mond en mompelde in zichzelf.

Naar wij begrepen had juffies vader zich doodgedronken en hoewel ze nooit zou weigeren om ons, beroepsmatig, alcohol te schenken, had ze zelf nooit een druppel aangeraakt. Vol trots droeg ze het speldje van de Bond van Geheelonthouders. Het werd interessant, dacht ik, om te kijken wat ze zou doen als iemand van ons gezin of een gast vanavond beneveld raakte en om meer drank vroeg.

Marjorie viel de salon binnen. 'Vooruit, voordat de chaos losbarst, iedereen naar buiten voor foto's. Voor het nageslacht. Ik heb deze speciaal gekocht.' Ze zwaaide met een camera. 'U ook, juffie, en haalt u die twee knullen naar beneden?'

Ik ben nooit graag op de foto gegaan en mijn tegenzin verdubbelde die keer. Ik was als de dood dat ik als het ware overvallen zou worden door de komst van Coley en zijn zuster. Hoe ik dat zou moeten klaren onder het oog van mijn familie, wist ik echt niet.

Buiten de portiek poseerden we in groepjes van verschillende samenstelling. Marjorie was een geboren regelaarster en in minder dan tien minuten waren we allemaal weer terug in huis. Ik bereikte daar mijn post in de erker toen de deurbel galmde, en de band op de overloop vatte dit op als zijn startsein en barstte los in een vrolijke Ierse deun. Ik draaide me razendsnel om om te zien wie de eerste gasten waren. 'En we zijn van start!' Oom Samuel stootte me speels aan, en voor de tweede keer die avond schrok ik op.

Weer galmde de bel en juffie wierp haar handen in de lucht. 'Wat een kabaal! Mensen hebben tegenwoordig geen geduld. Waar zit dat meisje, verdorie?' Ze haastte zich weg om open te doen.

'Ontspan, Violetje.' Oom Samuel gaf me een klopje op mijn knie. 'Dit wordt een geweldige avond. Geniet ervan.'

Onze gasten waren enorm punctueel en binnen enkele minuten na de eerste bel, reden auto's, fietsen en ponywagens bijna kop-aan-kont de oprijlaan op. Enkele auto's, duidelijk taxi's, zetten hun passagiers af en reden weer weg, maar de meeste vervoermiddelen werden lukraak geparkeerd en verwoesttten het onberispelijke grind van de arme Martin. Hoewel de dubbele voordeur inmiddels wijd openstond bleef de bel almaar gaan en wedijverde in volume met de accordeon en violen boven. Men vond klaarblijkelijk dat men niet zomaar kon binnenlopen maar zijn komst moest aankondigen.

Voor halfzes waren bijna alle gasten aanwezig en was het feest in volle gang. Nog steeds geen teken van Coley. Noch van Mary Quigley. Stiekem begon ik te hopen dat ze was geveld door een koutje, kiespijn of een andere milde kwaal – ik wilde niet gemeen zijn – die haar deze ene avond thuis zou houden. Toen ging de bel opnieuw en daar stond ze, lang en ongemakkelijk in gele taffetta met een bijpassende haarband. Als een bovenmaatse narcis, dacht ik vals en voelde me onmiddellijk schuldig. 'Wat zie jij er mooi uit, Mary,' zei ik. 'Kom binnen. Wees welkom.'

Ze keek druk om zich heen. 'Wat een prachtig huis,' zei ze, met grote ogen omhoogkijkend in de hal. Haar brillenglazen glinsterden in het zonlicht dat door de deuropening naar binnen stroomde. 'En zo groot! Ik had gehoord dat je mooi woonde, maar ik had geen idee hoe mooi. Hoe heb je het in vredesnaam uitgehouden in ons schooltje?' Ik twijfelde er niet aan of ze bedoelde dit sarcastisch, maar in plaats van dat dit me intimideerde, zoals vermoedelijk haar bedoeling was, werd ik er rustig van.

'Dank je, Mary,' zei ik liefjes. 'Wil je dat ik je rondleid? Kom mee naar mijn slaapkamer, dan kun je je wat opfrissen. Er is daar genoeg ruimte. Wat heet, mijn slaapkamer is een balzaal.'

'Dat zou leuk zijn.' Ze reageerde niet op mijn hatelijkheid maar bleef omhoog staan gapen naar de overloop, waar de musici zichtbaar waren door de spijlen van de balustrade heen. 'Maar later misschien.' Ze overhandigde me een in bruin papier gewikkeld pakje. 'Dit gaf mijn moeder me voor je mee. Het is een lotion die ze van kruiden en geitenmelk maakt. Ze zag je onlangs in het dorp en toen bedacht ze dat het heel heilzaam voor jouw huid zou zijn. Je moet je er iedere avond en ochtend mee insmeren.'

'Gebruik je het zelf ook, Mary?' Los van de conditie van mijn eigen huid, die naar mijn idee goed was en niet alleen door alle frisse lucht van de laatste tijd maar ook omdat moeder ons sobere, gezonde kost voorzette, een frisse, gave huid behoorde niet tot Mary Quigley's aantrekkelijkheden. Dit keer registreerde ze de belediging. Ze keek me ontstemd aan maar kreeg geen kans voor een weerwoord, want ik was haar voor. Ik pakte vriendschappelijk haar arm vast. 'Zul je je moeder namens mij bedanken? Vertel haar maar dat ik het met veel plezier zal gebruiken. Kom, dan krijg je vruchtenpunch en dan zal ik je aan mijn familie voorstellen en aan wat kennissen van mijn broers.'

'Wat zijn dat voor jongens?' Ze vergat haar misnoegen en liep als een enthousiast jong hondje achter me aan naar de salon waar alle drie mijn broers luidruchtig aanwezig waren. 'Aardige lui,' zei ik, 'maar de meesten ervan zijn natuurlijk meisjes.' Ik liet haar arm los en liep voor haar uit. Ik was onvoorstelbaar wreed tegen het arme meisje. Uiteindelijk had ik haar zelf uitgenodigd. Ze was míjn gast en misschien wel de enige, in afwezigheid van Coley Quinn en zijn zuster.

Dat was het probleem dat ik met haar had: zij was Coley Quinn niet. Toch streed mijn teleurstelling met opluchting om de eerste plaats. Natuurlijk wilde ik zielsgraag dat hij kwam, maar in zekere zin was ik ook dolblij dat hij er niet was. Er kwamen wel andere gelegenheden voor ons.

Wat ik tegen Mary had gezegd over meisjes die in de meerderheid zouden zijn, was niet waar. Drie van de zeven die zich hadden aangekondigd als gasten van James en Thomas, waren inderdaad meisjes. Maar vier waren jongens die ik me vagelijk herinnerde van de nationale school. Ik waarschuwde Mary echter niet over hun herkomst. Ongetwijfeld had ze zich vlotte mannen in uniform voorgesteld en geen boerenzonen met wurgstropdassen en haar waarin zo veel brillantine zat, dat de geur die van moeders bloemen domineerde.

En wat de vrienden van Samuel junior aanging, drie meisjes en twee jonge mannen, die waren zoveel ouder in leeftijd dan Mary en ik, dat zelfs zij wel zou weten dat daar geen romantiek te halen viel. Het leken me trouwens stelletjes, ja, tot mijn verbazing ook Samuel junior. Zijn meisje droeg het haar kort, bijna zoals een jongen.

Ondanks onze bespiegelingen daaromtrent had Marjorie, soepel en in een japon van witte kant die haar rondingen omspande, geen aanbidder meegenomen maar een vriendin. Bovendien verwachtte ze nog een vriendin, die met de late bus zou komen, en in de tussentijd probeerde ze iedereen over te halen om, zo dicht mogelijk bij het licht van de gaslampen, te poseren voor foto's. Eerlijk gezegd zag ik weinig kansen voor Mary Quigley.

Ik moest maar bij Marjorie beginnen met het voorstellen, dat zou het makkelijkst zijn, was ik van oordeel. In de veronderstelling dat ze pal achter me stond, draaide ik me om met de bedoeling haar bij de arm te pakken. Ze bleek echter nog in de deuropening van de salon te staan, weifelend. Ze was duidelijk geïntimideerd.

Geen wonder, dacht ik. In het zonlicht dat door de erkerramen naar binnen stroomde, glinsterde de kamer door het in het kristal van de gaskronen gebroken licht, door de door de spiegel weerkaatste rijen reeds ontstoken kaarsen op de schoorsteenmantel – en ongetwijfeld omdat Johanna en ik hadden gezwoegd om de meubels en de parketvloer te boenen tot ze glommen! Terwijl boven de arme musici voor hun eigen plezier speelden, weergalmde de doorgaans zo stille en serene salon van het gebabbel en gelach van groepen handelaars, leveranciers en boeren uit de buurt – misschien vijfenveertig à vijftig mensen – die drankjes verzwolgen, op elkaar klonken en van kostelijke canapétjes knabbelden die op zilveren schalen werden rondgediend door juffie en de tijdelijke hulp.

Aan de erkerkant vormde oom Samuel het middelpunt van Samuel juniors groepje, dat hem fascinerend leek te vinden. James en Thomas, samen zoals altijd, waren voor de schouw aan het dollen met de drie door hen uitgenodigde meisjes, terwijl de boerenzonen slecht op hun gemak toekeken. Nabij de terrasdeuren deelde moeder glaasjes port en sherry rond in een groep vrouwen, waaronder de vrouw van onze dominee. Ze zaten op rond twee salontafels gerangschikte stoelen en kleine banken. Op zijn beurt was vader nu in diep gesprek gewikkeld met de dominee en een paar van de echtgenoten. Ik herkende de bankdirecteur en twee plaatselijke artsen, Ryan en Willis.

'Wat scheelt eraan, Mary?' Ik voegde me weer bij haar.

'Niets. Ik neem enkel de tijd om alles in me op te nemen…'

'Kom, dan stel ik je aan mensen voor.' Onwillekeurig greep ik haar arm vast, en niet om haar te gaan voorstellen. Tot mijn ontzetting zag ik dat een van de mannen die met vader sprak de directeur van de zuivelfabriek was. Hij moest gearriveerd zijn terwijl ik werd afgeleid door oom Samuel. Wat als hij vader vertelde dat ik me met Coley Quinn had afgezonderd aan de zijkant van de fabriek?

'Je doet me pijn, Violet!' Mary rukte haar arm los.

De deurbel ging. Mary en ik, die nog steeds niet veel verder dan over de drempel van de salon waren, draaiden ons om om te kijken. Op de natuurstenen tegels buiten stond Coley Quinn met een van zijn zusters.

'Waar zijn we, verdorie?' Geïrriteerd zwenkt Bob de auto naar de natte, drassige berm, ook al is er geen veilige plek om te stoppen op deze kurketrekkersgewijs lopende weg, amper twee auto's breed en waar iedere plots opdoemende bocht blind is. Hij had een collega geraadpleegd, die beweerde dit deel van het land te kennen als zijn broekzak en we hadden de door die knaap aanbevolen route gevolgd. 'We hadden moeten doen wat ik eigenlijk meteen had willen doen en dat is bij de AA informeren naar de juiste route.'

Heroïsch zie ik ervan af om erop te wijzen dat dit mijn advies was geweest, maar dat hij dit minachtend had afgewezen: 'Murph weet waarover hij het heeft. Hij zegt dat we wel een halfuur winnen als we het op zijn manier doen. Geen stadjes en maar een paar gehuchten. En volgens hem is er heel weinig verkeer.'

Ik heb mezelf er ook van weerhouden om hem erop te wijzen dat ik, toen we door de dorpen Kilmichael en Cappeen reden, twee keer had voorgesteld om in een kroeg de weg te gaan vragen. 'Nee, nee, het komt wel goed,' zei hij de eerste keer, en de tweede keer: 'Ik wil niet stoppen, anders komen we er nooit.'

De hele middag hadden we door de stromende regen gereden. Eerst het lange, lastige eind naar Cork, waarop we niet alleen alert waren op autovallen, maar ook voortdurend drek en opstuivend water van zestienwielers moesten ontwijken. Na een tussenstop voor de wc en koffie, die inmiddels uren geleden leek, waren we toen van de brede weg van Cork naar Killarney afgegaan om dit martelspoor te nemen. We bevonden ons nu op het hoogste punt van een bergpas – geen erg hoge, volgens de op mijn schoot uitgespreide stafkaart, die ik met het kaartlampje bekijk. Achter deze pas zou de Atlantische Oceaan en daarmee onze bestemming moeten liggen.

Op dat moment echter zien we niets dan een soep van witgrijze mist die van onze ruiten druipt en teruggekaatst wordt in de stralenbundel van onze nutteloze koplampen. 'Misschien moeten we omkeren.'

'Dankjewel, Cee! Daar heb ik echt iets aan.' Hij grist de kaart van mijn schoot, raadpleegt hem gedurende een milliseconde en smijt hem vervolgens over zijn schouder op de achterbank. Hij zet de auto in de versnelling. 'Ik moet gek geweest zijn.'

Het experiment in huwelijkse kameraadschap verloopt niet zo best.

Men kan zich afvragen waarom Bob me vergezelt op deze trip naar de wildernis. Dat doe ik zelf ook. Ik moet er in een moment van bewustzijnsvernauwing in toegestemd hebben.

We hadden ons gesprek over Whitecliff voortgezet in bed, de avond dat ik het onderwerp had aangesneden. Het ging allemaal heel aimabel en het was me gelukt, terwijl hij toch naar voetbal zat te kijken, hem ervan te overtuigen dat we in elk geval een poging moesten wagen. Ik was lekker tegen zijn warme rug aan komen liggen. 'Het verplicht immers tot niets, Bob. Die eigenaar wil misschien helemaal niet verkopen. Wie weet heeft hij zelf plannen om de boel te ontwikkelen. Misschien ook wil hij het zelf weer betrekken.'

'Ik heb toch al "best" gezegd.' Hij draaide zich om en nam me in zijn armen. 'Op voorwaarde dat ik een kus van je krijg. Maar let wel, ik beloof niets. En uiteraard moet ik dat hok eerst zelf zien.'

Ik liet hem weten dat ik begreep dat hij niets beloofd had. 'Het enige wat ik van je vraag is dat je openstaat voor het idee. En natuurlijk moet je het zelf zien. Op een middag misschien, wanneer je het niet al te druk hebt.' Ik voelde me duizelig van opwinding. Nu ik hem zover had gekregen, wist ik dat ik hem nog verder kon krijgen, misschien wel tot waar ik hem wilde hebben. Dus had ik hem gekust en het kussen ging onvermijdelijk over in vrijen.

Toen hij sliep, liet ik met een blij gevoel de gebeurtenissen van die avond nog eens de revue passeren. Bob overreden in de mate die ik had gedaan – en zelfs zonder hatelijkheden zijnerzijds – was veel makkelijker gebleken dan ik verwachtte. Het was bijna al te makkelijk gegaan, dacht ik plotseling en onderdrukte die gedachte meteen weer, omdat ik haar beneden peil vond.

De volgende avond verraste Bob me nog meer. Tijdens het eten kondigde ik mijn trip naar West Cork aan, waarop hij onmiddellijk voorstelde met me mee te komen. 'Dat is een beetje onverwachts, is het niet? Heb je het dan niet druk?' vroeg ik.

'Ik heb het altijd druk. Het komt nooit goed uit. Maar wij tweeën zijn er al in geen eeuwigheid samen tussenuit geweest, Cee. En misschien is dit de perfecte gelegenheid. We kennen dat deel van het land geen van beiden. Als toeristen erheen kunnen, waarom wij dan niet?'

'Maar ik wil morgen gaan.'

'En? Ik ben verdomme de bedrijfsleider van de tent, en welk profijt heb ik daarvan als ik niet zo nu en dan een paar dagen vrijaf kan nemen om bij mijn vrouw te zijn? Ik zal delegeren. Die management-cursussen waarheen ik alle anderen steeds stuur? Daarvan komen ze terug en vertellen mij dat delegeren de gulden regel is! Ik hoef morgenochtend alleen maar een uur of twee aan de telefoon te zitten en ik ben vrij.'

'Maar dit is geen vakantie, Bob.' Ik was echt verbijsterd. 'Dit is een zakenreis. Je zult je dood vervelen. Wat ga jij doen, terwijl ik met die vrouw praat? Kennelijk is ze stokoud. Wie weet is ze doof. Ik zal bij haar moeten blijven zolang als noodzakelijk is en misschien praten we wel uren met elkaar. Ik moet me geen zorgen hoeven maken over of jij over je toeren raakt omdat je moet rondhangen. Dat legt te veel druk op me en dan verpruts ik het misschien.'

Maar mijn echtgenoot had nog een verrassing voor me. 'Ik zou je kunnen helpen om haar over de streep te trekken. Verkopen is mijn vak.'

'Schei toch uit! Jij verkoopt auto's...'

'En? Als ik een vent zover weet te krijgen dat hij een auto van een ton koopt, terwijl zijn budget de helft is, dan kan ik zeker een oude dame overhalen om multimiljonair te worden door de verkoop van een pand dat ze klaarblijkelijk al tientallen jaren niet gezien heeft? Makkie, zou ik zeggen!'

'Ho, ho. We weten nog niet wat we haar kunnen bieden. Tommy heeft het niet over miljoenen gehad. Dit bezoek is alleen bedoeld voor een babbeltje om te proberen haar zover te krijgen dat ze alleen met ons in zee gaat. En trouwens de grond heeft geen woonbestemming...'

'Nog niet! Des te beter. We krijgen het tegen een landbouwprijs en zorgen later voor een bestemmingswijziging.' Op een schaal van een tot tien ligt Bobs cynisme dichter bij twintig, maar hier sloeg hij de spijker op zijn kop. In het huidige klimaat, waarin gemeentebesturen tegenover hun eigen planologen staan in hun dolle haast om in huisvestingsbehoeften te voorzien, is een bestemmingswijziging een eitje. Misschien moest hij dan maar meekomen, dacht ik. Het garandeerde zijn betrokkenheid natuurlijk, indien hij de oude vrouw warm kreeg voor het project. Bovendien had hij gelijk met dat we in geen jaren zonder onze 'bende' weg waren geweest. Die opwellingen van afkeer, waarover ik het eerder had, waren onterecht. Hij ging op een fantastische manier met deze zaak om.

Het zou trouwens interessant zijn om te zien hoe we met elkaar opschoten. 'Er is alleen wel een probleem. Wat doen we met Jeffrey? Het is kort dag voor de kennel.'

'We nemen hem mee. We vinden wel ergens huisdiervriendelijk onderdak en zo niet, dan vindt hij het best om in de auto te slapen. Jeffrey is een hond, Cee. Hij zal Cork leuk vinden. Al die vreemde luchtjes!' Bob was duidelijk vastbesloten om mee te komen.

'Oké. Waarom ook niet?'

Ik heb nu goed spijt van dat besluit, want, met Bob in een pesthumeur, kruipen we voort naar nergens in wat eruitziet als kolkende vloeibare watten. Ik vis de verkreukelde kaart van de achterbank en kijk er nogmaals op. Het wordt er niet veel beter op: als ik de kaart goed lees, zijn we in dit tempo nog een uur of misschien veel langer onderweg naar ergens waar we kunnen overnachten of zelfs maar eten, om maar niet te spreken van onze bestemming. 'Stoppen die auto!' zeg ik streng.

'Wat?' Maar in een reflex staat hij boven op de rem.

'Een paar kilometer terug zag ik een bord met "Bandon 16". We moeten keren en daarheen gaan. Bandon is volgens mij vrij groot. Daar kunnen we eten en waarschijnlijk een hotel vinden. We kunnen er in twintig minuten zijn. Iets lager was die mist zo erg niet.'

Hij reageert zo gechoqueerd, dat je zou denken dat ik had voorgesteld dat we de politie erover zouden inlichten dat zijn oma kleptomane was. 'Terugrijden?'

'Best. Jij wilt niet terugrijden. Jij beslist.' Ik probeer de kaart op te vouwen, zoek de oorspronkelijke vouwen, strijk ze glad. 'Jij wilt doorrijden? En misschien op een koe op de weg of iets anders knallen? Dat is niet alleen dom, dat is gevaarlijk, Bob.'

Hij laat zijn hoofd hangen, zoals mannen dat plegen te doen wanneer de domheid van hun vrouw ze al te zwaar op de proef heeft gesteld. 'Prima! Jij hebt hier om gevraagd!' Terwijl hij de vergevingsgezinde versnellingen van de BMW laat razen, zet hij de driepuntsdraai in. Ook onder de gunstigste omstandigheden is dat op deze smalle weg een moeilijke manoeuvre met zo'n grote auto, maar nu is het ronduit levensgevaarlijk. Aan weerskanten zou een ravijn kunnen liggen, of er zou een bakbeest van een vrachtwagen kunnen komen aanrollen. De radio staat aan en we horen niets uit de buitenwereld. Maar ik ben degene die het heeft voorgesteld. Ik kan op geen enkele wijze behulpzaam zijn. Dus ik sluit mijn ogen en houd me krampachtig vast aan de zijkanten van mijn stoel.

Bob is een goede en ervaren chauffeur en hij keert zonder enig incident. Maar zijn humeur wordt er niet beter van. 'Het is op jouw verantwoordelijkheid, Cee,' waarschuwt hij, terwijl hij zo hard als hij durft de haarspeldbochten neemt en terugrijdt vanwaar we gekomen zijn.

Ik laat de lezer alleen even proeven van hoe de rest van de avond verloopt. We vinden een pension met een behulpzame pensionhoudster van wie Jeffrey voor een paar piek meer bij ons op de kamer mag slapen, maar aan avondmaaltijden doet ze niet. Tegen de tijd dat we terug zijn in het centrum van Bandon, blijkt alleen bij de plaatselijke fish-and-chipstent de keuken nog open te zijn. 'Wat een land!' Bob werkt zich mopperend door zijn fish-and-chips heen. 'Het is maar vijfhonderd en nog wat lang en nog geen tweehonderd kilometer breed, en hoe lang hebben we op de weg gezeten? En we zijn er nog niet eens in de buurt? Wanneer krijgt deze regering haar boel eens op orde en doet ze wat aan de wegen? Het is een schandaal! Derde Wereld, dat is wat we zijn. Als we nou Spanje waren of Frankrijk…'

'Wanneer hou je eindelijk eens op met klagen?' Ik ben nu even geprikkeld als hij. 'Mag ik je eraan herinneren dat het jouw idee was mee te gaan op deze reis? Als ik alleen was gegaan, was ik er ondertussen geweest, omdat ik de weg gevraagd zou hebben.'

Bob betwist dit en onze gezamenlijke chagrijnigheid escaleert in een hooglopende ruzie. Bijvoorbeeld: 'Hoor jij jezelf ooit wel eens, Claudine? Jij hebt altijd gelijk, hè?'

'Wie is degene die per se wilde doorrijden tot we niet verder konden? Als jij nou eens één keer de nederigheid had weten op te brengen om de weg te vragen…'

Et cetera.

Die nacht liggen we zo ver mogelijk bij elkaar vandaan in het niet al te ruim bemeten tweepersoonsbed, terwijl Jeffrey, de bofkont, gelukzalig ligt te snurken aan het voeteneinde. Het is op momenten als deze dat ik een moeder mis, iemand om op te bellen en tegen te klagen over mijn man. Ze zou me laten praten en praten en dan, wanneer ik stoom had afgeblazen, zou ze sussende geluiden maken en me vertellen dat ik in het schuitje was gestapt en dat ik naast het goede ook het slechte moest verdragen. Ze zou me op Bobs goede kanten wijzen – en ik zou moeten erkennen dat hij er vele heeft – en me laten inzien dat ik het nog niet zo slecht getroffen had.

Ik denk dat ik niet tegen onenigheid of ruzies kan, omdat pappie me zo verwend heeft. Ik koester geen wrok als zodanig, maar ieder nieuw ruzietje kan die daarvoor weer in me oproepen, zodat er een gemeen verzinsel ontstaat en ik uiteindelijk onderuit kan dreigen te gaan door een betrekkelijk onschuldige botsing. Dus terwijl ik oppervlakkig gezien 'pittig' kan overkomen – Bob heeft me zo genoemd tegenover zijn maten, wanneer ik in hun bijzijn met hem van mening verschil – en ik pal blijf staan wanneer ik in iets geloof, kan ik als iemand kwaad op me is of zelfs maar zijn of haar stem tegen me verheft in elkaar klappen. Alleen innerlijk, natuurlijk. Degene die de ellende veroorzaakt zal de laatste zijn die weet dat ik helemaal van slag ben. De ruzie van vanavond ging eigenlijk over niets, althans, zo begon het. Maar ze is toegevoegd aan het giftige brouwsel dat mij wakker houdt, tot lang nadat mijn echtgenoot naar dromenland is gegaan. Ik overdenk en overdenk dan nog eens alle kwetsende dingen die we tegen elkaar hebben gezegd en componeer vervolgens de nog kwetsender dingen die ik had moeten zeggen.

Ik probeer mijn aandacht te verleggen naar de zaak, naar waarom we hier zijn en naar hoe ik de oude vrouw zal aanpakken. Zou ze veel vragen stellen over het huis? Hoeveel hoor ik haar te vertellen? Is er een evenwicht mogelijk tussen haar schokken omtrent de staat waarin haar huis verkeert en haar duidelijk maken dat we haar een dienst bewijzen door haar ervan te ontlasten?

Ik denk na over de raadselachtige vernieling van de trap naar de zolder. Moet ik dat noemen? Zou ze ervan afweten?

Vanzelfsprekend had ik er de oude man naar gevraagd. 'Wat is hier gebeurd?'

Hij was naar me toe komen stampen, waarbij hij er nog steeds voor zorgde om niet met zijn bemodderde laarzen op de loper te komen. Hij kwam naast me staan, zette zijn handen op de heupen. 'Tja, ik ben een boon als ik dat weet.'

Ik keek hem zijdelings aan. Zijn antwoord klonk te glad. En die gezichtsuitdrukking van hem? Te verbaasd. 'Het is je nooit eerder opgevallen?'

'Nooit.'

'En je hebt er geen idee van wie dat gedaan zou kunnen hebben?'

'Nee.' Hij was naar de trap gelopen, had zijn hoofd in de deuropening gestoken en omhooggekeken, naar de zolder.

'Of waarom iemand negen tiende van een trap zou weghakken?'

Hij schokschouderde. 'Je hebt tegenwoordig van die knullen,' zei hij, met een stem die onduidelijk klonk omdat zijn hoofd in het deurgat zat, 'waarvan je niet weet wat ze uitspoken.' Hij stapte naar achteren en sloot de deur dermate beslist dat ik het raadzaam achtte er niet verder op door te gaan. Nu echter schiet mijn al te levendige verbeeldingskracht door. Misschien had de mensenkennis waarop ik mezelf beroep me in de steek gelaten, en was die oude man minder onschuldig dan hij eruitzag. Misschien was die zolder de plaats van een misdrijf. Wie weet lag er een lijk.

Koortsachtig probeer ik me zijn provisorische gereedschapsschuur weer voor de geest te halen. Hij bezat er onmiskenbaar de benodigdheden voor.

Ik zeg tegen mezelf dat ik niet zo belachelijk moet doen, dat de mogelijkheid bestaat dat hij de boosdoener is, maar vermoedelijk zonder duistere motieven. Waarschijnlijk had hij brandhout nodig. Logisch dat hij ontwijkend reageert.

Het duurt lang voordat ik in slaap val.

De volgende ochtend ontwaken we in een totaal ander land, wat het weer betreft. De strakblauwe lucht en het heldere zonlicht beloven een warme dag. Nadat Bob Jeffrey heeft uitgelaten stopt hij hem in de auto en we eten ons uitgebreide Ierse ontbijt op de patio achter het huis van onze pensionhoudster. Kennelijk zijn we de enige klanten en in de afwezigheid van anderen om bij te luistervinken, hangt de stilte zwaar tussen ons in. We hebben nog steeds niet met elkaar gesproken, afgezien van: 'Wil jij als eerste de badkamer gebruiken?' en 'Ontbijten we voordat we vertrekken?'

De pensionhoudster daarentegen is praatlustig. 'Is het niet verrukkelijk nu?' vraagt ze retorisch met haar zangerige Corkse tongval, terwijl ze onze koffiekoppen opnieuw vult.

'Nou en of.' Bob schenkt haar een brede glimlach. 'Wat is de weersvoorspelling?'

'Goed, goed! Gisteravond op tv zeiden ze dat er een hogedrukgebied aankomt vanaf de Atlantische Oceaan en dat dit de komende paar dagen blijft hangen. Dus we kunnen er maar beter iets van maken voor zolang als het duurt. U bent aan het rondtoeren?'

'Ja,' antwoord ik voor ons beiden. 'Maar we willen ook iemand opzoeken. Misschien kunt u ons helpen. We zijn nooit eerder in deze streek geweest.' Ik haal het adres van mevrouw Collopy uit mijn handtas en geef het haar. Wanneer ze wegloopt om het aan haar man te vragen, werp ik Bob een boze blik toe, rekenend op een vervolgronde in onze ruzie. 'Vind je het erg? Ik ga niet nog een dag voor niks rondrijden.'

Hij kijkt een beetje spottend. 'Van alle domme ruzies, was die van gisteravond de allerdomste.'

'Zeg dat wel.' Ik ontspan en weersta de verleiding om te betogen dat het Allemaal Zijn Schuld was. In plaats daarvan leun ik naar voren en kus hem op de wang. 'Laten we ons de woorden van die vrouw ter harte nemen en iets van deze dag maken. Oké?' Ik verman me. 'Sorry, voor mijn aandeel.'

'Ik, idem.'

Enkele minuten later keert de pensionhoudster terug met twee handgeschreven routebeschrijvingen op een vel kopieerpapier. Anderhalfuur de ene en twee uur de andere. 'Die langere is de pittoreske route. Dan gaat u over de Healy Pass. Op een dag zoals vandaag is die prachtig. Ik zou jaloers op u zijn. Als ik geen grote groep vissers uit Engeland verwachtte, zou ik die route zelf rijden.'

We bedanken haar, rekenen af en vertrekken. 'De pittoreske, neem ik aan?' vraagt Bob, wanneer de motor draait en wij onze gordels omdoen.

'Nee.' Ik schud mijn hoofd. 'We hebben al genoeg tijd verloren. Tommy wordt razend.'

Het blijkt dat de pensionhoudster ons heeft teruggestuurd naar de route die Bobs collega had aanbevolen. Hij had helemaal gelijk over de stilte op de weg. Sinds we er na de afslag vanuit Bandon op zitten, zijn we maar één auto tegengekomen en vijfentwintig minuten later bereiken we wederom het hoogste punt van de bergpas van gisteravond. Ik weet niet hoe pittoresk de route van de pensionhoudster was, maar ik vind het landschap dat ik nu zie al prachtig.

Om ons heen zijn de vergezichten die we de vorige avond hadden moeten zien. De zacht glooiende heuvels voor en aan weerskanten van ons zijn gehuld in vele schakeringen groen, geel, bruin en het kostelijk zachtpaars van de heidestruiken. In de verte, in een paarsige heiigheid dromen de echte bergen in zichzelf verzonken. Waarschijnlijk lopen ze af naar de, vooralsnog onzichtbare, Atlantische Oceaan.

'Niet slecht, hè?' Bob glimlacht naar me en pakt heel even mijn hand. Kennelijk wil hij het dolgraag met me goedmaken na onze ruzie van gisteravond.

'Prachtig.' Ik glimlach terug.

We stoppen in Glengarriff voor koffie. Het is ondenkbaar dat men dat niet zou doen. Snel door dit dorp rijden, dat verspreid langs de rand van een prachtige lagune ligt, zou grenzen aan vandalisme. Bob en ik hebben ons evenwicht hervonden. We hebben besloten om niet meteen naar het hotel aan de overkant van de lagune te gaan, maar eerst een wandelingetje over de boulevard te maken. Hand in hand kijken we naar de veerboten die toeristen overzetten naar een zwaar bebost eiland. 'Dit is pas leven, vind je niet?' Bob glimlacht ook nu.

We gaan op de lage zeemuur zitten, met Jeffrey gelukkig hijgend aan onze voeten. We draaien ons zo dat we kunnen blijven volgen wat er dicht bij ons gebeurt: een zeiler die op het dek van zijn tweemaster prutst aan een stuk uitrusting, een groepje open boten dat wordt gereflecteerd in het water. 'Je wilt dat object echt graag in handen krijgen, hè, Cee?' Bob zegt het zo zacht dat ik hem amper kan horen.

'Ja. Ja, heel graag. O, Bob, je zult er geen spijt van krijgen als we het huis hebben.'

'Vast niet. Je bent een geweldige huisvrouw, Claudine. Een fantastische echtgenote…'

We houden nog steeds elkaars hand vast, maar plotseling is de zijne verstijfd. 'Wat is er?' Ik kijk hem onderzoekend aan. Hij bloost een beetje. Een pokergezicht hoort bij het instrumentarium van Bobs vak, dus dit is uitzonderlijk.

'Hoe bedoel je?'

'Moet je horen, Claudine.' Hij omklemt mijn hand nu. 'Er is iets wat ik je moet vertellen.'

De angst kruipt in mijn keel omhoog. Hij heeft zich onlangs medisch laten onderzoeken, gewoon ter controle. Nu heeft hij de uitslag maar durfde het me niet te vertellen. Hij heeft prostaatkanker; daar heeft hij precies de leeftijd voor. Je hoort tegenwoordig niets anders op de radio. En, nu ik erover nadenk, hij ziet er de laatste tijd erg moe uit en, zoals ik al zei, piekerde hij meer dan anders. 'Vertel het me.'

'Je moet niet van streek raken…'

'Vertel het me…'

'Beloof me dat je niet uit je dak zult gaan.'

'Bob, als je hier niet nú mee ophoudt…'

Hij kijkt naar de grond, dan uit over de lagune. 'Ik heb het in mijn hoofd lopen repeteren. Ik weet gewoon niet hoe ik het rechtstreeks moet vertellen.'

'Zeg het gewoon. Wat het ook is, we gaan er samen aan staan.' Whitecliff is van de agenda. En al dat gemijmer waaraan ik heb toegegeven over waarom we eigenlijk nog getrouwd waren? Gezeur! Wat het belangrijkste is in mijn leven is deze man hier, dit huwelijk.

Hij knijpt zo hard in mijn hand dat mijn vingers er pijn van doen. 'Ik ben met iemand anders naar bed geweest.'

19 ❦ Hoop voor de toekomst

Het was even over halfacht, de verduisteringsgordijnen waren dicht-getrokken en, tot moeders zichtbare opluchting, waren vooral de jongelui nu aan het dansen. Eerder hoorde ik haar tegen juffie zeggen dat ze bang was dat onze gasten zich niet amuseerden: 'De mensen maken geen contact met elkaar, zoals zou moeten. En kijk, de domi-nee heeft niemand om mee te praten. Snel, juffie, bied hem nog een glas port aan.'

Het was waar dat na de allereerste drukte en vrolijkheid, het feest een beetje was ingezakt. Moeder en oom Samuel verzochten Marjo-rie met klem een populair liedje voor ons te zingen – zij was verreweg de muzikaalste van het gezin. Maar hiervan had ze helemaal niets wil-len weten. Nadat de hapjes waren rondgegaan en nadat wijn en ande-re alcoholische dranken de tongen en remmen hadden losgemaakt, kwam de stemming er toch weer in en werd het gezellig rumoerig in de salon waar de gegroepeerde kandelaars en de gaskronen een zacht-gele, van de sigarettenrook nevelige gloed verspreidden. Zelfs de band boven speelde wat pittiger nu zijn inspanningen vrucht droe-gen. Het werd een echt feest, een feest zoals waarover ik had gelezen en het me had voorgesteld.

Ondanks de algehele vrolijkheid en het goedmoedige geplaag van mijn tweelingbroers en hun vrienden, die verreweg het lawaaiigst van iedereen waren, amuseerde ik me niet. Geen van de vrienden van Samuel junior nam notitie van me. Trouwens, ik mocht ze niet: ze dronken te veel en ze lachten te hard, en één meisje met name had zich, kijkend naar het groepje van de tweeling, zeer beledigend uitgelaten over de dorpsjongens. 'Boerenkinkels' hoorde ik haar ze noemen.

Maar dat ik me niet amuseerde, kwam niet alleen daardoor.

Ik had twee problemen en die hielden verband met elkaar.

Iedere keer dat ik keek, stonden arme Coley en zijn zuster, Florrie, die erg aardig was maar ook verlegen en erg dik, stilletjes in een hoekje met alleen elkaar als gezelschap. Zodra de gelegenheid zich voordeed – toen de hapjes nog werden rondgedeeld door juffie en haar assistente, geholpen door Marjorie, Johanna en mij – had ik ze voorgesteld aan moeder. 'U kent Coley Quinn, moeder? Dit is zijn zuster, Florrie.'

'Aangenaam, Florrie. En natuurlijk kennen we Coley. Hoe maken jij en je ouders het?' Moeders goede manieren lieten haar niet in de steek, maar onmiddellijk na het aanhoren van Coley's verlegen antwoord, klik-klakte ze weg om de bankdirecteur en zijn vrouw iets in te schenken. Hoewel haar vertrek me opluchtte, vond ik het ook nogal hautain. Ik stelde Coley en Florrie voor aan Johanna en Shirley, aan wat mensen uit het groepje van de tweeling, ook aan Marjorie, maar telkens trokken ze zich vrijwel meteen weer terug in hun hoekje. Ik snakte ernaar om Coley alleen te spreken, maar natuurlijk bleek dat onmogelijk. Ik zag dat hij me de hele tijd in de gaten hield, en ik raakte zo gefrustreerd dat ik er bijna gek van werd.

Het wezenlijke probleem, eigenlijk, was Mary Quigley. Sinds haar aankomst had ze zich aan me vastgeklampt. Dat wil zeggen, wanneer ze niet aanminnig deed tegen Coley.

Dat begon al toen Coley en Florrie arriveerden. 'Laat me niet in de steek, Violet Shine,' siste ze me toe, toen ik ze wilde gaan verwelkomen. Zodoende werd ik gedwongen om haar mee te nemen naar de voordeur. 'Dag, Coley, wat leuk dat jullie er zijn,' zei ik alsof hij een willekeurige gast was. Nadat hij zijn zuster had voorgesteld, richtte ik me tot Mary, die aan mijn rokken hing. 'Coley, Florrie, ik geloof niet dat jullie Mary Quigley al kennen, is het wel?'

Mary probeerde direct bij mijn Coley in het gevlei te komen. Ik kan het niet anders zeggen. Ze gedroeg zich koket en, naar mijn idee, schandelijk. Natuurlijk vertrouwde ik Coley – en we keken elkaar ook een paar keer veelbetekenend aan – maar naarmate de avond verstreek werd de situatie onverdraaglijk.

Ik had twee keuzes wanneer ik 'dienst' had met Johanna, juffie en de tijdelijke meid. Ik kon Mary bij Coley laten of haar op sleeptouw nemen in de hoop dat ze een ander doelwit uitkoos. Ze weigerde echter om zich bij iemand anders aan te sluiten.

Oom Samuel schoot me te hulp. 'En wie is dit aardige meiske?' vroeg hij me, toen Mary en ik, na het lichte avondmaal, opnieuw een ronde door de kamer maakten om ervoor te zorgen dat de glazen gevuld bleven. 'Dit is mijn vriendin, Mary Quigley, oom,' zei ik mat.

'Kom jij eens bij mij zitten, Mary, en vertel me alles over jezelf.' Oom Samuel gaf me een knipoog en klopte op de stoel naast hem. 'Ik heb jullie tweetjes gadegeslagen en jullie hebben keihard gewerkt vanavond, hoor. Mary heeft je geweldig bijgestaan, maar zij en ik gaan nu een boom opzetten. En jij, Violet, neemt even pauze. Jij gaat een van die jonge mannen vragen om met jou en je mooie dansschoenen aan de zwier te gaan.'

Ik gaapte hem aan. Hij wist toch zeker wel dat meisjes niet het initiatief namen in dezen.

'Ik ga ook!' Mary maakte aanstalten om zich bij me aan te sluiten, maar opnieuw knipoogde oom Samuel naar me.

'Mary, lieve kind, je gaat een oude man toch zeker niet in zijn eentje laten zitten? Met mijn nichtje kan ik altijd praten. Kom jij nu eens lekker hier zitten en laat Violet doen wat haar oude oom haar opdraagt.' Hij pakte Mary bij de arm en trok haar op de stoel naast hem.

'Bedankt, oom.' Ik glimlachte, verzekerde de onmiskenbaar ontstemde Mary dat ik zo weer terug zou zijn en liet hen achter.

Johanna kwam de salon binnen met een nieuwe spuitwatersifon en ik liep zo snel als het decorum toeliet op haar af. 'Ik heb nog helemaal niet gedanst,' zei ik bijna smekend,' 'en mijn voeten kriebelen. 'De enige jongen die ik hier echt ken, afgezien van onze broers, is Coley Quinn.' Zijn naam tegenover haar gebruiken was gewaagd, dat wist ik, maar ik was ten einde raad. 'Het probleem is dat Coley zijn zuster niet in haar eentje kan laten staan. Alsjeblieft, Johanna, ontferm jij je over haar, als ik één keer maar dans? Daarna kunnen we ruilen,' voegde ik eraan toe. 'Ik zal Coley vragen of hij met jou danst, terwijl ik zijn zus bezighoud.' Dat was een briljante zet, vond ik zelf.

Zonder Johanna de kans te geven om te antwoorden, haastte ik me naar waar Florrie en Coley stonde. 'Johanna wil graag even lekker met jou kletsen, Florrie. En jij en ik, Coley Quinn,' verklaarde ik schalks en heel luid, hopend dat ik klonk als iemand die door de alge-hele joligheid werd meegesleept, 'wij gaan dansen!' Voordat ze kon-den reageren, sleepte ik het verbouwereerde meisje zo ongeveer naar mijn zuster. 'Kijk eens,' zei ik tegen Johanna, 'hier is ze, zoals je vroeg. Ik ben over twee tellen terug.'

Op de terugweg naar Coley zag ik dat zowel oom Samuel als Mary Quigley mijn daad opgemerkt had, en het viel me in dat ik erg veel risico nam. Maar het kon me niet schelen wat ze dachten. Ik voelde me zo roekeloos en ik moest Coley gewoon in mijn armen hebben, al was het maar even. Op dat moment zou ik onder vaders neus en over moeders voeten heen naar Coley zijn gelopen. Ik nam hem bij de arm en leidde hem het gedrang van dansende paartjes in, alsof het de normaalste zaak van de wereld was. Door de dikke stof van zijn pak heen voelde ik zijn arm trillen, wat me nog meer in vuur en vlam zette. Tegen de tijd dat we de plek bereikten waar we ons naar elkaar toe konden draaien, overdrijf ik niet als ik zeg dat mijn hele lichaam brandde.

Onze muzikanten waren even afgestapt van hun repertoire van Ierse volksdansen en ouderwetse walsen en speelden 'Moonlight Ser-enade', een melodie die ik van de radio kende. Overal om Coley en mij heen dansten stelletjes wang-aan-wang, en veilig schuilgaand tus-sen hen, legde ik zonder aarzelen mijn eigen wang tegen die van mijn geliefde.

Ik ontdekte alleen al snel dat dansen niet Coley's sterke kant was. Hij bewoog ritmisch maar had geen idee hoe hij zijn voeten moest neerzetten voor de foxtrot of de quickstep, terwijl ik er vrij vaardig in was door de lessen in de pauzes bij de dames Biggs. Het maakte me weinig uit. Door de uitdrukking in zijn ogen en de spanning in zijn armen, wist ik dat hij van me hield. We waren bij elkaar, bewogen op de muziek, en ik voelde de overweldigende behoefte om hem te kus-sen. Maar dat zou fataal kunnen blijken. 'O, Coley,' fluisterde ik hem in plaats daarvan in zijn oor, 'ik hou van je, hou van je, hou van je.'

'Je ziet er prachtig uit, Violet,' fluisterde hij terug. 'Kunnen we niet naar buiten glippen?'

'Onmogelijk.' Ik moest er bijna om lachen. 'Niet dat ik dat niet zou willen, natuurlijk,' voegde ik er haastig aan toe, voor het geval hij dacht dat ik hem niet meer zo hoefde.

'Kunnen we elkaar bij de boom ontmoeten?'

Ik keek snel om me heen, maar niemand keek naar ons.

'Wanneer?'

'Morgenochtend, heel vroeg. Kun jij dan wegkomen? Bij ons zal iedereen uitslapen.'

Ik wierp nogmaals snel een blik om me heen om me ervan te vergewissen dat niemand ons afluisterde, en onverwacht keek ik toen in de vrolijke ogen van de directeur van de zuivelfabriek, die vlak bij ons danste met zijn vrouw. Ik schonk hem mijn stralendste glimlach en werd beloond met een vriendelijk hoofdknikje. Ik bedacht dat het te gevaarlijk was tegen Coley te fluisteren, wat ik hem seinde door even mijn ogen te sperren. Zonder me te veel aan zijn gepijnigde lijden te storen, gaf ik me toen over aan het strenge maar wellustige ritme van de foxtrot, en genoot van iedere 'toevallige' aanraking van mijn borst tegen zijn arm of van mijn heup tegen de zijne.

Te snel merkte ik aan het vertragen van de akkoorden door de band dat onze dans ten einde kwam. 'Ik zal proberen weg te komen,' fluisterde ik bijna zonder mijn lippen te bewegen, terwijl ik omhoog keek naar de muzikanten. 'Maar het moet wel vroeg. Zes uur? Ik zal voor zevenen terug moeten zijn in mijn kamer.' Anders dan de jongeren of ook oom Samuel, waren moeder, vader en juffie geen langslapers.

Op de laatste roffel en bekkenslag duwde ik Coley van me af en stond ver van hem af terwijl we applaudiseerden voor de band. Vlakbij draaide James zijn danspartner rond en rond, zo hard dat ze letterlijk met haar voeten van de grond kwam, wat hen gelach en gejuich van zijn vrienden opleverde. 'Bedankt, Coley,' zei ik, en wachtte tot het gejuich was bedaard om mezelf verstaanbaar te kunnen maken. 'Het was heel prettig. Denk erom dat je nu met Johanna moet dansen, hoor.'

'Ha, Violet.' James zorgde dat zijn partner weer stevig op haar benen stond. 'Zag je zonet niet. Hé, Ginger!' riep hij, zijn danspartner naar een van de boerenzoons loodsend, 'neem jij deze.' Hierop draaide hij zich weer om naar mij. 'Ik wil met mijn kleine zusje dansen.' Hij glimlachte op me neer. 'Hup, laten wij het eens proberen.' En mijn broer pakte me rond mijn middel, terwijl de band 'Look for the silver lining' inzette en ik over James' schouder Coley zag teruglopen naar de salon.

Ik gaf me er enthousiast aan over. Wie kon er aanmerkingen op maken dat ik even met mijn broer danste? Florrie overleefde de duur van één dans wel, dacht ik. Ik had me de hele avond ingezet voor het feest en, zoals oom Samuel terecht had gezegd, ik verdiende een pauze.

James was altijd een lichtvoetige danseur geweest en voordat ik het wist genoot ik reusachtig, niet alleen omdat ik over een paar uur samen zou zijn met mijn geliefde, maar omdat ik opging in het moment. Het was heerlijk om jong en verliefd te zijn; heerlijk om omringd te zijn door uitbundige, dynamische jonge mensen; heerlijk om met de hele familie bij elkaar te zijn in een huis vol muziek, vrolijkheid en plezier.

Mijn bloed danste even energiek als mijn voeten, terwijl James ons behendig om de buitenrand draaide van de andere dansers. Hij zag er zo knap uit in een licht linnen jasje op zijn witte cricketbroek. De enige dissonant was zijn gekortwiekte haar, identiek aan het kapsel van zijn tweelingbroer. Thomas passeerde ons bezadigd de quickstep dansend. 'Vind je het leuk, Violet?' James glimlachte me toe, en met een schokje van plezier merkte ik dat ik nu bijna even lang was als hij.

'Het is heerlijk. Alles is heerlijk.'

'Je ziet er vanavond mooi uit. Wit staat je goed, zus. Ziet ze er niet mooi uit, Thomas?' riep hij over de hoofden heen van de paartjes die ons van elkaar scheidden.

'Ja, best wel!' riep Thomas grijnzend terug. 'Mieterse avond, anders! Goeie ouwe Rod. Goeie ouwe Fly. Deze avond gaan wij onthouden.' En weg was hij.

'Complimenteuzer zal hij niet worden. Maar in alle ernst, Violet, we zullen je moeten gaan opsluiten om de jongens bij je weg te houden.'

'Heb het lef, James, heb het lef!' Ik lachte vrolijk. Daarna zong ik, of liever gezegd schreeuwde ik met de anderen de woorden mee van het lied. We dreigden de zanger op de overloop te overstemmen.

'Vergeet deze avond nooit, zus,' schreeuwde James in mijn oor. 'Beloofd?'

'O, ja, ja, ja!' schreeuwde ik terug. 'Jij ook niet.'

'Natuurlijk niet.' Maar hij keek over mijn schouder en de uitdrukking van zijn ogen deed me weifelen. Ik hield ons beiden staande en volgde de richting van zijn blik, net op tijd om een flits van koningsblauw achter de salondeur te zien verdwijnen. 'Wat is er, James?'

'Niets. Ik maak me alleen bezorgd om moeder. Vanavond heb ik haar er een paar keer op betrapt dat ze naar ons keek. Zorg jij een beetje voor haar, Violet?'

'Natuurlijk zal ik dat doen, dommie!' Ik was zorgeloos. Het was een lachwekkend idee dat ik, zestien jaar oud, voor mijn gereserveerde, formidabele moeder zou zorgen. 'Kom op, we waren aan het dansen.' Ik strekte mijn armen naar hem uit, maar zijn gezichtsuitdrukking veranderde niet. 'Is het de oorlog?' Ik meende het oprecht, maar tegelijk wilde ik – egoïstisch – niet dat die donkerte binnendrong in de blijde sfeer en ik hoopte vurig dat hij nee zou zeggen.

'Ik zie er niet naar uit, moet ik zeggen. Maar je hebt gelijk, zus.' Dit keer fleurde hij op, zij het dat het hem moeite kostte. 'Vanavond is vanavond. Laten we er geen seconde van verspillen; morgen kan wachten.'

'James?' zei ik aarzelend. Ik wilde iets zeggen wat diep en bemoedigend zou zijn. In plaats daarvan hoorde ik mezelf het refrein herhalen dat constant in ons district rondzong: 'Met de kerst ben je weer thuis. Dat zegt iedereen. En dat is maar... wat? Zeven, acht maanden nog?'

'Vast en zeker!'

'Ja!'

'Tuurlijk ben ik dan weer thuis. Wij allebei.' Toen keek James me recht aan. 'Klaar?'

'Klaar wanneer jij klaar bent, Gunga Din!'

We dansten intensief, lieten onze voeten stevig neerkomen op de harde tegels tot de vluchtige blik in het duister stevig verdrongen was; zeker bij mij. Ik kon me nu weer blij wijden aan de vraag of ook Coley vond dat ik er goed uitzag in mijn jurk, of hij de vooroorlogse zilverkleurige sandaaltjes mooi vond die ik had mogen lenen van moeder. Of hij vond dat mijn taille slank en mijn borsten stevig waren.

Of hij zich een voorstelling maakte, zoals ik me een voorstelling maakte van wat ons morgen wachtte.

Ik zong weer uit volle borst, samen met mijn broer, toen iedereen nogmaals: 'Looked for... the silver lining...'

20 🍇 *Weer heerlijk op avontuur*

Al dat piekeren en speculeren over hoe ons huwelijk ervoor stond. Al mijn verwondering over zijn stemmingen... Zijn onverwachte wens er 'saampjes' eens tussenuit te gaan...

Jeffrey trekt aan zijn riem om met me mee te gaan, terwijl ik achteruit wegloop bij mijn echtgenoot.

Bob heeft het moment en de plaats handig uitgekozen: vierhonderd kilometer van huis, buiten en met heel veel mensen om ons heen... Anders dan de hond probeert hij me niet achterna te komen. Hij kijkt niet eens naar me; hij staart naar de grond.

Ik ben half blind van emoties die ik nog niet benoemen kan, en mijn voeten dragen me naar de overkant van de weg. Kennelijk autonoom gaan ze de trap op, het hotel in, waar ik ineens voor de bar in de lounge sta en koffie bestel.

'Komt voor mekaar!' Het meisje achter de bar draait zich om naar de machine. 'En wilt u er een scone bij?' dreunt ze op over haar schouder heen. 'Ze komen net uit de oven. We maken ze zelf.'

'Ja.'

'En wilt u er wat room bij?' Samenzweerderig glimlachend draait ze zich naar me om. 'En ook wat jam?'

Jajaja, maaktmenietuitwatikkrijgschietgewoonop. In plaats van tegen haar te schreeuwen, beaam ik dat ik natuurlijk room en jam bij mijn scone wil. Beaam ik dat het een fantastische dag is en dat we met een beetje geluk nog een paar mooie dagen zullen hebben, dat alles hierop wijst als je afgaat op de voortekenen, dolfijnen, oude voorspellers uit Dingle en bijen.

Pas wanneer ik plaatsneem aan een tafeltje bij het raam, realiseer ik me dat ik geen geld bij me heb. Mijn handtas ligt in de auto.

Ik kan nog even niet nadenken over wat Bob heeft gezegd. Daarom dwing ik mezelf om mijn omgeving in me op te nemen: ouderwets behang, lange mahoniehouten bar, twee mannen van middelbare leeftijd die genoeglijk naast elkaar op een barkruk zitten, allebei in een tweedjasje en merkwaardigerwijs een deukhoed of een gleufhoed of hoe het ook heet op. Wat maakt het ook uit wat voor hoeden het zijn? De halve-literglazen die voor hen staan zijn halfvol en hoewel het vast vrienden zijn, ze zijn immers zij-aan-zij gaan zitten aan de kop van een verder lege bar, zijn ze er tevreden mee om stil bij elkaar te zitten. Geluksvogels dat ze zijn.

Door het raam kan ik Bob zien. Hij zit nog in dezelfde houding als die waarin ik hem achterliet, starend naar de grond. De ongerijmdheid van dat hij te midden van zoveel natuurschoon en ontspannen activiteit zoiets afstotends zei frappeert me. Langs heel de boulevard hebben het rustige water en de warme zon mensen doen opengaan als bloemen, gemaakt dat ze elkaar toelachen al zijn ze vreemden voor elkaar, stellen de deur uit doen gaan om arm in arm te slenteren, toeristen van allerlei nationaliteiten ertoe gebracht om als kleuters op een schoolreisje naar elkaar te zwaaien vanaf elkaar passerende veerboten.

Maar dan wij, wij twee getrouwde mensen: hij buiten, ik die hier onbenulligheden zit te registreren, terwijl ik tegelijk probeer om het slijmerige, inktzwarte ding onder te duwen dat met alle geweld omhoog wil drijven naar het oppervlak, tussen ons in.

'Okido.' Het meisje zet de koffie en scones – meervoud – voor me op tafel neer. 'Laat het u smaken. En als u nog iets wilt, geef maar een gil.'

'Dat zal ik doen. Dankjewel.' Maar uit mijn ooghoek zie ik dat mijn man een onwillige Jeffrey naar de auto sleept. Vertrekken ze? Al heb ik geen cent op zak, het kan me niet schelen. Niet nu. Ik maak me er wel druk over wanneer of indien het zich voordoet. In elk geval heb ik mijn mobieltje in mijn zak. Een gewoonte die erin is gestampt door Tommy O'Hare en waarvan ik nooit afwijk.

Maar nee. Bob vertrekt niet. Hij verplaatst de auto, rijdt hem naar de overkant van de weg, het parkeerterrein van het hotel op. Hij rijdt langs mijn raam. Hij zoekt schaduw. Hij wil de hond in de auto laten, met de ramen open voor frisse lucht. Hij is zeker van plan om binnen te komen.

Ik zoek naarstig naar een plek om me te verschuilen. Maar terwijl ik rondkijk, kruist mijn blik die van de serveerster, en ze glimlacht meteen naar me alsof we samen plannen beramen om samen van verboden vruchten te snoepen. Ik doe mijn best om terug te glimlachen.

Ik hoor Jeffrey's gedempte blaf. Hij vindt het vreselijk om in de auto opgesloten te worden.

En daar is Bob. Zijn gezicht staat ondoorgrondelijk. Wat moet ik doen? Hoe moet ik dit aanpakken? Ik kan niet kwaad worden. Ik kan niets voelen. Paniek is het enige wat ik voel. Het verlamt me.

'Mag ik gaan zitten, Claudine?'

'Natuurlijk.'

Hij trekt een stoel naar achteren en gaat tegenover me zitten.

Het meisje komt naar ons toe. 'Goedemorgen! Wat mag ik voor u doen?'

Ik wilde maar dat ze andere klanten had. Maar er zijn alleen de twee zwijgende mannen en wij. 'Alleen een kop koffie, graag.' Bobs stem klinkt gespannen. Het is belachelijk, maar ik heb medelijden met hem. Dit is tijdelijk.

'Alleen koffie? We kunnen u niet verleiden tot een scone of een beschuitbol?'

'Nee, dank u. Alleen koffie.'

'Prima. Komt eraan.' Maar ze kijkt ons beurtelings nieuwsgierig aan. Misschien zijn we er minder goed in dan we zelf denken om dingen te verbergen.

Allebei kijken we door het raam naar het aardse paradijs buiten.

'Jij hebt dit bewust geregisseerd!' zeg ik rustig. Ondertussen sla ik twee jonge mensen gade, Scandinaviërs gok ik, die elkaar kussen. Ze zitten op de muur, vlak bij waar mijn leven was veranderd.

'Wat bedoel je?' Ik voel dat hij zich naar me heeft omgedraaid.

'Dit. Kon je me dit thuis niet verkopen? Al die onzin over er samen even uitgaan, wij tweetjes? Je hebt het zo gepland, Bob.' Nu kijk ik hem aan. 'Verkoper die je bent! Je hebt het zo gepland dat ik in de val zat en je me om kon praten. Nou, vergeet het. Ik zit niet in de val. Ik heb een creditcard. Ik kan een auto huren. Ik kan een auto kopen, als het moet. Ik kan genoeg geld naar die creditcard overmaken om een Mercedes voor mezelf te kopen. We hebben een gezamenlijke rekening, weet je nog?'

Ik ben van mezelf geschrokken. Wanneer ik de sensatiebladen las over vrouwen die zwoeren hun schuinsmarcherende echtgenoten door middel van een scheiding bankroet te laten gaan, had ik dat altijd zielig en omwaardig gevonden. Plus dat ik hypocriete onzin had uit-gekraamd over dat beide partijen een individu waren met dezelfde rechten en dat niemand een ander wat verschuldigd was en dat het bij een scheiding niet om geld hoorde te gaan et cetera...

'Je hebt alle recht om woedend te zijn, Cee...'

Voordat hij verder kan spreken, worden we opnieuw gestoord. Dit keer omdat zijn koffie wordt gebracht. Maar het meisje zet het neer zonder commentaar en trekt zich terug achter haar bar. Waar-voor ik oprecht dankbaar ben. Hoe onschuldig en charmant ze ook is, ik denk dat ik haar een klap verkocht had als ze haar mond tegen ons had opengedaan. Ik ben niet langer verlamd en mijn echtgenoot heeft gelijk over mijn woede: de aanblik van Bob Armstrong die tegenover me zit heeft gemaakt dat mijn ademhaling zo snel en oppervlakkig gaat dat ik het nauwelijks kan bijhouden. Ik merk dat ik dat knappe gezicht onder mijn voeten wil verbrijzelen op de grond, op zijn ach-terhoofd wil stampen zodat die snoet wordt verminkt, moes wordt...

Net zoals zo-even stuit ik op een ingesleten gewoonte waarvan ik niet afwijk, dit keer een gewoonte die me is ingeprent op een particu-liere school door de uiterst beschaafde leraressen die me goed hebben afgericht.

Ik zou deze bar in elkaar kunnen tremmen, glas voor glas, maar in mijn hoofd hoor ik die beschaafde stemmen van school: uiteindelijk verneder je jezelf alleen maar in het openbaar door zulk onwaardig gedrag.

'Gaat het?' Bob klinkt nu bezorgd.

'Los van dat ik besef dat ik een stekeblinde sufferd geweest ben, be-doel je? Arme Claudine Magennis. Zo makkelijk te bedotten, zo'n simpele, goedgelovige ziel.'

'Claudine...'

'Wie is het?' knal ik ertussendoor.

Ik kijk of niemand in de zaal het heeft gehoord. De mannen zitten er nog steeds bij als Toby-bekers. Het barmeisje wrijft glaswerk op. Misschien heeft ze het gehoord. Als dat zo is, dan laat ze het niet mer-ken. Het kan me eigenlijk geen bal schelen.

Bob kijkt me aan. Smekend. 'Wie ze was, bedoel je?'

'O? Is ze dood? Zonde van je moeite!'

'Nee, ze is niet dood.' Weer kijkt hij naar zijn weergaloos interessante voeten. 'In zekere zin is dat ook het probleem,' zegt hij, zo zacht dat ik hem amper versta.

Maar ik heb hem verstaan. 'Leuk is dat. Je bedrijft de liefde met een vrouw die niet je echtgenote is en dan wens je haar dood? Wat een galante figuur ben jij, Bob.'

'Het was een eenmalig iets,' zegt hij monotoon. 'En de liefde bedrijven was het zeker niet. Meer een dronken… ik herinner het me zelfs niet eens.'

'Bespaar me de details, wil je.' Ik breng mijn handen omhoog als om het boze oog af te weren. 'Je hebt nog steeds geen antwoord gegeven op mijn vraag. Wie is het, Bob?'

'Je kent haar niet.'

'Dat is dan een hele troost. Maar vertel het me toch maar.'

'Gewoon een vrouw die ik in Galway ontmoette.'

'Op die verkopersconferentie?' Ik herinner me het dronken telefoontje op de zaterdagavond van dat weekeinde, het uitgelaten schreeuwen en lachen op de achtergrond. Ik herinner me dat ik dacht: goddank dat ik daar vanavond niet bij ben.

'Ja. Toen is het gebeurd. Ik ben niet trots op mezelf, Cee. Ik ben de sufferd. En voordat je nog iets zegt, ik weet dat het een ontzettend zielig, dom cliché is… het hele gebeuren.'

Er komt iets naar de oppervlakte. Iets kouds en slijmerigs. Waarom nu? Hebben hij en Juffrouw Conferentiesympathie plannen samen? 'Vraag ik te veel als ik wil weten waarom je me dit juist nu vertelt?'

'Geloof me, Claudine, als er een mogelijkheid was geweest om je niet zo te hoeven kwetsen, al had ik er mijn vinger voor moeten afhakken…'

'Dat is niet nodig. Los van wat nu duidelijk is, dat je met die vrouw naar bed bent geweest, waarom heb je het me verteld?'

Hij kijkt me strak aan en ik herinner me nog iets: de late avonden de afgelopen paar weken. Het op zijn tenen de trap opkomen, het gesnuif terwijl hij zich in het donker uitkleedde. De dranklucht wanneer hij in bed kwam. 'Het was geen eenmalig iets, hè, Bob?'

'Ik zweer je dat het alleen die ene keer was. Ik was zat als een kanon, had gedronken vanaf de lunch. Ik haat die vrouw nu, Claudine. Maar ze…' Weer die voeten. '… voor haar betekent het kennelijk meer. Ik heb geprobeerd haar tot rede te brengen…'

'Ik begrijp het. Als jij het me niet zou vertellen, ging zij dat doen. Zit het zo?' Mijn maag keerde zowat om, maar uiterlijk was ik de advocaat die een lastig sujet aan een verhoor onderwierp in de rechtszaal. Ik was kalm. Redelijk, koste wat het kost. Geen bedreiging of intimidatie in het bijzijn van de rechter. 'Maar waarom, Bob? Wat heeft zij daarbij te winnen? Als het, zoals jij beweert, een eenmalig iets was van jouw kant?'

'Ik zeg je, zij wil niet van me geloven dat het zo lag.' Hij praat nu tegen zichzelf, durft zelfs verongelijkt te klinken. 'Moet je horen, Claudine, de kaarten liggen nu op tafel. Ik kan niets doen of zeggen om het voor jou verteerbaarder te maken. Maar mocht ze je bellen of opeens voor de deur staan, zoals ze gedreigd heeft te zullen doen, dan ken je in elk geval mijn kant van het verhaal.'

'Je klinkt opgelucht. Alsof het hiermee is afgedaan.'

'Ik mag dan misschien een sufferd zijn, maar achterlijk ben ik niet. Natuurlijk weet ik dat het hiermee niet is afgedaan. Maar je hebt gelijk. Ik ben opgelucht dat ik openhartig ben geweest en dat ik haar kan bellen om te zeggen dat ze geen macht meer over me heeft. Het heeft vreselijk op me gedrukt.'

'Arme jij.'

'Ja. Arme ik,' zegt hij met een bitter lachje.

'Dat was het?' IJzig beleefd ben ik nu. 'Is er misschien meer? Ze is toch niet toevallig zwanger, die maîtresse van jou? Dat zal toch niet de reden zijn dat ze je achtervolgt? Laten we eens kijken, laten we eens gaan rekenen…'

'Stop daarmee, Cee!' Hij steekt zijn hand uit als om weerstand te bieden, maar bedenkt zich. 'Ze is niet zwanger!'

'O, goddank. Wat een opluchting.'

Hij aarzelt.

'O, jeetje. Er is meer, is het niet? Gooi het eruit!'

'Ik weet hoe armzalig en vreselijk dit klinkt. Ik weet hoe onnoemelijk stom ik bezig ben geweest. Ik weet dat het niets zal helpen. Maar het spijt me wel zo verschrikkelijk. En ik weet dat je me nu niet geloven zult, maar dit zal nooit meer gebeuren.'

Ik weet werkelijk niet hoe ik hier op moet reageren. Ik heb er geen ervaring in. Ik heb niemand aan wie ik raad kan vragen. Leefde pappie nog maar… Bij die gedachte voel ik me onnoemelijk eenzaam, het snijdt door heel mijn lichaam. Bob slaat me gade en wanneer een verbale reactie uitblijft op wat hij heeft gezegd, gebaart hij naar mijn onaangeroerde koffie en scones. 'Ben je klaar?'

'Ja.'

'Laten we dan maken dat we hier wegkomen.'

Als we naar buiten gaan en in de auto stappen, denk ik dat ik nooit door dit mooie plaatsje zal komen zonder te denken aan wat er hier is gebeurd. Hij heeft de schoonheid voor altijd bedorven, alles wordt er smakeloos door: het kussen van de Scandinaviërs eerder demonstratief dan hartverwarmend; de glinstering op het water een goedkoop toeristenprul.

Bob draait zich naar me om voordat hij de motor start. 'Waarheen? Wil je terug naar huis?'

'Niks ervan.' Dat hij dit vraagt, maakt me koelbloedig. Ik heb een serieuze missie, meer nog dan daarvoor, ook al heeft hij het plezier erin verpest.

'Goed.' Hij draait het sleuteltje om. 'Ik weet wat je van me vindt, Cee, maar mijn aanbod om je bij deze deal te helpen geldt nog steeds. Wat je maar wilt.'

Wat ik maar wil. Ik streel de zachte, gladde vacht op Jeffrey's kop, die hij tussen de twee voorstoelen heeft geduwd. Wat ik wil is dat dit niet is gebeurd.

Jeffrey geeft me een likje. Voor hem gaan we met zijn allen, ons gezinnetje van drie, gewoon weer heerlijk op avontuur.

21 ❧ *Raffia*

'Hoe ga je dit aanpakken, Claudine?'

'Heb ik nog niet bedacht.'

Dit zijn de eerste woorden die we spreken sinds we veertig minuten daarvoor zijn vertrokken uit Glengarriff. We rijden het dorp in dat op het adres van die mevrouw Collopy staat. Het bestaat uit één smalle straat tussen rijtjes kleine huizen van twee verdiepingen, die worden afgewisseld met een paar kroegen en winkeltjes. Hoewel er veel deuren wijdopen staan, bestaat de zichtbare bevolking op dat moment uit twee borstelige collies die midden op de weg met elkaar aan het vechten zijn.

Al vond ik de stilte tussen ons drukkend, ik had haar voor nog geen goud willen verbreken. Bobs onthulling is onwerkelijk voor me geworden, alsof dit in een film gebeurt of iemand anders overkomt, maar op de een of andere manier duizelt het me niet meer. En ook al weet ik dat ik heel kwaad ben op mijn man, ben ik tegelijk als verstard, als dit niet te tegenstrijdig klinkt. In dit opzicht ben ik de dochter van mijn vader: 'Wanneer het moeilijk wordt, kindje, tel tot tien voordat je instort. En hoe langzamer je dat kunt des te beter, want tussen negen en tien zal er iets gebeuren wat je kracht geeft. Niets blijft hetzelfde. Dat is het enige waar je van op aan kunt in deze wereld.'

'Je moet een plan hebben, iets in gedachten...' Bob heeft zich niet laten afschrikken door mijn toon. Hij klinkt zelfs alsof hij erdoor is aangemoedigd.

'Jij hebt er niets meer mee te maken,' maak ik hem duidelijk hoe de zaken liggen. 'Stop hier!'

Na een vluchtige blik opzij stopt hij de auto gehoorzaam voor een winkel annex postkantoor. Ik heb meer aanwijzingen nodig. Het adres dat ik heb van de vrouw duidt erop dat ze ergens buiten het dorp woont.

Het is lunchtijd en het postkantoorloket is gesloten, maar het meisje achter de toonbank van de winkel kijkt me nieuwsgierig aan. 'Mevrouw Collopy, hè? Die is dood, helaas. Bent u familie?'

'Nee, nee, geen familie. Ik weet dat ze dood is, maar ik zou graag haar zuster spreken, als dat mogelijk is. Ik begrijp dat mevrouw een zuster had?'

'Ja, ja zeker. Maar waarschijnlijk heeft u het over een schoonzuster. Ze wonen daar al heel lang maar met zijn tweetjes, dat wil zeggen tot mevrouw overleed. Maar ik weet niet of ze thuis is, hoor. Vandaag is het woensdag, waarschijnlijk is ze in het dorp. Op woensdag laat ze haar haar altijd doen. Wacht, ik zal het aan Judy vragen.' Voordat ik er een woord tussen krijg, heeft ze een deur geopend en is ze een achterkamer binnen gedraaid. Er drijft een geur de winkel in van aardappelen die aan de kook zijn.

Ik hoor zacht gemompel uit de kamer komen. Vrijwel meteen komt er dan een oude vrouw de winkel in gelopen, die haar handen afdroogt aan een theedoek. 'U wilt naar het huis van Collopy?' Terwijl het meisje zich op de achtergrond houdt, gaat de vrouw het postkantoorhokje in en pakt de telefoon. 'Ik zal even bellen voor u. Dat is de snelste manier om erachter te komen of ze thuis is of niet. Wie kan ik zeggen dat ernaar informeert?'

'Mijn naam is Armstrong, Claudine Armstrong. Maar ze kent me niet. Het gaat om een zakelijke aangelegenheid.'

'Een zakelijke aangelegenheid.' De vrouw lacht. 'Nou, dan kunnen we haar maar beter vinden!' Maar ze kijkt me doordringend aan, en ik besef dat ik een fout heb begaan. Binnen een paar uur, minuten misschien, zal de hele streek branden van nieuwsgierigheid.

'De telefoon gaat in elk geval over.' De vrouw houdt de hoorn tegen haar oor. 'Ze is een stuk trager geworden sinds de zuster overleed; God hebbe haar ziel. Ach, je zou medelijden met haar krijgen, het arme mens. Het is eenzaam voor haar zo veraf. Maar ze is onafhankelijk, ik kan niet anders zeggen. We zien haar graag komen om de post op te halen. Het is een dame.'

Ik ben gewaarschuwd, het is maar dat ik het weet. Er is een onderliggende tekst bij wat de vrouw zegt. Ik ben ermee vertrouwd. Het is waar ik op stuitte in de dorpjes van North County Dublin voordat die Forenzenland werden. Wij zijn niet op ons achterhoofd gevallen en wij komen voor elkaar op. Pas op je tellen! Door het raam zie ik Bob in zijn mobiele telefoon praten. Heel even vraag ik me af of hij met 'haar' belt, maar ik herneem mezelf en lach de twee vrouwen in het postkantoortje toe, zo stralend als ik maar kan.

Het blijkt dat mevrouw Collopy thuis is. 'Hallo, met Judy van het postkantoor.' De stem van de directrice van het postkantoor klinkt eerbiedig. 'Er staat hier een dame die naar u vraagt. Ze zegt dat het om iets zakelijks gaat. Zal ik haar vragen waarover precies?'

Ze luistert even. Dan dekt ze de hoorn af met haar vrije hand. 'Ze wil weten waarover het precies gaat.'

'Zou ik misschien zelf met haar mogen praten, denkt u?'

'Natuurlijk.' Ze haalt haar hand van de hoorn. 'Ze zal het u zelf vertellen, mevrouw Collopy. Hier komt ze.' Ze pakt het hele toestel uit het hokje en geeft me de hoorn.

'Hallo… mevrouw Collopy?'

'Ja?' De stem klinkt verrassend krachtig.

'U spreekt met Claudine Armstrong, maar dat wist u al.'

'Ja.'

'Zou u heel even tijd voor me kunnen maken? Het gaat over Whitecliff.'

Aan de andere kant van de lijn blijft het stil.

'Mevrouw Collopy, bent u daar nog?'

'Ik ben er nog. Bent u bevriend met John Thorpe?'

Ik waag een gokje: John Thorpe moet de notaris óf de veilingmeester zijn. Ik had dit voor mijn vertrek aan Tommy moeten vragen. 'Ik ben een vriendin van een vriend van hem,' zeg ik snel. 'Ik weet niet of u Thomas O'Hare kent? Hij is een connectie van meneer Thorpe. Hij heeft een bedrijf in North County Dublin, in de buurt van Whitecliff, en hij verzocht me bij u langs te gaan.'

Weer stilte. Toen: 'Weet u waar ik woon?'

Het is moeilijk om haar accent te plaatsen. Het klinkt merkwaardig ouderwets, als in *Brief Encounter* of een andere oude film, waar je op een natte zondagmiddag bij blijft hangen op BBC2. 'Ik heb uw adres, maar ik denk dat Judy hier,' ik kijk de vrouw stralend aan van over mijn schouder, 'me wel wil vertellen hoe ik bij u kom.'

'Dan verwacht ik u zo.' De verbinding wordt verbroken.

'Hartelijk bedankt,' zeg ik tegen Judy als ik haar de hoorn terug-geef. 'Hoeveel ben ik u verschuldigd?'

'Onzin.' Ze zet het toestel terug. 'Dat doen we hier voor elkaar. Ik zal u vertellen hoe u er komt. Het ligt nogal achteraf,' voegt ze eraan toe. 'Wilt u dat ik met u meerijd? Geen enkel probleem voor me.'

'Nee, dank u wel hoor. Ik heb al genoeg van uw tijd in beslag ge-nomen en uw eten staat te wachten.'

'Nou, wat u wilt.' Ze scheurt een bruine papieren zak in tweeën en schrijft. 'U heeft een mobiele telefoon?'

'Inderdaad.'

'Iedereen heeft er een. In de goeie ouwe tijd waren wij de enige te-lefoon in het dorp. U bent te jong om zich dat te kunnen herinneren.' Ze reikt me lachend het papiertje aan. 'Mocht u verdwalen, geef me dan een belletje, dan help ik u verder. O, dan kan ik u maar beter ons nummer geven…'

Ze pakt het papier terug en schrijft er iets bij. 'Wilt u mevrouw Col-lopy vertellen dat ik de eendeneieren voor haar heb bewaard, maar dat ze er wel snel om moet komen. Ik vergat het haar te vertellen toen ik net met haar sprak.'

'Dat zal ik doen. U bent erg behulpzaam geweest. Hartelijk dank. Het spijt me dat ik u van uw eten heb gehaald,' zeg ik en ontsnap met de belofte zeker om hulp te vragen ingeval we verdwalen.

Bob is nog aan de mobiele telefoon wanneer ik buiten kom. Zodra ik hem zie, verdampt mijn verstarring. Eén wolkje en ze is vervangen door kokende woede en wrok. Pijn komt later, denk ik. Ik ruk het autoportier zo snel als ik kan open, om iets van zijn gesprek op te van-gen, maar hij kan of bliksemsnel veinzen of hij belt echt met de zaak. 'Prima, Jack, prima,' zegt hij met een blik naar mij. 'Ik zal mijn mo-biel aan houden. Ik heb niet overal ontvangst, maar ik zal blijven con-troleren, dus je kunt berichten achterlaten.' Jack is chef-onderhoud in de garage.

'Dit is wat je noemt saampjes, fijn met zijn tweeën.' Ik ben zo giftig dat ik een hekel krijg aan mezelf. Ik ben bijna teleurgesteld dat hij niet met 'haar' sprak.

'Jij was er niet,' verduidelijkt hij.

'Weet je wel zeker dat het Jack was met wie je sprak?'

Eén tel. Dan begrijpt hij wat ik bedoel. 'Ja,' zegt hij zacht. Hij haalt de telefoon uit zijn houder op het dashboard en steekt me hem toe. 'Bekijk de gesprekkenlijst maar, als je wilt.'

'Dat is niet nodig, dank je.'

'Hoor eens, ik moet heel snel een wc vinden. Zou je het erg vinden als ik even een van die kroegen induik?'

'Ja, dat vind ik erg. Ik wil onmiddellijk naar die vrouw. Ik ben bang dat ze anders van de kook raakt.' Lijd, schat. Lijd.

'Best,' zegt hij rustig. 'Maar dan moet ik onderweg een struik zien te vinden.' Hij zet de auto in de versnelling en rijdt weg. Ik geef hem aanwijzingen en we nemen de smalle kronkelweg aan het eind van dit dorp met zijn grillige uitlopers. 'Ik weet dat je laaiend bent, Cee,' zegt hij zonder me aan te kijken, 'en daartoe heb je het volste recht. Ik ben een ezel geweest.'

'Een stier of een konijn zul je bedoelen.'

'Wat dan ook; maar ik moet je zeggen dat ik die een beetje goedkoop vind.' Hij vertraagt tot een slakkengangetje wanneer er een tractor met een machine vol uitsteeksels als aanhanger ons voorbijgaat in de richting van het dorp. Dan meerdert hij weer vaart. 'Ik kan niet ongedaan maken wat er is gebeurd. Ik ben een mens. Heb fouten. Ik zal alles aanvaarden wat je me toebedeelt, sancties, straf. Maar wel met één waarschuwing. Ik zal me niet vernederen. Althans, niet voorgoed.'

'Ik zal bepalen wat er gebeurt, niet jij.'

'Die dingen gebeuren, Claudine.' Hij klinkt mat. 'Ik ben niet de eerste vent die...'

'Hem in het eerste mokkel stopt dat zich aanbiedt.'

Hij kijkt me aan, is zo verbijsterd dat hij bijna in een greppel rijdt. Ik ben zelf ook knock-out. Ik had er geen idee van dat ik zo grof kon zijn. En ik zou nog grover kunnen worden: op dat moment lijkt alle gore taal die ik uit boeken, films en van tv heb mijn vocabulaire overspoeld te hebben, of ik dat wil of niet. 'Linksaf hier,' zeg ik beverig, 'daar bij dat bord waar "Trá" op staat. En dan na een meter of vijftig, moet je een laantje naar rechts nemen. Kennelijk is het heel smal.'

Hij slaat twee keer af en terwijl we het laantje afhobbelen, kan ik, ondanks de stemming waarin ik verkeer, niet anders dan zien hoe adembenemend mooi het hier is. Tussen in volle rode bloei staande fuchsiahagen die aan weerskanten langs de lak van de auto strijken, rijden we langzaam omlaag naar de zee. Een zee, even blauw als de Egeïsche Zee, bezaaid met even zovele eilanden – zij het van een veel groener tint – en met een rotsachtige kustlijn, die wordt gebroken door een veelheid aan grotten en inhammen. 'Hoeveel verder nog?' Bob concentreert zich op de weg.

'Zo ver als nodig is.'

Hij tuit zijn lippen verontwaardigd maar reageert verder niet.

Omdat hij niet terugvecht, begin ik me te schamen voor mijn gedrag. Maar dan denk ik: Waar heb ik me voor te schamen?

Wanneer je in romans over verhoudingen en ontrouw leest, is dat vrij gewoon. Soms kies je zelfs de kant van de 'andere' vrouw (of man). Maar laat me wel vertellen dat er in het echte leven niets gewoons aan is om de bedrogen partij te zijn. Het is moeilijk en afschuwelijk. Het is een marteling. Het geeft je het gevoel dat je van raffia bent gemaakt en dat de hordes zijn afgedaald om je uit elkaar te trekken, vezel voor tere, breekbare vezel.

Met trillende handen raadpleeg ik mijn op bruin papier geschreven aanwijzingen. 'We moeten het nu heel snel tegenkomen. Een boerenhek, vijf planken, groen geschilderd. Er hangt een witte brievenbus aan met de naam Collopy erop.'

'Daar heb je het!' Bob remt, kijkt me dan schaapachtig aan. 'Ik moet echt heel nodig, Cee. Ga jij vast naar binnen. Ik laat Jeffrey ondertussen uit, die moet vast even nodig als ik. We doen wat we moeten doen en daarna kom ik je achterna. Althans, als je dat wilt.'

Ik kijk naar hem, naar de man met wie ik al langer dan twintig jaar getrouwd ben. Ik kan niet zeggen dat ons leven aan mijn ogen voorbijschoot, maar heel even zie ik dan geen Don Juan voor me, maar een gewoon, in wezen fatsoenlijk mens, even gebrekkig en geweldig als het instituut huwelijk zelf. Zeker mijn huwelijk: een in zand geschetste grafiek waarvan de pieken en de dalen in dezelfde mate blootstaan aan het gevaar van de getijden die er van buitenaf op inwerken, en die dagelijks opnieuw getekend moet worden. Maar ik ben nog niet zover dat ik de grafiek opnieuw kan tekenen. 'Ik kan je nog niet vergeven, Bob,' zeg ik toonloos. 'Ik ben niet zo groot dat ik wat je zegt gewoon voor waar aanneem. Ik moet het hele verhaal horen.'

'Nu?'

'Nee. Niet nu. Wanneer ik er klaar voor ben. Wat, en dat beloof ik je, niet lang zal duren. Sliep je tegelijk met haar en mij? Kwam je rechtstreeks vanuit haar bed in het mijne?' Het lijkt alsof mijn tong een eigen leven leidt en, zonder bewust signaal vanuit mijn hersenen, gaat mijn linkerarm simultaan omhoog, voor mijn borst langs en de hand aan het uiteinde ervan slaat hem in het gezicht. Hard. Door de hoek waarin ik hem raak is het eerder een stomp.

Verbijsterd zijn we allebei. Hij houdt een hand tegen zijn gezicht, dat al rood wordt. Ik koester mijn pijnlijke linkerhand in mijn rechterhand.

'Ik dacht dat je er niet over wilde praten.'

Tussen zijn vingers kan ik zien dat hij bleek is onder het rood. 'Nee, dat klopt.'

Ik stap uit de auto en sla het portier dicht. Dan haal ik het groene boerenhek van de klink en sluit het stevig achter me.

22 ❧ *We'll meet again*

Er staat een prachtige magnolia voor mijn raam hier. Elke lente wacht ik vol ongeduld tot ze gaat bloeien, en ze stelt me nooit teleur. Ik kijk er vaak urenlang naar. Vooral 's nachts vind ik de magnolia beeldschoon, wanneer haar wasachtige, op tulpen lijkende bloemen wel tussen de kale takken lijken te zweven en te fladderen, spookballerina's voor altijd treurend om verloren liefdes. Het spijt me, nu het te laat is, dat er maar één magnolia staat. Ik zou er een heel woud van willen planten. Wat zou dat in de lente een schouwspel bieden! Maar mijn ouderdom in aanmerking genomen, zou ik ze nooit volledig tot ontwikkeling zien komen.

Iedereen van mijn leeftijd betreurt vele grote en kleine zaken, denk ik. Ik vorm daarop geen uitzondering.

Begrijp me niet verkeerd. Ik heb geen moment spijt van dat wat mijn leven heeft bepaald: mijn verliefdheid op Coley Quinn. Ik was geen juffrouw Havisham die gebalsemd was in de amber van wat me overkwam in het voorjaar en de zomer van 1944; het tegendeel was waar. Herinneringen aan die tijd hielden me overeind tijdens alles wat er daarna gebeurde en ze voorkwamen mede dat ik een zure oude vrijster werd. (Sta me toe dit te corrigeren. Die herinneringen voorkwamen uitsluitend dat ik verzuurde, niet dat ik een oude vrijster werd.)

In mijn geval geldt de spijt subtieler, ja, verrassender dingen. Naast 'grote' dingen, zoals droefenis over dat ik cello spelen opgaf, dat ik niet echt zoölogie of archeologie ben gaan studeren – alleen indirect, uit mijn almaar aanwassende verzameling *National Geographics* – of buiten de begrenzing van dit eiland heb gereisd, zijn er andere, op het oog onbeduidende dingen, die de levensvreugde dermate aantasten dat ze feitelijk veelzeggender zijn.

Ik betreur bijvoorbeeld dat ik me gedurende het grootste deel van mijn leven heb gehouden aan de er bij ons thuis ingehamerde grond-regel, namelijk dat men dingen voor 'goed' moet houden. Zelfs voor ons feest in Whitecliff gebruikten we uitsluitend ons een-na-beste porseleinen serviesgoed. We aten of dronken nooit van en uit het 'goede' servies, ook niet met kerst, voor het geval er iets zou breken en het servies incompleet werd. Het 'goede' tafelzilver bleef opge-borgen in met groen laken beklede cassettes. De prachtige lakens en tafellakens van Iers linnen die moeder van haar eigen moeder geërfd had en meebracht uit Noord-Ierland lagen altijd in zwart vloeipapier gewikkeld in de kast. Alleen tijdens de jaarlijkse voorjaarsschoon-maak werden ze tevoorschijn gehaald, ter inspectie en om weer ge-wassen te worden. Ondertussen zat ze avonden lang het katoenen spul dat we gebruikten te herstellen. Wanneer de lakens in het mid-den zo sleets waren dat je erdoorheen kon kijken, knipte ze ze door-midden en zette de twee stukken met de onder- en bovenkant weer aan elkaar.

Bewust of onbewust heb ik dit patroon jarenlang gevolgd. Zo gaf mijn peetvader me vele cadeaus. Ik denk dat ik het horloge, dat ik da-gelijks droeg, al heb genoemd, maar hij gaf of stuurde me ook een aantal mooie, zij het bescheiden, sieraden: een mooie halsketting van roodgoud; een aardige zilveren, met lapis lazuli ingelegde armband; een geëmailleerde broche in de vorm van twee *sialia*'s, die hij van een vakantie in Italië meebracht; een medaillon waarin hij mijn naam en geboortedatum had laten graveren. Samen met een zilveren ring en de aquamarijn-oorbellen van Marjorie, me geschonken toen ze uit huis ging, werd dit alles bewaard in de oorspronkelijke leren ge-schenkdoosjes. Mijn sieraden bleven ongerept als op de dag dat ik ze kreeg, want ze dragen kon resulteren in ze verliezen of beschadigen.

Het was op moeders aandrang geweest dat mijn cadeaus ongedra-gen bleven. 'Wanneer je eenentwintig bent, Violet, en dus meer ver-antwoordelijkheidsbesef hebt dan nu, kun je je naar hartelust op-smukken. Je oom Samuel is zo goed voor je geweest dat we hem niet willen ontstellen met verhalen over jouw zorgeloosheid, mocht je een van die stukken verliezen.' Dit waren haar woorden in de week voor het feest, toen ik opperde dat ik misschien een deel van mijn schat kon dragen.

Natuurlijk protesteerde ik. 'Maar dit is een feest, moeder. En oom Samuel komt! Hij zal verwachten dat ik mijn sieraden draag.'

Hierop bood ze me een set van zichzelf aan: een ketting, oorbellen en een armband van rivierparels. 'Geen van jouw sieraden past bij een ander, Violet, en daarom mag je deze pareltjes lenen. Ze zijn heel geschikt voor een meisje van jouw leeftijd en ze komen mooi uit op je jurk. Maar wees er alsjeblieft voorzichtig mee. Ik verwacht ze ook weer ongeschonden van je terug te krijgen.'

Snel afgeleid als ik was, betastte ik de koele, iriserende parels en stapte prompt af van het idee mijn eigen bijous te dragen. Ik beschouwde bij elkaar passende juwelen als het toppunt van distinctie.

Als ik nu terugdenk aan dat gescharrel en beknibbel, vind ik dat niet alleen spijtig maar word ik ook kwaad. Zo jammer! Waarom mooie dingen hebben als je ze niet gebruikt? Marjories kristalheldere aquamarijnen hangen detonerend aan de hagedissenhuid van mijn oorlellen, maar ik draag ze constant. Ook draag ik aldoor de van oom Samuel gekregen sieraden, terwijl een plooinek wellicht meer baat heeft bij een draperie of een sjaaltje, en handen vol levervlekken bij te lange vestmouwen.

Ondanks de tekortkomingen van mijn moeder en al het leed dat ze me berokkende, spijt het me vreemd genoeg ook dat ik in de korte tijd die me was gegeven niet meer mijn best heb gedaan om vriendinnen met haar te worden of zelfs maar echt met haar te praten, zodat ik misschien begrepen zou hebben hoe ze aan de ene kant zo gesloten en schrieltjes kon zijn, maar tijdens onze sporadische uitjes naar het theater zo vrolijk en open was. Die vrolijkheid en openheid was de avond van ons feest helemaal opvallend. Die avond was ze veranderd in een stralende, uitgaande vrouw, hoewel ik een enkele keer angst in haar ogen zag opflitsen wanneer haar blik op haar tweelingzoons rustte. Misschien was al die vrolijkheid geforceerd, maar mocht dit zo zijn, dan was moeder een fantastische actrice. Ik zal het nu nooit weten.

Natuurlijk is dit achteraf gepraat. Indertijd interesseerde mijn moeder me weinig en ik negeerde haar vreugdes en zorgen, omdat die niets met mij te maken hadden.

Ik denk veel na over dat feest van zestig jaar geleden. Misschien omdat het de allerlaatste sociale gebeurtenis in mijn leven was. Wanneer mensen nu naar me kijken zien ze een wandelende tak, een verdorde oude vrouw. Maar evenals mijn moeder, was ook ik mooi. En of ik dat wist. Ik las het in de ogen van Coley Quinn, voelde het in het trillen van zijn lichaam toen hij me vasthield bij het dansen, hoorde het in de onderliggende toon van eerlijkheid in de plagerige complimentjes die mijn broers me gaven – en natuurlijk in de jaloerse schimpscheuten van die arme Mary Quigley.

Ik ben veel bijzonderheden vergeten, zoals namen van gasten of wat we aten, hoewel ik nog een beeld heb van komkommerschijfjes zo dun en transparant dat ze even dieproze leken als de twee enorme zalmen waar ze ter decoratie op lagen. Maar van Coley Quinns verblijf daar is geen enkel detail vervaagd. Het dansen beschreef ik al, maar ik herinner me ook nog precies waar Coley en zijn zuster ieder moment stonden, hoe zijn hoofd neigde terwijl hij tegen haar praatte, de intense blik in zijn ogen terwijl ze mij volgden wanneer ik de salon rondging met hapjes of drankjes.

Als het zou moeten, kon ik precies nadoen hoe hij Johanna traag en behoedzaam leidde toen hij haar, na zijn dans met mij, ernstig over de buitenrand van de dansvloer loodste op de melodie van de zoveelste ouderwetse wals, waarvan de band een onuitputtelijk repertoire scheen te hebben. Onder het voorwendsel om zijn zuster op een strategische plaats neer te zetten ('Zou je niet willen dansen, Florrie? Hoe kunnen ze nou weten dat je beschikbaar bent, als ze je niet kunnen zien?') had ik haar naar de deuropening gemanoeuvreerd, zodat we Coley konden gadeslaan. Helaas kwam Mary Quigley bij ons staan. Ze was doodongelukkig. 'Je oom is erg aardig, Violet, maar ik moet zeggen dat ik het erg bot van je vind dat je me alleen hebt gelaten.'

'Mijn excuses, Mary, als dat is wat jij denkt dat ik heb gedaan. Maar je weet, hoop ik, dat het tot mijn plichten behoort om niet alleen voor mijn persoonlijke gasten maar ook voor anderen te zorgen?'

'En ik veronderstel dat het ook tot je plicht behoorde om als een bezetene te keer te gaan op de dansvloer met Coley Quinn?'

'Heeft niemand jou ten dans gevraagd, Mary?' Ik wist heel wel dat ik me ontstellend gedroeg, zeker ten overstaan van Coley's arme zuster, die als een toeschouwster bij een afschuwelijke tenniswedstrijd met wijdopen ogen van de een naar de ander blikte terwijl wij redetwistten. Ik redeneerde opstandig dat zij zich even onhebbelijk gedroeg als ik. Maar natuurlijk was haar klacht over mijn botheid terecht en het behoort tot de dingen die ik blijvend betreur, zij het dat dit nutteloos is, dat ik haar zo beledigd heb. We haalden het slechtste in elkaar boven en die avond sloot ik voorgoed iedere mogelijkheid uit dat we wellicht vriendinnen konden worden. Ik heb haar nooit weergezien, maar ik weet dat ze uiteindelijk een befaamde hoogleraar in de Engelse taal en letterkunde geworden is en als literair recensente legde ze zo'n strengheid aan de dag, dat op een gegeven moment haar al te kritische stijl voor een langdurige polemiek zorgde op ingezonden-brievenpagina's van de *Irish Times*. Ik heb het met plezier gelezen.

Het feest was plotseling voorbij, om klokslag twaalf uur. Zo danste, kletste en dronk iedereen nog en zo ging de band op de overloop na een pittige quickstep over op een rustige vertolking van Vera Lynns 'We'll meet again', waarop iedereen in de hal en in de salon, de mensen die zaten inclus, elkaar bij de hand pakte en meezong. Waar de jongeren, met name de groep rond Samuel junior, die zich duidelijk niet kon voorstellen elkaar niet weer te zien, heen en weer zwaaiden en rauw zongen, waren de ouderen, waaronder moeder en vader, terughoudender.

Gevangen tussen de dominee en juffie, die heel eventjes uit haar dienende rol was gestapt, kon ik niet bij Coley komen om zijn hand te pakken en was ingesloten aan de bezadigder kant van het gezelschap. Ik kon mijn geliefde zelfs niet zien, hoewel ik mijn hoofd naar alle kanten draaide en hierbij moeder zag. Ze was in tranen en leek weinig moeite te doen om ze te bedwingen. Beschaamd draaide ik me om en deed alsof ik niets gezien had.

Daarna stelden vader en moeder – haar zelfbeheersing hervonden – zich op aan weerskanten van de voordeur om afscheid te nemen van iedereen. In het daaropvolgende kwartier pakten de muzikanten in en vulde de lucht zich met 'tot ziens', 'dank u wel' en telkenmale de verzekering dat dit het leukste feest was waar de gasten ooit geweest waren. Johanna, de tijdelijke meid en ik waren ermee belast om eenieder te herenigen met zijn of haar eigendommen en ze naar de juiste auto's en taxi's te dirigeren.

Toen ik zag dat Coley en zijn zuster in de rij stonden om moeder en vader te bedanken, ging ik bij mijn ouders staan. 'Leuk dat jullie er waren,' zei ik, eerst de hand schuddend van Florrie, die zich vast niet erg geamuseerd had, het arme ding, en daarna de hand van mijn geliefde. 'Wil je onze groeten overbrengen aan je ouders, Coley? En ik hoop je gauw weer eens te zien.' Omdat Mary Quigley de volgende in de rij was, dorst ik Coley niet veelzeggend aan te kijken, maar hoopte dat hij me begrepen had.

Vader was met een collega-handelaar in zo'n gesprekje op het allerlaatste moment gewikkeld, dus het was moeder die toen ook Coley en Florrie de hand schudde. Ik luisterde scherp naar wat ze zei – had ze iets gemerkt; sprak ze tegen Coley op andere toon dan tegen andere gasten – maar er viel me niets bijzonders op, alleen misschien iets van afstandelijkheid. Dat had niets te betekenen. Hoewel ze altijd vriendelijk en beleefd was tegen de Quinns en anderen zoals zij in het dorp, was juffie de enige van buiten onze kring met wie ze op haar gemak was.

Eenmaal veilig afscheid genomen van de Quinns, richtte ik me tot mijn derde gast en ik schudde ook haar de hand. 'Ik hoop dat je veilig thuiskomt, Mary. Ik hoop dat je het leuk hebt gehad. Fijn dat je gekomen bent,' zei ik en deed mijn best om oprecht, aardig en ook verontschuldigend te klinken.

Gelukkig kwam moeder er toen tussen. 'Zo aardig, Mary, dat je bent gekomen,' zei ze glimlachend tegen mijn zogenaamde vriendin. 'Nu je ons weet te vinden, moet je zeker nog eens langskomen. Dat zou erg leuk zijn voor Violet. Heb je een lift?'

'Dank u wel, mevrouw Shine,' antwoordde Mary, na slechts een heel lichte aarzeling. 'Mijn vader staat buiten, ik kan hem zien. Het was een heerlijk feest. Het was fijn om hier te zijn.' Haar goede manieren deden me beschaamd staan, en al was het te laat om het goed te maken dat ik haar schandalig verwaarloosd had, deed ik daar toch een poging toe, toen moeder al met de volgende mensen bezig was. 'Het spijt me dat ik het zo druk had en we daardoor niet veel gelegenheid hadden om met elkaar te praten. We maken na de vakantie een afspraak.'

'We zullen zien.' Ze trok haar jas om zich heen en stapte uit mijn leven, en liet me achter met mijn schuldgevoelens, terwijl ik me weghaastte om een zoekgeraakt avondtasje te vinden voor de echtgenote van een van de boeren.

Pratend over schuld en spijt, ik heb, zoals ik al zei, geen seconde van mijn relatie met Coley Quinn betreurd; niet dat we minnaars werden en evenmin de gevolgen. Het enige wat ik betreur is dat we niet slim genoeg waren om het heft in eigen handen te nemen.

Zoals ik eerder beschreef, keek ik vanuit mijn torenkamer uit op dorre, zanderige grond op het klif dat hoog boven de zee uitrees. Toch zag ik ook een stuk van helaas geen magnolia maar van een prachtige beuk op de hoek van het huis, die hetzij door een voorouder was geplant, tegelijk met zijn collega's in de bomenrijen langs de laan, hetzij een verdoolde zaailing was. En als ik in een bepaalde hoek op mijn tenen op mijn stoel balanceerde, mijn lichaam helemaal gedraaid naar de zijkant van het raam, mijn wang tegen het glas gedrukt, dan kon ik ongeveer een derde van zijn brede bladerkroon zien.

Een jaar, het zal midden mei geweest zijn, denk ik, was het me vergund om de beuk in het blad te zien komen. Geloof het of niet, die boom werd groen in een dag, als je vierentwintig uur als een dag beschouwt. Het was bijna alsof je het in slow-motion zag gebeuren in een natuurfilm op tv.

Op de eerste ochtend was de boom nog bruin en kaal, hoewel ik, toen de zon opkwam en hem vanaf de zeekant belichtte, zag dat er overal aan twijgen witachtige knopjes waren gekomen. Vroeg in de middag waren ze uitgelopen tot een maaswerk van groen tussen de takken. Die avond, toen de zon onderging, waren bruin en groen in evenwicht. Maar toen de zon de volgende ochtend weer opkwam, fladderden er tienduizenden felgroene blaadjes aan het bruin, heel kleine gebedsvlaggetjes in de vroege-ochtendwind. Ik vond het een wonder.

Ik weet niet goed waarom ik juist op dit ogenblik verhaal over een detail als dit. Of het moest zijn om nogmaals te benadrukken dat, anders dan welmenende mensen die zich mijn lot aantrekken wellicht denken, mijn gevangenschap niet zonder haar compensaties was. Ik zou dit leven niet zelf gekozen hebben, maar hoewel mijn zicht op de buitenwereld beperkt was tot een taartpuntvormig segment, beloonde de rustige overpeinzing ervan me ruimschoots. Bovendien kon ik, binnen zekere beperkingen, zelf bepalen hoe ik iedere seconde van mijn leven besteedde. Dit was een voorrecht, vind ik achteraf. Hoeveel mensen die een gewoon 'vrij' leven leiden hebben tegenwoordig tijd om te kijken hoe knoppen opengaan?

Het blijvend resultaat van die tijd is dat ik, meer dan de meeste mensen, de vrijheid waardeer van in bossen te kunnen wandelen, in de zee te kunnen baden. Ik herinner me dat ik me kort na mijn vrijlating in 1979 aan een gaspeldoorn prikte, en genoot van de onverwachte steek en het druppelen van mijn eigen heldere bloed. En zelfs tijdens mijn eerste bezoek in vijfendertig jaar aan een tandarts (noodzakelijk, maar ik had me nooit laten gaan met zoetwaren en bij ons in de familie is iedereen gezegend met een sterk gebit) genoot ik nogal van het ongemak van zijn gepor en geprik. Het was alsof al mijn zintuigen winterslaap hadden gehouden en in feestelijke stemming waren ontwaakt.

In dit snel-snel tijdperk mis ik wel eens de dagen, weken, maanden en zelfs jaren die voor een buitenstaander zo leeg moeten lijken. Wat niet zo vreemd is, denk ik, is dat ik elk gevoel van vrees voor de toekomst was kwijtgeraakt, van vrees in het algemeen. Ik vraag me af of die prachtige beuk er nog staat. Ik heb het fenomeen slechts een keer mogen aanschouwen.

Aan geen levende ziel heb ik iets van dit toevertrouwd. Niemand heeft vragen gesteld. Ik ben ervan overtuigd dat de mensen hier me excentriek vinden en van mij mogen ze dat blijven denken. Ik ben de laatste van mijn familie. Het geheim is veilig.

Was ik eenzaam tijdens die torenjaren?

Omgang met vriendinnen miste ik niet, omdat ik er geen had, zoals ik eerder uitlegde. Dus dergelijke gezellige omgang was nooit deel van mijn leven geweest. Maar ja, natuurlijk was ik eenzaam. Ik miste mijn familie, vooral Johanna. Door het luik met haar praten was echt niet erg bevredigend, al keek ik ernaar uit. Ik miste het zelfs 's avonds bij moeder te zitten, mijn ogen bedervend terwijl we werkten aan de gevreesde Shine-quilt.

Eenzaamheid kan niet nauwkeurig beschreven worden; althans, ik kan het niet. Hoe men dat gevoel ervaart, is voor iedereen anders, denk ik. In mijn geval was het even actief als een baby in de moederschoot en even lijfelijk voelbaar, het schopte wanneer je er het minst op bedacht was. Ik kreeg er een smaak van in mijn mond. Het kneep me de keel af. Het deed me zeer in mijn buik en in mijn benen, in de holte tussen mijn neus en ogen.

Het was het heftigst, wanneer ik door mijn raam iets zag wat me fascineerde, of als ik een inzicht kreeg dat ik wilde delen, maar dan moest wachten, soms uren, tot er iemand naar het luik kwam. Als dit

Johanna bleek te zijn, was het goed – hoewel tegen de tijd dat ze kwam, de opwinding over de ontdekking dikwijls was gezakt en hoe ik erover vertelde voor mezelf oninteressant en onbelangrijk aanvoelde. In veel gevallen las ik aan haar verbaasde reactie af dat wat ik vertelde haar nogal triviaal toescheen.

Als het moeder was die kwam, onderdrukte ik de neiging tot communicatie over welke ontdekking ook. Doorgaans wendde ze haar blik toch af, wanneer ze me mijn eten overhandigde, of mijn schone was of andere benodigdheden. En vader, die kwam zo hoogstzelden boven dat dit een hele gebeurtenis was, en wanneer hij kwam voelde hij zich heel slecht op zijn gemak. Hij sprak alleen om te vragen of ik het goed maakte en of ik afgezien van wat hij me liet brengen nog andere dingen nodig had. In alle jaren van mijn gevangenschap, denk ik niet dat ik ooit zelf een gesprek met hem begonnen ben.

Met het verstrijken der jaren echter, ging ik me zorgen maken om hem. Denkelijk omdat ik hem zo ongeregeld zag, viel me iedere keer dat hij kwam op dat hij in de tussenliggende periode dunner was geworden. In elk geval was hij iets gekrompen.

Ik begon me zorgen te maken over zijn gezondheid en besloot moeder er iets over te zeggen. Ik wachtte mijn tijd af. Een opening was al wat ik nodig had.

Zij was het evenwel die als eerste overleed, in 1977, op de leeftijd van zevenenzeventig jaar, net een jaar ouder dan ik nu ben. Ondanks haar slechte gezondheid, bleek ze uiteindelijk robuust. En over vader had ik me niet zo'n zorgen hoeven maken. Hij werd eenentachtig. Als de oorlog niet tussenbeide gekomen was, zou onze familie erom bekend hebben gestaan dat wij een hoge leeftijd bereikten.

23 🍀 *Heisa*

De dag na het feest brak aan. Ik had niet geslapen. Op het allerlaatste moment hadden de Dublinse vrienden van Samuel junior moeten blijven slapen, want hun taxi kwam niet opdagen en we konden geen ander vervoer vinden dat hen kon terugbrengen naar de stad. En vaders benzinetank was bijna leeg. Dus bij de herverdeling van slaapkamers waren Johanna en Marjorie in de mijne terechtgekomen.

In alle gevallen was dit lastig geweest. Terwijl zij samen in mijn bed sliepen, moest ik op de grond slapen op een van zolder gehaalde, oude matras. Vanwege mijn rendez-vous met Coley was het meer dan lastig, het was een allerafschuwelijkste ontwikkeling. Hoe moest ik buiten komen zonder hen wakker te maken? Ik kon zelfs geen voorbereidingen treffen voor een stiekeme aftocht, zoals het organiseren van kleren. Dat zou wantrouwen hebben gewekt.

Toen ik zag dat het buiten licht werd, en terwijl mijn zusters zacht en onwelluidend snurkten, gleed ik centimeter voor centimeter van de matras en, terwijl ik mijn feestjurk opraapte die ik naast de matras op de grond had laten vallen, sloop ik stap voor stap achterwaarts naar de deur. Mochten ze een van tweeën wakker worden en vragen wat dit moest, zou ik naar waarheid zeggen dat ik niet had kunnen slapen en nu naar beneden ging. Misschien was het eenvoudiger geweest om te zeggen dat ik naar de wc ging, maar zou het dan geloofwaardig geweest zijn dat ik mijn feestjurk meenam?

Het kostte misschien wel vijf minuten, maar ik slaagde erin om de kamer zonder incident te verlaten. Op de overloop bleef ik enkele

187

ogenblikken staan om mijn ingehouden adem de ruimte te geven. Met alle slaapkamers helemaal vol, bestond er grote kans dat er ieder moment iemand uit tevoorschijn kon komen. Daarom treuzelde ik niet, maar haastte me stilletjes de trap af – ondertussen de architect bedankend die had bepaald dat hij van steen gebouwd moest worden – en schoot de keuken in om me aan te kleden.

Het was vreemd om hier op dit uur van de ochtend te zijn, nu het zo stil en rustig was in het vertrek, dat normaal een centrum van geordende drukte was. Alleen de blikken wekker op de schoorsteenmantel boven het fornuis deed zijn aanwezigheid voelen met zijn amechtige getik. Hier was straks enige arbeid vereist, dacht ik, de stapels nog niet afgewassen serviesgoed en rijen glazen in ogenschouw nemend. De aanblik ervan maande me tot spoed, want het was onwaarschijnlijk dat moeder of juffie deze chaos zou laten voortbestaan. Ze zouden vroeg beneden zijn. De verduisteringsgordijnen voor het grote raam boven het aanrecht waren omhooggetrokken, zoals altijd. Moeder trok ze iedere avond omhoog nadat de lichten uit waren, omdat ze de geraniums op de vensterbank wilde laten profiteren van de vroege-ochtendzon. En ja, door het raam zag ik aan de horizon, tussen zee en lucht, een rode gloed schemeren. Ik moest me haasten.

Ik liep de provisiekast in, die geen raam had, zodat ik de deur moest open laten en erop gespitst moest blijven of ik iemand hoorde naderen. Vlug trok ik mijn nachtpon uit, vouwde hem slordig op en propte hem onder een omgekeerd vergiet achteraan op een plank. Mocht ik niet op tijd terug zijn om hem terug te halen voordat in de keuken de activiteit losbarstte dan was dit, naar mijn idee, een stuk keukengerei waarvan niet waarschijnlijk was dat het gebruikt zou worden bij het klaarmaken van het ontbijt.

Daarna kleedde ik me aan. Mijn jurk, gisteravond zo mooi en fleurig, was nu even verfrommeld als een theedoek, maar daar zou Coley niet om malen. Met moeders zilverkleurige sandaaltjes echter, nam ik een enorm risico door ze buiten te dragen. Maar ik zou tijd zat hebben om ze schoon te maken, hoopte ik.

Ik was vergeten dat een roze met gele zonsopgang in het late voorjaar weliswaar betoverend mooi was, maar ook heel koud. Dat merkte ik toen ik via de achterdeur naar buiten ging. Een linnen jurk, blote benen en open sandaaltjes waren geheel en al ontoereikend. Maar dat ik rilde viel slechts deels toe te schrijven aan de temperatuur. Ik was zenuwachtig, opgewonden, bang en verrukt tegelijk. Wat zouden we dit keer doen? Zouden we 'het' naakt doen? Zouden we 'het' wel doen?

Het had die nacht licht gevroren aan de grond en terwijl ik me over de velden haastte kraakten moeders sandalen op gekristalliseerd gras dat schitterde en twinkelde in de stralen van de opkomende zon. Maar ik was blind voor schoonheid toen ik voortrende, mijn armen voor mijn borst geslagen, in een poging om een beetje warm te blijven. Volgens mijn horloge was het nog geen zes uur. Zou Coley er al zijn? Zou hij te laat komen? Stel dat hij helemaal niet kwam opdagen?

Stel dat we betrapt werden?

Ik zag hem voordat hij mij zag. Verstandig weggedoken in een duffelse jopper, keek hij naar iets op zee. Te laat besefte ik dat ik naar buiten was gegaan zonder zelfs maar mijn haar te kammen. Halfslachtig haalde ik mijn vingers erdoor, waarmee ik het vast nog erger maakte. Er staat tenminste geen wind, dacht ik.

Hij draaide zich om en zag me. Voor mij was dit zo'n moment dat ik me tot op mijn doodsbed herinneren zal, althans dat hoop ik maar, want inmiddels was ik ook de kou vergeten, mijn schandalig gekreukelde jurk, moeders sandaaltjes en mijn haar, even slordig en wild als struikgewas. Zijn ogen en de holten onder zijn uitspringende jukbeenderen lagen in een diepe schaduw. En de vreugde om hem te zien was zo intens, dat ik werkelijk dacht dat ik dood zou gaan.

Binnen seconden overbrugde hij de korte afstand tussen ons en omhelsden en kusten we elkaar. 'Je rilt,' fluisterde hij, en trok me nog steviger tegen zich aan. 'Arm ding. Straks vat je nog een dodelijke kou. Hier, trek dit aan.' Hij deed zijn jopper uit, legde hem om mijn schouders en knoopte hem dicht, zodat mijn armen werden opgesloten. 'Malle meid, die je bent,' berispte hij me, eerder als een oom dan als een geliefde, 'waarom draag je geen jas of zo?'

Ik had kunnen uitweiden over waarom dit niet had gekund, maar in plaats daarvan ging ik op mijn tenen staan en kuste hem op de mond.

Onder zijn jasje droeg hij een katoenen werkhemd en genietend van de ruwheid van de stof legde ik mijn wang ertegen aan. Hij sloeg zijn armen weer om me heen en legde zijn hoofd op het mijne. 'Violet,' fluisterde hij in het nestje van mijn haar. 'Violet... Violet...'

Zo omstrengeld wiegden we zachtjes heen en weer, in een langzame, verrukkelijke nabootsing van onze dans gisteravond. Het voelde volwassen, heftig zelfs. En wat mijn eerdere speculeren over 'het' naakt of anderszins doen betreft, dit was me voldoende. Ik heb geen idee hoe lang we daar stonden, misschien wel vijf minuten. Maar toen maakte hij zich van me los. 'Waarom ga je niet met me weg, Violet? Ik weet dat we in dit land zijn afgegrendeld van de buitenwereld, maar er zijn manieren om dit te omzeilen. We zouden naar het noorden kunnen gaan, en ik garandeer je dat ik wel een manier zou vinden samen naar Schotland over te steken.'

'Zoals Deirdre en de zonen van Usnach!' Ik huiverde bij de gedachte. Deze pre-christelijke keltische sage, waarover ik op de nationale school voor het eerst hoorde, was een van de favoriete vertellingen van juffrouw Lucy Biggs. Het is een verhaal over koningskinderen, bloedige strijd en verraad, maar bovenal is het het verhaal van de diepe, duurzame liefde tussen een rechtschapen held en een mooie maagd. (Gemakshalve vergat ik het tragische einde, waarin de held en zijn broers worden vergiftigd door de jaloerse koning, zodat hij de maagd zelf kan trouwen; een ambitie die wordt verijdeld, wanneer zij – vermoedelijk geen maagd meer, na jaren in Schotse ballingschap geleefd te hebben met haar minnaar – zich in zijn graf stort. Of onder de hoeven van de paarden die het stoffelijk overschot van haar minnaar vervoeren, al naar gelang welke versie van de sage men gelooft.) 'Maar wat zouden we in Schotland doen? Waarvan moeten we leven?' Het waren retorische vragen. Van mij had mijn held me zo naar de Poolcirkel mogen dragen, maar ondertussen wilde ik hem tonen hoe volwassen ik was. 'Ik heb geen geld van mezelf, Coley.'

'Ik ben sterk en gezond.' Hij keek vurig maar toch ook heel ernstig. 'Ik ben goed met cijfers en ik kan ook met mijn handen werken. De zuivelfabriek geeft me geheid een goed getuigschrift, als ik erom vraag, zodra we in Schotland zijn. Ik kan ons onderhouden.'

'Het klinkt zo romantisch.' Even aarzelde ik, maar waagde het er toen op. 'Het klinkt misschien brutaal, maar betekent dit dat je me ten huwelijk vraagt?'

Hij liet zich op een knie vallen. 'Violet Shine, wil je met me trouwen?'

Nu hoefde ik niet te aarzelen. 'O, ja! Ja! Ja!' Ik was duizelig van blijdschap. Hij ook. Hij sprong weer overeind en kuste me zo enthousiast dat ik nu ik mijn armen niet kon gebruiken om mijn evenwicht te bewaren, het gevaar liep als een duikelaartje om te vallen.

Maar mijn geluk werd al minder toen ik besefte dat dit plan een groot struikelblok bevatte. Ik wist van juffie dat 'gemengde huwelijken' berucht waren vanwege alle moeilijkheden. Coley zou wat ze 'dispensatie' noemden moeten krijgen van de paus (of misschien alleen maar een bisschop, dat wist ik niet meer), een procedure die jaren en jaren kon duren en een vermogen zou kosten. En daarmee was het niet afgelopen. Juffie kende vele huiveringwekkende verhalen over 'dispensaties' die niet waren verleend. Maar aangenomen dat wij geluk hadden en er wel een kregen, dan waren we nog altijd niet uit de problemen. Ik zou dan op de heilige bijbel moeten zweren dat onze kinderen katholiek opgevoed zouden worden. Ik zou moeten zweren dat ik ze iedere week meenam naar de mis. Op vrijdagen zouden we allemaal vis moeten eten en met de vasten zouden we ons allerhande lekkernijen moeten ontzeggen.

Ik legde mijn handen op Coley's borst om het kussen te stoppen. 'Maar jij bent rooms-katholiek.'

'Hij had zijn antwoord klaar. 'Alleen als ik in een katholieke kerk wil trouwen.'

'Maar ongetwijfeld…'

'Violet!' Hij legde een vinger op mijn lippen. 'Denk jij nou echt dat ik godsdienst in de weg zou laten staan van ons samenzijn?'

Ik was zowel gechoqueerd als opgetogen. Hij, een rooms-katholiek, zou voor mij zijn godsdienst opgeven? Dat was ongekend. Het hoorde andersom te zijn. Van juffie had ik die indruk gekregen in de loop der jaren. 'Maar zouden ze ons laten trouwen? Als ze wisten dat we van verschillende godsdiensten zijn, bedoel ik?'

'Ik denk eigenlijk niet dat dit er toe doet in Schotland. Het is geen katholiek land. Maar heb jij dan nooit gehoord van Gretna Green?'

'Niet echt.' Ik stond als gemummificeerd in Coley Quinns duffelse jopper, die naar sigarettenrook en eten rook en naar waaraan ik teder dacht als 'eerlijk' zweet, terwijl hij alle onbeduidende hindernissen voor ons samenzijn ontzenuwde en me informeerde over geliefden die het lot niet gunstig gezind is, schakingen en de beroemde smidse. Ik lette natuurlijk op, maar niet helemaal. Mijn opwinding bewoog me tot visioenen van (bescheiden) bruidstoiletjes tegen de achtergrond van de spectaculaire, winderige Schotse hooglanden. Ik keek ook naar hoe de mondhoek van mijn verloofde bij bepaalde woorden een kuiltje in zijn wang maakte, en ik bewonderde de rechte lijnen van zijn wenkbrauwen.

Opeens kwam toen in me op dat, ook al waanden wij ons alleen en onbespied op het klif, het mogelijk was dat wij het eerste Ierse stel in de geschiedenis waren wiens verloving werd gadegeslagen door de periscoop van een u-boot. Indertijd ging wijdverbreid het verhaal dat ze heen en weer voeren in de Ierse Zee en in mijn toenmalige staat van euforie, vond ik het idee ontzettend grappig. Verdrongen al die Duitse zeelui zich rond de onderkant van de periscoop om te kijken? Keken ze om de beurt naar de malle Ier die een mummie ten huwelijk vroeg? *Achtung*, Friedrich! *Kijkenzie hier* naar *der* krankzinnige *Irischer*! Ik giechelde.

'Wat zei ik?' vroeg Coley verbouwereerd.

'Niets, lieveling!' Ach, wat voelde het heerlijk om dat woord te zeggen. 'Niets, lieveling, niets, niets, je zei niets! Alsjeblieft, Coley, zou je die jopper willen losknopen? Ik wil je helemaal vasthouden.'

Terwijl hij dit deed, trilden zijn vingers. We wisten allebei wat er hierna zou komen – u-boot of geen u-boot. Maar terwijl hij de jopper op de grond uitspreidde, zoals ik had gedaan in Loughshinny, maakte ik me heel even zorgen over de risico's – het bevlekken of totaal bederven van de jurk, dat hij een 'merkteken' op me achterliet dat me zou verraden; dat we onszelf zo zouden laten meeslepen dat ik de tijd vergat en fataal laat naar huis ging. Al deze overwegingen waren vergeten zodra hij me in zijn armen nam en zich met me op de grond liet rollen. Het enige waar ik me om bekommerde was het gevoel van onze lichamen die hongerig tegen elkaar bewogen als om elkaars ziel in ons op te nemen. Dit keer gaven we niet alleen toe aan fysieke begeerte en aantrekkingskracht; als verloofden deden we elkaar beloftes voor het leven. En dit keer voelde de daad op zich niet gewelddadig. Het voelde helemaal goed, als een lichamelijk vieren van leven, verliefd zijn en voor altijd bij elkaar horen.

'Moeder vermoordt me als ze ziet hoe mijn jurk eruitziet!' Quasizielig keek ik naar de vaatdoek, toen we hand in hand en uitgeput naast elkaar lagen en naar de lucht keken, die om deze tijd nog teerblauw was en zo ontzettend helder dat het net voelde alsof ik erin dreef. Ik voelde me gewichtsloos en had het niet meer koud.

'Moet ze het dan zien?' Coley streek het linnen glad over de bolling van mijn buik.

'Misschien niet. Misschien kan ik hem zelf wassen. De crux is, kan ik mijn jurk in het waswater krijgen, zonder dat zij het ziet?'

'Nog heel even, dan hoef jij je geen zorgen meer te maken over wat je moeder of wie dan ook van je vindt. Je bent dan alleen aan mij verantwoording schuldig, en ik zal je nooit al te hard vallen!' Speels kietelde hij mijn buik met allebei zijn handen, zodat mijn hele lichaam verkrampte. 'Hou op, Coley, hou op!' Maar hij kietelde nog harder tot we over elkaar heen rolden en van zijn jopper in het kletsnatte gras terechtkwamen. Hij was het liefst weer gaan vrijen, maar de beklagenswaardige jurk, die opgetrokken gekreukeld en nat onder me lag, begon me nu echt zorgen te baren. En ik was verbaasd over hoe de tijd verstreken was. Inmiddels bedaard, keek ik over Coley's schouder heen op mijn horloge. Tot mijn grote schrik was het bijna kwart over zeven. 'Nee, Coley, toe.' Ik duwde hem van me af en krabbelde overeind. 'Ik moet vliegen!'

'Ik kom met je mee.' Ook hij stond op.

'Nee, nee!' Ik week achteruit. Het idee om op dit uur van de morgen in zijn gezelschap betrapt te worden, beangstigde me.

'Maar we moeten praten, plannen maken, en er is nog niemand te bekennen. Het is nog erg vroeg...'

'Alsjeblieft, Coley, kom niet mee. Ik beloof je dat we plannen zullen maken. We zien elkaar weer heel snel. Vanavond misschien? Ik zal er echt niet uit kunnen om hier een briefje neer te leggen, dus zullen we zeggen: om een uur of elf? Wees alsjeblieft niet teleurgesteld als ik niet kom opdagen. Ik zal mijn best doen.' Snel gaf ik Coley een kus en rende voor mijn leven. Plannen, zelfs om samen weg te lopen – ook als dat begin volgende week al zou moeten – konden wachten. De meer onmiddellijke toestand was uiterst riskant. Naar mijn idee was zeven uur de uiterste tijd waarop ik kon hopen om ongemerkt Whitecliff weer binnen te komen. Het enige wat ik nu nog kon doen was hard rennen en bidden, al stond ik niet bekend om de regelmaat of kracht van mijn gebeden.

Toen ik op een meter of vijftig van het huis af was, bleef ik even staan om op adem en tot bedaren te komen. Ik zag geen teken van leven, wat niet verwonderlijk was omdat ik alleen de gevel zag. Tot ik helemaal rondom het huis was gelopen, viel er met geen mogelijkheid te zeggen of er ramen waren met opgetrokken jaloezieën of opengeschoven gordijnen.

Ik liep niet rechtstreeks naar de achterdeur, maar ging eerst behoedzaam naar het hek langs de rand van het klif en bleef staan om nogmaals te kijken, maar dat leverde even weinig op als mijn eerste inspectie. Van boven tot beneden werkten de ruiten als spiegels die het zonlicht weerkaatsten en het was me onmogelijk om door hun schittering heen te kijken. Ik zou het er gewoon op moeten wagen. Ik bedacht een plan, waarvan de schoonheid eruit bestond dat het merendeels de waarheid was. Mocht ik iemand tegenkomen, dan zei ik gewoon dat ik was gaan wandelen, omdat ik niet had kunnen slapen, hoofdzakelijk door de overbevolking in mijn slaapkamer. Om het wat realistischer te maken, plukte ik een handjevol van de kleine blauw-met-gele, op viooltjes lijkende wilde bloemen die in bosjes langs het hek groeiden. Daarna liep ik kwiek naar de achterdeur, in de hoop dat ik er verwaaid en niet losbandig uitzag. Het voelde als een nachtmerrie, toen ik de deur openduwde.

Drie mensen – moeder, juffie en oom Samuel – wierpen een verbaasde blik op me, toen ik de keuken binnenstapte, die vol stoom stond van de wasteilen op het grote fornuis. Juffie en moeder stonden aan het aanrecht af te wassen. Aan tafel zat oom Samuel met een kop thee in zijn hand. Hij had zijn eigen rantsoen meegenomen vanuit het noorden.

Hij reageerde als eerste. 'Sportief, hoor.' Hij stond op om zich nog eens in te schenken uit de theepot, die naast de teilen op het fornuis stond. 'De meesten draaien zich nog eens lekker om, de luie donders.'

'Waar ben jij geweest? En moet je zien hoe je jurk eruitziet! Zijn dat grasvlekken?' Alsof oom niets gezegd had, droogde moeder haar handen af aan haar schort en wilde toen de linnen stof van mijn jurk vastpakken.

'Ik ben gevallen,' flapte ik eruit en maakte dat ik bij haar uit de buurt kwam. Plotseling was ik me ervan bewust hoe ik zou kunnen ruiken en ik wilde niet dat ze te dicht bij me kwam. Ik ging bij oom Samuel staan. 'Zit er nog wat thee in die pot?' Ik tilde het deksel op en zag dat hij leeg was. 'Ik had niet door dat het buiten zo glibberig zou zijn,' zei ik vervolgens op normale gesprekstoon tegen niemand in het bijzonder. 'Of zo koud. Er ligt vanmorgen een dikke dauw.' Ik richtte me tot oom Samuel. 'Ik had helemaal kippenvel. Ik zag zelfs hier en daar ijskristalletjes. Kunt u dat geloven?' Ik wist dat er in onze contreien tot in de vroege zomer lichte vorst aan de grond voorkwam, maar ik wauwelde maar wat.

'Ja!' Zijn gezichtsuitdrukking was ondoorgrondelijk, en vanuit mijn ooghoek zag ik moeder en juffie een blik wisselen. Ik stond op het punt om iets dwaas te doen, zoals in tranen uitbarsten, maar toen stak oom Samuel mij zijn theekop toe. 'Doe daar 'es een druppie water uit de kraan bij, kindje. Zou je dat voor me willen doen?' Hij knipoogde. 'Ik brand mijn mond eraan.' Ik glimlachte dankbaar naar hem en pakte zijn kop aan en liep naar het aanrecht.

'Moet je mijn prachtige sandaaltjes zien!' Moeder was nog niet klaar. 'En is dat gras in je haar?' Weer kwam ze naar me toe, maar ook nu ontweek ik haar door met de afgekoelde thee naar het fornuis te lopen.

'Ik vertelde net toch dat ik was uitgegleden en gevallen,' zei ik over mijn schouder heen.

'Ach, Fly, laat dat kind met rust.' Oom Samuel leunde met zijn stevige achterwerk tegen de koperen stang van het fornuis. 'Het is vroeg. Wat een heisa op dit uur van de ochtend.'

Moeder negeerde hem ook nu. 'Je hebt me geen antwoord op mijn vraag gegeven, Violet. Wat heb jij uitgevoerd?'

'Hoe vaak moet ik u dat nog vertellen?' Uitdagend keek ik hen alle drie aan, want ik had in elk geval oom Samuel aan mijn kant. Dat hoopte ik althans. 'Ik kon niet slapen. Johanna en Marjorie lagen keihard te snurken. Ik verdroeg het niet langer. U had ze moeten horen. Een was al erg genoeg geweest, maar die twee samen, dat was onverdraaglijk.' Ik was op dreef, pepte mezelf op tot wrok, zodanig dat ik er zelf in geloofde. 'Het was niet eerlijk om ze zomaar in mijn kamer neer te leggen, moeder. En voordat je ernaar vraagt,' zei ik luchthartig, 'er zat niets anders voor me op, dan aan te trekken wat ik gisteravond droeg. Ik wilde de anderen niet wakker maken door in mijn kleerkast te rommelen. Het spijt me dat ik mijn jurk zo vies heb gemaakt toen ik viel. En natuurlijk zal ik uw schoenen schoonmaken. Ik ga nu naar boven om me te verkleden. Dan worden ze maar wakker, of ze dat nou leuk vinden of niet.'

'We hebben hier werk te doen.' Juffie nam de leiding en pakte twee borden om af te drogen. 'Breng die jurk mee terug naar beneden, Violet,' zei ze rustig. 'Die moet lekker gewassen en gedroogd worden.'

'Doe ik, juffie. Zonder dit was ik allang verkleed geweest. Hier!' Met een weids gebaar legde ik in het voorbijgaan het bosje inmiddels verlepte bloemen op de tafel. 'Die heb ik voor u geplukt, moeder. Ik dacht dat u ze mooi zou vinden. Misschien wilt u ze hebben, misschien niet. Het kan me niet schelen.'

Terwijl ik driftig wegbeende, hoorde ik moeder verbouwereerd aan juffie vragen: 'Wat denk jij hier nu van?'

Ik wachtte niet om het antwoord te horen. Ik trilde van opluchting toen ik de trap opging. Het was me nogal niet een vertoning geweest. Maar kennelijk was ik de dans ontsprongen.

24 ❦ *Niet durven dromen*

Die avond zagen Coley en ik elkaar weer onder onze elfenboom. Oom Samuel logeerde nog bij ons en zou blijven tot het vertrek van de tweeling. Samuel junior en zijn gasten waren weer weg, en daarmee was de tweeling weer ingekwartierd in zijn oude kamer en hadden ook Johanna en Marjorie hun eigen kamer terug. Ik had mijn domein weer voor mezelf en dat maakte stiekem wegkomen makkelijk. Iedereen in huis zei moe te zijn en was vroeg naar bed gegaan, wat precies was waarop ik had gehoopt toen ik het rendez-vous voorstelde. Door mijn tekort aan slaap zou ik zelf ook moe hebben moeten zijn, maar in die periode leek ik over een schier onuitputtelijke energie te beschikken, wanneer mij dat zo uitkwam.

Vreemd genoeg waren we na een eerste kus en omhelzing verlegen met elkaar. Ik dacht dat het kwam doordat de enormiteit van de stap die we ons hadden voorgenomen te nemen gedurende de dag tot ons was doorgedrongen; wat zeker voor mij gold. Coley had een deken meegenomen en daar zaten we op, hij met een arm om mijn schouder. Toch was er dit keer geen sprake van brandende fysieke begeerte, en we zaten een hele poos zonder iets te zeggen naar de zee te staren. Ik voor mij, probeerde te bedenken hoe ik het onderwerp van ons samen weglopen moest aansnijden, en ik veronderstelde dat ook hij hiermee bezig was.

De nacht was droog, koud en erg donker. De maan ging schuil achter wolkenflarden, ragfijn als mousseline, die niettemin haar licht dempten. Voor de volgende dag was er regen voorspeld en je kon het bijna proeven aan de lucht. Ik rilde.

'Heb je het koud?' Hij trok me dichter naar zich toe.

'Nee, helemaal niet. Ik voel me puik.' Dat rillen was maar even. Ik was veel beter toegerust voor buiten dan die ochtend. Met een dikke wollen trui, mijn schoolrok, sokken en degelijke schoenen aan, had ik het behaaglijk warm.

'Hoe ging het vanmorgen, toen je thuiskwam?' vroeg hij ten slotte.

Ik vertelde hem alles, zonder iets weg te laten.

'Weet je zeker dat ze niet iets vermoedden?'

'Vrijwel. Moeder wierp vandaag een paar keer een zijdelingse blik op me en ze praatte niet echt tegen me, maar dat was begrijpelijk. Je had moeten zien hoe ik erbij liep toen ik de keuken inkwam. En waarschijnlijk werd haar slechte humeur grotendeels veroorzaakt door de viezigheid op haar geliefde sandaaltjes. Ik heb ze schoongemaakt en nu zien ze er weer uit als nieuw. En ik heb de hele dag heel hard gewerkt in huis. Ik heb ze geen enkele reden tot klagen gegeven. Morgen is alles weer normaal, dat weet ik zeker.'

'Je bent een juweeltje.' Hij kuste mijn wang. 'Jij wordt een geweldige huisvrouw.'

Ik keek om te zien of hij me plaagde, maar het was te donker om de uitdrukking in zijn ogen te kunnen zien. 'Nu we het toch over dat onderwerp hebben,' zei ik beheerst, 'wil ik een ding duidelijk maken. Jij zult ongetwijfeld voor ons kunnen zorgen, Coley, maar tegenwoordig blijven vrouwen niet thuis om enkel te poetsen en te koken voor hun mannen. Daarin heeft de oorlog verandering gebracht. Ik ben ook van plan om te gaan werken. Ik ben even gezond en sterk als jij.'

'Natuurlijk ben je dat!' Hij probeerde me nog een kus te geven.

'Nee, Coley!' Ik duwde hem weg. 'Ik meen het. Ik ben een moderne vrouw.'

'Natuurlijk ben je dat.'

'Neem je me wel serieus, Coley?' Ik raakte geïrriteerd. 'Het bevalt me niets hoe je hierop ingaat.'

'Wat?' Hij was verbaasd. 'Maar ik zei dat ik het goed vond als je werkte.'

'Dat is precies wat ik bedoelde,' riep ik. 'Daarvoor heb ik jouw toestemming niet nodig. We leven niet in de negentiende, maar halverwege de twintigste eeuw! In heel Groot-Brittannië werken vrouwen in fabrieken. In Amerika leiden vrouwen hun eigen bedrijven, verdikkeme...'

'Dat weet ik. Ik spreek je niet tegen. Hoor jij me jou tegenspreken?'

We hielden op, geschokt omdat het leek alsof we ruzie hadden.

'Dit is belangrijk voor me,' zei ik, rustiger nu.

'Je moet doen wat je wilt, alles! Laten we niet strijden. Het is niet iets waarover ik veel heb nagedacht.'

'Eigenlijk hebben we over niets veel nagedacht, hè?'

Met de weergalm van de onenigheid nog om ons heen, keken we elkaar aan. 'En wat dan nog?' Hij schudde de ongemakkelijkheid van zich af. 'We staan aan het begin van een reis voor het leven. Een avontuur! Elkaar leren kennen zal de helft van het plezier zijn. En we hebben onze allereerste aanvaring gehad.' Hij legde een hand om een van mijn borsten en kneep er zachtjes in door mijn dikke trui heen. 'Weet je wat het leukste is van een ruzie, Violet Shine?'

Ik wilde niets liever dan dat hij ook mijn andere borst aanraakte, wat hij ook deed. Met gestrekte rug leunde ik naar hem over. 'Nee, vertel me, Coley Quinn.'

'Het goedmaken,' zei hij zachtjes. 'Hoe zouden we dat eens kunnen doen, vraag ik me af.' Het maanlicht, zwak als het was, glinsterde op zijn brede grijns, en vrijwel meteen vielen we op elkaar aan.

'Is dit normaal?' vroeg ik hem later, toen we onze kleren weer in orde hadden gebracht en op zijn plaid lagen, ik met mijn hoofd op zijn borst, hij met zijn kin op mijn hoofd en zijn armen om me heen. Ik voelde me veilig, zoals een vogel zich moet voelen in een goed verborgen nest.

'Is wat normaal?' vroeg hij doezelig.

'Dat we het zo vaak doen? Dit is de tweede keer op een dag.'

'Vast wel. Ik weet net zomin als jij wat normaal is en wat niet. Doen we het nog als we zeventig zijn? Ik kan me helemaal niet voorstellen dat oude mensen het doen, jij?' Hij lachte.

'Nee.' Ik lachte ook. 'Maar denk je dan dat het voor mensen van onze leeftijd normaal is?'

'Het voelt toch goed?'

'Ja.'

'Dan is het vast goed.'

'Maar het is een zonde.'

'Jaah.'

'Vind jij het erg dat het een zonde is, Coley? Zijn katholieken niet heel streng?'

'Gedraag ik me als streng katholiek?'

'Nee.'

'Nou dan. En zijn jullie protestanten dan niet ook streng?'

'Weet ik eigenlijk niet. Op zondagschool leerden we over de erfzonde en zo, maar in de kerk praat onze dominee niet vaak over zondes. Dat gaat meer over dat iedereen moet proberen om goed te zijn en zo.'

'Nou,' zei Coley op een manier die geen tegenspraak duldde, 'ik zie er helemaal niets verkeerds in. En ik voel me echt geen zondaar.'

'Ik ook niet. We zouden het toch zeker voelen als het verkeerd was? Het geweten zorgt daar toch voor? Ik voelde me vanmorgen, bijvoorbeeld, verschrikkelijk toen ik tegen moeder loog. Ik voel me altijd verschrikkelijk als ik lieg. Maar ik voel me er niet in het minst verschrikkelijk over dat we vrijen. Zeker niet nu we elkaar een belofte voor altijd gedaan hebben.' In plaats van me verschrikkelijk te voelen, kuste ik hem impulsief. 'Zullen we het nog een keer doen?'

'Ho-ho! Rustig aan! Laat een man even op krachten komen!' Maar hij trok me dicht tegen zich aan.

'Ik wil je naakt zien, Coley,' fluisterde ik, toen ik hiertoe moed had verzameld.

'Alleen als ik jou ook mag zien.' Hij grijnsde weer en ik raakte zo opgewonden dat ik amper kon ademhalen.

We kleedden ons allebei zelf uit. Omdat het voor het eerst was dat we elkaar helemaal zagen, vond Coley dat we het rustig aan moesten doen, want het was belangrijk dat we ons iedere seconde zouden herinneren. Al was het mijn idee geweest, toch was ik blij dat ik wat beschutting van de duisternis had. Ondanks onze hartstocht en wat we net samen gedaan hadden, weet ik niet of ik de moed bezeten zou hebben het in het volle daglicht te doen.

'Laten we nu gaan staan, met onze gezichten naar elkaar toe. Goed.' Zijn stem klonk alsof iemand hem de keel dichtkneep.

Ik stond. Toen ik naar de plaid keek zag ik zijn twee blote voeten en de onderste helft van zijn gespierde benen. Ik sloot mijn ogen. 'O, Violet,' fluisterde hij, 'je bent zo mooi, de volmaaktste, allermooiste vrouw op aarde. Je bent nog prachtiger dan ik me had voorgesteld.'

Hij streelde mijn haar en hoewel ik mezelf er nog steeds niet toe dorst te zetten om hem te bekijken, bracht ik mijn hoofd opzij en klemde zijn hand tussen mijn hoofd en schouder. 'Weet je dat wanneer ik met mijn vader meekwam naar jullie huis om de pacht te betalen,' praatte hij door, 'dat was om jou. Elke keer bad ik dat jij er zou zijn.' Hij liet zich op zijn knieën vallen, legde zijn armen rond mijn taille en liet zijn hoofd tegen mijn borsten rusten. 'Ik werd verliefd op je toen je nog maar negen was,' zei hij. Zijn stem vibreerde tegen mijn huid. 'Ik wil dat je dat weet. Ik was elf en jij was negen en toen ik je zag, als een elfje uit Alice in Wonderland met je grote blauwe sjerp om je witte jurk en je glimlach, die was als… als een zonsopgang, wist ik even zeker als dat ik mijn naam weet dat ik zonder jou niet kon leven.'

Nu kon ik mijn ogen openen. In het duister waren zijn rug en de bolling van zijn kuiten, de zijkant van zijn gezicht – wat ik ervan kon zien – bleek. 'Dat heb ik nooit geweten.'

'Hoe kon je ook?' Hij keek naar me op. 'Al wat jij ooit zag was een heikneuter met modder aan zijn laarzen en een vies gezicht. We waren jullie pachters. Natuurlijk zag je me nooit. Wat jij zag was een boertje, een schooiertje dat zijn tong verloren was, waartegen je beleefd moest zijn, omdat je bent opgevoed. Jij was beleefd tegen iedereen. Ik wist dat ik geen schijn van kans bij je maakte. Die middag dat je hier kwam, bijvoorbeeld, en je me zag aan de andere kant van het hek… je had er geen flauw benul van wie ik was.'

'Maar je was zo… zo,' ik zocht naar het goede woord, '… zo stekelig. Ik vond je verwaand.'

'Vanbinnen was ik helemaal van slag. Ik wist niet wat te zeggen of wat te doen. Ik had niet durven dromen dat ik ooit met je alleen zou zijn en echt praatte.' Zijn stem brak opeens en ik trok hem steviger tegen me aan, perste zijn hoofd tussen mijn borsten en wiegde hem een beetje. Hij legde zijn handen om mijn billen en toen wiegden we samen. Ik meende zelfs dat hij huilde en in reactie hierop sprongen mij ook de tranen in de ogen.

Ik was ontroerd, ervoer emoties waarvan ik niet wist dat ze mogelijk waren. Niets anders bestond, alleen de betoverde kring die we gecreëerd hadden telde. 'Sst, lieveling, sst. Ik ben hier. Het spijt me als je je gekwetst of genegeerd of beledigd hebt gevoeld. De rest van ons leven zal ik dat met je goedmaken. Wees maar niet bang. We blijven voor altijd bij elkaar.'

Hij hield me zo krampachtig vast, dat ik bijna omver tuimelde. 'Voorzichtig, lieveling.' Ik zette een stapje naar achteren en terwijl ik dat deed dacht ik vanuit mijn ooghoek te zien dat er iets bewoog. Ik draaide me om.

Vader stond anderhalve meter bij ons vandaan.

25 ❦ Een blok taxushout

Als uitlaat voor de woede op mijn man stap ik met ferme tred over de korte, overwoekerde oprit naar het huis van de oude vrouw. Maar dan blijf ik staan, onder een boom, om te bedaren en om te bedenken hoe ik dit ga aanpakken.

Voordat ik goed kan nadenken, zal ik allereerst Bob en zijn strapatsen in een ver hoekje van mijn hersenen moeten wegstoppen. Compartimenteer, Claudine, compartimenteer... Haat het woord, houd van het idee.

Aangezien dit in wezen Tommy's missie is, moet ik voor hem onderhandelen, maar voordat ik die vrouw zelfs maar begroet, moet ik een duidelijke beslissing hebben genomen of ik wil doorgaan met mijn deel van het project, gegeven het feit dat mijn leven op zijn kop is gezet door één zinnetje van Bob. Is mijn hartstocht voor Whitecliff onverminderd sterk? Ik weet dat ik te kwaad ben om rationeel te zijn over mijn man en op dat moment wil ik hem nooit meer zien, maar dat is een voorspelbare reactie: dit gevoel zou kunnen veranderen, zal dat mettertijd waarschijnlijk doen. Stel alleen dat het niet verandert en we scheiden? Zou ik in dat geval alleen willen wonen op Whitecliff?

Ik leun tegen de boomstam om na te denken, maar ik word afgeleid door het geklapwiek van een vogel die neerstrijkt in het bladerdak boven mijn hoofd. De boom, die er gezond uitziet, is een magnolia, een van mijn lievelingsbomen. Het moet een lust voor het oog zijn als hij in bloei staat. Iets verderop staat het witgekalkte huis. Het verkeert in goede staat. Het is groot en solide en het is een fraai voorbeeld van een traditioneel Iers boerenhuis, maar er valt weinig meer over te zeggen. Evenals de oprit zou het huis wat liefdevolle aandacht kunnen gebruiken, maar verbazend is dat niet, in aanmerking genomen dat de oude vrouw er alleen schijnt te wonen. Waarschijnlijk moet ze zelfs voor het wisselen van een gloeilamp iemand betalen. Alles duidt erop dat ze tot de groeiende groep ouderen in Ierland behoort die, om het moderne jargon te gebruiken, 'rijk in bakstenen, arm in geld' zijn.

Het antwoord op de vraag over Whitecliff, vertel ik mezelf, is ja. Ik wil Whitecliff hebben, met of zonder Bob.

Het is iets wat ik niet echt kan uitleggen. Het heeft niets te maken met grootte, waarde in geld of zelfs maar schoonheid. Het heeft te maken met sfeer en het gevoel dat het huis mij wil.

Denk ik.

Allemachtig, ik sta mezelf onzin te verkopen... Voor het eerst sinds ik besloot om ervoor te gaan, voel ik iets van twijfel. Maar goed dat Whitecliff nog niet op de markt is en ik me ergens toe moet verplichten. Verdomme, denk ik, Bobs bekentenis heeft zelfs mijn beslissingsvermogen aangetast. Ik weet niet meer wat ik wil.

Ik kijk hoe ik eruitzie in het spiegeltje dat ik altijd bij me draag in mijn handtas. Niet te veel make-up, maar voldoende om te laten merken dat ik moeite heb gedaan. Haar zit ook goed, en geen spoor van de recente emotionele schok. Ik ben nu kalm, of kalmer. Ik denk dat ik het soort mens ben dat een crisis doorstaat om pas in te storten wanneer het doek gevallen is.

Mijn vooraf opgevatte beeld van de oude dame spat uit elkaar, wanneer ze de deur opendoet. Ze is allerminst een flodderig, zielig oud mensje met een bocheltje, in een pilo jurk en gympen en slobberige sokken aan haar voeten. Deze vrouw is even lang als ik en heeft een veel betere houding. Ze is conservatief maar elegant gekleed, in een roomkleurige zijden blouse – waarop met een gouden vlinderspeld een montuurloze bril is bevestigd – die in een strakke bruine rok is gestopt. Ze draagt kousen en degelijke schoenen met een hakje. Ze is eerder mager dan slank en haar ogen staan helder en waakzaam. Het interessante is dat hun uitdrukking onmiddellijk verandert van beleefde afwachting naar iets wat op angst lijkt, en al even snel gaat dat over in een beoordelende blik. Het lijkt bijna alsof ze iemand anders verwachtte.

'Mevrouw Callopy?'

Ze reageert niet.

Haar niet-aflatende kritische blik maakt me zenuwachtig. 'Ik heb hier wel een identiteitsbewijs, denk ik.'

Ik wil de gesp van mijn tas pakken, maar ze wuift dat weg. 'Dat hoeft niet.'

Ze steekt me haar hand toe en we schudden elkaar de hand. Haar greep is stevig en ze houdt mijn hand een fractie langer vast dan nodig is. Zou ze eenzaam zijn?

'Fijn dat u me heeft willen ontvangen.' Ik doe mijn best om een vriendelijke zakelijkheid uit te stralen. 'Zeker op zo'n korte termijn.'

'Graag gedaan. Komt u toch binnen.' Ze draait zich om en loopt het huis in en laat het aan mij over of ik haar volgen wil of niet.

Ik trek de deur achter me dicht en loop achter haar aan een grote woonkamer in. Ook nu weer komen mijn verwachtingen niet uit. De kamer is niet ouderwets ingericht en staat evenmin vol oude-vrouwenprulletjes en souvenirs. Het is een lichte kamer, prettig geproportioneerd. De muren zijn wit geschilderd en er ligt een caramelkleurig tapijt op een behoorlijk leeg gehouden vloer. Feitelijk zie ik nergens dingetjes staan, zelfs niet op de schoorsteenmantel. De kamer is modern en neutraal, minimalistisch zelfs. In een rechte hoek ten opzichte van de open haard staan, met een salontafel ertussen, twee bankjes die met een praktische marineblauwe stof zijn bekleed. Aan weerskanten van de schoorsteen staan twee identieke boekenkasten.

Het enige andere meubelstuk is iets wat ik nog nooit van mijn leven heb gezien. Tegen de muur tussen de twee ramen in, staat een glanzend opgewreven halvemaanvormig bankje zonder versieringen. Hij is uit één stuk hout gehakt, zo donker dat het bijna zwart lijkt. Vanaf de zijkant bezien is hij in de vorm van een grote, geopende s gehouwen, waarbij de zitting golvend overgaat in een lage, ronde rugleuning, de enige rechte lijn in het meubel. Het is tijdloos en waarschijnlijk onbetaalbaar. 'Wat is dit prachtig, mevrouw Collopy.' Ik loop erheen om het glanzende oppervlak aan te raken. 'Hoe oud is dit bankje?'

'Niet zo oud.'

Ik kijk haar aan. Ze staat bij de schouw en haar blik is nu nog verontrustender door de bril die ze heeft opgezet toen ik met mijn rug naar haar toe stond. 'Zeventig jaar, ongeveer,' voegt ze er rustig aan toe.

Ik draai me weer om naar het bankje. 'Het ziet er erg kostbaar uit.' Opeens herinner ik me het halvemaanvormige patroon op het behang in de hal op Whitecliff. 'Het is een familiestuk, natuurlijk. Frans of Italiaans. Mag ik u vragen waar het vandaan komt?'

'Dat mag u. Hij is Frans noch Italiaans en ik betwijfel of hij kostbaar is. Vader heeft het bankje gemaakt van een blok taxushout. Mijn zuster en ik hebben het meegebracht uit Whitecliff, toen ik hier kwam wonen. Samen met wat serviesgoed en linnen dat Johanna meenam met haar trouwen is het bankje een van de weinige dingen die we van thuis bewaard hebben.'

Weer valt me haar opmerkelijke taalgebruik op. 'Uw vader was vast een geweldige ambachtsman.'

'Inderdaad. Zullen we gaan zitten? Heeft u wellicht trek in thee?'

De boodschap is duidelijk. Geen gebabbel.

Ze verlaat de kamer en ik neem de gelegenheid te baat de inhoud van haar boekenkasten te bekijken; meestal kun je hier veel uit afleiden over de eigenaar ervan. Deze boeken lijken merendeels over de natuur en over archeologie te gaan. Er staat ook een bescheiden aantal kunstboeken en klassieke romans – Austen, Thomas Hardy, Thackeray. De modernste zijn *Afscheid van de wapenen* en *Voor wie de klok luidt* van Hemingway en *Herzog* van Bellow. Haar smaak mag wat gedateerd zijn, maar deze vrouw is geen lichtgewicht. Ervan uitgaand, natuurlijk, dat dit haar boeken zijn en niet die van haar overleden zuster.

Er valt me wel een eigenaardigheid op: weggestopt in een hoekje op de onderste plank staan diverse drukken, hardbacks en paperbacks, van *Woeste Hoogten*. Een van de twee vrouwen moet op een bepaald moment hebben aangegeven dat ze van die roman hield, waardoor allerlei mensen het haar cadeau hadden gedaan. Jaren geleden beging ik de vergissing om schildpadbeeldjes te verzamelen en nu kom ik erin om en weet ik niet wat ik met ze aan moet. Wanneer mensen op bezoek komen verwachten ze hun eigen schenking aan de dierentuin uitgestald te zien. Naar Bobs idee...

Ik moet niet aan Bob denken. Terwijl ik mijn blik naar de volgende boekenplank laat gaan om gedachten aan hem uit te bannen, neurie ik voor me heen: 'Somewhere-hmm-hmm-hmm-rainbow-hm-hum-hmm-fly...'

'Houdt u van lezen, mevrouw Armstrong?' Achter me klinkt de stem van de oude vrouw even neutraal als haar kamer. Ik staak mijn onderzoek van haar boekenverzameling en als ik me omdraai zie ik haar staan met een dienblad: koppen en schotels, een theepot onder een theemuts, suikerklontjes met een zilveren tang. En op een taartbord ligt naar mijn idee een heel pak vijgenkoekjes. 'Kan ik u hiermee helpen?' vraag ik met opgewekt stemgeluid. Ik doe een stap haar kant uit, maar ze wendt zich af, loopt naar de salontafel.

'Nee hoor, dat kan ik zelf.'

'Ja, ik houd van lezen.' Ik ga op een van de banken zitten. 'Helaas lees ik tegenwoordig minder dan ik zou willen. Ik ben de gewoonte wat kwijtgeraakt, wat zonde is. Ik heb Engels gestudeerd.'

'Het merendeel van onze boeken staat boven in een ongebruikte slaapkamer. Ik was voornemens om ze uit te zoeken, maar tot dusver ben ik er niet aan toegekomen.'

'U heeft een aantal erg mooie boeken. Bent u degene die van *Woeste Hoogten* houdt?'

'Ik heb het op school bestudeerd.'

Ze schenkt de thee in, maar opnieuw heeft ze dat afwerende in haar gedrag.

'Ik ook. Ik denk iedereen wel. Wat een prachtig theeservies, mevrouw Collopy.'

'Dank u. Gebruikt u suiker en melk?'

Er valt me iets op aan het porselein: die kopjes met een gouden randje, het lelietjes-van-dalenmotief. Die bij Pat – ofwel Colman – ietwat misplaatste theepot. Een duidelijk bewijs van zijn connectie met het huis; ontslagen toen de familie wegtrok, maar onverminderd loyaal gebleven? Maar dat is nu geen onderwerp van gesprek. 'Een klontje, alstublieft, een drupje melk. Ik moet even kwijt, mevrouw Collopy, dat het landschap hier buitengewoon mooi is.'

'Dat vind ik ook. Het Béaraschiereiland is, volgens mij, een van de laatste onbedorven plekken in Ierland, hoewel dat aan het veranderen is. Er wordt hier tegenwoordig veel gebouwd, net als elders naar wat ik erover gehoord heb. Vertelt u me eens, mevrouw Armstrong, komt u uit Dublin?' vraagt ze, met een gracieus gebaar de suikertang hanterend boven haar eigen theekop.

'Ja, inderdaad.' Ik merk dat ik haar spraakritme heb overgenomen. Ik hoop dat ze niet denkt dat ik haar naboots.

'Uit de stad?'

'Oorspronkelijk wel.' Opzettelijk spreek ik wat vlakker. 'Uit zuid, Glenageary en later Sandycove. Tegenwoordig woon ik in North County Dublin, vlak bij Whitecliff, zoals het toeval wil.'

Zou dit een goed moment zijn om op de proppen te komen met de foto van mijn moeder, die brandt in de portefeuille in mijn handtas? Ik vermoed dat het nog te vroeg is.

Wanneer ik mijn thee en een taartbordje met daarop drie vijgenkoekjes voor me heb staan, gaat ze gemakkelijk zitten. Ik kan haar gezichtsuitdrukking niet doorgronden, maar aangezien ze geen haast schijnt te hebben om ter zake te komen, besluit ik dat zijzelf voorlopig het tempo maar moet bepalen. 'Heerlijk, hoor. Er kan niets op tegen de ouderwetse biscuitjes. Al herinner ik me dat ze in mijn jeugd veel groter waren.' Ik knabbel van een vijgenkoekje. 'Hoelang woont u hier al?'

'O, heel lang al, sinds 1979. Dit huis was van mijn zuster en haar echtgenoot, maar het was groot genoeg om ook mij plaats te bieden. We konden het samen goed vinden en na de dood van mijn zwager in 1985, waren we natuurlijk maar met ons tweetjes over. Vanzelfsprekend was zijn dood een tragedie voor Johanna, maar ook voor mij, want hij was een prachtkerel, in de ruimste zin van het woord. Met het verstrijken der jaren, en toen we over de schok heen waren, leek het in vele opzichten of we weer kinderen waren. Het was prettig...' Haar stem zakt weg. Ze staart niet langer naar mij maar naar haar kopje.

Haar onmiskenbare verdriet raakt me. 'Het moet afschuwelijk voor u zijn geweest toen ze overleed.'

'Ik moet bekennen dat ik me nog steeds een beetje verloren voel zonder haar,' zegt ze na een korte stilte en dan, met krachtiger stem: 'Toch denk ik dat iedere leeftijd de nodige kracht brengt om dat wat je overkomt aan te kunnen. Ik red me heel behoorlijk en ik heb erg aardige buren.' Ze laat opnieuw een stilte vallen.

Ik zit ontspannen op de bank, terwijl ik haar heimelijk bestudeer, tussen slokjes thee door. Ze is oud, absoluut. Boven de blouse verraadt haar met enkele fraaie sieraden getooide hals haar leeftijd, maar het laat zich onmogelijk raden hoe oud ze precies is. Alles tussen de vijfenzestig en tachtig jaar is mogelijk. Haar haren waren grijs, zoals ik terecht verwachtte, maar de weelderigheid ervan had ik nooit voorzien. Waarschijnlijk heeft ze een onhandelbare krullenbol als ze niets aan haar haar zou doen. Nu is het in korte laagjes geknipt. Het kapsel omlijst haar hartvormige gezicht en accentueert de wijd uiteenstaande donkerblauwe ogen die, hoewel fletser nu, ooit marineblauw als haar bank geweest moeten zijn.

'Kan ik ermee door?' Met die eerste glimlach licht haar gezicht op en wordt zichtbaar dat ze, hoewel ze er nog steeds mag zijn, eens opvallend knap geweest moet zijn. 'Neemt u me niet kwalijk.' Ik voel dat ik vanaf mijn tenen begin te blozen. 'Het was niet mijn bedoeling om ongemanierd te zijn.'

Nu? Nu de foto's? Nee, eerst de zaken. 'Ja, mevrouw Collopy...' Ik zet mijn theekopje neer. '... u heeft vast geraden waarom ik hier ben.'

'Daar heb ik wel een idee van.' Ze knikt. 'John Thorpe of uw vriend in North County Dublin heeft u verteld dat ik overweeg om het huis daar van de hand te doen. Ik moet u waarschuwen dat ik daarover nog geen definitief besluit genomen heb. Ik weet het nog niet zeker.'

Ik moet erachter zien te komen wie die John Thorpe is, maar nog voordat ik een vraag heb kunnen verzinnen waarin ik me niet blootgeef, worden we gestoord door een klop op de deur en mijn hart maakt een rare zwieper. Ik heb met dermate succes gecompartimenteerd dat ik de hele Bob vergeten ben. 'Dat zal mijn man zijn,' leg ik uit. 'Hij was de hond aan het uitlaten. Ik vond het niet zo'n goed idee om uw huis en masse binnen te vallen. Hij vindt het best om in de auto te wachten...'

'Natuurlijk moet hij erbij komen.' Ze verlaat de kamer en in de gang hoor ik de deur opengaan en Bob zich voorstellen.

Ze komen de kamer binnen. 'Thee, meneer Armstrong?' Ze blijft bij de deur staan. 'Zal ik nog een kopje halen?'

'Dat is erg aardig aangeboden, maar nee, even niet, dank u.' Dan, terwijl ze terugloopt naar haar plaats, kijkt hij rond en zegt joviaal: 'Wat een heerlijk lichte kamer!'

Hij heeft precies het juiste, lichte geluid laten horen: hartelijk, geruststellend en – belangrijk bij een bejaarde vrouw – niet bedreigend. Bij de aanblik van Bob ben ik aan paradoxale gevoelens ten prooi. Ik voel de gal in mijn keel omhoogkomen, en al weet ik dat ik de situatie zelf best afkan, toch ben ik zo kwetsbaar, vooral nu hij naast me staat en doet alsof er niets aan de hand is, dat het bijna een opluchting is om ruggensteun te hebben. Met ons privéleven houd ik me later wel bezig.

'Weten jullie zeker dat ik niet stoor?' Voordat hij gaat zitten kijkt hij beurtelings van de oude vrouw naar mij. 'Als de onderhandelingen zich in een beslissende fase bevinden, dames, wacht ik met alle genoegen buiten.'

'We zijn nog niet begonnen.' Ik kijk hem niet aan als ik heel ver weg schuif op het bankje om ruimte voor hem te maken. Ik weet waarom hij hier echt is – zijn begin om het weer goed met me te maken – maar ik zou het nog niet kunnen verdragen als onze mouwen elkaar raakten.

'Maar mevrouw Collopy weet waarover het gaat?' Terwijl hij naast me komt zitten, glimlacht hij haar toe.

'Dat doet ze.' Ik schuif nog verder weg tot ik tegen de armleuning geperst zit. 'Ze weet dat we mogelijk geïnteresseerd zijn in Whitecliff.'

'Wanneer heeft u het huis voor het laatst gezien, mevrouw Collopy?' Met iets van warme belangstelling leunt hij naar voren.

'Al in geen jaren.'

'Dus u weet niet dat het erg verwaarloosd is?' Ik ben me er van bewust dat hij snel naar me gekeken heeft, hopend op goedkeuring. Maar dat plezier gun ik hem niet, en ik richt heel mijn aandacht op de oude vrouw.

'Ik ben ervan overtuigd dat de staat van het huis of het huis op zich irrelevant is voor projectontwikkelaars.' Weer haar glimlachje, maar dit keer is het ondeugend. 'Ik lees mijn kranten, meneer Armstrong, en ik luister naar de radio. Ik kijk ook naar het nieuws op de televisie, en al deed ik dat niet, ik heb zaakwaarnemers. Daarom ben ik me terdege bewust van de sterk stijgende prijzen van onroerend goed in die hoek van het land. Whitecliff staat voor een toplocatie van bijna tien hectare waarop gebouwd kan worden, in een zeer gewilde regio.'

'Daarmee is geen woord te veel gezegd.' Bob laat zijn Armstrong-charme op haar los. Weer werpt hij snel een blik op me en weer negeer ik hem. 'Maar wat wij u voorstellen, mevrouw Collopy,' vervolgt hij, 'als dit niet al te voorbarig is, natuurlijk, is dat wij met u in onderhandeling treden, globaal maar wel exclusief, voordat u het object op de vrije markt brengt.' Hij strekt zijn beide, geopende handen uit alsof hij een groot pakket aanbiedt. 'De voordelen die dit voor u heeft, zullen duidelijk zijn. Ik hoop dat u me niet kwalijk neemt dat ik het zeg, maar op uw leeftijd zou u het er inmiddels eens rustig van moeten kunnen nemen en niet moeten hoeven inzitten over het tegen elkaar opzetten van honden, als u begrijpt wat ik bedoel. Want, geloof me, zodra u blijk geeft van uw intentie, hoe vaag ook, om die negen hectare te verkopen, nog los van het huis zelf, dan zult u door allerhande lieden belaagd worden. En die zijn niet allemaal eerbaar.'

'Hiervan ben ik me zeer wel bewust.' Haar glimlach wordt breder. 'Maar ik denk dat u het ermee eens zult zijn, dat ik nu veilig verstopt zit in mijn leger, anders dan de honden, zoals u ze noemt. Ik heb alle kaarten in handen, nietwaar?' Tot mijn verbazing schijnt ze te genieten van het steekspel.

'Dat doet u zeker. Zeker.' Bob buigt zich nog verder naar voren om heel haar aandacht vast te houden, maar we worden gestoord door een salvo van woest geblaf, onmiskenbaar dat van Jeffrey. 'Mijn excuses!' Bob schiet overeind en naar de deur. 'Ik moet het autoraam te ver opengelaten hebben en nu is hij ontsnapt. Ik zal hem tot de orde gaan roepen. Nogmaals mijn excuses. Maar houd die gedachte vast.'

'Dat doe ik.' Nog steeds glimlachend kijkt ze hem na, maar zodra we alleen zijn verandert haar houding. 'Welk persoonlijk belang heeft u bij Whitecliff, mevrouw Armstrong?'

Ik ben zo verbijsterd over de plotse verandering dat ik alleen maar iets onbenulligs kan stamelen over dat het een prachtig object is en fantastische renovatiemogelijkheden biedt.

Ze negeert dit. Ze staat op en loopt naar het raam, waar ze zich naar me omdraait. 'Vergeef me als ik opdringerig ben, maar mag ik u een persoonlijke vraag stellen?' Met het licht in haar rug is haar gezichtsuitdrukking moeilijk te duiden.

'Ja, natuurlijk.' Ik voel me op het verkeerde been gezet, alsof zij de lerares is en ik de leerling die op spieken betrapt is.

'Ik veronderstel dat Armstrong uw gehuwde naam is?'

'Ja.' Ik ben op mijn hoede. Dit spreekt toch voor zich, ze heeft Bob ontmoet. Is het mogelijk dat ook zij verbanden probeert te leggen?

'En mag ik dan verder vragen wat uw meisjesnaam was?'

En ze probeert het inderdaad. Zeker! Want wanneer ik haar mijn meisjesnaam noem, vertelt ze me niet dat haar familie een auto kocht bij pappie, ze zegt helemaal niets. Ze keert me haar rug toe en kijkt uit het raam, met verstrakte schouders.

'Waarom vraagt u ernaar, mevrouw Collopy?' Ik verkeer in gespannen verwachting.

In plaats van rechtstreeks te antwoorden, stelt ze nog een vraag. Ik weet dat het een vraag is, want ik hoor het aan haar stembuiging. Maar ze heeft gesproken zonder zich om te draaien en zo zacht dat ik het niet heb verstaan.

'Pardon?'

Ze draait zich naar me om en, al kijk ik tegen het licht in, ik zie dat ze bleek is geworden. 'Heette uw moeder Marjorie?'

26 ♥ Lam naar de slachtbank

'Wilt u me heel even excuseren, mevrouw Armstrong?' Ik stond op. 'Ik herinner me plots dat er in de keuken iets is wat mijn aandacht behoeft. En we lusten vast nog wel een kopje thee. Ik kom zo terug.' Daarna loop ik de kamer uit en laat mijn nichtje alleen achter.

Mijn reactie op een belangrijke ontdekking als deze maakt wellicht een bizarre indruk, maar het is een accurate weergave van wat er gebeurde. Mijn voeten droegen me weg en plots stond ik in de keuken van het huis dat ik met Johanna gedeeld had.

Eenmaal daar werd ik duizelig en moest op een stoel gaan zitten, die van Johanna bleek te zijn. Sinds de nacht dat ze stierf had ik die stoel niet verschoven noch het kussen voor haar rug opgeschud. Ik ben de laatste van mijn familie, althans dat dacht ik, en ik had me zo lang mogelijk vastgeklampt aan de laatste beetjes aanwezigheid van mijn geliefde zuster. En nu, denk ik, terwijl ik mijn wild kloppende hart tot bedaren probeer te krijgen, heb ik door zo gedachteloos te gaan zitten haar afdruk voorgoed vernietigd.

Voor mij was Marjories kind altijd een voetnoot bij het drama van Whitecliff. Voor mij in mijn toren bleef het kind altijd een baby zonder enige relevantie voor mijn leven van alledag; in mijn wereld die gekrompen was tot de grootte van die ene kamer, was ik volkomen op mezelf gericht geraakt. Maar er is geen twijfel over wie Claudine Armstrong is. Terwijl ze aan het woord was hoorde ik steeds sterker wordende echo's van de stem van mijn een na oudste zuster en toen, toen ik binnenkwam met de theespullen hoorde ik haar zingen...

We wisten natuurlijk dat Marjorie met een autohandelaar was getrouwd, kennelijk een bloemrijk maar goedhartig type, die enkele jaren ouder was dan zij. Om wat voor reden ook, omdat ze hem niet mochten of afkeurden, of omdat moeder nog in haar langdurige rouwperiode voor de tweeling verkeerde, niemand van de directe familie woonde hun huwelijk bij toen dat in Parijs werd voltrokken. En ik kan me niet herinneren wie er wel of wie er niet naar Marjories begrafenis ging, nadat mijn zuster was gestorven bij de geboorte van de vrouw die ik in mijn zitkamer heb achtergelaten. Ik merk dat mijn geheugen me steeds vaker in de steek laat als het om de chronologie gaat, terwijl individuele gebeurtenissen en mijn reacties erop me zeer helder voor de geest staan. In sommige gevallen lijkt het alsof de tijd is verkort, zodat gebeurtenissen uit het verleden zich opstapelen, de ene op de andere, en niet meer te ontwarren blijken. In andere gevallen lijken gebeurtenissen zich uitgesmeerd over tientallen jaren te hebben afgespeeld, terwijl de logica anders dicteert. Men moet onthouden dat ik in mijn toren slechts sporadisch nieuws ontving en dat dit altijd werd gefilterd door de indrukken van de brenger ervan. In die context, weet ik dat moeder het zich in haar hoofd had gezet dat de autohandelaar schuldig zou zijn aan de dood van Marjorie en we hadden, voor zover ik wist, het contact met hem en zijn dochtertje verbroken.

Samuel junior bracht me een aantal jaren later op de hoogte van het overlijden van de autohandelaar. Mijn broer kwam maar zelden, omdat hij in het noorden van Ierland woonde waar hij het café dreef dat hij geërfd had van mijn peetvader. Ik zie zijn opgeblazen gezicht nog voor me, toen hij me stamelend door mijn luik toevertrouwde dat hij bij het lezen van de rouwadvertentie had overwogen Magennis de laatste eer te bewijzen, maar zich op de dag van de begrafenis niet erg lekker voelde. In de loop der jaren was mijn broer zelf zijn beste klant geworden. Op de dag van dit bezoek echter, kon ik niet weten dat zijn eigen verscheiden, alleen in zijn bed 'boven de zaak' hem enkele maanden later wachtte. Uiteindelijk zag ik hem nooit weer. Het is maar goed dat we niet in de toekomst kunnen kijken.

Tot vandaag was Marjories lieve gezicht bijna geheel uit mijn geheugen gewist. De laatste tijd merkte ik zelfs dat ik in mijn innerlijke bioscoop haar gezicht met dat van Johanna verwarde, tot vanmiddag, toen ik de deur opendeed en op mijn drempel Marjories reïncarnatie aantrof. Ze lijkt me eind dertig, misschien zelfs begin veertig. Met die moderne cosmetica zijn leeftijden moeilijk te schatten.

Dit bestaat niet, dacht ik aanvankelijk, en schreef de verschijning van de vrouw toe aan toeval van de natuur. Aangezien ieder mens een eindige hoeveelheid fysieke kenmerken is toegemeten, zijn het alleen de uitzonderlijk ijdelen onder ons die zich het bestaan van een dubbelganger onder de miljarden mensen op onze planeet niet kunnen voorstellen.

Toch overviel me, al toen ik de vrouw voorging naar de zitkamer, het opnieuw scherp geworden beeld van Marjorie zelf, en dan met name de uitdrukking op haar gezicht toen vader en ik de keuken inkwamen via de achterdeur op de avond dat hij Coley en mij betrapte bij onze naakte omhelzing.

Marjorie was vroeg naar bed gegaan, maar had de slaap niet kunnen vatten. Ze stond blootsvoets en in haar nachtgoed melk op te warmen, toen wij binnenkwamen. 'Wat is hier aan de hand?' riep ze uit, en keek ons beurtelings aan, toen ik zwijgend en te bang zelfs om te huilen voor vader uit naar binnen schuifelde en wachtte terwijl hij de deur achter ons dichtdeed. (Ik kan me alleen maar voorstellen welke indruk ik op haar gemaakt moet hebben met mijn wanordelijke haren, gekreukte rok en mijn trui die ik in de haast achterstevoren weer had aangetrokken.)

'Vader?' vroeg Marjorie nogmaals dringend, maar toen kookte de melk over en vulde de keuken met gesis en de reuk van aangebrande melk, terwijl ze zich, te laat, omdraaide om de pan van de kookplaat te trekken.

'Ga naar bed, Marjorie,' zei vader bars.

'Maar... maar die troep dan? Die moet ik opruimen.' Met een vragende blik keek ze naar mij, maar ik was te bang om een antwoord te seinen.

'Naar bed!' Vader gebruikte de toon waarvan we wisten dat hij geen tegenspraak duldde, en na een laatste, angstige blik naar mij zette mijn zuster de melkpan neer en verliet de keuken.

Als een lam dat naar de slachtbank wordt gevoerd, wachtte ik met gebogen hoofd op het noodlot. Dat trof me niet nu.

'En jij, jij gaat naar boven, naar je kamer. Morgen zal ik jou onder handen nemen.' Vaders walging droop van zijn woorden af.

De volgende ochtend kwam ik mijn kamer niet uit, zo bang was ik. Ik had niet geslapen en ik kroop dieper onder de dekens weg toen ik de normale vroege-ochtend geluiden van ons huisgezin hoorde. Ze komen me maar halen, dacht ik met een bravoure die ik niet voelde.

Het was al tien uur toen ik juffies zware tred hoorde op de overloop voor mijn kamerdeur. Ze kwam binnen zonder kloppen, haar misvormde gezicht was getekend door lijnen van zo'n grote treurnis dat ik onmiddellijk moest huilen. 'O, juffie!' Ik sprong uit bed, vloog naar haar toe en sloeg mijn armen rond haar dikke, zachte middel. 'Ik ben zo bang!'

'Toe, toe!' Ze klopte me op de rug. 'Voorlopig willen ze alleen maar met je praten.'

'Wat bedoelt u met "voorlopig"?' Twee keer zo bang keek ik omhoog om te zien of ik iets aan haar gezichtsuitdrukking kon aflezen. 'Wie zijn er bij?'

'Je moeder en vader, Johanna, Marjorie en je oom. Maar de jongens niet...' Haar zelfbeheersing begaf het. 'Hoe heb je het in je hoofd gehaald, deerntje?'

'Wat moet ik doen?' jammerde ik.

'Stil,' zei ze. 'Stel je niet zo aan. Je bent nu een groot meisje. Wat jij gaat doen, is je ogen drogen, je haren kammen en je netjes aankleden. Jij zorgt ervoor dat je er fatsoenlijk uitziet, dat is wat je gaat doen.'

'Ik zit verschrikkelijk in de puree, juffie.'

'Dat zal ik niet ontkennen. Waar is je haarborstel?' Ze liep naar mijn bureau om hem te pakken. 'Kleed jezelf nu zo snel als je kunt aan,' zei ze over haar schouder heen, 'dan zal ik je haar doen.'

'Wat gaan ze met me doen?' Ik kwam niet in beweging, stond alleen maar naar haar brede rug te kijken. 'Weet u het?'

'Dat is niet aan mij om jou te vertellen.' Haar stem beefde, waardoor ik nog meer versteende.

'Maar u weet het wel, is het niet?' riep ik. 'Vertel het me, juffie, alstublieft! Het is mijn recht om het te weten. Als u me niet vertelt wat er te gebeuren staat, ga ik niet naar beneden. Ik... ik maak mezelf van kant!'

Ze draaide zich om. 'Praat geen *ráiméis*, Violet!' Ze was kwaad nu. 'Dat ga jij helemaal niet doen! Je hebt dit aan jezelf te danken met je schandalige gedrag, en nu zie je de gevolgen maar onder ogen, zoals ik je geleerd heb. Je gaat laten zien uit wat voor hout je gesneden bent. En nu kleed je je subiet aan of anders ga ik alleen naar beneden, en daar wordt het niet beter van voor je.'

Tien minuten later stond ik keurig en zedig gekleed en met mijn haar opgesloten in zijn vlecht voor de gesloten dubbele deuren van de salon. Ondanks mijn smeekbedes dat juffie met me mee naar binnen moest komen, had ze me alleen tot daar gebracht en zich toen terug-getrokken, na me eerst nog gauw een knuffel gegeven te hebben. 'Nee, Violet, ik kan niet mee naar binnen. Dit is een familiekwestie.' En na nog een laatste innige omhelzing en een gemompeld 'Succes!' opende ze de deuren en duwde me nog net niet de salon in.

'Kom erin, Violet, kom erin.' De uitnodiging kwam van oom Sa-muel. Hij zat op een van de sofa's, naast moeder, die een zuur gezicht trok. Vader stond met zijn rug naar me toe bij de schouw. Johanna, die er met haar neergeslagen ogen even angstig uitzag als ik me voelde, zat in een stoel met een hoge rugleuning. Alleen Marjories blik ontmoette de mijne. Ik zag dat ze probeerde om me bemoedigende seintjes te ge-ven. Hiervan werd mijn panische angst alleen maar groter.

Het regende buiten en tegen het achtergrondgeluid van gorgelen-de goten, klonken mijn voetstappen zwakjes.

'Ga zitten, lieverd.' Oom Samuel wees naar de stoel het dichtst bij Marjorie. Zijn toon was rustig en mijn hart sprong op. Misschien werd het minder erg dan ik had gedacht.

'Je papa en mama hebben gevraagd of ik het praten wilde doen, Violet,' zei mijn peetvader toen met een snelle blik op vaders strakke rug.

'Omdat we onszelf niet vertrouwen,' wierp moeder ertussen, zo buiten zichzelf van razernij dat ze half van de sofa omhoogkwam en misschien een uitval naar me had gedaan, ware het niet geweest dat oom Samuel haar bij de arm greep.

'Ga zitten, Fly.' Hij trok haar terug op haar plaats. 'Het heeft geen zin om onze stem te verheffen, daarvan wordt iedereen alleen maar zenuwachtig. Wat gebeurd is, is gebeurd en we moeten ons allemaal concentreren op wat nu te doen. Goed? Zijn we het daarover eens?' Hij hield haar stevig bij de arm en keek opnieuw naar vaders onwrik-bare rug.

'Akkoord,' mompelde moeder na enkele seconden, maar pas nadat ze me een blik had toegeworpen, zo giftig dat ik dacht te zullen ver-schrompelen. Ze schudde haar broer af en sloeg haar armen over elkaar, waarbij ze haar handen in haar oksels begroef als om ervoor te zorgen dat die me niet uit eigen wil zouden aanvallen.

Vader had nog altijd geen spier bewogen.

'Welnu, Violet,' sprak oom Samuel me ernstig toe, 'ik wil dat je heel goed luistert.'

Hier kwam het. In mijn borstkas voelde ik iets opbollen, alsof mijn hart omhoogkwam om me te smoren. 'Zal ik doen,' fluisterde ik, toen mijn oom een reactie leek te willen horen.

'Wij zijn je familie,' vervolgde hij, waarbij hij speciaal nadruk legde op het woord 'familie', 'en wij moeten een beslissing nemen over wat er met jou gebeuren moet. We hebben er onderling over gesproken en de meningen zijn verdeeld. Je papa en mama vinden dat je het huis uit moet. In het noorden bestaan enkele instellingen en ze hebben me gevraagd om daar navraag naar te doen...'

'Nee!' schreeuwde ik. 'Alstublieft. Nee. Daar ga ik niet heen, oom. Alstublieft, dwing me niet daarheen te gaan!' Ik zou gescheiden worden van Coley, aan iets anders dacht ik niet.

Maar oom Samuel stak zijn hand omhoog. 'Jij wordt niet geraadpleegd, liever. De beslissing is niet aan jou. Maar laat me uitspreken voordat je reageert. Je moet weten dat je mama en papa, wij allemaal, alleen het allerbeste met je voorhebben. En ik ben het er niet mee eens dat je wegsturen de beste optie is. Ik heb hun verteld dat je naar mijn overtuiging zou weglopen.' Hij glimlachte flauw om daarna zijn pijp tussen zijn tanden te klemmen en er met een lucifer de brand in te steken.

Ik wachtte. Wij allemaal wachtten. De regen striemde tegen de ruiten, en in de tocht ging de lucifer uit. Hij streek een nieuwe aan.

Ik had het gevoel alsof mijn voetzolen op twee vlijmscherpe scheermessen balanceerden. Ik keek voor steun naar Johanna en Marjorie, maar beiden staarden naar de grond.

Toen de tabak naar genoegen brandde en oom Samuel aan zijn pijp kon trekken, sprak hij verder. 'Ik heb je mama en papa ervan overtuigd dat je daar niet in veilige bewaring zou zijn, Violet, en dat je van Whitecliff wegsturen een slechte situatie alleen maar zou verergeren. Daarom hebben we met zijn allen besloten dat als jij je woord geeft, plechtig zweert op de bijbel dat je die jongen nooit meer zult zien, dat je dit huis nooit zult verlaten zonder dat iemand je vergezelt...'

Hij stopte, wachtte ook nu op mijn reactie, meende ik.

Pas toen zag ik op een wandtafel onze bijbel liggen, een prachtig, in leer gebonden exemplaar dat al sedert generaties in onze familie was. Ik weet niet wat ik eigenlijk verwacht had. Om in het openbaar of in besloten kring gegeseld te worden? Opgesloten? Naar het politiebureau gesleept te worden? Aan de schandpaal genageld? Het enige wat ze wilden was een belofte. Ik werd overspoeld door een enorme, warme golf van opluchting. Ik kreeg gratie aan de vooravond van de voltrekking van de executie. Natuurlijk zou ik het beloven. Ik zou nu zweren wat ze maar wilden. Na een poosje zou mijn misdaad minder wegen, zou het een eens begane misdaad zijn en ik zou het wel zo zien te regelen dat ze me op den duur voldoende vertrouwden om weer het huis uit te mogen. Die belofte om Coley niet meer te zien was een tijdelijk ongemak. Ik dankte God. Ik had oom Samuels handen kunnen kussen. Coley en ik vonden wel een manier. God zou het begrijpen. Hij was de god van de liefde en uiteindelijk waren we verloofd! Nadat er enige tijd voorbij was gegaan, zou ik mijn familie hiervan op de hoogte stellen, en dan kwam alles goed. Iedere familie zag haar dochters graag getrouwd, vooral de lastpakken… Ik was zo blij dat ik bijna naar de bijbel toe rende om hem te pakken, zodat ik kon zweren wat ze me graag wilden laten zweren.

'We wachten. Wat zeg je hierop, Violet?'

In mijn blijdschap was ik vergeten dat een antwoord vereist was. 'Het spijt me zo verschrikkelijk, oom Samuel,' zei ik zo nederig mogelijk. 'En ja…' Hierbij keek ik de hele groep rond. '… ik zal het op de bijbel zweren. Maar hoe moet het met school?'

'Geen school meer,' antwoordde oom Samuel kalm. 'De dames Biggs zullen hierover te gepasten tijde verwittigd worden. Maar als je dit straks doet,' sprak oom Samuel verder, 'hoop ik dat je je bewust bent van wat je je moeder hebt aangedaan met jouw escapades, zeker nu James en Thomas de oorlog in gestuurd worden…'

'De jongens kunnen haar geen snars schelen. En om mij geeft ze evenmin.' Weer kon moeder zich niet inhouden.

'Het kan me wel schelen! Ik houd van jullie allemaal!' riep ik hartstochtelijk, ook vader in mijn verklaring opnemend. Hij bleef echter ontoegankelijk. 'Het kan me wel schelen! Ik wil dat u dat weet, moeder. U moet me geloven!'

'En waarom heb je gisteravond dan niet om ons gedacht, toen je onze familie door het slijk haalde met je hoerigheid?'

De regen was abrupt opgehouden, zoals hij dat in Ierland doet. En in de stilte die toen viel, leken de hatelijke woorden tussen de muren te echoën. 'Het spijt me, moeder,' fluisterde ik. 'Het spijt me.' Verder kon ik niets uitbrengen.

In de afschuwelijke stilte kwam oom Samuel moeizaam overeind, haalde de bijbel en legde hem op een lage tafel, die voor me stond. Gehoorzaam legde ik mijn beide handen op het versleten leren omslag en wachtte op instructies.

Op dat moment draaide mijn vader zich om en keek naar me met een blik zo vol afkeuring, teleurstelling en zelfs haat, dat ik er kippenvel van kreeg. Ook Johanna moet dat gezien hebben, want ze snikte hard, waarna ik ook begon, zo bitter dat het me nauwelijks lukte om de beloftes te herhalen die mijn oom voorzei.

Waarom maak ik mezelf zo van streek, na al die jaren? Waarschijnlijk door het verschijnen van dit nichtje.

Op mij na, zijn alle spelers van het Whitecliftheater dood of, zoals in het geval van Coley Quinn, vermoedelijk dood. Ik was ondersteboven toen ik hoorde van mijn ooms dood door een ongeluk tijdens de jacht. Ik hield zielsveel van hem en al wist ik dat ze ook hem hadden verteld dat ik naar het buitenland was gestuurd, toch hoopte ik altijd diep in mijn hart dat hij me zou vinden en moeder en vader zou overreden me vrij te laten. Verwachtingen als deze had ik niet van mijn arme broer. Ook al deed hij zijn best om me op te vrolijken tijdens zijn schaarse bezoekjes, het was duidelijk dat de alcohol zijn tol eiste, tot er geen spoor meer over was van de vrolijke, joviale, jonge vent die hij op het feest geweest was. Naarmate Samuel junior ouder en zieker werd, werd hij in plaats van minder juist meer nerveus in de nabijheid van moeder en vader.

En Marjorie en Johanna, die zouden geen van beiden invloed op mijn ouders hebben kunnen uitoefenen. Zelfs Marjorie die, toch getrouwd en met stadse opvattingen, geen ontzag voor ze had hoeven hebben, zou het niet hebben aangedurfd om onze familie een slechte naam te bezorgen door naar de politie te stappen of naar een andere instantie. Ik weet dat dit op weinig begrip kan rekenen in dit tijdperk van 'openheid en transparantie' in Ierland. De enige verklaring die ik ervoor kan geven is dat we zo waren grootgebracht en zo lang als onze ouders leefden, geen van ons hen gedwarsboomd of hun reputatie beschadigd zou hebben, op wat voor manier ook. Dit was iets wat wij, kinderen, allemaal aanvaardden. Daarom was mijn schandalige gedrag zo schokkend voor ze.

In mijn laatste levensfase heb ik vrede gevonden en in de jaren die me nog resten wil ik rust. En dan staat opeens dat nichtje voor mijn neus, de nicht wier bestaan ik vrijwel vergeten was, maar die zal willen dat ik het hele verhaal opnieuw vertel en die ook nog eens Whitecliff wil kopen! Wat is het leven toch vreemd!

Het huis zelf is inmiddels kennelijk niet meer dan een skelet. Ik zal er nooit meer een voet in zetten en het kan me geen fluit schelen wat ermee gebeurt. Johanna en ik hadden besproken wat we ermee moesten doen. Het enige belang dat we erbij hadden was dat het ons voldoende geld moest verschaffen om, en ik citeer oom Samuel, 'ons uit te luiden'. Geen van ons beiden verdroeg de gedachte dat we de Ierse staat ten laste zouden komen.

Ik moet echt terug naar de zitkamer. Ik ben schandalig onbeleefd geweest. Tenslotte is de vrouw, mijn nicht, even verbluft als ikzelf. Ach, was Johanna hier toch maar om me bij te staan.

Ik mis haar ontzettend, nog erger dan na haar vertrek uit Whitecliff, wat ook een zware klap voor me was. Ze wist dat dit zo zou zijn en ze had bijna haar kans op geluk opgegeven voor mij. 'Hoe moet het met jou, Violet?' zei ze huilend op de dag nadat haar een huwelijksaanzoek was gedaan. 'Hoe moet je het redden zonder mij?'

Haar wanhoop was onverdraaglijk voor me. Ik stak mijn hand door mijn luik en probeerde haar te troosten door over haar gebogen hoofd te strelen, hoewel mijn hart brak bij het vooruitzicht haar te zullen moeten missen. 'Stil maar, Jumie, stil maar!' zei ik smekend. 'Dit is een heerlijke dag voor je en ik vind het zo fijn voor je. Toe, hou op met huilen.'

Volgens alle verhalen was Anthony Collopy, een timmerman die ze had leren kennen toen hij met zijn baas naar Whitecliff kwam om keukenkastjes te vervangen, een aardige, zachtmoedige man. Als haar vertrouweling tijdens zijn liefdevolle maar ietwat beschroomde hofmakerij, was ik doodsbang geweest voor deze dag, maar ik was er geestelijk en emotioneel op voorbereid. Als ze Anthony wilde hebben, zo wist ik, zou ze na haar huwelijk ver weg wonen. Anthony had namelijk het huis van zijn oom geërfd, dit huis, en het gerenoveerd met het doel er te gaan wonen en zijn eigen timmerbedrijf te beginnen in die streek. 'Ik houd zielsveel van hem,' zei Johanna huilend, 'maar ik houd ook van jou en ik moet er niet aan denken jou in de steek te laten.'

'Jeetje, Johanna,' zei ik zo joviaal als ik kon, 'je laat me niet in de steek. Ik heb vrede met mijn situatie. En moeder en vader zullen me toch zeker niet laten verhongeren? Dus geen woord meer over mij in de steek laten! En je gaat me schrijven, via hen. We kunnen geweldige brievenschrijfsters worden. Daar verheug ik me op. En er zijn tegenwoordig immers treinen? Je komt ons vast wel eens opzoeken. Ga en wees gelukkig, Johanna, wees gelukkig voor ons tweeën.' Ik trok mijn hand terug en onder het mom dat ik nodig naar de wc moest verdween ik uit haar zicht, zodat ik mijn emoties onder controle kon krijgen.

Op dit moment heb ik die niet onder controle. Deze nieuwe ontwikkeling heeft alles teruggebracht, even vers als was het gisteren gebeurd, ofschoon men op mijn leeftijd leert omgaan met verlies. Opwinding, en niet de dood, is nu de vijand. Ik ben als volgende aan de beurt om te sterven en ook al verwelkom ik het vooruitzicht allerminst, vrezen doe ik het niet.

Daar gaat de deurbel weer. Waarschijnlijk is het de echtgenoot van mijn nichtje, wiens voornaam ik nu alweer vergeten ben. Ik kan me hier niet langer verstoppen.

27 ❦ *De allerlaatste foto*

Morgen zien we elkaar weer. Ze liet ons weten moe te zijn en vroeg ons praktisch of we weg wilden gaan. Niet botweg, natuurlijk. Haar manieren bleven voortreffelijk, al zag je zo dat ze kapot was.

Feitelijk zien we elkaar vandaag. Het is bijna twee uur 's nachts en Bob, die zich heeft verdoofd met Guinness, is uitgeteld. De geluksvogel. Ik ben nog zo wakker dat ik overweeg om in het maanlicht een wandelingetje met Jeffrey te gaan maken. We zitten in een pension in een dorp waarvan ik de naam niet kan uitspreken, een kilometer of vijftien bij mijn tante vandaan. Het was het dichtstbijzijnde etablissement waar huisdieren welkom zijn dat we konden vinden.

Over huisdieren gesproken, ergens blaft een hond. Het klinkt kilometers ver weg en ik hoor zelfs iets van een echo. Ik dacht dat het stil was op het platteland in North County Dublin waar wij wonen, maar nu ik – los van het geblaf – de oorverdovende stilte rond dit huis meemaak, heeft het bij ons veel weg van de luchthaven Dublin.

Mijn tante nodigde ons uit om te blijven logeren. 'We hebben boven vier slaapkamers. Jullie mogen er een gebruiken.' Maar ik merkte gewoon dat dit een uitnodiging voor de vorm was. Bovendien had ik evenveel twijfels over het onder haar dak verblijven als zijzelf. We waren allebei hevig geëmotioneerd. Nadat ze me in die zitkamer achterliet, bleef ik daar zitten terwijl de woorden 'Mijn God! Mijn God! Mijn God!' voortrolden door mijn hoofd, als een elektronisch speelgoedtreintje dat almaar hetzelfde rondje rijdt, en me het denken belette. Ik was niet opgetogen, nog niet in elk geval, ik was helemaal niets. Ik was van gevoel gespeend.

Dat ik een vreemde moet beschouwen als mijn tante, wil nog maar niet wennen. Ze voelt niet als een tante, maar ja, ik heb er ook nooit een gehad dus ben ik bepaald niet deskundig. Misschien verandert het gevoel mettertijd.

Mijn nieuwe tante en ik bleven heel voorzichtig met elkaar, echt tot aan Bobs en mijn vertrek toe. Hoewel we bijna een uur met elkaar spraken, bleef het gesprek horten. We barstten allerminst los in een opgewekte stortvloed van herinneringen. Ik denk dat we daarvoor allebei te verdoofd waren. Wanneer je leest over zulke herenigingen – BIJ DE GEBOORTE VAN ELKAAR GESCHEIDEN: Na negenenzestig jaar ontmoeten Molly en Josh elkaar voor het eerst! – gaan de artikelen altijd vergezeld van foto's van de van vreugde huilende protagonisten, die elkaar omhelzen en zweren nooit meer van elkaar gescheiden te worden… Nou, ik huilde echt niet van vreugde. En toen het nieuws tot me doordrong, wist ik eigenlijk niet wat ik erbij voelde. 'Stomme verbazing' dekt mijn gevoel nog het meest. En ik wil wedden dat terwijl ik daar als een standbeeld op haar bank zat, zij – in haar keuken, onder het voorwendsel van meer thee zetten – hetzelfde voelde.

Ze is geen Collopy, dat zal duidelijk zijn. Ze heet Shine. Als ik het benul had gehad ernaar te informeren dan was ik waarschijnlijk zelf ook wel op de familierelatie gekomen, zeker in combinatie met de foto bij de schouw, omdat ik natuurlijk wist dat mijn moeder van zichzelf Shine heette. Al is Shine geen ongewone naam, in North County Dublin komt hij niet vaak voor. Maar het zou niet in me zijn opgekomen zijn om twijfels te hebben bij de naam Collopy. Ik zou niet weten waarom.

Bob vroeg haar rechtstreeks waarom men haar hier in de streek onder die naam kende. 'Mijn zuster heette door haar huwelijk Collopy en toen ik hier kwam wonen vertelde Anthony, die vond dat ik mijn privacy moest hebben, aan iedereen die ernaar vroeg dat ik zijn zuster was. Inmiddels doet het er natuurlijk weinig toe wat men denkt, en toen ik met mijn echte naam staatspensioen aanvroeg heeft niemand er een opmerking over gemaakt. Maar de naam is me blijven aankleven. Iedereen in de buurt noemt me nog steeds Collopy.' Ze tilde haar theepot op. 'Wil iemand nog thee?'

'Nee, dank u, mevrouw. U vindt het hier vast wel eens eenzaam.' Bob was haar uit de tent aan het lokken. (Gek eigenlijk dat ik momenteel niet aan hem denk als 'De rat'. Dat gebeurt morgen wel weer, wanneer ik weer volledig bij mijn positieven ben. Kennelijk kan ik maar met een trauma tegelijk bezig zijn.)

Daar blaft die rothond weer en daarmee barsten alle andere honden ook los. Goddank is Jeffrey niet het soort hond dat reageert. Normaal zou ik niets horen, ik lijd niet aan slapeloosheid. Alleen vannacht. Misschien moet ik de handdoek in de ring gooien en naar buiten gaan. Je zou kunnen lezen bij dat maanlicht, zo helder is het. *'Slowly, silently, now the moon, Walks the night in her silver shoon…'* Dat is een van de weinige dichtregels die ik me herinner uit mijn schooltijd.

Gisteren, toen de bel bij mijn tante weer ging, maakte ik geen aanstalten om open te doen. Ik had aan de ene kant absoluut geen haast om Bob weer binnen te laten, maar toch kon ik aan de andere kant niet wachten om hem het nieuws te vertellen. Het duurde heel even voordat ze binnenkwamen en ik hoorde mijn tante mompelen; ze vertelde het hem.

En ja hoor, hij kwam onmiddellijk op me af, zodra hij de kamer in kwam. 'Gaat het, Claudine?'

Ik geloof dat ik 'Mmm' zei en vervolgens kreeg ik het een poosje niet voor mekaar om twee coherente woorden aan elkaar te rijgen, laat staan om een bijdrage te leveren aan het gesprek dat zich ontvouwde tussen mijn man en mijn tante.

Ik moet het blijven zeggen. Mijn tante. Het rolt me moeiteloos van de tong. En zoveel mensen vinden het allemaal maar doodgewoon, toch? Om maar wat te keuvelen zei ik dat ze Rathlinney waarschijnlijk niet zou terugkennen: 'Het is tegenwoordig bijna een stadje.'

'En de bazaar?'

'O, ja, dat was het bedrijf van de familie, is het niet? Nou, dat is een grote, drukke supermarkt.'

'Kijk eens aan,' zei ze, maar ik kreeg de indruk dat dit louter beleefdheid was en dat Rathlinney of wat ook daar haar geen bal konden schelen. Ik stokte. Ik kon niets meer bedenken als bijdrage aan het gesprek. Ik wist zelfs geen zinnige vraag te bedenken, want ik wist niet wat ik wilde weten. Slaat dat ergens op? In mijn hoofd gebeurde helemaal niets.

Bob ondervroeg haar vriendelijk over Whitecliff en de grond en hoe het in zo'n belabberde toestand was geraakt.

'Ik moet je daar helaas het antwoord op schuldig blijven,' zei ze tegen hem. 'Ik ben daar al heel lang niet geweest. Ik vermoed dat dit gewoon gebeurt met huizen die leegstaan en verwaarloosd worden.' Toen stond ze op en richtte zich tot mij. 'Misschien zou jij graag wat foto's willen zien.'

'Dat zou fantastisch zijn!' Ik keek snel naar Bob en zag hem naar me glimlachen alsof ik een tien met een griffel verdiende voor mijn reactie.

'Claudine…' probeerde hij, nadat ze de kamer uit was.

Maar ik snauwde hem af. 'Hou alsjeblieft op, Bob.'

'We moeten praten.'

'Nu?' Ik keek hem vol ongeloof aan.

'Nee, beter niet.' En er volgde een pijnlijke stilte, waarin ik probeerde om met kalmte de terugkeer van mijn tante af te wachten.

Ze kwam terug met een schoenendoos. Ze kieperde de inhoud op de salontafel tussen de twee banken. Ik wist dat er van me verwacht werd dat ik oh en ah zou roepen, maar in de war als ik was, voelde de kleine sepiakleurige piramide van foto's – je weet wel, die met een boxje geschoten vierkantjes met een kartelrand rondom – gevaarlijk aan. Het was te veel, te snel, dit in één keer onverwachts zien van zoveel onbekende familieleden deed me duizelen. Niettemin voelde ik iets van vlinders in mijn maag toen ik de bovenste foto pakte.

Twee nog jeugdige mannen en een vrouw in zomerkleding, misschien uit de jaren dertig of begin veertig. Ze zaten in ligstoelen op een gazon, met op de achtergrond een grote border met bloeiende planten. De ene man rookt een pijp. De andere neigt zich naar de vrouw, met een arm om haar schouders geslagen, maar het oogt wat ongemakkelijk. Alle drie turen ze tegen de zon in, de gezichten zijn niet erg goed te zien. Ik draaide de foto om en las het vaag geworden potloodhandschrift op de achterkant: 'Moeder en vader met oom Samuel, Dundonald, 1939.'

'Wie zijn dit?' Hoewel het zich makkelijk raden liet, wilde ik toch dat zij het me vertelde. Ik stak haar de foto toe.

'Dat zijn…' Ze aarzelde. '… je grootvader en je grootmoeder en de broer van je grootmoeder, Samuel. Moeder kwam uit het noorden van Ierland.'

Ze koos andere foto's uit van mijn grootouders, mijn tweelingooms en nog een oom (drie bruine figuurtjes op een winderig strand, die de kraag van hun overjas bij hun kin dichthielden), en toen nog een van een klein jongetje alleen, die in een kniebroek, naast een koe stond. 'En dit is Matthew. Hij stierf toen hij nog maar zes was.'

Het blijkt dat ik zes ooms en tantes had, waaronder een tweeling. Maar drie van de ooms waren al dood voor mijn geboorte. Al die dingen wist ik niet; en pappie had het me niet verteld, verdomme…

Ik pakte een kiekje op van mijn moeder en haar twee zusters. Gedrieën stonden ze voor de ingang van wat onmiskenbaar Whitecliff was in zijn beste dagen. 'Dat was de allerlaatste foto die er van me genomen werd,' zei deze tante, heel nuchter. 'We gaven die avond een groot feest. Johanna en ik hadden moeten zwoegen om het voor te bereiden en al het schoonmaakwerk te doen, en hadden net onze feestjurken aan. Marjorie was zojuist aangekomen uit Dublin met een vriendin. Ze had een nieuwe camera en daarmee heeft de vriendin deze foto genomen. In het midden, dat is Marjorie. Ik sta links.'

Ik herinner me wat er in mijn portefeuille zit. 'Ik denk dat ik ook een foto heb van die avond. Misschien kun jij me zeggen of dat klopt, Violet.' Ik peuter de foto van de schouw eruit.

'Ja,' zegt ze zacht als ze hem vasthoudt. 'Dat is inderdaad Marjorie, en daar op de achtergrond heb je Samuel junior met een stel vrienden en vriendinnen.'

'Ik heb die foto al jaren, maar toen ik op Whitecliff stond en die schouw zag…' Ik ben ontzet. 'O, Violet, we hebben zoveel tijd verknoeid.'

'Tijd is nooit verknoeid, lieve. We vullen hem altijd in zoals we zelf willen.'

Het persoonlijkste wat pappie ooit over mijn moeder vertelde, een van de schaarse voorstellingen die ik van haar heb, is het beeld dat hij schetste van de dag dat hij verliefd op haar werd, toen ze naar het voorterrein van zijn garage kwam voor informatie over de aanschaf van een klein, goedkoop autootje voor zichzelf. 'Ze kende ons bedrijf omdat de vader van een van haar vriendinnen indertijd zaken met ons deed. Ze was zo mooi, kindje. Ze droeg zo'n gebreide baret, schuin, over een oog. En haar haren waren net als de jouwe, glanzend en zacht en golvend. En benen waaraan geen einde leek te komen. Ik zou haar voor een stuiver een Rolls verkocht hebben!' In plaats daarvan had hij haar ter plekke een baan aangeboden. 'Ik heb haar meteen gevraagd of ze wilde overwegen om voor me te komen werken, zei dat ik een secretaresse nodig had. Ik wist zelfs niet eens of het meisje kon typen. Het kon me niet schelen. Gelukkig maar dat ze een secretaresseopleiding gedaan bleek te hebben, hè?'

Ik bracht Violets kiekje van de drie zusters dichter bij mijn gezicht om het te bestuderen. Het meisje in het midden van deze foto had donker, kortgeknipt haar. Ze droeg een lange, nauwsluitende, mouwloze jurk, die wit was of pastel. Haar armen lagen rond de schouders van haar zusters, Ze lachte en zag er verreweg het meest zorgeloos uit van de drie. Het meisje links, mijn tante Violet wist ik nu, was duidelijk de jongste. Ook in het wit of roomkleurig. Ze had een wolk van donker haar rond haar gezicht en tot halverwege haar rug. Ze keek weg van de camera, alsof ze zich eraan onttrok, alsof ze afgeleid en gespannen was. Het meisje rechts, Johanna, dat steil en een beetje sprietig haar had, zag er vergeleken met de andere twee ernstig en zelfs onelegant uit.

Iets wat mijn tante net gezegd had, drong pas nu tot me door. 'Hoezo was dit de allerlaatste foto die er van je genomen is? Je was indertijd nog maar een jong meisje.'

'Ik was zestien.'

'Dat is te zien. En je was erg mooi.'

'Dankjewel.' En dan, heel griezelig, neemt ze dezelfde pose aan als op de foto en kijkt weg, in de verte, alsof ze over mijn schouder heen iets ziet. 'Wanneer je zestien bent geloof je dat niet, wie het ook tegen je zegt.'

'Nou, je was het wel,' zeg ik overtuigd. 'En nog steeds.'

Toen glimlachte ze naar me, een glimlach die haar ogen bereikte, waarop ik van gedachte veranderde over wat het aantrekkelijkste aan haar was. Haar glimlach maakte niet alleen haar gezicht jonger maar haar hele lichaam, zodat zichtbaar werd dat zij inderdaad dat betoverende jonge meisje van het kiekje was. 'Je vleit me,' zei ze. 'Op mijn leeftijd doet uiterlijk er helemaal niet toe.'

'Maar, en vergeef me als ik zeur, je hebt mijn vraag nog niet beantwoord. Hoe komt het dat er geen andere foto's van je zijn?'

De glimlach verdween en voor het eerst sinds Bob en ik haar leven waren binnengevallen, raakte ze zichtbaar uit haar evenwicht. Dat was het moment waarop ze zei moe te zijn en voorstelde het gesprek morgen voort te zetten, 'op een tijdstip dat jullie beiden schikt'.

28 ❦ *En toen begon ze te vertellen*

Ik vertelde al dat die tante van mij een hele poos hemelsbreed acht kilometer of minder bij me vandaan heeft gewoond, zonder dat ik het wist. Wat ze ons tijdens ons tweede bezoek aan haar vertelt over de omstandigheden van dat bestaan is zo ongelooflijk, dat ik moet bekennen dat ik eerst dacht dat ze het fantaseerde.

Maar als ze aan het eind van haar verhaal gekomen is, heeft ze ons zo diep meegetrokken in haar verhaal, met zoveel details en toch zo weinig verbittering dat er bij Bob noch mij de minste twijfel over bestaat of het de waarheid is die ze ons vertelde.

Zodra haar Coley Quinn in beeld kwam, besefte ik dat er gerede kans bestond dat het om mijn 'Pat' ging, die me had verteld dat hij eigenlijk Colman heette. Ik popelde om het haar te vertellen, maar het lange verhaal vergde zichtbaar zo veel van haar, dat ik ervan afzag haar nog een schok te bezorgen, al was het waarschijnlijk een aangename, en het lukte me mijn mond te houden. Ofschoon ik het betwijfelde, kon het mogelijk zijn dat er in Rathlinney twee Colmans van die leeftijd woonden. Maar hoe groot was de kans dat een andere Colman dan de goede op het land van Whitecliff kampeerde? Let wel, na de gebeurtenissen van de afgelopen paar dagen zou niets me nog verbazen, dus moest ik zekerheid hebben dat ik de goede te pakken had voordat ik haar valse hoop gaf.

Ik weet niet of het haar bedoeling was om zo ver te gaan als ze ging, want die tweede dag begon ze ons, na de verplichte thee, niet over haar romance te vertellen, maar over mijn moeder. Ze schilderde zo'n lief portret van haar dat ik heel mijn zelfbeheersing nodig had om niet te gaan huilen. Volgens Violet was Marjorie Shine een levendig, leuk mens geweest, onafhankelijk, intelligent, muzikaal en ontzettend zachtmoedig.

In Violets eigen harnas verschenen de barsten toen ik in alle onschuld over het trouwen van mijn ouders babbelde. 'Ik weet dat ze het heel klein hielden en dat het in Parijs was. Ik weet dat je er niet bij was, Violet, maar je hebt er vast de foto's van, net zoals ik. Maar ze zijn zwart-wit. Je kunt onmogelijk zien of haar jurk ivoorwit of zuiver wit was, dat zul je met me eens zijn. Pappie was hopeloos in die dingen, dus ik zou het leuk vinden als jij...'

Geschrokken stopte ik halverwege mijn zin. Er was iets mis. Ze hapte naar lucht. Had ze 'een aanval' zoals het eufemisme luidt?

'Wat scheelt je, Violet?' We zaten weer op dezelfde plaatsen als de dag ervoor en Bob, die haar vanaf dat we weer over haar drempel stapten bij haar voornaam was gaan noemen, vloog naar haar toe.

'Niets, niets.' Ze weerde hem af. 'Het spijt me. Toe...'

Maar het was duidelijk dat ze verre van in orde was. 'Zal ik een glas water voor je halen, tante Violet? Wil je wat rusten?' Ik kwam ook naar haar toe en ging naast haar zitten.

'Ik had mezelf beloofd niet van streek te zullen raken,' fluisterde ze.

'Luister,' zei Bob en nam de leiding over, 'Claudine heeft gelijk. Waarom ga je niet een uurtje rusten? Dit moet een beproeving voor je zijn, en ik vrees dat we je een beetje op de huid zitten. We kunnen later terugkomen. Of morgen.' Hij keek naar mij voor bevestiging.

'Natuurlijk kan dat.' Ik knikte heftig. Heel even kwam in me op dat Tommy O'Hare, die steeds ongeduldiger klinkende berichten op mijn voicemail had ingesproken, hierover wellicht een andere mening had. Ik negeerde dit echter en, samen met Bob, keek ik haar aanmoedigend aan. Ik stond zelfs op.

Maar er stond me wederom een verrassing te wachten. 'Nee,' zei ze met vaste stem en keek me aan. 'Ik heb je iets te vertellen. Een geheim dat al vele jaren in onze familie is. Ik waarschuw je, het is geen aangenaam verhaal, maar ik heb geworsteld met mijn geweten en mijn moed, en alles in aanmerking genomen denk ik dat je er recht op hebt het te weten.' Als ze al een aanval had gehad, dan was die nu helemaal over. Ze zat nu kaarsrecht, haar mond een vastberaden streep.

'Het was niet mijn bedoeling jullie te verontrusten,' zei ze bedaard. 'Toe, jullie allebei. Ga zitten.' En toen begon ze te vertellen.

29 ❦ *Geheimen*

Na het feest liep het huis geleidelijk aan leeg. Marjorie vertrok als eerste van de groep die was gebleven, vroeg in de middag, na de ochtend van mijn eed op de bijbel. Dat was een moeilijk afscheid, en eerst wilde ik haar niet zien. Ze was immers niet alleen getuige geweest van mijn rituele vernedering, maar ook van de aanleiding daartoe of in elk geval van de onmiddellijke nasleep ervan. Ik lag in mijn kamer, weggekropen onder de bedsprei, toen ze zacht klopte en binnenkwam. 'Gaat het, Violet?' vroeg ze en kwam naast me zitten. 'Ik miste je bij de lunch.'

'Met mij is niets aan de hand. Ga weg.' Ik wilde niet dat ze mijn opgezwollen gezicht zag. Ik was ook wrokkig omdat zij en Johanna geen van beiden voor me waren opgekomen.

'Kom, kleintje.' Ze trok hard aan de sprei, zodat mijn hoofd zichtbaar werd.

'Ga weg!' Ik probeerde de sprei weer over me heen te trekken, maar ze was me te snel af. 'Jij bent even erg als de rest!' schreeuwde ik. 'Niemand van jullie begrijpt het.'

'Ik weet dat het afschuwelijk was in de salon, Violet.' Ze bleef kalm. 'Je moet niet vergeten dat vader en moeder van een andere generatie zijn. En ze kunnen niet anders dan geschokt zijn over wat je hebt gedaan.'

'Ben jij geschokt?' Ik tilde mijn hoofd van het kussen en keek haar uitdagend aan.

'Ik ben bedroefd.' Ze keek me in de ogen. 'Je zou niet willen dat ik tegen je loog. Ik ben bedroefd om jou en om hen. Om ons allemaal. Maar ze zullen wel ontdooien. Je moet je een paar maanden gedeisd houden, dat is het enige. Dat zul je zien.'

Voor mij was 'een paar maanden' natuurlijk een eeuwigheid. 'Jij hebt makkelijk praten. Jij zit in Dublin. Jij weet niet hoe het is om hier te zijn. Het is afschuwelijk met alleen Johanna en mij en hen. Alsof je in de gevangenis zit.'

'Kan ik me voorstellen,' zei ze, 'maar het is tijdelijk. Vergeet niet dat ze gespannen zijn. Je hebt wel een heel slecht moment uitgekozen, Violet. Het valt niet mee om je zoons die verschrikkelijke oorlog in te laten gaan, en jij moet een beetje rekening met ze houden. Stel jezelf eens voor dat jij in hun schoenen stond en hoe je je als ouders voelt in die situatie.'

Haar kalmte had een grotere uitwerking op me dan een stevige toespraak gedaan zou hebben. Ondanks mezelf kon ik vagelijk begrip opbrengen voor het standpunt van mijn ouders. Maar er kon geen sprake van zijn dat ik hierover nadacht. Ik verborg mijn gezicht in mijn handen. 'Ik mag hem niet zien! Het mag niet, Marjorie. Ze hebben het recht niet.'

'Ze mogen dan niet de meest extraverte mensen op aarde zijn, maar als je zou kunnen inzien dat ze om je geven…'

Ik haalde mijn handen voor mijn gezicht weg en keek haar met een tartende blik in mijn ogen aan. 'Nou, ze kennen niet de hele waarheid. Hij is mijn verloofde. We gaan trouwen.'

'Violet!' Ze was ontzet. 'Je bent zéstien.'

'Volgens de wet mag je dan trouwen,' zei ik, weerspannig nu, 'en niemand kan daar iets tegen doen.'

'O, schat.' Even leek het alsof ze me zou omhelzen, maar zich toen bedacht. Waarschijnlijk omdat ze bang was me daarmee aan te moedigen. 'Ze hebben wel degelijk rechten. Volgens de wet mag het, maar tot je eenentwintigste heb je hun toestemming nodig en zij hebben alle recht om te voorkomen dat jij iets doet wat volgens hen niet goed voor je is.' Ze aarzelde. 'Je moet ze niet provoceren, zusje. Zul je me dat beloven? En maak je geen zorgen, ik heb geen bijbel in mijn zak!'

Ik voelde me boven haar poging tot humor verheven. Ik reageerde er niet eens op. Ik viel terug in mijn kussens en sloot mijn ogen.

'Nadat de jongens morgen vertrokken zijn, klaart de boel vast weer op.' Ze sprak met onverstoorbare vriendelijkheid en redelijkheid verder. 'En trouwens, onthoud dat je bij vader de meeste kans hebt. Oké? Anders dan je zou denken, is hij de zachtste van de twee. En hij is zo dol op je…'

'Poeh!' zei ik honend. 'Dan laat hij dat op een vreemde manier merken.'

'Denk na, Violet Shine! Gebruik dat slimme hoofd van je. Denk eens aan wat je deed. Aan wat hij zag. Aan wat voor indruk dat op hem maakte. Aan hoe teleurgesteld hij moet zijn in zijn jongste dochter.'

'Dat weet ik. Dacht je dat ik dat niet wist? Maar, Marjorie, hoe zou jij je voelen als je het huis niet uit mocht? En jij bent nog nooit zo verliefd geweest als ik…'

'Je leven begint net.' Ze weigerde om met me in debat te gaan. 'Wat maken een paar weken of maanden nu uit?'

'Maanden? Dan ga ik dood!'

'Natuurlijk ga je niet dood. En er zullen andere jongens komen,' ging ze verder, 'massa's jongens.'

En hiermee versterkte ze mijn verdenking dat ook zij me een baby vond. Ze had niet het flauwste benul van wat er met me gebeurd was. Niemand had daar enig benul van. Hoe kon er ooit een andere jongen in mijn leven zijn?

Opeens kreeg ik een briljante inval. 'Kan ik niet eens bij je op bezoek komen in Dublin?' Ik ging rechtop in bed zitten. Het zou me wel lukken om Coley een bericht te sturen, want ze konden me geen vierentwintig uur per dag in de gaten houden. Ze moesten toch af en toe slapen. Ik wist dat Coley onder de boom naar briefjes zou blijven komen zoeken. Radeloos of niet, onze liefde was zo sterk dat hij heus wel een manier vond. Ik vertrouwde hem volkomen.

Ik greep de hand van mijn zuster. 'Ze laten me vast wel naar jou toe gaan. Dan zeg je hun dat je een oogje op me zult houden.'

'Alsof ik niet genoeg te doen heb.' Ze rolde met haar ogen. 'Luister, Violet, kun jij een geheim bewaren?'

'Natuurlijk!'

'Aanstaande maandag begin ik met een baan, als secretaresse en receptioniste.'

'Wat leuk, Marjorie! Maar waarom is het een geheim?'

'Ik heb het hier thuis nog niet verteld,' waarschuwde ze. 'Eerlijk gezegd zie ik daar behoorlijk tegenop. Ik denk dat ze iets fijners voor me in gedachten hadden dan wat me is aangeboden. Het is in een autoshowroom. Dus zeg voorlopig niets, hè? Ik moet daar het goede moment voor uitkiezen.'

'Ik beloof het!' Ik was blij voor haar. Secretaresse in een autoshowroom! Ik vond het chic klinken.

'Dus laat alles een paar weken betijen,' vervolgde ze, 'en daarna zullen we zien of je misschien een weekeinde kunt komen. En ondertussen gedraag jij je. Afgesproken?'

'O, Marjorie!' Ik sloeg mijn armen om haar heen en omhelsde haar stevig. Voor iemand die geboren was in een niet-extravert gezin, was ik de afgelopen dagen behoorlijk extravert geworden.

Ze maakte zich niet uit mijn omhelzing los zoals ik half verwachtte, maar legde haar armen om me heen. 'Ik heb ook iemand leren kennen,' zei ze toen zachtjes, 'maar ook dat blijft tussen ons. Afgesproken?'

Ik maakte me los en keek naar haar blozende gezicht. 'Fantastisch! Ik ben zo blij voor je. Stel je voor, we zijn allebei verliefd! Wie is het? Nu moeten we alleen nog iemand voor Johanna vinden en dan is het helemaal volmaakt!'

'Vergeet niet wat ik de afgelopen tien minuten tegen je gezegd heb!' Ze lachte, maar meteen daarna betrok haar gezicht. Ze pakte mijn arm, schudde er een beetje aan. 'Het gaat nu niet om mij. Violet, luister goed naar me. Ik meende het toen ik zei dat je ze niet moet provoceren. Je hebt een hoop aan oom Samuel te danken. Ik weet dat omdat ik erbij was toen ze over je spraken. Kennelijk was dat gedonder van gisteravond niet het enige, maar heb je die jongen op de zuivelfabriek opgezocht, onbeschaamd en voor het oog van de hele wereld.

Ik was ontzet. En ik had nog wel gedacht dat ik er ongestraft mee was weggekomen. Marjorie sloeg me nauwlettend gade. 'Hoor je wat ik zeg, Violet? Beloof je me dat je zult wegblijven bij die jongen?'

'Waarom heb jij je vriend niet meegebracht naar het feest?'

'Omdat ik niet weet hoe moeder en vader zullen reageren...' Ze keek voor zich uit en daarna zei ze peinzend: 'Vooral nu niet. We kennen elkaar ook nog maar pas en het zou wat vroeg zijn geweest om hem te komen voorstellen als mijn vriend. O, Violet, maar ik denk dat hij het voor me is!'

'Waarom zullen ze hem niet mogen? Wie is het?'

'Dat kan ik je nog even niet vertellen.' Toen herinnerde ze zich weer waarvoor ze hier zat. 'Violet! Verander niet steeds van onderwerp. Concentreer je! Beloof me dat je geen domme dingen uithaalt met die jongen. Moeder en vader zijn momenteel aan het eind van hun latijn en God mag weten hoe ze reageren als jij ze tart.'

'Akkoord, ik beloof het, ik beloof het.' Maar ik kruiste twee vingers toen ik dit tegen haar zei. Ik wilde haar niet verontrusten, maar ik was stellig van plan om iedere berg te ruimen die mijn ouders tussen Coley Quinn en mij opwierpen. 'Toe, Marjorie. Vertel me alles over hem, dan vertel ik je over Coley...'

Hoe ik mijn best ook deed om haar te vermurwen, ze wilde me de naam van haar aanbidder – die natuurlijk Chris Magennis bleek te zijn – niet onthullen en evenmin wilde ze iets over Coley horen. Maar ze liet me tenminste achter met een sprankje hoop: ik kon niet wachten tot ik naar Dublin mocht.

Juffie vertrok diezelfde dag tegen etenstijd, maar niet voordat ze mijn kamer was binnengeslopen met nog meer vermaningen. En oom Samuel vertrok de volgende ochtend in alle vroegte. Voor de tweede achtereenvolgende nacht had ik nauwelijks geslapen en even na zonsopgang hoorde ik zijn auto starten en knerpend wegrijden over de oprijlaan. Hij kwam geen afscheid nemen. Daarover was ik bedroefd, maar ook met een schuldig gevoel opgelucht dat ik niet weer een stortvloed over me heen kreeg van aansporingen om me te gedragen. Fysiek en emotioneel uitgeput als ik was, voelde ik me uitgewrongen. Ook had ik honger en dorst, want heel de eerste dag en nacht dat ik uit de gratie was, was ik mijn kamer niet uitgekomen.

Na oom Samuel moest alleen de tweeling nog vertrekken. Ik wist dat ze halverwege de ochtend zouden gaan, want vader moest ze naar Drogheda rijden waar ze de trein naar Belfast namen. Ik had zo'n honger, dat toen ik rond acht uur rook en hoorde dat er in de keuken spek werd gebakken, ik besloot de aanwezigen aan de ontbijttafel te trotseren, in de hoop dat iemand de aandacht van mij zou afleiden.

Toen ik de eetkamer binnenkwam, zette moeder onmiddellijk haar theekop neer en verliet het vertrek, waarbij ze met afgewende blik langs me heen liep. Ik wierp een blik op Johanna, smeekte haar me te steunen, maar uit heel haar houding bleek dat ze me niet kon helpen.

'Goedemorgen, vader,' zei ik rustig, en ging naast mijn zuster op mijn gebruikelijke plaats zitten. Op hetzelfde moment kwam de tweeling binnen, wat vader het karwei bespaarde om te beslissen of hij op me zou reageren en zo ja, hoe.

James en Thomas, allebei in uniform, waren perfect geolied, gepoetst en geperst; afgezien van een scheerwondje hoog op James' jukbeen. Hij bleef in de deuropening staan en keek moeder verbaasd na. 'Wat scheelt haar?'

'Niets.' Vader stond op van tafel, liep met zijn bord naar de rechaud op het buffet en schepte zich eieren, spek en pastei op. 'Kom erbij en eet terwijl het nog warm is.'

Ik besloot mezelf eveneens als uitgenodigd te beschouwen en ging achter mijn broers in de rij staan. 'Het zal heel lang duren voordat jullie zulk eten weer zien,' grapte vader, die zich naar de jongens toe boog om mij buiten te sluiten. 'Wijzelf trouwens ook! Door dat feest zijn we iedereen in de streek iets verplicht. De komende twee maanden is het voor ons water en brood, op voorwaarde dat we aan meel kunnen komen.' Alleen Thomas reageerde op de geestige opmerking en de stilte die hierop volgde was zenuwslopend.

Alvorens terug te gaan naar zijn plaats, zette vader de radio aan voor het ochtendnieuws.

'Wat is er gebeurd in dit huis?' fluisterde Thomas, onder dekking van het oplezen door de omroeper van de jongste ontwikkelingen in de oorlog. 'Iedereen was op de avond van het feest zo vrolijk en nu verkeert iedereen in een afschuwelijke stemming. Iedereen loopt op zijn tenen. Is dat vanwege ons vertrek?'

'Hebben jullie het dan niet gehoord?' fluisterde ik terug, terwijl James een berg spek op zijn bord laadde waaraan drie mannen voldoende gehad zouden hebben, 'heeft echt niemand het met jullie over me gehad?' Ik kon er niet bij dat de tweeling, anders dan alle anderen in huis, niet voor mijn executiepeloton gerekruteerd zou zijn.

Thomas schudde zijn hoofd.

'Het is niet vanwege jullie,' mompelde ik, waarna ik me herinnerde wat hun wachtte, 'tenminste, niet helemaal. Ik ben momenteel het zwarte schaap en iedereen negeert me.' Ik hoopte dat ik de juiste toon getroffen had. Vertrouwelijk maar nonchalant.

'Wat heb je gedaan?'

Onwillekeurig draaide ik me om en keek of vader ons gadesloeg. En dat deed hij.

'Vertel het je later wel. Of vraag het aan Johanna.' Vervolgens hard: 'Als u het niet erg vindt, vader, ontbijt ik in mijn kamer.'

Hij bleef zout over zijn roerei strooien, alsof ik niet gesproken had. In zekere zin was dit goed, want het gaf me een gegronde reden me gekrenkt te voelen toen ik mijn bord vollaadde en met opgeheven hoofd vertrok.

De tweeling kwam afscheid van me nemen. 'Tjonge, jonge, jonge!' zei James grijnzend toen ze binnenkwamen. 'Johanna heeft het ons verteld. Ons kleine zusje. Wie zou dat gedacht hebben?'

'Maar ze moet oppassen, James.' Thomas, altijd de piekeraar, duwde hem opzij, zette mijn vuile ontbijtbord weg en ging op het bed zitten, waar ik me weer had verschanst. 'We gaan je niet veroordelen, Violet.'

'Bedankt. En ik wil het er niet over hebben.'

'We moeten het erover hebben.' Hij keek gepijnigd.

'Niks hoor!' Ik had genoeg bemoeienis gehad om de rest van mijn leven mee toe te kunnen. Ik duwde hem van het bed en hij tuimelde op de vloer. 'Als jullie alleen zijn gekomen om het over mijn misdaden te hebben...'

'Nee, dat is niet zo!' kwam James tussenbeide. 'Laat haar met rust, Tom. Er zitten haar al genoeg mensen op de nek. En jij moet bedaren, Violet. Over een paar minuten vertrekken we. We kwamen afscheid nemen. We willen je niet achterlaten met een rothumeur.'

'Dank je,' zei ik mokkend. 'Dag.'

'Krijgen we geen kusje om ons succes te wensen?' plaagde James.

'Succes.' Ik kuste hem vluchtig op zijn wang, deed hetzelfde bij Thomas.

De deur van mijn kamer stond nog op een kier en daarin verscheen Johanna. 'Ze zijn zover. Vader staat met de auto voor het huis.' Ik zag de tranen in haar ogen en te laat besefte ik wat er te gebeuren stond. 'James! Thomas!' Ik greep ze allebei vast.

'Niemand hoeft zich om ons zorgen te maken.' James maakte zich los, toen hij dit zei. 'Het zal zwaar worden, dat weten we, maar het is ook een geweldig avontuur. En denk eens aan de verhalen die we te vertellen hebben, wanneer we thuiskomen. Dag-dag,' en onder voorwendsel me een knuffel te geven, fluisterde hij in mijn oor: 'En jij houdt gewoon van wie jij wilt. Pak het alleen slim aan.'

'Dankjewel, James, dat zal ik doen,' fluisterde ik terug. Hierdoor opgemonterd, lukte het me zelfs om te zwaaien toen ze met mijn zuster de kamer verlieten.

Ik liet een paar dagen verstrijken. In mijn herinnering zijn ze samengesmolten tot een waas van onuitgesproken beschuldigingen door anderen en withete frustratie in mezelf. In het algemeen bleef ik in mijn kamer, wat oneerlijk was tegenover Johanna, die het grootste deel van het huishoudelijk werk moest doen met moeder. Ik kwam alleen naar beneden voor de maaltijden, die een bezoeking waren. Niet dat mijn ouders openlijk beledigend of boos deden. Het was erger dan dat; beiden waren ze ijzig beleefd tegen me wanneer ik om het zout vroeg of een schepje aardappelen. Maar wat betreft de aandacht die ze aan me besteedden had mijn stoel evengoed leeg kunnen zijn.

Ik probeerde te doen wat Marjorie me had gevraagd. Ik probeerde rekening met ze te houden, maar dat viel me zwaar. Ik werd almaar rustelozer en, met de wijsheid van heel mijn zestien jaar, ook almaar rancuneuzer. Er was tenslotte niemand doodgegaan. We werden toch zeker allemaal naakt geboren, dus wat was nu het intrinsiek misdadige van naaktheid later in je leven, vroeg ik me af met groeiende verontwaardiging. En trouwens, wat was er fout aan vrijen? Zou God de geslachten aantrekkelijk voor elkaar gemaakt hebben als het niet de bedoeling was geweest zich daarnaar te gedragen?

Alleen James had er met zijn afscheidswoorden blijk van gegeven dat hij van hen allen de enige was die enig benul had om de echte – c.q. de moderne – wereld te onderscheiden van het Whitecliffmuseum.

De enige afleiding in die periode was de komst van onze gemeenschappelijke telefoonlijn, en daarmee werden we de trotse bezitters van Rathlinney 9. Door kruiwagens te gebruiken had vader de wachttijd van vijf jaar omzeild. Uiteraard vertelde hij mij niets over dit wapenfeit en ik verliet me enorm op Johanna, die vertelde of interpreteerde wat zich afspeelde onder ons dak. De stilte thuis was, zo mogelijk, dieper dan ooit en werd niet verbroken door Rathlinney 9, want de telefoon liet gedurende heel die periode geen piep horen, zelfs niet vanuit de bazaar. Vader had verordonneerd dat de lijn niet bezet mocht zijn maar vrij moest blijven voor het geval dat de tweeling belde. 'Stel dat ze ons proberen te bereiken, Fly, en jij kletsmajoort met Marjorie in Dublin?'

'Dan zouden ze het vast later nog eens proberen,' opperde moeder toen, niet onredelijk.

'Stel dat dit niet mogelijk is.'

Hier viel niets tegenin te brengen. Dit gesprek vond in mijn aanwezigheid plaats aan de ontbijttafel.

Wat mijn ellende nog verergerde, was dat mijn huisarrest samenviel met een periode waarin buiten de zon helder scheen, van zonsopgang tot spectaculaire zonsondergang.

Op de maandagnacht van de tweede week na het vertrek van de tweeling verdroeg ik het niet meer, die opsluiting en het gevoel dat ik voortdurend werd bedreigd met nog meer straf. Ik had me goed gedragen. Ik was stil en gehoorzaam geweest. Ik had zonder morren aan de Shinequilt genaaid, ook al was, wat moeder betrof, mijn arbeid welkom maar ik niet. Ik had zelfs Johanna geholpen met het opnieuw schrobben van de stenen vloer in de hal, want het feest had de vloer geen goed gedaan. Toch had dit geen splinter doen ontdooien van het ijs waarin ik gevangen was gezet.

Ik besloot in actie te komen.

Ik wachtte tot iedereen zich had teruggetrokken voor de nacht. En toen het enige geluid dat me verontrustte dat van wegschietende muizen achter de plinten was, sloop ik mijn kamer uit en de trap af, wederom God dankend dat die van steen was. Het lukte me om ongezien naar buiten te komen. Eenmaal daar vergewiste ik me er nogmaals van of mijn briefje voor Coley in mijn zak zat. Ik liep over de velden naar onze boom. Na de opsluiting binnenshuis voelde koude zeelucht op mijn wangen verrukkelijk.

Toen ik de hoek van het zeeveld bereikte was ik eventjes gedesoriënteerd. Onze boom stond er niet.

In de veronderstelling dat ik me had vergist en op de verkeerde plek stond, bleef ik een ogenblik staan rondkijken. Maar er was geen sprake van een vergissing. Dit was de hoek, de boom had moeten staan waar hij altijd stond. Ik liep regelrecht naar waar hij hoorde te staan en trof daar slechts een groot gat in de grond aan. De boom was met wortels en al keurig en grondig verwijderd.

Niet alleen dat, ik zag geen afval, geen zaagsel, geen bladeren, geen doorgehakte wortels. Ik kroop en voelde met mijn vingers in het ruige gras. Nog geen twijgje vond ik.

Verdwaasd zat ik op de grond. Er was maar een mens die dit gedaan kon hebben: Roderick Shine had de middelen en het motief gehad. Het was ook zijn boom op zijn land. Hij kon ermee doen wat hij wilde. Hij had er Coley Quinn mee van de aardbodem willen vagen.

Woede, een dieprode, zwavelachtige razernij kookte onder mijn borstbeen en voordat ik had nagedacht over wat ik deed, rende ik onbesuisd, zonder zelfs maar te denken aan ongezien blijven, over de velden naar de grote weg. Hier kwam vader niet ongestraft mee weg. Dat stond ik hem niet toe. Ik nam de kortste weg, geen acht slaand op braamstruiken, distels of zelfs maar brandnetels die mijn blote benen havenden. Tegen de tijd dat ik over de stenen muur was geklommen en me op de openbare weg liet zakken, had ik last van de steken en schrammen. Ik bleef daar even zoeken naar zuringbladeren, maar kon er geen vinden.

Om me heen lag het landschap rustig en heldergrijs in het licht van de maan, die hoog aan de hemel tussen de wolken door scheen. Hoewel ik van dat onbesuisde rennen lichamelijk was bedaard, had ik tijd noch zin om het te bewonderen. Ik was mogelijk vastberadener dan ooit om Coley Quinn te vinden, zodat we samen konden zijn en belangrijker nog: konden praten over hoe we samen konden blijven.

Vanaf het punt waar ik over de muur kwam, was het een kleine twee kilometer naar Rathlinney en ik liep erheen zonder concreet plan, behalve dat ik Coley's huis moest vinden. Ik wist vagelijk waar het stond. Hij had me een rij huisjes aan de rand van het dorp beschreven. 'Je kunt ons niet missen. Bij ons in de voortuin staan kool en wortels.' Wanneer ik daar aankwam, zou ik gewoon aankloppen en wel zien wat ervan kwam.

Onderweg kwam ik niemand van belang tegen en ik vond het huis betrekkelijk eenvoudig. Ik klopte op de onderste deurhelft, de bovenste stond open om de avondlucht binnen te laten. Van waar ik stond kon ik maar naar binnen kijken tot aan de muur van een piepklein, gewit halletje waar geraniums en Oost-Indische kers in hangpotten prijkten rond een grote plaat van wat ik herkende als het Heilig Hart van Jezus-Christus.

Op mijn geklop kwam Florrie naar de deur, ze verscheen van achter het Hart in het halletje. 'Juffrouw Shine!' Haar handen schoten omhoog, naar haar in papillotten gezette haren. 'Moet u zien hoe ik eruitzie! Ik zou juist naar bed gaan…' Toen sloeg ze haar hand voor haar mond, haalde die weer weg en zei zachtjes fluisterend: 'U neemt een groot risico, juffrouw Shine. U kunt beter gaan voordat mijn pa u ziet. Hij is des duivels.'

'Is Coley thuis? Ik wil hem even spreken, als hij er is.' Het was slecht gesteld met mijn zelfvertrouwen, dat met de seconde minder werd. Sterker nog, ik begon te beseffen dat wat ik had gedaan niet alleen onbezonnen was, maar gekkenwerk.

'Hij is aan de overkant, in Birmingham,' siste ze. Ze keek schichtig over haar schouder en toen weer naar mij. 'Wist u dat niet?'

'Nee.' Ik vocht tegen misselijkheid. 'Wat doet hij daar?'

Opnieuw keek ze over haar schouder en schoof de grendel van de deur om naar buiten te komen. 'Heeft uw pa dat dan niet verteld? Hij kwam mijn pa opzoeken en zei dat als Coley in Rathlinney bleef, we naar ons pachtgrondje konden fluiten en maar ergens anders onze boodschappen moesten gaan doen. Het spijt me, juffrouw Shine, maar wat moesten we? We zijn arme mensen.'

'Wie is er aan de deur, Flor?' Een vrouw van middelbare leeftijd kwam het halletje in en bekeek me. Hoewel het al laat op de avond was, droeg ze nog steeds een gebloemde schort met kruisbanden. 'O, God!' Ook zij werd bang, toen Coley's vader tevoorschijn kwam om poolshoogte te nemen.

'Dank u wel.' Met een knalrood hoofd droop ik af. 'Bedankt, Florrie, mevrouw Quinn. Het spijt me dat ik u heb lastiggevallen. Dag.' Ik voelde drie paar ogen in mijn rug branden, toen ik wegvluchtte door het dorp.

Ik wilde mijn toevlucht zoeken bij juffie, dat was mijn eerste impuls. Maar opeens besefte ik dat ik niet wist waar ze woonde. Ik kon toch moeilijk in het holst van de nacht op deuren gaan kloppen en mensen vragen of ze wisten waar mijn kinderjuffrouw woonde; dat zou een smakelijke dorpsroddel worden. Daarom vluchtte ik naar wat ik kende, de bazaar. Ik liet mezelf binnen door het poortje voor de leveranciers en stond in het halfduister tegen de muur van het gebouw te bedenken wat ik moest doen.

Ik had Whitecliff verlaten met alleen het briefje voor Coley. Ik had niet eens een jas aan over mijn jurk, en de temperatuur daalde. Ik moest wel naar huis.

Ik kwam ongezien binnen en eenmaal veilig in bed huilde ik mezelf in slaap, uitgeput. Ik sliep als bewusteloos tot laat in de ochtend en werd wakker van het schelle gerinkel van de telefoon beneden.

Waarschijnlijk had ik anders de hele dag doorgeslapen.

Na de ramp van de nacht ervoor, vond ik die dag erg moeilijk, maar was dankbaar dat niemand mijn gezelschap zocht en ik zodoende mijn wonden kon likken. Zelfs Johanna, die helemaal de kluts kwijt was omdat ze moeder en vader de voet niet wilde dwars zetten en tegelijk mij wilde laten merken dat ze met me meevoelde, scheen me uit te de weg te gaan. Ik bleef in mijn kamer en ging ook nu weer vroeg naar bed.

Ik sliep diep tot ik werd gewekt door een dringend geklop op mijn deur. 'Moeder en vader willen weten of je beneden komt voor het ontbijt.' Het was Johanna's stem.

'Echt?' Ik begreep er niets van. Het was alweer vroeg in de ochtend. 'Weet je dat zeker, Johanna?' riep ik nog helemaal slaapdronken

'Ze hebben me naar boven gestuurd om je te halen. Er is voor je gedekt.'

Sinds mijn straf, leek het niemand iets te kunnen schelen of ik at of niet. Wie weet werd het regime minder streng.

Halverwege het ontbijt sprak moeder op beleefde toon tegen me. 'Eet je toast op, Violet. Meel is kostbaar.' Ik keek naar Johanna, maar die haalde haar schouders op. Ik begreep er niets van. Moeder hechtte altijd zeer aan tafelmanieren, waar ze zichzelf vanmorgen niet aan hield. Ze bladerde onder het eten in een damestijdschrift, waar ze niet van opkeek toen ze tegen me sprak.

Ik verbeeldde het me echt niet. De sfeer aan tafel was opgeklaard en al bleef ik laaiend op vader, ik besloot verstandig te zijn, zoals James en Marjorie me hadden aangeraden. Ik had vooralsnog niet bedacht hoe ik lucht moest geven aan mijn wrok of hoe ik het ze betaald moest zetten. Maar voor het moment zou ik er een verontschuldiging tegenaan gooien om te zien wat er dan gebeurde. 'Het spijt me zo ontzettend, moeder en vader,' zei ik voorzichtig en hield hen beiden goed in de gaten. 'Het spijt me dat ik zo'n onaangenaamheid heb veroorzaakt.'

Moeder bleef nog enkele ogenblikken theedrinken en in haar tijdschrift bladeren, voordat ze veelbetekenend naar vader keek. En in plaats van op mijn boetvaardigheid te reageren, zei vader toen iets verrassends: 'We zouden graag zien dat je ons hielp bij een project.'

'O,' zei ik beduusd. 'Wat voor een project?'

Hij legde zijn mes en vork neer en legde zijn vingertoppen tegen elkaar. Ik luisterde vol verbazing, toen hij het plan uiteenzette. 'We willen dit oude huis renoveren. Er is in geen jaren wat aan gedaan. Ik denk dat we allemaal van de logees genoten hebben, maar het is ons duidelijk geworden dat we te weinig slaapkamers hebben als de hele familie er is en we daarbij ook personeel moeten onderbrengen. De zolder biedt mogelijkheid om dat tekort te verhelpen en we dachten daar te beginnen. Natuurlijk zal ik toezicht houden op noodzakelijke verbouwingen en reparaties. Ik zal Jack Montgomery bericht sturen zodra ik in de winkel ben. Hij heeft momenteel weinig werk, dus hij zal ons vast kunnen helpen.'

Dit maakte het nog vreemder. Montgomery en zonen was een plaatselijk aannemersbedrijf. In het verleden hadden ze reparatie-werkzaamheden verricht aan ons dak, maar toen had vader geklaagd dat de Montgomery's rovers waren.

'Wat we graag willen, Violet,' vervolgde hij, 'is dat jij je moeder helpt bij het uitzoeken van kleuren voor op de muren, het soort stoffen en tapijten, meubeltjes, enzovoorts.'

'Wat graag, vader.' Perplex, keek ik opnieuw naar Johanna. Aan haar gezicht zag ik dat ook zij hier voor het eerst van hoorde.

'Mag ik ook helpen, vader?' vroeg ze. 'Dat zou ik leuk vinden.'

'Natuurlijk mag dat. Jullie moeder zal vanochtend bij Arnott's textielstalen en kleurkaartjes bestellen. Welnu, als dit geregeld is, moet ik nu nodig aan het werk.' Hij stond op van tafel en verliet de kamer.

Ik zal jullie niet vervelen met alle details van de weken die volgden. In het allereerste begin van het project besloot ik dat er niets anders op zat dan mijn verdriet en woede te verbergen en door me helemaal op het project te storten iedereen, zelfs Johanna, te laten geloven dat ik me herstelde van mijn dwaasheid met Coley Quinn.

Ondertussen broedde ik een plan uit, een waarvan ik overtuigd was dat het zou werken. Ik liet niemand nog een brief voor me posten, want die zouden ze eerst openen en lezen. Maar nu we een telefoon hadden, zou ik zeker een gelegenheid vinden om oom Samuel op te bellen. Ik zou hem voor mijn verjaardag en voor kerst geen cadeau maar geld vragen, en ik was ervan overtuigd dat ik hem wel kon overhalen om me dat geld vooruit te geven. Als hij me vroeg waarom, zou ik hem vertellen dat ik in het geheim spaarde om naar de universiteit te kunnen, om net zo goed te worden als Samuel junior. 'Als moeder en vader zien dat ik het zo graag wil dat ik mijn eigen geld ervoor gebruik, geven ze me zeker toestemming om te gaan.' Hij, de man die zo'n waarde hechtte aan een goede opleiding, zou me onmogelijk kunnen weigeren.

Vervolgens zou ik naar Dublin gaan met de onwetende Johanna of Marjorie of allebei om me te chaperonneren, onder het mom dat ik me wilde oriënteren op colleges en opleidingen. Op een gegeven moment zou ik ertussenuit knijpen en – *voilà* – mijn weg naar Birmingham vinden.

Bij het plan hoorde ook dat ik Florrie omkocht om me Coley's adres te geven en haar mond dicht te houden. Een paar pond zou ze zeker verwelkomen.

Het enige waarover ik niet helemaal zeker kon zijn was Coley's reactie wanneer ik voor zijn neus stond. Maar ik bezat een rotsvast geloof in de kracht van onze liefde; die verdroeg onze tijdelijke scheiding heus wel. Misschien zou Coley zich eerst zorgen maken om mij omdat vader ons misschien achterna kwam of omdat vader misschien wraak nam op zijn familie in het dorp, maar hij zou er wel raad op weten. Zodra we in Gretna Green getrouwd waren en onze verbintenis wettig was, zou iedereen het moeten accepteren.

De verbouwing werd in verbazend snel tempo voltooid. Jack werkte niet alleen keihard, hij scheen ook veel meer personeel te hebben dan ik me herinnerde.

Wij werkten ook mee, aan de wat artistieker aspecten van het project, en de telefoon bleek hierbij een uitkomst. Dus toen de bouwvakkers vertrokken, had Arnott's uit Dublin alles al geleverd: een nieuw bed, een toilettafel, de tapijten en de gordijnen, die waren genaaid van de stof die ik persoonlijk had mogen uitkiezen. Ze stonden gewikkeld in pakpapier op de overloop te wachten om definitief geplaatst te worden.

Toen het pleisterwerk droog was, de nieuwe leidingen getest, de vloeren gelegd en geschuurd, werkten Johanna en ik naast twee werklieden. Terwijl zij het plafond schilderden en de muren behangden, verfden wij de plinten en de deurposten wit en de deuren zelf zacht citroengeel.

Toen de vloeren naar moeders tevredenheid gelakt waren, kwamen Jack Montgomery en twee van zijn mannen terug om het meubilair naar boven te dragen via de nieuwe maar erg smalle trap die ze hadden aangebracht. Daarna mochten Johanna en ik de kamer naar hartelust inrichten. Daarmee waren we laat op een avond klaar. Alles was op zijn plaats, zelfs linnengoed. 'Het enige wat dat bed nu nodig heeft, is een Shinequilt. Dan zou het helemaal perfect zijn!' Moe maar toch ook blij stond ik midden in de kamer, naast mijn zuster, onze arbeid te bewonderen. Ik vond het heel naar dat het project voltooid was, want mijn zorgen waren er, overdag in elk geval, door naar de achtergrond gedrongen. 'We zouden eigenlijk ook met al het andere opknapwerk moeten helpen, Johanna. Misschien kunnen we onze eigen woninginrichtingszaak beginnen. Daar hebben we helemaal de goede naam voor. De Gezusters Shine, klinkt goed, vind je niet?' Ik zei het grappend, maar nog terwijl ik praatte, bedacht ik dat Coley er na ons huwelijk ook bij betrokken kon worden. Hij kon het zware werk doen, zoals oud behang verwijderen.

'Doe niet zo mal, Violet,' zei Johanna met een glimlach. 'We zijn meisjes! Maar ik ben het met je eens dat we een pracht van een logeerkamer hebben ingericht. Het is alleen jammer dat het raam zo hoog zit. En ik wilde dat die lelijke tralies er niet voor zaten.'

Toen ik ernaar geïnformeerd had, legde vader uit dat men ze bij de bouw van het huis noodzakelijk geacht moest hebben. Het had te maken met het 'breukvast maken' van het raamkozijn dat vlak onder het dak zat.

Omdat we ons niet konden losmaken van de kamer, trokken en schoven we nog wat om het nog mooier te maken en daarna ruimden we de kleine overloop voor de deur op. Vader die altijd zo precies was met zijn gereedschap, had dat nu laten liggen. 'Moeten we dat mee naar beneden nemen?' Er verscheen een rimpel op Johanna's gezicht.

'Misschien maar niet. Je weet hoe pietluttig hij ermee is. Hij zou niet willen dat we het aanraakten. Misschien heeft hij het nog nodig voor een karweitje op het allerlaatste moment.' Ik sloot de gereedschapskist en zette hem keurig tegen de muur. Toen, na een laatste blik in het rond, feliciteerden we elkaar met het fraaie resultaat van ons werk en gingen naar beneden.

31 ❦ *Een scharnierend luik*

Gezien wat ik van Colman weet – ik ben er meer dan van overtuigd dat hij mijn zwerver was – ben ik gefascineerd door Violets verhaal (zij noemde hem Coley, maar dat was de normale afgeleide vorm). Het is zowel amusant als ontroerend om hem me voor te stellen als de betoverende jongeling die zij voor zich schijnt te zien. Iedere keer dat ze zijn naam noemt, verzachten haar trekken en worden die donkere ogen groter en smelten. Hoewel ik aandachtig blijf luisteren, begin ik op zeker punt in het verhaal van mijn tante toch iets te krijgen van 'reuze sneu, maar allemaal toch niet zo vreselijk uitzonderlijk', en ik zie aan Bobs gezicht dat hij hetzelfde denkt. Zij was niet het eerste meisje uit Het Grote Huis dat verliefd werd op een ongeschikte jongen of het eerste meisje wier ouders alles wat in hun macht lag deden om hun dochter bij zo'n jongen weg te houden. Ze was jong geweest in een heel ander tijdperk dan het onze.

Zoals veel oude mensen met veel tijd omhanden, is mijn tante iemand die goed kan vertellen, maar te veel op details ingaat. Waarschijnlijk omdat dit zich allemaal al zo lang had opgehoopt tijdens haar isolatie. Als klopt wat ik denk, zijn wij de eersten, buiten haar directe familie, aan wie ze dit verhaal doet. Bij sommige gedeelten was ik aangedaan. Toen ze over Marjorie, mijn moeder, vertelde was ik bijna verblind door tranen. Maar ik droomde een beetje weg bij het inrichten van de zolder op Whitecliff. Ik kwam in de verleiding om haar te vertellen dat de zolder tegenwoordig ontoegankelijk en waarschijnlijk door regen definitief verwoest was, maar ze leek zo trots op haar werk dat ik het niet over mijn hart kon verkrijgen.

Maar ze zit nu al anderhalf uur op haar praatstoel en, evenals Bob, luister ik inmiddels meer uit beleefdheid dan uit geboeidheid.

Dat wil zeggen: tot het moment waarop ze met een truc de zolder op gelokt wordt en daar een half mensenleven opgesloten zit. Ze vertelde ons hier even nuchter over als over het opknappen van de zolder. Haar leven werd verwoest, maar het lijkt alsof dit geen enkele wrok bij haar heeft nagelaten. Verbazingwekkend.

'Hoe ging dat in zijn werk?' Deze nieuwe wending is zo schokkend dat ik letterlijk naar adem hap.

'Die ochtend, de ochtend nadat Johanna en ik het opknappen hadden voltooid, merkte ik aan het ontbijt dat moeder er met haar hoofd niet helemaal bij was. Het was zaterdag, wanneer vader Sheila in de regel de winkel liet openen en zelf iets langer thuis bleef dan anders. Er hing een ontspannen sfeer.

Mijn ouders wisselden toen een blik met elkaar. "Ik denk, Roderick," zei mijn moeder hierop, "dat ik vandaag naar Dublin ga. Nu we de zolderkamer af hebben, wil ik eigenlijk wel aan een van de slaapkamers beginnen. Ik zal Johanna meenemen, dan kan ze me helpen met pakjes dragen."

Ik zag aan Johanna's gezicht dat ze hiermee ingenomen was en ik moest mijn jaloezie onderdrukken. Maar toen bedacht ik me dat ik die dag het rijk alleen zou hebben; een hoop die de bodem werd ingeslagen toen vader aankondigde de ochtend vrij te nemen om zijn boekhouding bij te werken. "Sheila weet ervan," zei hij tegen moeder, "ik heb het gisteren met haar geregeld."

Moeder en Johanna vertrokken in een taxi naar het treinstation en lieten mij met de vaat achter. Ik was halverwege de afwas, toen ik merkte dat vader achter me stond. "Violet, ik moet je op zolder iets laten zien," zei hij, "loop je even mee naar boven?" Ik droogde mijn handen en, blij met het verzetje, liep ik voor hem uit de trappen naar de zolder op. "U hebt uw gereedschap hier gisteren laten staan, vader." Ik lachte hem toe. "Johanna en ik hebben het maar met rust gelaten."

"Dankjewel," zei hij, een beetje vreemd, maar op dat moment zocht ik daar weinig achter.

Zodra ik de kamer binnenstapte, hoorde ik de deur achter me in het slot klikken. In de veronderstelling dat hij was dichtgewaaid, liep ik terug om hem open te doen, maar toen ik de deurknop pakte, hoorde ik dat de sleutel in het slot werd omgedraaid. Ik was stomverbaasd. Ik dacht dat vader misschien iets aanpaste en riep hem, tevergeefs. Daarna dacht ik dat hij me misschien niet hoorde. Ik bonsde op het hout en riep weer. Maar ook toen kwam er geen reactie.'

Ik schuif heen en weer op haar marineblauwe bank. Ik krijg het koud van ontzetting. 'Hij sloot je op?'

'Helaas wel, ja. Ik heb daar tot 1979 opgesloten gezeten.'

Ik kijk naar Bob, zie dat hij het even ongelooflijk vindt als ik, maar dat ook hij weet dat ze de waarheid vertelt. Het zal komen door de rust waarmee ze het zei. Hij herstelt zich als eerste. 'Wanneer besefte je dat het permanent was?'

'Toen ik op mijn bed mijn dagboek zag liggen, opengeslagen op een bladzij met een belastende, niets aan de verbeelding overlatende passage.' Ze blijft beheerst. 'Toen ik mijn opgevouwen nachtpon op het kussen zag liggen; de nachtpon die ik de ochtend na het feest onder het vergiet gepropt achterliet en later helemaal vergeten was. Toen ik een lade van de toilettafel opende en daarin een nieuwe pot Pond's cold cream en een splinternieuwe haarborstel zag. Toen ik zeep, tandpasta, twee tandenborstels – de mijne plus een nieuwe – waslapjes, schone handdoeken en een nieuw stuk zeep zag in de badkamer. Ze hadden aan het meeste gedacht.'

Ze neemt een slokje thee. Ik ril en mijn verbeelding begeeft het even. Een jong meisje dat wordt opgesloten in een fluwelen gevangenis? Met de instrumenten van haar verraad als stille aanklagers op haar bed? Dit is iets uit mythen en legenden.

Ze zet haar kopje heel voorzichtig weer op het schoteltje. 'Ik denk nu dat ze van zichzelf vonden dat ze mild waren, door mij de kleuren en dergelijke te laten kiezen. Indertijd vond ik dit echter nog het allerwreedste. Alsof ik mijn eigen graf had moeten graven, zo voelde het.'

'1979, Violet?' Dat is...' In zijn hoofd maakt Bob het sommetje. '... dat is vijfendertig jaar. Hoe ben je eruit gekomen? En waar is Coley nu?'

'Dat weet ik niet.' Ze blijft zakelijk, maar de uitdrukking in haar ogen die tot dan open is geweest, wordt nu gesloten. 'Hij... hij is een keer teruggekomen uit Engeland, voor zover ik weet, maar dat was alles. Als hij nog leeft,' zegt ze hier zacht achteraan, 'zou hij tegen de tachtig zijn, hoewel, geloof het of niet, ik me niet kan herinneren hoeveel ouder hij was dan ik. Twee of drie jaar. Ouderdom is droevig. Er was een tijd dat ik een masterclass had kunnen geven over ieder lichamelijk aspect van Coley Quinn...' Opeens, misschien omdat ze beseft dat dit te veel informatie is, vertelt ze gehaast verder: 'Over dat eruit komen, na het overlijden van moeder bleven vader en ik alleen achter in het grote huis. Johanna is hem komen opzoeken en smeekte hem toen om mij vrij te laten. Ze hield hem voor dat ik met vijfendertig jaar opsluiting lang genoeg gestraft was. Ze zei dat zij en haar man me mee naar West-Cork zouden nemen, dat ik bij hen kon komen wonen, ver uit de buurt van Whitecliff. Ze beloofde vader dat mijn identiteit geheim zou blijven en dat ze me onopvallend zouden verhuizen, waardoor er geen schandaal of ongemakkelijke vragen zouden rijzen in de streek en er evenmin onaangename gevolgen voor hem of voor de naam van de familie aan vastzaten. Hij stemde erin toe. Ik denk dat hij inmiddels moe was; hij was maar anderhalf jaar van zijn eigen dood verwijderd.

'Marjorie, jouw moeder, Claudine, had gelijk, weet je. Van de twee was hij de zachtste. Ik had tijd genoeg om na te denken, zoals jullie je kunnen voorstellen, en al heel vroeg werd me duidelijk dat mijn opsluiting moeders idee was.'

De zachtste, amme neus! Ik wil weten of dat monster, mijn grootvader, ooit blijk had gegeven van spijt, berouw, iets menselijks. Ik wil ook weten of mijn moeder en pappie, mijn aanbeden pappie, dit meisje aan haar lot overlieten, of waren zij ook komen smeken om haar vrijlating? Hebben ze haar ooit bezocht?

Het treft me hoe volledig ze in de steek gelaten werd, niet alleen door haar familie maar door de hele gemeenschap; door de bevolking van Rathlinney, de omliggende dorpen en buurtschappen – duizenden mensen, van wie velen zaken deden met de Rathlinney Bazaar. En toch, ondanks Violets plotse verdwijning, ondanks alle spookverhalen en geruchten die ik zelfs decennia later nog hoorde, had niemand zich er indertijd genoeg om bekommerd of er de moed toe bezeten om door het aura heen te breken dat rond het Grote Huis hing. 'Mensen in de buurt moeten toch geweten hebben dat er iets mis was, zelfs vragen gesteld hebben. Iedereen wist vroeger immers alles van elkaar.'

'Al heel in het begin kwamen moeder en vader me opzoeken, een van de weinige keren dat ze samen kwamen. Ze vertelden me door mijn luik…'

'Luik? Wat voor luik?'

'Vader was een goede ambachtsman, zoals jullie weten.' Ze knikt met haar hoofd naar het taxushouten bankje. 'Wat later op die eerste ochtend, kwam hij weer naar zolder en zaagde een keurige opening in het midden van de deur en maakte daar een scharnierend luik van. Dit was het doel van het gereedschap op de overloop. In de deur zelf zat al een slot, maar hij bracht aan de buitenkant nog een hangslot aan.'

'Wat zei je tegen hem? Toen hij dat gat in de deur zaagde, moet je hem toch gezien hebben?'

'Dat laat ik aan jullie verbeelding over. Ik was op dat moment al uitgeput van het huilen, maar inderdaad, ik smeekte en gilde en wilde weten hoelang ik opgesloten zou worden. Ten slotte raakte ik zo uitgeput dat ik geen geluid meer kon voortbrengen.'

'En al die tijd stond hij daar te zagen en te timmeren?'

'Ja. Maar inmiddels denk ik,' zegt ze, terwijl haar blik van mij naar het raam dwaalt, 'dat wat hij deed voor hemzelf even zwaar was als voor mij.'

Bobs vuist schiet uit en grijpt lucht. 'Waarom heb je hem niet een vuistslag verkocht door dat gat? Dat zou ik gedaan hebben.'

Ze kijkt stomverbaasd. 'Hemeltje, nee. Hij was immers mijn vader, die kon ik niet slaan.'

Ik weet me in te houden. 'Vertel verder, Violet.'

'Toen het luik er goed en wel in zat, vertelde vader me hoe mijn regime eruitzag. Ik zou dezelfde maaltijden krijgen als het gezin. Mijn was zou worden gedaan. Ik zou, binnen de grenzen van het redelijke, alles krijgen waar ik om vroeg. Het enige wat me werd ontnomen, was mijn vrijheid.

'En toen vertelde vader me waarom. Een van de redenen was dat Coley Quinns vader op de ochtend na mijn nachtelijk bezoek aan zijn huis naar het postkantoor was gegaan en Rathlinney 9 had gebeld om mijn ouders te verwittigen.'

'Dat is zowat het ergste van alles. Ik kan het niet uitstaan.'

'Ik neem het de man allang niet meer kwalijk,' zegt ze rustig. 'Eerst wel, natuurlijk. Erger nog, ik gaf de hele wereld de schuld van mijn toestand. Maar gaandeweg veranderen die dingen. Florrie had het me die avond gezegd, de Quinns waren arm. Hun boterham stond op het spel en het viel te begrijpen wat vader Quinn deed, want in onze streek was pachtgrond schaars. En bovendien hadden mijn ouders me toch wel opgesloten.' Een zweem van een glimlach doet haar gezicht een beetje opklaren. 'Dat dagboek van mij stond namelijk vol opgewonden verhalen van een jong meisje, alleen was ik daarin helaas erg expliciet geweest over wat Coley en ik hadden uitgevoerd, in fysieke zin. Waar en hoe vaak. Ik had niets overgeslagen.

Op die avond dat ik naar Coley's huis rende, was ik minder slim dan ik dacht. Moeder, die nooit diep sliep, meende gehoord te hebben dat ik het huis uit ging. Ze ging naar mijn kamer om te kijken en trof niet alleen een leeg bed aan, maar ook mijn dagboek. Dat lag op de toilettafel, waaraan ik er eerder die avond in had geschreven. Normaal verborg ik mijn dagboek altijd, maar in die periode was ik zo…' Haar stemgeluid sterft weg en het laat zich makkelijk raden wat ze voor haar geestesoog ziet. 'Ik werd onverschillig,' verandert ze wat ze aanvankelijk wilde zeggen.

Bob en ik zeggen niets. We hebben niets bij te dragen.

Enkele seconden later hervat mijn tante haar verhaal. 'Natuurlijk las moeder het dagboek. Ze nam het mee naar vader. Hij las het ook. Die nacht besloten ze samen wat ze zouden doen. Hoewel ik daarvan natuurlijk onwetend was toen ik het huis weer binnenglipte, was het besluit toen al genomen. Het dagboek lag precies zoals moeder het had gevonden, om geen argwaan bij me te wekken. Het telefoontje van meneer Quinn was *de trop*, zoals de Fransen zeggen.'

'Wat ze deden, jou te laten geloven dat de situatie verbeterde door jou die kamer te laten inrichten, dat was zo… zo…' Ik kan het goede woord ervoor niet bedenken. 'Zo berekenend,' zeg ik dan maar zwakjes.

'Vanuit dit perspectief lijkt dat misschien zo,' zegt ze met vaste blik, 'maar ik heb vele jaren de tijd gehad om hierover na te denken, en ik denk dat zij vanuit hun perspectief stellig geloofden dat ik mijn ondergang tegemoet ging.'

' Maar je hoort het niet vanuit hun gezichtspunt te bekijken! Je was zestien! En waarom duurde het zo lang? Ze hadden je ook kunnen vrijlaten toen je eenentwintig werd, bijvoorbeeld.'

'Hoe hadden ze dat kunnen doen? Hoe konden ze erop vertrouwd hebben dat ik niet naar de autoriteiten zou gaan? Onze hele familie zou publiekelijk te schande zijn gemaakt, Claudine.'

'Zou je het hebben gedaan? Was je naar de autoriteiten gestapt?'

'Waarschijnlijk niet. Ze konden daar alleen nooit zeker van zijn. Ik weet dat dit moeilijk te bevatten is, maar jullie moeten de context en het tijdperk in gedachten houden. Wij allemaal raakten gevangen in een doolhof zonder uitgang. Ik ben ervan overtuigd dat zij ook leden.'

Opnieuw zwijgen we alle drie even. Ik word gek van haar tolerantie. Ik weet niet wat Bob dacht, maar gevangen als ik was in het scenario dat ze ons had geschilderd, moest ik mijn tranen van woede inhouden. Bang dat ik de aandacht zou trekken, moedigde ik haar aan om verder te praten. 'Ga nog eens terug naar die keer dat je ouders samen naar het luik kwamen. Wat zeiden ze toen?'

'Zij deed het woord. Ze zei dat niemand buiten het gezin wist of ooit zou weten dat ik voor mijn eigen veiligheid was opgesloten. Zo zei ze het. Voor mijn eigen veiligheid. Ze vertelde me dat iedereen in de streek wist waarom Coley Quinn zo plotseling naar Engeland was vertrokken en dat men het dus meteen zou geloven als men het hoorde, dat ook ik naar het buitenland was gestuurd, naar familie in Amerika.'

'Maar het was oorlog. Zouden mensen geen vraagtekens bij dat verhaal gezet hebben? Er bestonden reisbeperkingen.' Dit is Bob.

'Ik weet niet hoe Coley naar Engeland kwam, maar waar het mij betrof, moet je onthouden dat onze familie in die tijd de voornaamste familie in de regio was. En vergeet ook niet dat moeder uit het noorden kwam en dat oom Samuel daar nog woonde. Voor mensen in onze streek was het noorden een gebied dat hun vreemd was, en noorderlingen waren anders. En als je daar dan nog bij optelt dat men veronderstelde dat mensen zoals wij volgens andere voorschriften leefden of anders wel de persoonlijke contacten bezaten waardoor we om de voorschriften heen konden…

Maar goed, ik heb er geen idee van of mensen het vermoedden… Er kwam me geen redder in nood, noch een sprookjesprins op een wit paard te hulp. Welke indruk het nu ook mag maken, vanuit hun optiek meenden ze het, toen ze zeiden dat ze me voor mijn eigen veiligheid opsloten. Jullie mogen niet vergeten dat ik een koppige, eigenzinnige jonge meid was…'

'Ik begrijp niet hoe je er zo kalm over kunt zijn.' Ik schuimbekte bijna. 'Ik zou ze allemaal voor het gerecht gesleept hebben!'

'Hoe? Tot wie had ik toegang? De dokter was de enige die ik ooit zag buiten mijn directe familie. Ze wisten dat hij het geheim zou bewaren.'

'Maar je zusters dan?' Mijn mening over mijn moeder maakt een slinger naar de negatieve kant. 'Je broers? Die peetvader-oom?'

'Rustig aan, Claudine. Je maakt je tante van streek.' Bob trekt me terug op de bank, waarvan ik uit frustratie bijna was opgesprongen. Hij doet dit terecht, want nu hij mijn aandacht erop heeft gevestigd, zie ik dat er hoog op de wangen van mijn tante twee felrode vlekken zijn verschenen. Loyaliteit aan familie is een groot en mysterieus raadsel, en ik eis nu erg veel van haar. En natuurlijk waren twee van haar nog overgebleven broers ergens op het slagveld.

'In deze tijd,' weer kijkt ze naar het raam, 'is het inderdaad moeilijk te aanvaarden dat iets zoals dit heeft kunnen gebeuren.' Ze haalt haar schouders op. 'Misschien is het nu anders, hoewel de menselijke natuur niet veel verandert. Maar in die dagen hadden mensen familiegeheimen. Ik verwacht niet dat jullie dat begrijpen.'

'Maar ik probeer het te begrijpen. Heus.'

Ze strekt haar arm uit en raakt een van mijn handen aan, die ik gebald voor me heb liggen op de salontafel. 'Je moet niet slecht over je lieve moeder denken,' zegt ze opmerkzaam. 'Marjorie was lief en goed en verstandig. Ze bezocht me dikwijls, ook in later jaren toen ze zwanger was van jou, Claudie…' Ze verstrakt, alsof ze zich iets pijnlijks herinnert.

'Alsjeblieft, Violet, doe jezelf geen verdriet.' Ik vind het vreselijk dat ik haar dit laat doormaken en tegelijk ben ik begerig naar de geringste snipper informatie over mijn moeder. Ik wil niet dat ze ophoudt.

'Ik heb sterke schouders, Claudine.' Haar toon is weer resoluut. 'Wat verheugde je moeder zich op je geboorte! Bij haar laatste bezoek, vlak voordat ze naar het ziekenhuis zou gaan, straalde ze van geluk. Ze moest en zou met alle geweld naar Whitecliff, al hadden haar artsen haar gewaarschuwd niet te reizen vanwege de slechte wegen indertijd. Ze leed aan een vorm van bloedarmoede en ze zou de volgende dag in het ziekenhuis worden opgenomen, waar ze de laatste maand van haar zwangerschap met de voeten omhoog in bed moest doorbrengen. "Het kan me niet schelen of ik de rest van mijn leven in het ziekenhuis moet blijven," zei ze die dagen tegen me, "maar natuurlijk zal dat niet hoeven. Ik kan het nog steeds niet geloven, Violet. Op mijn leeftijd! We hebben zo lang moeten wachten, ik had de hoop bijna opgegeven! De volgende keer neem ik de baby mee. Ik kan hem je door het luik aangeven, zodat je hem kunt vasthouden. Super-de-luxe niet?" Marjorie kende altijd de modernste uitdrukkingen. Tussen haakjes, ze was ervan overtuigd dat je een jongen zou zijn. Vanzelfsprekend konden we geen van beiden weten dat dit bezoekje haar laatste zou zijn. Ze hoopte altijd dat de volgende keer dat ze kwam alles weer normaal zou zijn. "Ik weet honderd procent zeker dat dit jaar je laatste hier boven zal zijn, Violet," zei ze iedere keer. En wat mijn arme Johanna betreft, die moest leven met moeder en vader; althans, tot ze Anthony kende.'

Violets koele, rustige kamer voelt plotseling benauwd aan, ik word er claustrofobisch van. Pappie was geen groot verteller, en de indruk die ik nu van mijn moeder heb is zoveel levendiger en scherper dan het beeld dat hij geprobeerd had over te brengen. Ik ben bang het kleinste detail te vergeten.

'Wist mijn vader over je situatie?' Ik durf de vraag nauwelijks te stellen, maar het moet toch. Indien hij ervan op de hoogte was, zou dit kunnen verklaren waarom hij zo boos uitviel die keer aan het ontbijt, toen Pamela Whitecliff ter sprake bracht. Was het uit schuldgevoel, omdat hij niets had ondernomen?

'Nee, ze heeft het hem nooit verteld. Zij zag in dat als hij het wist en besloot actie te ondernemen, het mogelijk was dat de familie als geheel iets veel ergers overkwam, zoals gerechtelijke vervolging. En zeker een schandaal. Inmiddels hebben jullie wel begrepen dat mijn ouders als de dood waren voor een schandaal en van dat besef waren wij doordrongen. Marjorie had het hier heel erg moeilijk mee, en ook probeerde ik haar gerust te stellen, toch had ik alle begrip voor haar dilemma.'

'Maar er is nog iets, Violet. Mijn vader vertelde mij dat mijn grootouders dood waren. Waarom zou hij daarover tegen me liegen?' Ik raak ontdaan. Misschien heb ik pappie op een iets te hoog voetstuk geplaatst.

Ze aarzelt. 'Daar heb ik geen antwoord op. Je moet begrijpen… met Marjories dood en geen contact…' Ze kijkt naar de grond. 'Dit is moeilijk voor me…'

'Sorry, Violet. Als je verder niets wilt zeggen…' Heb ik haar te veel gevraagd?

'Is het mogelijk dat hij je tegen hen probeerde te beschermen? Misschien was het om niet meer dan dat hij niet wilde dat je onder hun invloed kwam, Claudine.' Ze kijkt me aan. 'De sfeer op Whitecliff...' Weer stopt ze om na te denken. 'Ik weet dat toen Marjorie en hij moeder en vader kwamen vertellen dat ze zich wilden verloven, ze niet erg toeschietelijk waren. Dat heb ik van Johanna, niet van Marjorie, wier loyaliteit natuurlijk niet eenduidig was. En Johanna, die van iedereen het beste dacht en elk conflict uit de weg ging, verdoezelde de ware toedracht ongetwijfeld. Het is heel wel mogelijk dat ze in plaats van "niet erg toeschietelijk" ronduit vijandig waren. In ieder geval is hij daarna nooit meer bij ons thuis geweest.'

'Waarom vijandig? Hij was een schat! En heb je haar, mijn moeder dus, er niet naar gevraagd?'

'Helaas kan ik je geen adequaat antwoord geven op je vraag naar het waarom ervan.' Ze haalt haar schouders op. 'Ik heb Marjorie gevraagd waarom hij nooit kwam, en hoewel ik zag dat die vraag haar verdrietig maakte, bevestigde zij dat mijn ouders hem niet mochten. Ze zei ook – ik hoop niet dat je dit naar vindt, Claudine – dat hij erg koppig was als hij zich eenmaal iets in zijn hoofd had gehaald en dat hij erg kon opvliegen als zij inging tegen iets waarover hij zijn vaste mening had. Ze streek hem niet graag tegen de haren in. Ik ben er niet verder op ingegaan. Ik wilde onze kostbare tijd samen niet verknoeien door haar nerveus te maken. Dus we zullen er wel nooit achter komen waarom onze ouders je vader niet mochten. Misschien kwam het omdat hij ouder was dan zij, misschien zelfs door zijn geloof. Hij was immers katholiek?'

'Niet-praktiserend en hij heeft me protestant opgevoed.' Ik verdedig hem onmiddellijk. 'Hij zei dat dit uit eerbied voor mijn moeder was; niet dat we vaak naar de kerk gingen.'

'Dit hele verhaal klinkt nu ondenkbaar,' zegt mijn tante langzaam, 'vooral dat ze erin slaagden om wat er met me gebeurd was gedurende zo'n lange periode strikt binnen de kring van het gezin te houden. En voordat je ernaar vraagt, je moeder was diep bedroefd. Niet alleen vanwege mijn opsluiting maar ook omdat ze het niet aan haar man kon vertellen. "Ik heb er een hekel aan om geheimen voor hem te hebben, Violet. Dat hoort niet," zei ze vaak. Om bij haar man de fictie in stand te houden dat ik in het buitenland verkeerde, werd ze gedwongen om haar toevlucht te nemen tot bedrog. Zo stuurde ze kerst- en verjaardagskaarten naar een fictief adres in Amerika en vermeldde er welbewust geen afzender op.'

'Hoe legde ze uit dat ze nooit post van jou kreeg?'

'Ik denk niet dat het hem is opgevallen.' Haar glimlachje is licht spottend. 'Voor hem telde alleen zijn zaak.'

Ze wacht even als om me tijd te geven dit te verwerken. 'En met mij,' gaat ze dan plots verder, 'hoef je geen medelijden te hebben, lieve. Tenslotte kan ik niet geheel en al worden vrijgesproken van schuld, en tot ik Coley Quinn leerde kennen had ik een buitengewoon bevoorrechte jeugd. Een gouden jeugd, mag ik wel zeggen. En ik heb me lang geleden bij de hele situatie neergelegd.'

'Hoe kunt u? Hoe kon u zich neerleggen bij zoiets monsterlijks?'

'Geloof me, ik heb het gedaan. Binnen de begrenzing van mijn toren werd ik genereus behandeld. Het moeilijkste was natuurlijk de eenzaamheid. Maar een mens went aan leven in afzondering. En ik ben veel gaan lezen. Ze waren nooit krenterig met boeken.' Ook nu trillen haar lippen. 'In het begin vroeg ik me dikwijls af hoe vader zijn plotselinge voorliefde voor romantische fictie uitlegde aan de dorpsbibliothecaris.

'Dus dit is het verhaal.' Ze gaat makkelijker zitten. 'Ik ben een beetje egoïstisch misschien dat ik mijn levensverhaal zo gedetailleerd oprakel, maar ik vind dat je er recht op hebt je familiegeschiedenis te kennen.'

'Kun je in alle eerlijkheid zeggen dat je het ze vergeven hebt? Echt?' Ik geloof het nog altijd niet.

'O, ja! Lang geleden al. Moeder en vader hebben geen weet van mijn ongenoegen, want ze leven niet meer. Dus wat heeft het voor zin om boos te zijn?' Ze lacht. Ik lach niet mee. Dit is zo overweldigend dat ik ergens heen moet waar ik alleen ben, om te kunnen voelen wat ik voel.

Bob daarentegen blijft praktisch. 'En hadden jullie familie in Amerika? Heb jij daar nog familie?'

Hij kan niet uit zijn geweest op wat ze ons dan vertelt.

'Amerikaanse familieleden? Ik weet het niet.' Ze kijkt ons beiden recht in het gezicht. 'We hadden er familie, verre verwanten. Met de kerst stuurden we elkaar over en weer een kaartje. Ik meen dat ze in New York woonden of in New Jersey. Maar ze zijn inmiddels vast allemaal overleden.

Toch bestaat er nog een mogelijkheid. Iets waardoor jullie misschien een juister kijk krijgen op waarvoor moeder en vader kwamen te staan. Ik kreeg een baby. Een dochter.'

Ik schonk het leven aan Coley's kind om twee uur 's nachts. Alleen onze huisarts was erbij aanwezig. Er kon op vertrouwd worden dat hij het geheim niet verried, sterker nog, hij vervulde er een rol in. Want zodra de baby geboren was, pakte hij haar onmiddellijk goed in en bracht haar weg. Ik smeekte of ik haar vast mocht houden, al was het maar voor een paar minuten, maar daarvan wilde hij niets horen. 'Dat zou je alleen maar pijn doen en het moeilijker maken. Je moet deze nacht vergeten, Violet. Laat je geest en je lichaam hiervan herstellen, anders zul je hier je hele leven spijt en rancune over voelen.'

Hoewel ik me ieder detail van de bevalling en de barensweeën herinner, staat me nauwelijks bij dat hij me enkele maanden daarvoor vertelde dat ik zwanger was. De mededeling, die hij me onbewogen en botweg deed, leek me zo absurd, dat toen ik zijn woorden eindelijk begreep, hij zijn tas alweer inpakte. En van wat hij in de tussentijd zei, daarvan herinner ik me helemaal niets.

Deze man was al vele jaren onze huisarts. Hij was van onze kerk en ook al had hij recht op benzinebonnen voor zijn auto, toch gaf hij er de voorkeur aan om zijn koetsje te gebruiken. Hij was hoffelijk in zijn optreden en bezat de reputatie eerlijk en betrouwbaar te zijn en, cruciaal in ons geval, zijn meningen voor zich te houden. Zijn opvattingen over vrouwen waren ouderwets, zelfs voor die tijd. Weliswaar was hij nooit belerend, maar ook toen ik nog een kind was, maakte hij me duidelijk dat hij het niet goedkeurde dat vrouwen buitenshuis werkten.

Ik voelde me al enkele dagen niet lekker, had geen eetlust en toch braakneigingen en ten slotte lieten mijn ouders hem komen om me te onderzoeken.

Moeder kwam met hem naar mijn zolderkamer. Ze liet de deur achter zich openstaan en heel even kwam de gedachte in me op om te vluchten, maar ik wist dat ik niet ver zou komen.

'Ga maar op het bed liggen, Violet,' zei hij en daarna, toen hij om zich heen keek: 'Wat een aardige slaapkamer.'

'Ja.' Moeder zei dit opgewekt. 'Violet en haar zuster hebben de kleuren gekozen, en dat hebben ze goed gedaan.'

De dokter beluisterde mijn borstkas en andere gebruikelijke dingen en daarna vroeg hij of ik me wilde ontkleden. 'Als je dat wilt mag je onder de deken gaan liggen, hoor,' zei hij vriendelijk.

Ik was nooit eerder inwendig onderzocht en was geschokt toen hij dingen met me deed – op zijn gevoel, moet ik hem nageven – die ik me niet had kunnen voorstellen. En aldoor was ik me er uiterst bewust van dat moeder aan de andere kant van de kamer in mijn leunstoel zat.

'Ja, Fiona, ik vrees dat het zo is,' zei hij tegen haar, toen hij klaar was. 'Ze is zwanger, geen twijfel over mogelijk.' Hierop begonnen ze samen te fluisteren. Ik zat met mijn deken opgetrokken tot aan mijn kin en voelde me zo beschaamd en vernederd door de schending van het deel van mijn lichaam waar alleen Coley Quinn was geweest, dat de implicaties van wat de dokter net gezegd had niet tot me doordrongen. Pas toen hij zijn stethoscoop had opgeborgen en ik de schittering van woede in mijn moeders ogen zag terwijl ze met hem sprak, bekroop me de ontzetting. Zwanger?

Het heeft weinig zin om uitvoerig stil te staan bij de emoties van de dagen, weken en maanden die volgden. Er zijn maar zoveel woorden waarin wanhoop en ellende zich laten beschrijven. Er was me ondubbelzinnig duidelijk gemaakt wat er met mijn baby zou gebeuren. Ze zou volgens een met een weeshuis gemaakte afspraak aan een Amerikaans echtpaar worden gegeven, indertijd een vrij normale gang van zaken. Gedurende het grootste deel van mijn zwangerschap weigerde ik om de baby als iets anders te beschouwen dan een klont, zoiets als een kwaadaardige spons, die bij me was binnengedrongen. Ik probeerde mezelf ervan te overtuigen dat ik maar één ding wenste, en wel dat die hele rommel zo snel mogelijk achter de rug was.

Maar naarmate het tijdstip van de bevalling naderde, werd mijn baby in mijn gedachten steeds minder een klont. En toen ze begon te schoppen en te draaiden ging ik haar voor me zien als een miniatuur-Coley. In het holst van de nacht zong ik liedjes voor haar en vertelde haar verhalen over de liefde tussen haar vader en moeder. Ik beschreef haar mijn allerliefste Coley uitvoerig en verontschuldigde me bij haar voor zijn afwezigheid. 'Als hij afwist van jou,' zei ik zacht, 'zou hem geen berg te hoog en geen zee te diep zijn om naar je toe te komen.' Ik smeekte de baby telkens weer om me niet te vergeten.

De bevalling was zwaar. Moeder en vader, die terecht aannamen dat ik geen vluchtpoging zou wagen, stonden Johanna toe om bij me te zitten. Die zorg en een bevalling waren natuurlijk helemaal nieuw voor haar, maar ze deed haar best. Ze hield mijn hand vast en sprak me bemoedigend toe, toen de pijn op zijn allerergst was.

Dokter Willis arriveerde rond middernacht en nam het van haar over. We waren allebei uitgeput en hij stuurde Johanna naar haar kamer om uit te rusten. 'Ik blijf bij haar, meisje. Ik zal je over een uur roepen.'

Hij riep haar niet en toen hij mijn dochter verloste, was ik te afgemat om hem eraan te herinneren.

In gedachten hoor ik nog vaak de eerste kreet van mijn dochtertje, de angstige, gesmoorde schreeuw van een diertje dat in een strik vastraakt. Maar toen hij haar en mij verzorgde was ze stil, en ook toen hij haar mijn kamer uit droeg. 'Ik zal je zuster wekken, Violet, om haar het nieuws te vertellen,' zei hij, even voordat hij de deur achter zich sloot. 'En natuurlijk wachten je ouders beneden.'

En Coley Quinn dan? wilde ik schreeuwen, maar vanzelfsprekend deed ik dat niet.

'Rust jij nu maar uit,' zei hij nog. 'Reken maar dat ze een goed leven zal hebben. Ik heb ervoor gezorgd dat ze in een godvruchtig gezin terechtkomt.' Dokter Willis was rooms-katholiek en ik betwijfel of hij met 'godvruchtig' mensen van ons geloof bedoelde. 'Troost je met de gedachte dat ze zal opgroeien als een gelukkig Amerikaantje, met alle luxe die een klein meisje zich kan wensen,' was het laatste wat hij zei die nacht, of ochtend.

Ze huilde weer toen hij haar naar beneden bracht, maar toen sloot hij de deur aan de voet van de trap en ik kon haar niet meer horen toen ze aan haar reis begon.

33 ❦ *Soms is tv leerzaam*

Ontdaan komen Bob en ik terug bij ons huisdiervriendelijke pension en eten lusteloos van de fish-and-chips, die we onderweg hebben gekocht.

Ze wist de naam van het weeshuis niet en evenmin in welk graafschap het stond ('Dat vertelden ze me niet.'). Haar onthulling verklaarde achteraf de korte hapering in haar verhaal over de bezoekjes van mijn moeder, het moet een marteling voor haar geweest zijn om de blijdschap van haar zwangere zuster te zien en te horen.

Geen wonder dat ze zelfs over de geboortedatum van haar dochter vaag was. 'Jullie moeten begrijpen dat data me weinig zeiden, en op mijn leeftijd is tijd iets wat in elkaar schuift en onwezenlijk wordt. Maar het was in elk geval bijna kerst, want ik herinner me dat moeder een opmerking maakte dat het typisch iets voor mij was om iedereen op zo'n moment te ontrieven.'

Er deed zich geen geschikte gelegenheid voor om Violet te vertellen over de man van wie ik dacht dat het Coley Quinn was. Misschien was dat maar goed ook. Ik achtte het beter dit nieuws voor me te houden tot ik zeker was van mijn zaak. Het laat zich makkelijk raden hoe ik me voel, nu ik heb ontdekt dat ik niet alleen een tante heb, maar ergens op deze planeet ook nog een volle nicht. En wat Violet overkomen was, dat was zo overweldigend dat ik het niet in een keer kon verwerken. Vooralsnog is het me betrekkelijk makkelijk gevallen om Bobs ontrouw op een zijspoor te zetten.

Voordat we bij Violet vertrokken, vroeg ik of ze er enig idee van had waar haar kind was. 'Nee.' Ze schudde het hoofd. 'Amerika is zo groot en ik weet niet eens hoe ze heet.'

'Als dat kind Kerstmis 1944 geboren is, zoals Violet denkt,' zeg ik nu tegen Bob, terwijl we met ons eten spelen, 'zou ze nu negenenvijftig zijn. Maar Violet praat over haar alsof het nog een baby is.'

'In haar hoofd, ja. Dat is begrijpelijk. Het is zo verdrietig.'

Het is niets voor hem om emotioneel te zijn en ik kijk hem doordringend aan, maar ik zie dat hij het meent. 'Zeg, Bob, denk je dat we moeten aanbieden om haar te helpen haar dochter te vinden?'

'Is dat niet iets wat ze zelf moet doen?'

'Tja.' Ik denk hierover na. 'Er is haar groot onrecht aangedaan. Is het niet iets waarbij iemand als ik haar moet helpen? Ik ben haar nichtje tenslotte. En zou een hereniging met haar dochter niet geweldig zijn, zo op het laatst van haar leven?'

'Overtuig je er eerst wel van dat ze die hulp wil, Cee. Meng je er niet ongevraagd in. Jouw onverwachte opduiken is misschien genoeg voor een week, of een maand, denk je ook niet? Ik kreeg de indruk dat ze zich opmaakte voor een rustige oude dag. En ze werkte dan wel mee, maar bepaald opgetogen was ze niet. Waarmee ik niet uitsluit dat ze jou op den duur misschien als een godsgeschenk zal beschouwen. Ze is inmiddels alweer een poos in de wereld. Als ze achter die dochter aan wilde, had ze het wel gedaan.'

'Misschien wist ze niet waar te beginnen.'

'Oké, ze was lang geïnstitutionaliseerd, maar ze maakt op mij niet de indruk hulpeloos te zijn.' Hij duwt het restant van zijn maaltijd van zich af.

We eten, of liever gezegd spelen met ons eten, in de te overdadig ingerichte gasteneetkamer van ons pension. Het is een bungalow en door het gekletter van aardewerk en pannen vanuit de keuken aan het eind van de gang weten we dat de pensionhoudster zich buiten gehoorsafstand bevindt. Bob waarschuwt me terecht. Ik heb altijd de neiging om dingen voor mensen te willen oplossen. Zeker in tijden als deze, wanneer bezig-zijn gebruikt kan worden om emotioneel letsel tijdelijk te verdringen. Onmiddellijk na pappies dood bijvoorbeeld (voordat ik ontdekte wat er in zijn testament stond) wilde ik per se dat Pamela de tuinman zou ontslaan, omdat ik me zelf over de tuin in Sandy Cove wilde ontfermen en dit terwijl ik eerder nooit belangstelling voor tuinieren had. Gedurende een poosje begon ik dikwijls al voor dag en dauw met maaien, snoeien, wieden en schoffelen en met nauwelijks pauzes om te eten of zelfs maar een kop thee te drinken werkte ik de hele dag door om bij zonsondergang in bed te storten.

Tenzij ik nu iets kan doen, wat ook, knap ik uit elkaar misschien. 'Ja, maar zoals je zegt, ze heeft tientallen jaren opgesloten gezeten zonder iets voor zichzelf te hoeven doen. Dat doodt toch elk initiatief bij een mens? Maar we hebben het hier wel over mijn volle nicht. Ik zou haar graag vinden.'

'Ik zeg nog een ding en dan zal ik mijn mond verder houden.' Bob speelt met zijn wegwerpvork. 'Stel dat je die vrouw vindt en Violet gaat hoop koesteren, en dan ontdek jij dat die dochter niets te maken wil hebben met je tante. Dat gebeurt in zulke gevallen, weet je. In de werkelijkheid komt "en ze leefden nog lang en gelukkig" niet vaak voor. En als Violet te weten komt dat je haar dochter gevonden hebt, maar de vrouw niet hebt kunnen overreden contact te maken, zou het dat niet veel erger voor haar maken dan het nu is? Ze heeft jou net ontdekt. Laat haar daar ten minste aan wennen. Geef jullie twee een beetje tijd om elkaar te leren kennen.'

'Makkelijk zat om haar voor teleurstelling te behoeden. We vertellen Violet gewoon niet dat we zoeken. We verrassen haar.'

'Nog meer geheimen?'

'Leuke.'

'Kun je dat garanderen? Hier heb ik een ander probleem voor je: stel dat de dochter instemt met een ontmoeting en vervolgens blijkt ze geldgeil te zijn? Met de verkoop van Whitecliff komt je tante er warmpjes bij te zitten. En wanneer ze het hoekje om gaat, brengt haar huidige huis ook niet minder dan een miljoen op, schat ik.'

'Stel dat de dochter de aardigste mens op aarde blijkt te zijn? Stel dat ze al veertig jaar op zoek is naar haar moeder?'

Aan mijn voeten hijst Jeffrey zich overeind en daarna ploft hij in een andere houding weer neer. Ik trek aan zijn oren en hij geeft mijn hand een likje.

'Luister,' zegt Bob dan, 'als je dit echt wilt gaan doen…'

'Dat wil ik. Maar weet je wat, ik zal het haar eerst vragen. En als ze ervan in de war raakt, begin ik er niet aan.'

'Als zij het wil, zal ik je helpen zoveel ik kan.' Hij zwijgt even. 'Heb je me vergeven?'

'Dat is niet eerlijk.' Ik kijk hem strak aan. 'Jij manipuleert deze situatie.'

'Tuurlijk doe ik dat. Zou jij niet hetzelfde doen als de situatie omgekeerd was?'

Zijn eerlijkheid is ontwapenend. Ik moet hem er niet zo makkelijk vanaf laten komen, reken er maar niet op. Maar het is fijn dat hij hier is. 'Hoor 'es, Bob, het zal je duidelijk zijn dat ik er nu niet op in kan gaan. Maar ik waarschuw je, wanneer ik zover ben, kun je heel wat gepraat verwachten.'

'Uiteraard. En ondertussen, vergeef je het me? Of probeer je dat?'

Ik houd er niet van om onder druk gezet te worden. 'Goed. Maar meer dan een wapenstilstand is het niet. Dat wil zeggen als ik je kan geloven dat het niet een hele liefdesgeschiedenis is…'

'Geloof me!' Hij maakt een geluid, waarschijnlijk is het een lach, maar zo treurig dat het eerder gesnuif is, en gek genoeg geloof ik hem omdat zijn ogen naar rechts draaiden. Ik kijk op tv naar *Crime Scene Investigation*, en daarvan weet ik dat als tijdens een verhoor de verdachte – of zoals in Bobs geval, de dader – naar rechts kijkt, hij zich het verhaal herinnert. Kijkt hij naar links dan verzint hij een verhaal. Soms is tv leerzaam.

Mijn mobiele telefoon gaat over. Ik kijk op het oplichtende, bewegende schermpje: het nummer van Tommy O'Hare. Alweer. Ik kan maar beter opnemen dit keer. Waarschijnlijk ben ik inmiddels ontslagen. 'Hallo, Tom.'

Ik wacht, reageer niet op het salvo van krachttermen en waar-heb-jij-uitgehangen dat mijn rechteroor in stroomt. 'Je zult het begrijpen, zodra ik je vertel wat er hier is gebeurd, Tommy,' zeg ik wanneer hij wat gas terugneemt.

'Dat kan maar beter een goed verhaal zijn.'

'Dat is het. Voor mij.' Wanneer ik ben uitverteld, wat ik zo beknopt mogelijk en zonder de gruwelijkste aspecten te noemen heb gedaan, is zijn reactie voorspelbaar.

'Ik ben blij voor je, Claudie, natuurlijk ben ik dat. Maar hoe zit het nu met de deal over het huis? Heb je daarover gesproken met haar?'

'Daarvoor ben ik hier immers op de allereerste plaats? Je had gelijk over het verifiëren van het testament. Whitecliff is nog niet in haar bezit, maar zal dat binnenkort zijn.'

'En zal ze het aan ons verkopen?'

'We zijn allebei een beetje van slag door het gebeurde. Denk jij dat dit het juiste moment was om haar op de nek te zitten? En voor mij was het trouwens ook behoorlijk emotioneel, hoor.'

'Gaat er dan niets meer eenvoudig, tegenwoordig? Blijf er wel bovenop zitten, hè? En eh… gefeliciteerd, als dat van toepassing is.' Ik ken Tommy zo goed, dat ik zijn neurotische koppie voor me zie, terwijl hij probeert om zijn ergernis te verbergen. 'Hou me op de hoogte.'

'Zal ik doen.' Ik verbreek de verbinding en zet OHPC en onroerend-goedzorgen in de ijskast en ga door met waar Bob en ik gebleven waren. 'Ik ben enorm gekwetst en boos, Bob. Ik zal even de tijd nodig hebben om te verwerken wat je hebt gedaan. Dus wanneer we thuiskomen, verkas jij naar een van de logeerkamers.'

'Vannacht sliepen we bij elkaar,' zegt hij, niet onredelijk.

'Jij sliep. Ik niet. Bovendien hebben we het niet over gisteravond. Het gaat over wanneer we weer thuis zijn.'

'De logica ontgaat me, maar ik neem aan dat het billijk is.'

Ik heb mijn zegje gedaan en het heeft geen nut om hem verder op zijn kop te zitten. 'Goed dus, ik ben het met je eens dat we niet zonder het eerst aan Violet te vragen naar haar dochter gaan zoeken. Als ze het wil, wat is dan onze eerste stap?'

'De registers van de burgerlijke stand, daarin worden geboorten, huwelijken en overlijdens bijgehouden,' antwoordt hij meteen. 'Het kind moet aangegeven zijn, ze moet een geboortebewijs nodig hebben gehad om een paspoort te kunnen krijgen.'

'Ze kan ook op het paspoort van een van die Amerikanen gezet zijn, alsof ze hun kind was. Dat kan met baby's.'

'Dan zou er toch nog een geboortebewijs aan te pas zijn gekomen.'

'Ze kunnen er een vervalst hebben.'

'Vervalsen, Claudine. Zou je willen proberen om je oververhitte fantasie in toom te houden en je tot de zaak te bepalen? Heb jij een beter idee?'

Natuurlijk heb ik dat niet. Maar ik popel om in actie te komen. Ik wil alles doen, behalve te diep moeten nadenken, vooral als ik enkele zaken omtrent pappie moet herzien: de zinnen 'erg koppig' en 'opvliegend' blijven in me naar boven komen, zoals olieverlies op zee. Die karaktertrekken waren me bekend, maar in mijn heiligmaking van hem had ik er de voorkeur aan gegeven die te vergeten. 'Ik denk dat ik Violet opbel en haar zal vragen of ze wil dat wij iets doen. Stel niet uit tot morgen wat gij heden kunt doen, oké?' En dan, wanneer ik Bobs zorgelijke gezicht zie: 'Rustig maar, ik pak het voorzichtig aan.'

'Onthoud wat ik heb gezegd, Cee. Bemoeials en hemelbestormers krijgen soms hun verdiende loon. Ze zou anders kunnen reageren dan jij verwacht.'

'Ik zal voorzichtig zijn.' Ik toets het nummer van mijn tante in. Ze klinkt slaperig wanneer ze opneemt. 'Neem me niet kwalijk, heb ik je gewekt, Violet? Je spreekt met Claudine.'

'Het is niet erg.'

Ik vind het wel erg. Ze moet zodra wij vertrokken een dutje zijn gaan doen. In de persoonlijke ontmoeting had ze stevig, elegant en energiek geleken. Maar nu, in die meisjesachtige stem, hoor ik elk van haar zesenzeventig jaren. Bob heeft gelijk. Ze heeft tijd nodig om het te verwerken. 'Het spijt me, tante Violet,' zeg ik snel. 'Ik wilde je alleen voor ons vertrek nogmaals zeggen dat we contact houden en dat we gauw weer langskomen. En als je iets nodig hebt, wat ook, hoef je het alleen maar te vragen.'

34 ❦ Een gebruikt theezakje

'Greenparks vond je tekst voor Cruskeen Lawns goed, Claudie.'
Tommy smijt me het vel toe, voordat ik mijn handtas heb kunnen
neerzetten. Ik raap het op. Het is nog steeds uitbundig verlucht met
rode omcirkelingen en doorhalingen, maar nu marcheren suggesties
en uitroeptekens als exotische kevers in de marges. 'Bravo!' Hij pakt
de telefoon en draait zijn Rolodex om een nummer te zoeken. 'Maak
effe een paar schone kopieën en het zit wel snor.' Hij gedraagt zich
alsof ik op een normaal tijdstip ben komen werken, in plaats van om
twee uur 's middags.

De ochtend had ik doorgebracht met nu eens schoonmaken als een
derwisj, dan weer doodstil voor me uit zitten staren op bank of stoel,
in een poging om orde te scheppen in mijn gedachten en gevoelens.
Een ding wist ik zeker: momenteel waren Greenparks en Cruskeen
Lawns dermate oninteressant voor me – evenals de rest van het werk
dat op mijn lijstje stond – dat ik een poosje vrijaf moest hebben om
met mezelf in het reine te komen. Ik had herrie verwacht over mijn
langdurige afwezigheid, maar Tommy, uitgekookt als hij is, kent zijn
pappenheimer. Hij weet wanneer hij kan eisen en wanneer hij zich
koest moet houden. Het initiatief is aan mij. 'We moeten praten,
Tom.'

'Balen!' Hij grijnst en zit alweer met zijn rug naar me toe een telefoonnummer te draaien.

Twee uur later, nadat ik de tekst voor Greenparks heb afgewerkt
en voor de volgende dag drie bezichtigingen heb geregeld, ben ik on-

derweg naar Whitecliff om de kennismaking met Pat/Colman te hernieuwen. Dit is niet, zo verzeker ik mezelf, om me ergens in te mengen of bazig te zijn. Ik doe niets anders dan een onderzoek naar de feiten. Al wat ik wil is vaststellen of we hier met de juiste man te maken hebben.

Eerst had Tommy geprotesteerd. 'Ik moet effe kwijt, Claudine, dat je je de laatste tijd gedraagt als de Rode Pimpernel! Wat moet je daar doen in deze fase?'

'Jij wilt die deal toch? Die vrouw is mijn tante, weet je nog? Ze vertrouwt me.' Terwijl ik dit zeg vraag ik me af of het tot zijn hersens is doorgedrongen dat mijn belang bij het object nu persoonlijker is dan ooit.

Uit niets wat hij doet blijkt dit. 'Goed,' zegt hij schoorvoetend. 'Maar je deserteert niet weer, gesnopen? Houd je mobieltje aan.'

Ik verzeker hem dat ik dat zal doen.

Ik heb vlinders in mijn buik als ik dit keer na Rathlinney de smalle kustweg neem en het huis vanuit noordelijke richting nader. Wanneer ik de scheidingsmuur in het oog krijg, zinkt de moed me bijna in de schoenen. Ik heb aanvaard dat het allemaal rustig aangepakt moet worden (niet van: 'Herinner je je me nog? Nou, ik weet nu wie je echt bent, en raad eens: Violet Shine leeft en maakt het goed en ze woont in West-Cork.'). En ik ben geenszins van plan het anders te doen. Dus waarom zou ik nerveus zijn? Mijn overlevingsmechanismen lijken defect, ik ben mijn zelfvertrouwen kwijt, verdikkeme.

Ik stop de auto om na te denken, maar hoe meer ik maal en probeer in te schatten hoe Coley zal reageren op mijn nieuws over Violet en dat hij een dochter heeft, des te sterker begin ik me af te vragen of ik het wel moet doen. Ik sta op het punt om de auto te keren en naar huis te rijden, maar dan geef ik mezelf een schop omdat ik een angsthaas ben. Mijn motieven zijn goed en als ik het voorzichtig aanpak, komt er niemand door mijn toedoen in de problemen.

Ik ben hier nu toch en kan net zo goed met de man gaan praten. Ik zal op mijn gevoel afgaan. Is hij Coley, dan zien we wel verder. Is hij Coley niet, dan is er niets aan de hand. Bovendien heeft het allemaal geen haast, en het is beter dat ik vandaag niet te veel onthul. Ik zal hem het gesprek laten bepalen, zien wat er gebeurt.

Ik rijd bij benadering naar de plek waar ik hem die eerste keer tegenkwam, parkeer de auto, neem een golfparaplu mee en wip over de ingestorte muur. Bingo! Wanneer ik de paraplu gebruik zoals ik hem de sikkel heb zien gebruiken, wijken de braamstruiken net zoals toen en leggen het paadje voor me bloot. Ik vorder behoedzaam tot ik de open plek bereik waar we onze vreemde theevisite hadden. Het ziet eruit zoals ik het me herinner. Er is geen spoor van Coley Quinn of van Coley Quinns eigendommen.

Aanvankelijk denk ik me vergist te hebben, het verkeerde pad genomen te hebben, maar dan zie ik het zwartgeblakerde stuk waar het vuur was en het stuk platgetrapte aarde waar zijn opslag stond.

Ik herinner me zijn stellige uitspraak dat hij zich verplaatst als een musje en in een oogwenk kan verdwijnen, zonder een spoor achter te laten. En hoewel ik me diep buk om op de grond te zoeken kan ik nog geen gebruikt theezakje vinden.

35 ❦ Kleine, lieve dingen

Ze waren geschokt, dat kon ik zien. Maar zodra ik begon te praten, kon ik mezelf niet meer stoppen en heb ik veel meer prijsgegeven dan mijn bedoeling was. Ik had het verhaal nooit eerder aan iemand verteld en misschien is dat de reden van mijn indiscretie. Maar toch vind ik het moeilijk te aanvaarden dat ik die altijd zo terughoudend was, met zoveel gemak mijn levensverhaal uitstortte over zo goed als vreemden, en dan de langdradige, egocentrische en vulgaire manier waarop. Ik kende ze amper een uur en ik maakte me er een vertoning van, alsof ik een jong meisje was.

Omdat ik er niet in ben geslaagd voldoende te benadrukken hoe anders alles zestig jaar geleden was, zeker waar het de omgang van ouders met kinderen betreft, vrees ik ook dat ik vader en moeder gedemoniseerd heb. Dat had niet mogen gebeuren. Mijn nichtje had er recht op om op een betere manier kennis te maken met haar familie. In mijn verhaal had ik ook de kleine, lieve dingen horen te noemen, die me deelachtig werden gedurende mijn opsluiting.

Zo liet moeder tijdens een bijzonder koude winter de laatste Shine-quilt naar boven brengen, wat me ironisch genoeg deed terugdenken aan mijn opmerking indertijd aan Johanna: dat dit het enige was wat aan deze kamer ontbrak, dat ons werk aan die kamer pas daarmee compleet zou zijn. Ze liet er de boodschap bij overbrengen dat ze voortaan geen quilts meer maakte en dat dit de laatste was. Ik onderkende de betekenis hiervan. Wij allen wisten hoe ze hechtte aan haar faam op de kerkbazaar en bijgevolg aan haar imago binnen onze kerk.

Ik ben ervan overtuigd dat het gebaar haar equivalent was van het aanbieden van een olijftak, misschien zelfs een smeekbede om vergeving. Haar gezondheid, wist ik, begon achteruit te gaan.

Die laatste quilt nam ik mee naar Johanna's huis. Hij ligt op mijn bed en op een warme nacht gebeurt het soms dat er een vage geur van citroenen of vanille tot me komt, de geuren die moeders lievelingsparfum bepaalden. Wanneer dit gebeurt ben ik ontroostbaar, veel meer, denk ik, dan als we bij haar leven onderling een liefdevolle band hadden gehad.

Ik had hun ook kunnen vertellen over de keer dat vader naar mijn luik kwam, het opende en nadat hij me mijn eten gaf, niet zoals anders enkele beleefde woorden sprak en het luik sloot, maar gewoon bleef staan zonder iets te doen, omlijst door de opening. 'Wat is er, vader?' vroeg ik geschrokken. Inmiddels had ik mijn situatie geaccepteerd, was haar normaal gaan vinden, en iedere afwijking van het vaste patroon baarde me zorgen.

'Violet…' Hij aarzelde en greep toen met zo'n heftigheid mijn onderarm vast, dat ik mijn dienblad bijna liet vallen.

'Vader, wat is er aan de hand?' riep ik. 'U doet mijn arm pijn.'

'Neem me niet kwalijk.' Hij liet me los. 'Ik wilde je geen pijn doen.'

'Is er iets mis?'

'Er is niets mis, Violet,' zei hij rustig, maar ik zag aan de beweging van zijn kaak dat hij diep aangedaan was. 'Niets en alles,' voegde hij eraan toe. Daarna sloot hij heel snel het luik, maar ik voelde dat er iets belangrijks tussen ons was gebeurd.

Het is ontzettend moeilijk om het aan een ander over te brengen, de emotionele nuances van op het oog onbelangrijke, kortstondige gebeurtenissen. Toen ik naar het hout van mijn luik staarde en luisterde naar zijn zware voetstappen op de trap, voelde ik me zowel verontrust als opgetogen; opgetogen omdat hij had getracht iets aan me uit te leggen en tegelijk verontrust om hem. Die keer was zijn smart bijna voelbaar en ik denk dat die met meer pijn door mijn hart sneed dan door het zijne. Nog vele jaren daarna bracht dit ogenschijnlijk onbeduidende voorval me tot het huilen van bittere, volwassen tranen. Woorden schieten te kort om het waarom hiervan te beschrijven; waarschijnlijk heb je daar film voor nodig.

Dus, moeder en vader waren niet harteloos. Om mijn nichtje en

haar man een evenwichtiger beeld van hen te schetsen dan ik ongetwijfeld heb gedaan, zou ik hun hebben moeten vertellen van deze en
andere kleine voorvallen.

Ik vraag me af of Claudine en ik goed met elkaar zullen kunnen
opschieten. Ik zie nu al dat zij een relatie met me wil opbouwen, maar
aangezien ik helemaal niet gewend ben aan nieuwe mensen, zal dat
mij moeilijk vallen.

Hemeltje, ik vertelde hun zelfs indirect dat ik in mijn dagboek details van onze vrijerij had geschreven...

Ik heb dat dagboek verbrand. Vlak na mijn opsluiting heb ik er nog
vurig in geschreven, maar daarna hield ik daar geleidelijk aan mee op.
Met alle respect voor Anne Frank, maar er is een eind aan de manieren waarop men op papier uiting kan geven aan frustratie en ellende.
En zonder prikkels van buitenaf verveelde ik mezelf inmiddels suf
toen ik vrede had met mijn situatie. Toen ik met Johanna hierheen
kwam, wilde ik het dagboek niet achterlaten, misschien zouden anderen erin gaan snuffelen. Maar zodra de kans zich voordeed gooide
ik het bij Johanna in de open haard en zag het met plezier omkrullen
en verkolen. Terwijl ik mijn verleden door de schoorsteen omhoog
liet zweven, verbeeldde ik me me lichter te voelen.

Nu is dat verleden teruggekomen om me te kwellen, of ik nu wakker ben of slaap. Afgelopen nacht heb ik alleen maar rusteloos ge-
dommeld, schrok steeds wakker met fragmenten van reeds vervlie-
gende dromen. Ik herinner me enkele fragmenten: de doodskist van
mijn broertje, het verzonnen gezichtje van mijn baby, moeders blauwe kokerjurk, vader die zich verdiept in rekeningen en administratie,
Coley en ik die in Loughshinny op een hooiland liggen aan zee. Ik
ben erg rustig geweest sinds Johanna overleed, maar het sediment onder mijn rustige bestaan is in beroering gebracht, en die opschudding
en opwinding zijn veeleisend en maken me nerveus. Toen ik die afspraak maakte met die mevrouw Armstrong om over Whitecliff te
praten, had ik geen idee van wat me te wachten stond. Toen ze vertrokken was ik uitgeput, en waarom in hemelsnaam heb ik het nog
ingewikkelder gemaakt door mijn dochter te noemen?

Eigenlijk had ik moeten uitleggen waarom ik, na mijn bevrijding,
nooit onderzoek naar haar heb laten instellen. En ook dat ik me net
een robot voelde na zo lang van de wereld afgesloten te zijn geweest,
dat ik de eenvoudigste dingen opnieuw moest leren, zoals een brief

op de bus doen, een beslissing nemen over of ik een witte of een bruine boterham wilde eten. Daarbij hield ik mezelf voor dat het egoïstisch van me zou zijn als ik na zo lange tijd opdook en misschien haar leven overhoop haalde.

Tot nu toe heb ik mijn gevoelens omtrent haar goed in de hand gehouden, denk ik. Ze bestaat in het rode geheugen van mijn buik, in mijn oren die ons beider schreeuwen hoorden, en in mijn fantasieën over het goede, ordelijke leven dat ze in Amerika heeft geleid. Ik vind oprecht dat ik me niet mag mengen in dat leven, dat ze gevrijwaard moet blijven van de verhalen waartoe ik me verplicht voelde haar die te vertellen.

Maar is dat wel zo? Misschien hunkert ze net zo naar mij als ik naar haar in mijn intiemste, zelfzuchtigste momenten?

Door het verschijnen van mijn nichtje ben ik me gaan afvragen of ik mijn gevoelens niet aldoor heb weggeredeneerd omdat ik laf koos voor een rustig leven.

Claudine's beroepsmatige belangstelling voor Whitecliff is een complicerende factor. Op korte termijn zal ik heel veel geld nodig hebben en Johanna's nalatenschap zal hiervoor hoe dan ook de bron moeten zijn. Tot kort geleden was dit geen probleem. De Ierse staat is goed voor me. Ik leef eenvoudig en mijn ouderdomspensioen is toereikend voor mijn levensonderhoud en rond de kerst komt er een welkom extraatje. Ik hoef geen kijk- en luistergeld te betalen, mag gratis reizen en ontvang daarbij nog eens een bijdrage in de kosten voor mijn gas en licht. Aangezien ik drink noch rook, geen auto heb, geen gasten ontvang of vertier buitenshuis zoek, red ik het financieel goed.

Maar dit huis van Johanna en Anthony is oud en tochtig en als ik afga op de donder boven mijn hoofd bij een zuidwesterstorm, zal de leidekker binnenkort moeten komen voor een nieuw dak. De houten schuiframen, mooi en zo passend bij het huis, moeten ook vervangen worden. De winters hier zijn zacht maar erg nat, dikwijls stormachtig en de zilte wind verwoest zelfs het meest robuuste mahonie, zoals het onze. Ook de tuin en bijgebouwen moeten grondig worden aangepakt. En ten slotte is er het gebrek aan warmte. Ik ben gehard, maar met het vorderen der jaren groeit mijn verlangen naar deugdelijke centrale verwarming. Na Johanna's overlijden heb ik vorig jaar winter de bovenkamers afgesloten, maar de boiler volstaat amper om de weinige kamers die ik gebruik te verwarmen. Op mijn leeftijd ziet een mens de toekomst in termen van een verslechterende gezondheid en ook afhankelijkheid. Ik heb wellicht alle financiële middelen nodig waar ik de hand op kan leggen om zeker te zijn van een comfortabele oude dag.

Maar ondanks dit alles, kan ik niet ontkennen dat het opwindend is om familie gevonden te hebben. Maar ik moet me er niet door laten meeslepen. Ik ben zesenzeventig, dus sta ik echt open voor dergelijke ingrijpende veranderingen? Ik moet toegeven dat ik in grofweg dezelfde mate opwinding als vrees voel bij het vooruitzicht. Maar met iemand als Claudine in de buurt zal het leven nooit meer saai zijn.

Was het niet opmerkelijk dat mijn nichtje, die duidelijk geen idee had van onze familierelatie, regelrecht afging op vaders taxushouten bankje? Maar hoe het hier in de zitkamer belandde is ook zo'n verhaal dat ik haar nooit zal kunnen vertellen en dat precies illustreert wat ik probeerde uit te leggen over de beperking van woorden.

Toen ik Whitecliff verliet met Johanna, om hierheen te komen, reed haar lieve Anthony ons. Ze had het geheim van mijn opsluiting jarenlang voor hem verborgen gehouden, net zoals Marjorie voor haar man. Maar ten slotte had ze hem verteld van mijn bestaan en hem laten beloven dat hij niets zou ondernemen tot ik veilig bij hen woonde.

In de veronderstelling dat ik spulletjes met me mee wilde nemen, misschien zelfs meubels of linnengoed, was hij in zijn bedrijfsbusje gekomen en hij stond buiten op het grind te wachten, terwijl Johanna me hielp om de paar spulletjes in te pakken, die ik mee wilde hebben. Ik voelde er niets voor om iets anders dan de meest persoonlijke dingetjes mee te nemen, maar op het allerlaatste moment vouwde ik toch de Shinequilt op.

Er deed zich een kleine, onverwachte moeilijkheid voor toen ik de net geopende deur uit liep (het hout was uitgezet en vader en Anthony hadden er allebei aan te pas moeten komen) en bovenaan de steile helling stond van de trap naar de overloop beneden. Het mag onwaarschijnlijk klinken, maar ik had in zo lang geen trap gebruikt dat ik eerst gedesoriënteerd raakte en daarna heel bang werd. Toen ik omlaag keek kreeg ik het gevoel alsof ik viel, wankelde zelfs een beetje. En als Johanna me niet van achteren had beetgepakt, was ik misschien gevallen. Ze moest zich naast me persen om me naar beneden te helpen.

Toen ik eenmaal veilig in de hal beneden stond met de Shinequilt in mijn armen, droeg Johanna de rest van mijn spullen, die net twee valiezen vulden, door de voordeur naar het bestelbusje.

Ik aarzelde alvorens haar te volgen. Vader zat in de salon, die slechts door een tafellamp werd verlicht. Door de deuropening zag ik zijn silhouet in een leunstoel bij de schouw, maar zijn gelaatstrekken kon ik niet onderscheiden. Ik wist niet of ik naar hem toe moest gaan, dus riep ik in plaats daarvan: 'Ik ga nu, vader.'

Ik meende hem te zien bewegen in zijn stoel en wachtte op zijn reactie, maar toen die uitbleef liep ik, onverwacht diep-verdrietig, achter mijn zuster aan naar buiten. Het regende, herinner ik me, en ik haastte me over het grind naar het busje.

'Heb je alles, Violet?' Toen ik naar binnen klom, leunde Anthony over Johanna heen, die op de voorbank naast hem zat. Ik had hem die avond voor het eerst ontmoet, en kon niet anders dan Johanna's hoge dunk van hem van harte delen.

'Dank je, Anthony.' Blij dat de regen mijn tranen verbloemde, hield ik mijn gezicht afgewend toen ik mezelf en de quilt naast Johanna installeerde en het portier sloot. Het was heel vreemd om mijn wimpers aan elkaar te voelen plakken van de regendruppels en om, in de cabine van Anthony's busje, iets anders dan mijn eigen kamer te ruiken.

'Dan kunnen we vertrekken.' Hij startte de motor.

Toen we wegreden bij het huis, hoorden we alle drie lawaai aan de achterkant van het busje. Anthony remde en opende het portier aan zijn kant om naar achteren te kijken. 'Het is jullie pa,' zei hij verwonderd.

Ik verstarde. Probeerde vader zelfs nu nog te voorkomen dat ik vertrok? Ik stapte uit en omdat het inmiddels hard regende, gebruikte ik de quilt om mijn hoofd te bedekken toen ik naar achteren liep. Daar trof ik vader aan, die uit alle macht probeerde om de achterdeuren te openen en verwoed rukte aan de handgrepen. Hij droeg alleen een overhemd, dat op de schouders al doorzichtig was, en de regen droop uit zijn haar. 'Ik wil dat je dit meeneemt,' zei hij, nog steeds met de deuren vechtend, 'maar die deuren zitten op slot.'

Pas toen zag ik aan zijn voeten zijn prachtige taxushouten bankje staan. 'O, vader,' riep ik uit, en zonder erover na te denken snelde ik naar hem toe. De Shinequilt viel van mijn hoofd en bleef veronachtzaamd op de grond liggen, toen ik voor de eerste en de laatste keer in mijn leven mijn vader omhelsde. Na een seconde kwamen ook zijn armen langzaam om mij heen en hij drukte me eventjes heftig tegen zich aan, voordat Anthony eraan kwam om de deuren te openen.

Toen we ten slotte wegreden met de natte quilt en het taxushouten bankje veilig achterin het busje, keek ik achterom. Door de plasregen heen zag ik hem staan: een gebogen, eenzame figuur in de schaduw van Whitecliffs portiek, van opzij belicht door een vaag geel schijnsel vanuit de erker. Hoewel ik het niet zeker weet, denk ik dat zijn ene hand half omhooggebracht was, in een aarzelend vaarwel.

36 ❦ De patiënt

Onmiddellijk toen ik de ochtend na mijn vruchteloze tocht naar Whitecliff wakker werd, begonnen mijn hersenen te werken. Er borrelden allerlei ideeën en plannen op voor Whitecliff en voor herenigingen: Violet met haar dochter, Coley en Violet, de restauratie van het huis…

In plaats van aan mijn fantasietjes toe te geven, zoals ik meestal doe, beteugelde ik ze nu, beval ze zich koest te houden. Bob had gelijk. De stevige bodem van mijn leven mocht dan zijn gaan deinen, maar dat rechtvaardigde niet dat ik andermans bodem in deining bracht door me er ongevraagd in te mengen.

Maar ja, na me mijn leven lang zo gedragen te hebben, was de gedachte dat ik helemaal niets zou doen wel erg drastisch. Dus toen ik had gedoucht en Bob veilig naar zijn werk was, stond ik mezelf toe de telefoon ter hand te nemen. Op zoek naar Coleman Quinn, liet ik mijn naam en telefoonnummer thuis (alleen mijn thuisnummer, dat hoorde bij het compromis) achter bij ziekenhuizen, *gárda*-bureaus en gezondheidscentra. Als laatste belde ik het postkantoor van Rathlinney om te vragen of hij zijn pensioen was komen innen en, terecht, beleefd te horen dat dit mij niets aanging.

Ik was niet erg hoopvol dat dit enig resultaat zou opleveren, maar ik had gedaan wat ik niet laten kon en ook mijn geweten gesust: de kans bestond – en hopelijk was die heel erg klein – dat hij de benen had genomen naar aanleiding van mijn bezoekje aan Whitecliff.

Na dat laatste gesprek hing ik het wandtoestel terug in mijn zonnige keuken. Daarna bleef ik heel even staan om van de stilte te genieten. Jeffrey kwam aansloffen en ging aan mijn voeten zitten. Toen ik hem een klopje gaf, bedacht ik dat ik niet meer kon doen dan ik nu gedaan had. Ik beloofde mezelf plechtig dat ik verder geen telefoontjes meer zou plegen, maar het lot zou laten beslissen wat er gebeurde. Vanaf vandaag was dat mijn splinternieuwe ik.

Onderweg naar mijn werk, belde mijn nieuwe ik Violet. Niet om te graven, alleen om te babbelen. 'Goedemorgen, Claudine.' Ze klonk opgewekt toen ik zei met wie ze sprak. 'Gaat het goed met je? Het is duidelijk dat jullie veilig zijn thuisgekomen.'

'Nou en of, tante Violet.' Het was nieuw, heerlijk nieuw, om zomaar voor de aardigheid te bellen naar mijn eigen tante. Tot dan had ik dat alleen kunnen doen naar Bobs tante Louise. 'En het gaat goed met me, dankjewel. Het is hier heerlijk weer vandaag.'

'Hier ook. Straks ga ik in de tuin lunchen.'

We babbelden een paar minuten over onbenulligheden, zo onbenullig dat duidelijk werd dat we beiden onderstromen van eerdere gesprekken uit de weg gingen, maar ik moet bekennen – ware aard verloochent zich niet – dat het me veel moeite kostte om niet in oude gewoonten te vervallen en vragen te stellen. Maar ik deed het niet. Toen we het gesprek beëindigden nodigde ik haar uit om 'een keertje' bij ons te komen logeren.

'Dat zou ik erg leuk vinden, Claudine,' zei ze, en met de belofte contact te houden hingen we op.

Nu is het lunchtijd en ik ben teruggekomen naar huis, deels omdat er vanmiddag geen afspraken met klanten zijn en ik dus thuis kan werken, en deels omdat ik hoognodig een paar nieuwe schoenen moet uittrekken die vanmorgen tijdens een bezichtiging mijn hiel hebben opengeschuurd. Ze doen me zo'n pijn dat ik ze al uitschop voordat ik de sleutel in het voordeurslot steek. Ik raap ze niet eens op, maar laat ze buiten om hun zonden te berouwen. Terwijl ik mijn dossiermappen op het haltafeltje neerleg, zie ik dat het berichtenlampje op de telefoon knippert. Ik probeer het te negeren. Het kan een loos telefoontje zijn, waarin men me een goedkoop telefoonabonnement probeert te slijten of me vertelt dat ik een Caribische cruise heb gewonnen...

Maar wanneer ik naar de keuken loop om de waterkoker aan te zetten, kan ik er niet langer weerstand aan bieden.

Twee minuten nadat ik het bericht heb beluisterd staar ik naar de telefoon en weeg wat ik moet doen af tegen wat ik wil doen. Het is een titanenstrijd. Mijn nieuwe ik zegt me te wachten tot vanavond en Bob te raadplegen. Mijn oude ik zegt: 'Pak nu die telefoon.' Een van de gezondheidscentra heeft gereageerd op mijn telefoontje over Colman Quinn. De verpleegkundige wil me graag spreken en heeft haar mobiele nummer achtergelaten. Ze noemt de naam Colman Quinn. Dus mijn zwerver is inderdaad Violets Coley.

Een beslissend moment.

Ik besluit om te gaan lunchen en er dan over na te denken.

Ik ben nog maar halverwege of ik sta alweer op om het telefoontje te plegen. 'Mooi zo,' zegt de verpleegkundige onmiddellijk, wanneer ik mezelf bekend maak. 'Bent u familie van Colman?'

'Nee.' Ik vind het niet gepast om een verhaal op te hangen over een nicht wier bestaan mij sinds kort bekend is en Colmans en mijn gemeenschappelijke connectie met haar.

'Wat is uw betrokkenheid dan?' Ze is van het no-nonsense type, deze vrouw, die naar haar accent te oordelen uit het noorden komt.

'Ik ken hem nauwelijks. Ik ken hem via Whitecliff, het huis waar hij... eh... kampeerde. Ik maakte me een beetje zorgen toen hij daar niet meer leek te zijn.'

'Zit het zo. Puur geluk, wat daar is gebeurd. We hebben zijn hele hebben en houden verwijderd. Het ligt veilig opgeslagen tot hij besluit wat hij wil houden en wat er weggegooid kan worden. En dat zou het merendeel moeten zijn, als je het mij vraagt...'

Het blijkt dat Coley in het ziekenhuis ligt, maar voldoende hersteld is om eruit ontslagen te worden. Ze vertelt me dat hij tijdens een zware regenbui over het gat in de scheidingsmuur klom en uitgleed op het natte mos. Hierbij kwam hij ongelukkig ten val en was niet in staat om op te staan. Wel lukte het hem om te gaan zitten. 'Gelukkig,' voegt ze er op haar kordate manier aan toe, 'is hij aan de wegkant gevallen en niet achter de muur beland, anders was hij misschien veel later gevonden en je wilt niet weten wat er dan met hem had kunnen gebeuren.'

'Heeft hij een been gebroken of een hartaanval gehad of zo? En wie heeft hem gevonden?'

'Hij werd vrij snel gevonden door een man die zijn hond uitliet. Niets gebroken. Maar hij heeft zijn rechterenkel ernstig verstuikt, dus hij is even minder mobiel. Maar het is een taaie oude knaap, dus we verwachten een volledig en ook vrij vlot herstel. Zodra we hem hadden, hebben we de kans waargenomen om hem enkele dagen binnen te houden en grondig medisch te onderzoeken. Hij is zowaar in erg goede conditie voor een man van zijn leeftijd.'

'Wie heeft zijn kampje ontmanteld? Hij zal toch zeker…'

'Geen sprake van,' kapt ze me af om me vervolgens in grote lijnen het ambtelijke plan te schetsen. Er is een aanleunwoning vrijgekomen. 'Het is me gelukt hem daar in te krijgen. Het wordt een beetje aanpassen na zoveel onafhankelijkheid en zo lang op straat gewoond te hebben, maar we willen hem voor de winter geacclimatiseerd hebben.'

'En hij heeft in de plannen toegestemd?' Ik herinner me de stelligheid waarmee de man te kennen gaf dat hij alleen en tot zijn dood op het terrein van Whitecliff wilde wonen. De ironie van mijn eigen vraag ontgaat me niet. Tot mijn recente verandering was ik Verpleegster Albedil. 'Toen ik hem sprak was hij er erg stellig over dat hij zijn laatste dagen daar wilde slijten.'

'Het kostte enige overredingskracht,' zegt ze. 'Maar nu even over dringender zaken. De woning zal gerenoveerd moeten worden voordat we hem erin kunnen zetten. Maar wat doen we in de tussentijd met hem? U weet waarschijnlijk dat bejaarden- en verpleegtehuizen overvol zitten en het is me niet gelukt om een plaats voor hem te vinden. Hij bezet een spoedopnamebed en we moeten hem ergens anders kwijt. Hij zegt dat hij geen familie heeft bij wie hij terecht kan.'

'Dat klopt.' Ik herinner me de levendige beschrijving van de oude man over zijn familieleden die verspreid over de wereld begraven lagen.

'Tjonge, dat wordt dan een lastig vraagstuk. Vrienden? Iemand die hem onderdak wil verschaffen? Het zou maar voor enkele weken zijn.'

Ik herinner me Coley's dreigement om zijn boeltje te pakken en naar zijn overgebleven vrienden 'aan de overkant' te gaan, hoewel ik betwijfel of dat meer was dan bravoure. 'Ik geloof van niet.'

De verpleegkundige zucht. Ik hoor bladzijdes omslaan en ik hoor haar op een toon die erop duidt dat ze in zichzelf praat zeggen: 'Dat rotsysteem ook… Het is maar een verstuiking… Het zou niet ideaal zijn, maar we krijgen hem wel in de noodopvang.'

'Hij kan wel een paar dagen bij ons thuis logeren.' De woorden zijn eruit voordat ik ze kan tegenhouden. Deze intens onafhankelijke oude man, wiens dak gedurende zovele jaren de eindeloze hemel was, zou in een overbevolkt pension in de binnenstad gestopt worden, waar hij bovenop hordes krijsende kinderen, dakloze drugsverslaafden en verbijsterde asielzoekers zit? Het beeld is te naar om over na te denken.

'Fantastisch,' zegt de verpleegkundige. En daarna, waarschijnlijk bang dat ik mijn aanbod zal intrekken, zodra ik de kans maar ruik: 'Een momentje, Claudine. Het is toch Claudine, hè? Ik zet je een seconde in de wacht, terwijl ik ga horen hoe de situatie op de afdeling is. Hij heeft uiteraard recht op vervoer en we sturen iemand met hem mee, zodat je niet naar het ziekenhuis hoeft te komen. Ik kom zelf ook langs om te zien hoe het met hem gaat. En ik zal zien te regelen dat er een rolstoel geleend kan worden. Die zijn momenteel goud waard.' Ze drukt me weg.

Rolstoel? Ik met mijn grote mond. Wat heb ik gedaan? Tegelijk denk ik, die arme man moet toch ergens heen…

'Sorry, Claudine, degene die ik nodig heb kan ik even niet bereiken, ben zo weer bij je…' De verpleegkundige is terug. 'Heel even nog, goed?'

'Goed.'

Ze drukt me weer weg.

Ik zal vrijaf moeten nemen om voor de arme oude man te zorgen. Ik vraag me af hoe Bob zal reageren.

Bob. De gedachte aan hem brengt een golf van onrust in me teweeg. Toch merk ik dat ik, voor het ogenblik althans, me het hoofd niet breek over de ontrouw van mijn man. Mijn nieuwe ik steekt de kop op om er het hare over te zeggen: 'Zou het kunnen, Claudine Armstrong, dat je diep in je hart weet dat je er zelf deels schuld aan hebt?'

De avond dat Bobs tante Louise bij ons had gegeten staat me opeens voor de geest. Als ik het me goed herinner verdrong ik de vragen die ik mezelf over ons huwelijk stelde en stopte al mijn energie in het beramen van hoe ik Whitecliff kon krijgen. En zoals Lazarus uit zijn graf herrees, steken nu die vragen de kop weer op om me te kwellen.

Ik verplaats me in zijn situatie: misschien was zijn *inamorata* zo'n type dat in aanbidding aan zijn voeten zat, hem vleide en hem het gevoel gaf geweldig te zijn. Wanneer gaf ik hem voor het laatst het gevoel dat hij geweldig was? Ik gun het niemand dat zijn of haar huwelijk op zo'n schokkende manier in beeld komt als nu bij mij is gebeurd. Maar toch sluit ik niet uit dat deze crisis, hoe afschuwelijk ook, precies op tijd kwam. Misschien heb ik zijn aanwezigheid wel zo vanzelfsprekend gevonden, dat ik niet meer over hem nadacht. Wanneer hebben we een echt gesprek gevoerd over 'ons'? Wanneer heb ik hem voor het laatst gevraagd naar zijn gevoelens?

'Claudine? Het is helemaal geregeld…' De verpleegkundige laat zich weer horen en legt me uit wat er te gebeuren staat. Ik schrik, maar ik heb het aangeboden en kan niet terugkrabbelen. Gek genoeg zijn nieuwe ik en oude ik het erover eens dat ik een fatsoenlijke en menslievende daad heb verricht, ongeacht de onbewuste beweegreden.

Het zal niet makkelijk worden. Ik heb nooit veel met oude mensen te maken gehad, behalve als klant, en ik heb nog nooit voor een oud iemand hoeven zorgen. Feitelijk heb ik nog nooit voor wie dan ook hoeven zorgen. Ik hoor voortdurend hoe zwaar het leven is voor thuisverzorgers en dan voel ik met die mensen mee, maar tot nu toe was mijn medeleven theoretisch.

Ik besef wat een zorgeloos leventje ik heb geleid, mijn klachten ten spijt, wanneer de taxi komt voorrijden en ik op de achterbank Coley's grijze hoofd zie en de met een touw vastgebonden halfopen kofferbak waaruit de handvatten van een rolstoel steken.

Ik dank de voorzienigheid dat dit maar tijdelijk is. De verpleegkundige heeft me verzekerd dat Coley vanwege zijn ongewone situatie 'als topprioriteit, Claudine' in zijn nieuwe onderkomen geplaatst zal worden. Ik snel naar buiten en trek het taxiportier open om mijn gast de hand te schudden. 'Hoe is het met je?'

'Best, dank je.' Zijn stem klinkt zwak. Een oudemannenstem.

Dit is niet de Pat die ik heb ontmoet; sterk, lenig en moeilijk. Sinds ik hem zag lijkt hij verouderd te zijn, gekrompen zelfs. Zijn ogen staan wazig en dof, zijn huid ziet grauw, mogelijk door de tot op de draad versleten badstoffen kamerjas die hij draagt, eens wit maar nu grijs en slap als een oude dweil. In verwassen, blauwe letters staat er 'St. Mary's' op. Zijn geaderde benen zijn bloot, de rechterenkel is strak ingetapet. Op de rechterkant van zijn gezicht zit een blauwe plek. Zijn haar is netjes gekamd en meer dan wat ook lijkt dit aan te geven hoeveel fut er uit de arme man is geslagen.

'Goedemiddag!' De ziekenverzorgster stelt zichzelf opgewekt voor.

Terwijl de taximan het touw losknoopt en de rolstoel uitgraaft en ik er voor spek en bonen bij sta en toekijk, helpt zij de patiënt om zijn benen opzij te zwaaien, zodat hij met zijn rug naar het open portier zit. 'Dit grote, sterke man. Zit goed, lieverd?' Ze praat rechtstreeks in zijn oor en verheft hierbij haar stem alsof hij een baby is of doof. 'Rust goed uit in huis van jouw vriendin en dan is jij gauw beter.' Vervolgens verplaatsen zij en de taximan, die dit onmiskenbaar eerder heeft gedaan, Coley naar de rolstoel.

Ik kijk ontzet toe. Hij heeft dit gesol met hem aanvaard zonder een kik te geven. Vergeleken met de dwarse man die zijn sikkel met zoveel kracht en zelfvertrouwen hanteerde, is hij zo passief als een lappenpop. Hoe moet ik in vredesnaam in mijn eentje met hem overweg?

De ziekenverzorgster voelt die vraag intuïtief aan. 'Hij nu slaperig. Veel pillen tegen pijn.' Met een gebaar doet ze alsof ze pillen in haar mond stopt. 'Misschien slaap hij rest van dag. Maar eigenlijk maakt hij erg goed.'

'Zijn recepten.' Ze geeft me er twee plus een wit papieren zak met potjes pillen. 'Staan instructies op. Volgende dosis om zes, zeven uur vanavond, ja? En zijn spullen.' Van voor in de auto pakt ze een grote zak van bruin papier. Ze geeft het pakket aan mij en blijft verwachtingsvol staan. 'Oké?' Ze kijkt verbaasd. 'Wij gaan binnen?'

'Hoe lang kunt u blijven?' Ik kijk angstig naar de taximan, die zijn plaats alweer inneemt, en dan naar de oude man. Coley maakt slagzij in de rolstoel, zijn hoofd hangt op zijn borst en zijn oogleden zijn nog net niet dichtgevallen.

'Geen zorgen.' De ziekenverzorgster blijft opgewekt. 'Ik blijf een kwartier. Genoeg tijd.' Ze werpt een blik op de gevel. 'Mooi huis!' Opnieuw buigt ze zich naar Coley's oor en schreeuwt nog net niet: 'Jij geluk!' Ze pakt de handvatten van de rolstoel, neemt moeiteloos het lage stoepje en duwt hem naar de open voordeur.

De verpleegkundige waarschuwde me dat mijn gast nog geen trappen kon lopen en eenmaal binnen, dirigeer ik haar door de gang naar de slaapkamer beneden die ik in gereedheid heb gebracht. Ik had me gehaast om de aangrenzende badkamer schoon te boenen, het bed op te maken en de kamer te luchten. Net voordat we de huisdeur bereiken, gaat de telefoon. 'Sorry, ik moet echt opnemen.'

'Geen probleem.' De ziekenverzorgster loopt door naar de slaapkamer.

De belster is een klant, die Tommy aan mij heeft doorgeschoven. Het gaat om een scheiding en de vrouw, God hebbe haar lief, zoekt iets in de buurt van Skerries voor onder de twee ton. Snel pak ik mijn lijst en zie dat we één object van 193.000 euro hebben. Het ligt nog geen twee kilometer buiten de stad en het verkeert in afgrijselijke staat, maar kan opgepimpt worden. Ik maak een afspraak om het haar morgen te laten zien. Maar terwijl ik praat sla ik gade hoe Coley voorzichtig zijn domein in wordt gemanoeuvreerd. Hoe zou mijn tante, die elegante vrouw, reageren op deze fragiele, zwakke oude man?

Ik zit er tot over mijn oren in. Ik had niet alleen moeten luisteren naar Bobs waarschuwing over me met andermans zaken bemoeien, ik had er ook naar moeten handelen.

37 ❦ *Herziening*

Het decor in de slaapkamer die ik aan Coley Quinn heb gegeven is mateloos ongeschikt voor een man. In ons huis overheersen moderne, vrij neutrale kleuren, maar nadat Bob en ik een weekend hadden doorgebracht in een hotel van het genre 'verborgen Ierland', kreeg ik het op mijn heupen. Op de muren van de benedenslaapkamer zit nu behang met een dessin van groene bladeren en voorjaarsbloemen. Ook de sprei en de gordijnen van dezelfde stof hebben een bloempatroon in met het behang harmoniërende kleuren, en er liggen veel kussens en het tapijt is donkerroze. Het is een lief kamertje als je van een Engelse tuinsfeer houdt. Ik had er indertijd het sentimentele idee bij dat dit Louises kamer kon worden, als zij ooit bij ons zou komen wonen. Ik zette er ook een tv in en zo'n hoge stoel met een hoge, rechte leuning van het soort dat je naast ziekenhuisbedden ziet staan. Deze liet ik bekleden met lichtroze fluweel. Maar ondanks de vrouwelijke sfeer is dit om een andere, belangrijke reden verreweg de geschikste kamer voor de huidige bewoner: de vorige eigenaars van het huis hadden een gehandicapte zoon en de deuren naar de slaapkamer en de aangrenzende badkamer zijn breed genoeg voor een rolstoel.

Ik bracht een ongemakkelijke middag door, waarin ik me probeerde te concentreren op mijn werk voor OHPC, terwijl ik tegelijk gespitst was op tekenen dat mijn patiënt wakker was. Toen de ziekenverzorgster ('Prachtige kamer, mooie lakens! Wow!') en ik hem in bed legden, had ik hem een porseleinen handbelletje gegeven en hem aangespoord dit te gebruiken als hij iets nodig had. Hij was zo suf dat hij ogenblikkelijk in slaap viel en ik weet niet of wat ik zei tot hem is doorgedrongen. Dus ik kon me niet concentreren, want ik luisterde of ik een belletje hoorde en liep ieder half uur op mijn tenen zijn kamer in om naar hem te kijken. Ik moest alinea's telkens herlezen omdat ik de essentie van de tekst niet had opgepikt. Tommy, ik kan niet anders zeggen, had zich schappelijk betoond, toen ik hem uitlegde dat ik wederom minder kon werken. 'Best, best,' zei hij. 'Zorg er alleen voor dat je mobieltje aanstaat.' In de makelaardij is de zomer een slappe tijd, dus ik voelde me niet zo schuldig.

Het is nu zes uur en omdat Bob over een uur thuiskomt vind ik dat ik de patiënt moet wekken en hem iets te eten moet brengen. Bovendien is het tijd voor zijn tabletten, volgens de ziekenverzorgster.

Hij ligt op zijn rug en snurkt zacht met zijn mond open. Hij moet het te warm hebben gehad, want hij heeft het beddengoed weggeduwd. Ik zie zijn bovenlichaam in het donkerblauwe pyamajasje dat de ziekenverzorgster uit de bruinpapieren zak had gepakt. Hij werd zelfs niet wakker toen ik een dienblaadje op zijn nachtkastje zette, met daarop een glas water en twee pijnstillers, alsook thee en een paar sneetjes geroosterd brood. Ik had aangenomen dat thee-met-geroosterd-brood was wat bejaarde zieken behoefden.

Ik kijk op hem neer, naar de hoge jukbeenderen die oprijzen uit het verweerde, geplooide landschap van zijn gezicht. Er staat ontbering op geschreven en, in zijn slaap althans, kwetsbaarheid. Maar net zoals ik in Violet zag hoe ze er op haar zestiende uitgezien moet hebben, kan ik zien dat ook hij als jonge man erg mooi geweest moet zijn. Hun kind moet zijn uitgegroeid tot een beeldschone vrouw, is dat misschien nog steeds, ook al loopt ze tegen de zestig.

Stel dat mijn tante opbelt? Moet ik haar de oude man dan geven? Jeetje.

Bob is niet de enige die me heeft gewaarschuwd voor mijn impulsiviteit. Ook pappie hield me altijd voor dat dit me op een dag echt in de problemen zou brengen. Nou, hier voor me ligt een probleem. Hoe zou pappie dit aangepakt hebben, vraag ik me automatisch af, zoals ik doorgaans doe in een moeilijke situatie.

Met een schok besef ik dat ik dat niet weet. Mijn hele leven werden zulke vragen onmiddellijk beantwoord. Pappies barse stem zit altijd in mijn hoofd, maar dit keer hoor ik hem niet. De stem is weg. Instinctief weet ik ook dat dit voorgoed is. Ik moet het nu zelf opknappen. Ik ben de volwassene. De zweetdruppels staan op mijn voorhoofd en ik denk dat ik stik.

Coley's kamer ligt aan de voorzijde van het huis en de avondzon stroomt naar binnen. Ik loop naar de ramen en gooi ze open. Ik haal diep adem en dwing mezelf om me te concentreren op de zijdeachtige glans van het gras, de uitbundige kleurenpracht van het bloembed met vlijtige liesjes. Pamela haatte die bloemen. Misschien dat ik ze daarom ieder jaar plantte.

Waarom moet ik nu opeens uitgerekend aan haar denken?

Wat me nog meer verbaast, is dat ik buiten mijn, als het om haar gaat, gebruikelijke bevooroordeelde zelf stap en voor de allereerste keer bedenk hoe moeilijk het voor haar geweest moet zijn om buiten het bolwerk te leven dat pappie en ik rond ons hadden opgetrokken. Tenslotte had ze, steevast door mij afgewezen, pogingen gedaan om me te bemoederen. Gedurende de eerste tijd van haar huwelijk kwam ze naar mijn slaapkamer om me een verhaaltje voor het slapengaan voor te lezen. Maar zodra ik haar dan zag, knipte ik het licht uit. Een poosje hield ze koppig vol, daarna gaf ze het op.

Snel doorspoelen naar mijn eenentwintigste verjaardag: ze gaf een kleine, met diamantjes en aquamarijntjes bezette broche die nog van haar grootmoeder was geweest. 'Die zal prachtig staan op je feestjurk, Claudine.' Ik droeg de broche niet en liet het niet onopgemerkt blijven dat ik een goedkoop glitterpaardje op had, een cadeautje van een vriendin. En twee dagen later, toen ik er niet onderuit kon om naast haar te zitten aan de maaltijd na pappies begrafenis, reageerde ik mijn woede en verdriet op haar af. Ik negeerde haar volkomen in een periode waarin ook zij moet hebben gerouwd, waarmee ik, egocentrisch als ik was, geen rekening hield. Deze beelden van mijn jonge zelf, waarvan ik me nooit eerder echt rekenschap heb gegeven, zijn echt heel naar. Hoe heeft ze het met me volgehouden? Zij was tenslotte degene die hem in haar armen opving toen hij zijn hartaanval kreeg, nog geen minuut nadat hij haar de dansvloer op had geleid. Hoe moet dat niet geweest zijn?

Mijn oude ik schiet overeind en eist dat er naar haar geluisterd wordt: En het gedonder met de erfenis dan?

Je kunt niet in de onroerendgoedbranche werkzaam zijn zonder kennis uit de eerste hand op te doen over hoe testamenten en erfenissen een beruchte kweekplaats zijn voor onenigheid binnen de aardigste en gezondste families. En mijn meedogenloze nieuwe ik wijst er nu op dat mijn vader een uitgeslapen zakenman was. Hij bezat de nodige levenservaring toen hij Pamela tegenkwam: hij zou een op geld belust wijf toch wel herkend hebben? Hij was zo beschermend jegens mij en mijn belangen, daar zou hij toch nooit roekeloos mee omgesprongen zijn? Onverhoeds komt er een gedachte in me op: misschien zaten er twee kanten aan het verhaal over de beschikkingen in pappies testament, zoals ook bij dat over Bobs ontrouw.

En opeens gebeurt er iets raars. Dit ene, plotselinge inzicht was, nu pappies stem afwezig is, voldoende om tenminste iets van de bitterheid op te ruimen die ik, even dik als de braamstruiken rond Whitecliff, volhardend heb gecultiveerd rond de herinneringen aan mijn stiefmoeder. Pamela had tenslotte met mijn vader geleefd en het zeventien jaar lang moeten pikken dat niet haar maar mijn haan koning kraaide in haar huishouden. Ze had recht op wat ze kreeg. Misschien was ze redelijker, genereuzer zelfs, geweest als ik niet van meet af aan zo vastbesloten was geweest om naar de rechter te stappen.

En wat pappie betreft, hoe zwaar het me ook valt, misschien moet ik maar aanvaarden dat hij niet helemaal de heilige zonder smetten was die ik van hem heb gemaakt. Hij had het leven van zijn vrouw makkelijker kunnen maken, maar dat deed hij niet: altijd koos hij mijn kant tegen haar en verwende me. Opnieuw moet ik denken aan Violets opmerking dat hij een koppige trek had en schoorvoetend kan ik niet anders dan toegeven dat dit zo is. Ondanks de onhartelijkheid van mijn grootouders jegens hem, had hij om mijnentwil zijn trots kunnen inslikken en zijn best gedaan kunnen hebben om mij contact te laten houden met de familie van mijn moeder, maar dat had hij niet gedaan.

En in de jaren na zijn dood heb ik gemakshalve een paar andere niet zo engelachtige eigenschappen van hem genegeerd of de gedachte eraan onderdrukt. Zijn korte lontje, waarvan Violet sprak, was daar inderdaad een van. Irritatie over iets onbelangrijks kon zomaar ontaarden in een onversneden driftbui. De volle laag regende nooit op mij neer en was ik er getuige van, dan gaf ik er zelfvoldaan Pamela de schuld van en maakte mezelf wijs dat zij pappie vast geprovoceerd had.

Herziening van hartstochtelijk gekoesterde (zij het vervormde) ideeën is moeilijk voor iedereen en het op losse schroeven zetten van het beeld van en de herinnering aan de persoon die het fundament van mijn leven is geweest en het zelfs heeft gedefinieerd, dat is ondraaglijk voor me. Het is even te veel. Ik zal er een andere keer nog eens over nadenken. Dat beloof ik mezelf. Op dit moment heb ik andere dingen te doen. Ik kijk op mijn horloge. Ik moet Coley Quinn wekken. Hij heeft al ruim viereneenhalf uur geslapen.

Maar moet ik hem niet laten doorslapen? Slaap is de beste dokter…

Houd daarmee op, Claudine. Je talmt omdat je het niet wilt aanpakken.

Ik pak het aan. Zijn thee zal trouwens wel koud staan te worden. Ik loop terug en schud zacht aan zijn schouder.

Hij opent zijn ogen, maar ik zie aan zijn verbaasde ogen dat hij aanvankelijk geen idee heeft waar hij is of wie ik ben. 'Dag, Colman. Ik ben Claudine. Weet je nog? Je bent vanuit het ziekenhuis voor een paar dagen hier gekomen.'

Het begint hem te dagen en hij probeert te gaan zitten, waarbij hij te veel druk op zijn zere enkel uitoefent, want hij vertrekt zijn gezicht en valt terug in het kussen.

'Rustig aan. Kom, laat me je helpen.' Ik verricht mijn eerste soloact in de verpleging. Ik leg mijn arm onder zijn schouders en hijs. Tegelijkertijd schuif ik extra kussens achter hem, zodat hij half rechtop komt te zitten. 'Het is tijd voor je tabletten.' Ik hoor mezelf de luide, opgewekte stem van de ziekenverzorgster na-apen. 'En ik heb thee en geroosterde boterhammen voor je gemaakt. Heb je honger?'

'Bedankt.' Hij heeft voldoende geslapen om de mist te laten optrekken, want hij praat weer met de stem die ik me herinner van onze ontmoeting bij Whitecliff. 'Ik neem die tabletten niet meer.' Hij hijst zichzelf nog wat omhoog. 'En ook bedankt voor het bed. Het spijt me dat ik je die last bezorg. Maar ik zal niet blijven. Een nacht, als je dat niet erg vindt. Maar morgen ben je van me af.'

'Voel je vooral niet opgejaagd. Je huisje is pas over tien dagen klaar, zeiden ze.'

'Pff!' Honend. 'Niks geen huisje.'

Niks zwakke, half versufte invalide meer. De transformatie is opmerkelijk. Afgezien van de pijn en dat hij waarschijnlijk niet kan lopen, is hij weer helemaal zijn oude, bozige zelf. Ik hoef hem niet al te omzichtig aan te pakken, da's duidelijk.

'Ik moet naar de wc.' Hij kijkt naar de deur. 'Waar is die?'

'Daar, achter die witte deur.' Ik wijs naar de aangrenzende badkamer. 'Ik haal de rolstoel even.'

'Niks rolstoel.' Hij hijst zichzelf uit bed en dit als steun gebruikend hinkt hij naar de badkamer.

Als hij de deur achter zich dichttrekt, realiseer ik me dat het hoog tijd wordt om Bob te bellen. Waarschijnlijk is hij onderweg naar huis, maar hij heeft een handsfree kit in de auto.

Ik bel vanuit de hal en kan horen dat hij in een goed humeur is, dus zonder inleiding kom ik ter zake: 'Hoi, met mij. Ik moet zacht praten. Ik weet dat je zult vinden dat ik een verschrikkelijke bemoeial ben…'

'Ha, jij ook goedenavond, Cee.'

'Maar het was niet mijn schuld…'

'Wat was jouw schuld niet?'

'Tja, het is een beetje een toestand, hier thuis. Maar ik heb hier niet om gevraagd, Bob, het is me min of meer overkomen…'

Eerlijk is eerlijk, wanneer Bob thuiskomt heeft hij klaarblijkelijk voldoende tijd gehad om de aanwezigheid van onze onverwachte gast te verwerken en, afgezien van een paar keer meewarig met zijn hoofd schudden, is hij er vrij onverstoorbaar onder.

Nadat hij zijn post vluchtig heeft ingezien, gaat hij naar Coley's kamer om zich voor te stellen en een praatje te maken. Ik laat ze hun gang gaan, met het idee dat mijn aanwezigheid de boel wellicht in het honderd stuurt. Maar ik hang rond in de gang, vlak bij de slaapkamer. 'En?' vraag ik wanneer Bob naar buiten komt, met het theeblad. 'Wat vond je van hem?'

'Hij is inderdaad onafhankelijk.' Bob doet de deur dicht. 'Hij wil met alle geweld morgen weg, maar dat is gekkenwerk. Ik heb niet aangedrongen, het was er niet het juiste moment voor. Hij zei wel dat hij honger had, dus heb ik gezegd dat jij hem een broodje met ham of iets dergelijks zou brengen. En ondertussen heb ik de tv voor hem aangezet. Kennelijk heeft hij in geen eeuwigheid tv gezien, en ik moest hem laten zien hoe de afstandsbediening werkt. Hij zit nu te zappen in bed.'

'Dankjewel, Bob.' Ik wil hem een knuffel geven en herinner me nog net op tijd waarom ik dat niet moet doen.

'Jaah, ik ben een heilige!' Dan grijnst hij. 'Hier hoef je niet op te reageren.'

Een halfuur later, nadat ik mijn patiënt zijn broodje ham heb gebracht, sta ik naast zijn bed met de versmade pillen in mijn ene hand en een glas water in de andere. 'Je hebt vast pijn, Colman, en je hebt je slaap nodig.'

'Ik heb wel erger gehad.' Zijn ogen dwalen alweer naar zijn televisietoestel waar de bewoners van het Big Brotherhuis rond het met spots verlichte zwembad zitten. 'En ik heb genoeg geslapen.'

'Nou, als alles naar wens is, tot morgen dan maar.' Hij reageert niet en wanneer ik hem goedenacht wens, hoort hij het niet.

De volgende morgen is het stormachtig, het soort ochtend waarop je de neiging hebt om lekker weg te kruipen onder de dekens en te doen alsof het geen dag is. Maar wanneer ik mijn zieke zijn ontbijt breng, tref ik hem rechtop in bed zittend aan, heel kwiek en met de afstandsbediening in zijn hand. Op de beeldbuis schakelen de camera's beurtelings over van de keuken – waar twee van de huisbewoners bekvechten om een kliekje – naar de halfduistere, vaag zichtbare slaapkamers, waar de overige bewoners nog slapen. 'Goedemorgen, Coley, heb je een goede nacht gehad?'

Hij rukt zich los van het programma. 'Ja, dank je.'

Ik zet zijn ontbijtblad op zijn schoot. 'Ik herinner me van de keer dat we elkaar ontmoetten dat je van cornflakes houdt. Maar ik ben zo vrij geweest om je ook wat roerei op een geroosterde boterham te geven. Is dat goed?'

'Bedankt.' Hij neemt de afstandsbediening weer ter hand en ik ben bang dat hij het volume hoger gaat zetten om mij te overstemmen. In plaats daarvan echter zet hij de tv uit en kijkt me aan met ogen die weer zo helder zijn als ik ze me herinner van het uur dat ik met hem doorbracht bij Whitecliff. 'Ik weet wie je bent.'

'Wat?'

'Zodra je bij die muur opdook, wist ik dat ik je ergens van kende, maar pas toen je zei dat je pa Chris Magennis was, wist ik waarvan.'

'Maar je zei niets?'

'Je speelde zelf ook aardig komedie. Waarom heb je me in huis genomen?'

Ik leg uit dat ik weer naar Whitecliff was gegaan en zag dat hij verdwenen was. 'Ik maakte me zorgen om je. Heb hier en daar naar je geïnformeerd, dat is alles. Het schijnt dat ze je nergens onderdak konden geven. Het stelt allemaal niet zoveel voor! Ik kon ze je toch zeker niet ergens aan de kant van de weg laten smijten? Iedereen zou het-zelfde gedaan hebben. En Bob en ik verdwalen ongeveer in dit grote huis, zo met zijn tweetjes.'

Ik schenk thee in de kop op het dienblad. 'Je kunt me geloven of niet, Colman, maar tot voor een paar dagen wist ik niet dat ik ver-want was aan die familie. Dat gesprekje dat we hadden over de ge-ruchten en volksverhalen over Whitecliff, weet je nog? Ik herhaalde alleen de dingen die ik in de loop der jaren had gehoord.'

'En hoe ben je er dan achter gekomen?'

Ik heb nog nooit zo'n sceptisch gezicht gezien, maar ik verschuif de rechte omastoel zo, dat hij me kan zien zonder zich ervoor te hoe-ven inspannen. Wat ik denk, is dat als die ouwe rotzak die middag iets had gezegd over mij herkennen, ik emotioneel een beetje beter voor-bereid was geweest op een ontmoeting met mijn tante. Maar ik ver-onderstel dat we die dag tegengestelde prioriteiten hadden. De mijne was het verwerven van het huis. De zijne het beschermen van zijn domein. 'Hoe ik erachter kwam? Makkelijk zat. Ik ontdekte dat de familie Shine eigenaar van Whitecliff was, op die naam staan huis en grond. En Shine was de meisjesnaam van mijn moeder. Het waren me wel bijzondere dagen, dat ik op de familie van mijn moeder stuit-te.' Ik ben erg trots op mezelf. Geen leugens, niet het hele verhaal, maar onweerlegbaar. 'De vorige keer dacht jij dat ik het huis kwam verkennen omdat ik het voor mezelf wilde hebben.'

'Tuurlijk. Nadat ik je herkende. Hoe komt het dat je tot voor kort niets wist?'

'Dat is een goede vraag. Mijn moeder stierf bij mijn geboorte, zoals ik je geloof ik al vertelde, en mijn vader had zijn eigen redenen om me niet te veel over haar familie te vertellen. Is dat trouwens waarom je me in het huis liet? Omdat je wist wie ik was?'

'Waarom zou ik niet? Het was je volste recht.'

'Ik vertelde de waarheid toen ik zei dat mijn werkgever me daar-naartoe had gestuurd. Herinner je je dat ik zei dat ik voor een make-laardij werkte?'

'Dat herinner ik me.' Hij kijkt me strak aan.

'Scheelt er iets aan, Colman?'

'Niks.'

Hoewel ik me amper weet te bedwingen om hem bij de arm te grijpen en te vertellen dat mijn tante leeft en het goed maakt, en ik hem nog vanochtend naar haar toe kan rijden, heeft mijn nieuwe ik het overwicht en blijf ik voorzichtig. 'Zit je iets dwars, misschien?'

'Violet Shine en ik hadden verkering toen we jong waren. Zij was de jongste. Ze was…' Hij bedenkt zich. 'Het liep op niets uit.'

'Ik begrijp het.' Ik probeer mijn toon neutraal te houden. 'Heb je daarom besloten om op dat land te gaan zitten?'

'Zo'n tien jaar geleden kreeg ik het malle idee in mijn kop dat ze misschien eens terugkwam om naar het huis te kijken, maar dat heeft ze nooit gedaan.'

'Weet je waar ze nu is?'

'Geen idee,' zegt hij somber. 'Geen idee of ze nog leeft of dood is.'

Ik wacht.

'Ik kwam terug van de overkant voor mijn moeders begrafenis,' zegt hij dan. 'Ze overleed in 1970. Mijn zuster Florrie en ik schreven elkaar altijd, weet je. En jaren daarvoor had zij me verteld dat Violet Shine in geen velden of wegen te bekennen was en dat in de streek het verhaal ging dat haar ouders haar hadden weggestuurd, naar Amerika. Maar pas op die begrafenis zei Florrie me dat Johanna, de zuster, al heel wat jaren weg was uit het Grote Huis en in West-Cork woonde.'

'Hoe wist zij dat?'

Hij trekt zijn wenkbrauwen op. 'Waarom zou ze dat niet weten? Iedereen in Rathlinney wist dat Johanna Shine ging trouwen en daar ging wonen. Rathlinney is klein en indertijd was dat nieuws. Florrie wist zelfs de naam van de buurtschap waar ze heen ging. Het is nooit in me opgekomen om haar te vragen hoe dat zo kwam.'

Coley zwijgt en ik kan zien dat hij me iets van belang wil vertellen. Ik voel dat ik weet wat dat is. 'Je bent erheen gegaan, hè?'

'Ja,' zegt hij onmiddellijk. 'Een keer maar. Ik meende dat ik daar mijn geluk maar moest beproeven. Ik kon toch moeilijk de oprijlaan naar het Grote Huis in Maghcolla op stappen voor een kopje thee met de moeder en vader en eisen dat ze me vertelden waar Violet zat.' Hij glimlacht flauwtjes.

'En wat vertelde Johanna je?'

'Ze vertelde me wat ze wist.' Zijn blik wordt strakker en ik heb de indruk dat we een ingewikkeld spel spelen: dat net zoals ik probeer uit te vinden hoeveel hij weet, hij dat bij mij probeert uit te vissen. Mijn loyaliteit hoort bij mijn tante te liggen, vind ik, en dus laat ik me niet in de kaart kijken. Nog niet. 'En wat wist ze?'

'Ze vertelde me dat er een kind was, een meisje. En dat ze was ge-adopteerd door Amerikanen.'

Hij heeft het er moeilijk mee en ik heb enorm medelijden met hem. De neiging om te verklappen wat ik weet is bijna overweldigend. Maar ik kan het niet doen!

'Van Johanna werd ik geen cent wijzer over wat er na de baby met Violet was gebeurd.' Zijn blik glijdt naar het beddengoed. Hij ziet het weer voor zich. 'Behalve…' hij zwijgt even, '… behalve dat ze zei dat Violet om die reden daarna naar Amerika was gestuurd.'

'O?' Ik houd mijn adem in. 'Heb je om haar adres gevraagd?'

'Ik had de indruk dat ze bang was om meer los te laten. Vergeet niet dat die ouders nog leefden. En toen bemoeide Johanna's man zich ermee. Hij zei dat het waar was. Hij zei,' hier laat Coley zijn hoofd nog dieper zakken, 'dat ze daarzo op trouwen stond.'

Ogottegottegot, nog meer geheimen, denk ik, en ik bid dat ik mijn tong kan beteugelen, terwijl ik tegelijkertijd zweer, nieuwe ik of niet, dat ik deze arme man niet lang in het ongewisse zal laten.

'Ze wisten wie ik was, snap je,' vervolgt hij zijn verhaal, het hoofd nog steeds gebogen, 'en waarom ik het vroeg. Ik vermoed dat hij dacht dat zijn vrouw door mijn toedoen in de problemen kwam, zoiets. Die twee dachten waarschijnlijk dat ik achter Violet aan zou gaan en de hele familie in opspraak zou brengen. Ze waren allemaal bang voor die ouders, en Johanna was altijd een zachtmoedig ding. Heel anders dan Violet,' voegt hij hier zacht aan toe. 'Ze verschilden als dag en nacht, die twee.'

'Wat zei je toen je dat nieuws hoorde?'

'Wat kon ik zeggen? Het was toen immers allemaal bekeken?' Hij schokschoudert, maar ik kan zijn gezichtsuitdrukking niet zien. 'Ik ging terug naar Engeland. Ik had hier niks meer te zoeken, zeg nou zelf?'

'En je dochter?' Ik probeer zo rustig mogelijk te blijven. 'Wilde je niet dolgraag weten wat er met haar was gebeurd? Dit speelt zich af in… 1970? Toen was ze inmiddels in de twintig…'

Zijn woede is gewekt. 'Niet willen weten? Wat dacht je! Johanna Shine vertelde me dat Willis het kind meenam om het door Amerika-nen te laten adopteren. En naar wat ik begreep, hadden ze Violet dat ook verteld. Maar van wat Johanna zei, kon ik opmaken dat er ten-minste één iemand buiten die familie van mijn dochter afwist, want hij was erbij aanwezig die nacht. Ik besloot informatie uit de eerste hand te gaan vragen. Uit de eerste beerput kun je beter zeggen.' Dit laatste zegt hij binnensmonds.

'Wat zei je?'

'Die dokter! Ik zocht die vieze slijmjurk van een dokter op!' En net zoals Violet zich verloor in haar verhaal, verliest hij zich in het zijne, en ik weet niet of mijn aanwezigheid er ook maar enigszins toe doet. 'Ik had gehoord dat de man, verdoemd zij hij, op sterven lag, maar dat kon me geen moer schelen. Zijn vrouw wilde me niet binnenlaten, maar daar stoorde ik me niet aan.

'Daar lag hij in het bed, lekker zacht en knus zag het eruit, en hij lag erin, gekrompen was hij, nog maar een spichtig ding. Vroeger draafde hij rond met een paard en een koetsje; heer van de wegen, dacht hij van zichzelf. Nou, inmiddels was hij die heer niet meer. Hij verschoot toen hij me zag. 'Ik heb hier geen geld,' blaatte hij als een angstig schaap. Hij dacht dat ik een insluiper was, begrijp je, die hem kaal kwam plukken. En toen ik hem mijn naam vertelde,' zegt Coley nu met een verbitterd lachje, 'werd hij nog banger. Tja, misschien was ik die dag een beetje opvliegend en misschien had ik ook wel iets op. Ik raak het nu niet meer aan, maar indertijd lustte ik wel een glaasje.'

Het lachje verhardt. 'Maar goed, ik ging bij hem op de bedrand zitten, bijna bovenop hem zat ik, en ik zei hem onomwonden dat ik zijn huis niet verliet voordat hij me vertelde wat hij die nacht met mijn kind had gedaan. Ik wilde namen en adressen.'

Hij haalt diep adem om tot bedaren te komen. 'Willis was een bekeerling, weet je, en bekeerlingen maken zich meer zorgen over zonde dan de rest van ons. Bovendien wist hij dat hij stervende was, en misschien daarom vertelde hij me wat er echt was gebeurd. Zijn geweten, snap je…' Gedurende de vijf minuten dat we dit gesprek voerden, was het beetje kleur dat hij nog had uit zijn gezicht verdwenen. Hij ziet er afgemat uit.

'Als dit te zwaar voor je is, Colman; en trouwens, je ei is inmiddels ijskoud…'

'Zwaar?' Er ligt minachting in zijn stem. 'Mens, jij weet niet wat zwaar is. Weet jij wat die wijwaterkwast van een katholieke dokter met haar deed? Met dat kleine kind?'

Ik zeg niets. Ik zou er trouwens geen woord tussen gekregen hebben.

'Er was geen Amerikaanse adoptie. Die door de neten aangevreten schijtlijster jammerde dat hij "in opdracht" mijn kind inpakte en dat hij haar om vier uur diezelfde nacht buiten neerlegde, op de stoep van een weeshuis, met een briefje opgespeld. Toen heeft hij aangebeld en is weggerend.'

39 ❦ *Ongebreidelde gedachten*

O, wat wilde ik graag dat Johanna hier was. Ze was zo verstandig en zij zou geweten hebben of we het juiste deden. Het was ook opwindend geweest om samen te reizen. Dat het er tegenwoordig anders aan toe gaat, wist ik. Maar hoe anders, daarvan had ik geen besef. Binnen een afstand van honderdveertig kilometer van Johanna's huis is er geen spoorverbinding en zelf heb ik sinds 1944 nooit meer de trein genomen. Indertijd werd mijn wagon voortgetrokken door een puffende stoomlocomotief en wanneer er een raampje werd neergelaten aan zijn riem, onderging je een warme stormachtige wind die een prikkelende roetgeur meedroeg.

Tegenwoordig lijken treinen me comfortabeler, en zeker kleuriger. Maar de stoelen staan erg dicht op elkaar, waardoor je een claustrofobisch gevoel krijgt. Ik mis het tjoeketjoek-gevoel onder mijn voeten. Eigenlijk denk ik dat een treinreis iets van zijn charme verloren heeft door die adembenemende maar geluidloze spoed, de rugzakken en de goedkope sporttassen die overal lukraak opgestapeld liggen. Vroeger had je bagagenetten boven de zitplaatsen vol met in bruin papier gewikkelde pakjes, picknickmanden en mooie leren koffers. Misschien is het anders in de eerste klasse. Maar hier kan niet eens een raam open en ik zou dolgraag willen dat dit wel kon; de lucht van cheese-onionchips die mijn bankgenoot zit te vermalen is overweldigend.

Ik wil zeker niet klinken alsof ik het verleden beter vind, ik ben een groot voorstandster van de vooruitgang. En deze reis is absoluut

een avontuur waarvan ik onder andere omstandigheden enorm genieten zou. Ook zijn mensen me erg behulpzaam. Ze sturen me in de
juiste richting, laten me zien wat ik moet doen. Dat is een van de
voordelen van op leeftijd zijn. Op dit moment echter, ben ik zo nerveus dat ik overweeg om bij de volgende halte uit te stappen en de
eerstvolgende trein naar huis te nemen. Niemand zou daar per slot
van rekening iets van weten en het kost me niets, afgezien van een
deuk in mijn gevoel van eigenwaarde.

Mijn besluit om deze reis te ondernemen had in het donker van
vannacht zo logisch geleken. Maar hoe dichter we nu bij de stad komen, des te angstiger ik word. Ik verander voortdurend van gedachte:
terwijl mijn maag in opstand komt door de opwinding over het mogelijke (in verbazing over mijn eigen dapperheid), vertelt mijn hoofd
me dat ik onbezonnen te werk ben gegaan.

Claudine weet niet dat ik onderweg ben naar Dublin. Het was een
erg snel genomen besluit, en toen ik haar vanmorgen probeerde te
bellen was haar nummer thuis aldoor in gesprek gedurende het halfuur dat ik het probeerde. Haar mobiele telefoon ging helemaal niet
over, ik werd meteen doorgeschakeld naar haar stem, die me vroeg
een boodschap achter te laten. Ik liet er geen achter: ik had het gevoel
dat als ik wachtte tot ze me terugbelde, ik in de tussentijd misschien
de moed zou verliezen. Ook zou ik deze trein hebben gemist.

Ik heb geen idee hoe ze zal reageren, maar ze is een moderne
vrouw en er vermoedelijk aan gewend dat haar vrienden gewoon
binnenvallen. Ze nodigde me uit om te komen logeren en hoewel ik
er aanvankelijk over dacht haar gastvrije aanbod te accepteren, ben ik
van gedachten veranderd. Dit keer dring ik me niet aan ze op. Ik ben
van plan om een klein maar aardig hotelletje te nemen in een achterstraat.

Ik denk dat we allebei moeten nadenken over wat ons is overkomen, voordat we elkaar weer ontmoeten. Tot een paar dagen terug
had mijn nichtje ruim veertig jaar in zalige onwetendheid verkeerd
omtrent mijn bestaan. En ikzelf heb nooit geprobeerd haar te vinden,
omdat het me niet echt interesseerde. Nu we in elkaars levens zijn op-
gedoken – en alleen de tijd zal leren of dat een goede zaak is – kunnen
we niet terug. Gedurende de tijd dat we elkaar spraken in Johanna's
huis en nog meer sinds haar vertrek, verkeerde mijn leven, dat ik als
rustig beschouwde, in een voortdurende staat van onrust en bewe-

ging. Toen ik vannacht niet kon slapen in de stilte van het platteland, besefte ik dat ik nu onmogelijk kon terugkeren naar mijn geïsoleerde doch serene leven, door de essentiële dingen die plaatsgevonden hebben. En als ik daarvan al in verwarring verkeer, moet dat voor Claudine dubbel gelden. Mijn onthullingen moeten voor haar even pijnlijk zijn als wanneer ze door de bliksem getroffen was. Heb ik niet de plicht om haar te helpen? Ik moet de hiaten vullen in wat ze weet over haar lieve moeder, ook al is mijn vermogen om haar in dit opzicht te helpen beperkt.

Ik heb mezelf afgevraagd of ik Claudines emotionele schok aangrijp als excuus om deze reis te rechtvaardigen. Het antwoord is nee, zeg ik in alle eerlijkheid. Ik ben hier omdat de door het bezoek van mijn nichtje veroorzaakte opwinding en drukte, me koortsachtig hebben laten dromen van mijn dochter en van Coley Quinn. De hunkering voor mijn dood mijn dochter te ontmoeten is er vanaf haar geboorte altijd geweest. De afgelopen jaren werd die hunkering intenser, als dat al mogelijk is, en de afgelopen dagen is ze zo heftig geworden dat ze me de adem afsnijdt.

En wat Coley Quinn aangaat, vanaf het moment dat we zo abrupt van elkaar werden gescheiden, is er geen dag verstreken waarop ik niet aan hem gedacht heb of opnieuw van hem hield. Maar wat dat laatste betreft is er een niet-aflatende pijn in mijn hart. Kort voor haar overlijden bekende Johanna me dat Coley haar en Anthony vele jaren geleden, ze herinnerde zich niet meer precies wanneer, was komen opzoeken, omdat hij me zocht. Uit vrees voor wat hij zou kunnen gaan doen, had ze hem de waarheid niet durven vertellen. En Anthony had haar verhaal bevestigd dat ik in Amerika was en hij had er het voor Coley verschrikkelijke detail aan toegevoegd dat ik verloofd was en op punt van trouwen stond. Ze zagen hem nooit weer.

Ze was ontroostbaar toen ze het me vertelde, maar toen ze het in mijn armen uitsnikte heb ik geen moment iets anders dan deernis met haar gevoeld. Omdat ze het zichzelf niet vergeven kon, zei ze, smeekte ze om mijn vergiffenis, die ik haar meteen en uit de grond van mijn hart schonk. 'De schuld is dubbel en dwars vereffend,' zei ik en mijn hart bloedde toen ik zag hoe ze leed. 'Jij en Anthony hebben me gered. Jij bent mijn allerliefste schat van een zuster en mijn vriendin. Doe jezelf niet zo'n pijn.'

Maar in mijn hart... ik kan niet zeggen wat een klap dat nieuws voor me was en gedurende vele dagen was ook ik radeloos. Het voelde als de laatste akte in het melodrama van mijn leven, als een vernietiging van alle hoop. Ik kon haar alleen niet laten merken hoezeer het me had aangegrepen, want van onze familie denk ik dat alleen Johanna diepgelovig was, en terwijl ze zich voorbereidde op de ontmoeting met haar Schepper, zoals zij dat zag, moest ze gerustgesteld worden.

De laatste jaren heb ik getracht mijn ongebreidelde gedachten over Coley Quinn in te tomen, in de wetenschap dat op mijn leeftijd dit hardnekkige verlangen naar het weerzien van een geliefde van weleer nogal dwaas is. De Coley die ik liefhad is niet de Coley die hij nu is, evenmin als de Violet die ik geworden ben (zo veranderd in persoonlijkheid en verschijning) het meisje is dat hem werd ontnomen en waarvan hij, als hij nog leeft, misschien nog beelden heeft. En dus, onervaren in deze materie als ik mag zijn, schik ik me er in mijn rationeler momenten in dat mijn niet-aflatende liefde voor Coley Quinn een misleider is: dat liefde in de afwezigheid van de geliefde maar beter wordt overgelaten aan dichters. Bovendien ben ik bang dat een weerzien in het echt zou kunnen uitlopen op een catastrofe en dat Coley en ik veel beter af zijn als de zuiverheid en het bitterzoete van onze herinneringen ongeschonden blijft.

Trouwens, het is praktisch onmogelijk dat we elkaar ooit weer zien en daarom is het verlangen ernaar overbodig; evengoed hunker ik ernaar.

Vanaf het moment dat Claudine Armstrong bij me op de stoep stond, is in mij de hoop opgestaan dat ik een vindingrijk soldaat kan zijn, vastbesloten mij niet meer passief schuil te houden in het achterland van West-Europa. Feitelijk heeft het bezoek van mijn nichtje, haar reactie op mijn verhaal, me onthutsend duidelijk gemaakt hoe passief ik het grootste deel van mijn leven ben geweest. Ik kan er vele, ook terechte, excuses voor aanvoeren, maar dat wil ik niet meer doen. Misschien is het te laat om het nog tot een goed einde te brengen, maar ik ben vastbesloten om me niet langer te gedragen als een luiaard en zolang ik er de energie toe heb, zal ik er iedere gram van aanwenden om doelen te bereiken die ik me vele jaren geleden had horen te stellen.

Als ik het hun vraag, twijfel ik er niet aan dat zij en haar man me zullen helpen. Beiden lijken ze me erg efficiënt. Zelfs met hun hulp is het mogelijk dat de zoektocht naar mijn dochter of naar nieuws over

Coley vruchteloos blijft, maar in elk geval kan ik dan in mijn graf neerdalen met de wetenschap dat ik het heb geprobeerd.

Ik weet zeker dat Claudine en haar man het onbegrijpelijk vinden dat ik, Coley buiten beschouwing gelaten, nooit enige poging heb ondernomen om mijn dochter te vinden. De reden spreekt deels voor zich, dat zal eenieder duidelijk zijn. Toen ik vrijkwam was ik naar mijn eigen idee maar half gevormd als mens: intellectueel capabel, maar emotioneel in mijn ontwikkeling belemmerd. Zoals ik mijn nichtje, terecht of onterecht, vertelde, kwam ik indertijd tot de conclusie dat handelen voorzag in míjn behoefte en dat het egoïstisch van me zou zijn om ontwrichting te veroorzaken in wat ik hoopte dat een goed leven zou zijn met goede ouders van wie ze dacht dat het de hare waren. Misschien zou een psycholoog me zeggen dat dit achteraf beredeneren was of angst voor afwijzing, dat doet er nu weinig toe. Mijn verlangen naar mijn dochter zal niet langer ontkend worden.

In mijn hart blijft ze een baby, maar toen ik vannacht wakker lag dorst ik de realiteit onder ogen te zien dat ze inmiddels bijna zestig is.

Uiteraard heb ik altijd, zij het met een afwijking van enkele dagen, haar chronologische leeftijd geweten, en iedere kerst markeerde haar verjaardag. Wat er vannacht gebeurde ging echter dieper: het was het besef dat ongeacht de populaire misvatting dat de chronologische jeugd kan voortduren tot de dood – zoals men wel leest dat 'veertig opnieuw dertig' of 'zestig opnieuw vijftig' is enzovoort – zestig feitelijk een uiterst belangrijke mijlpaal is. Op enkele uitzonderingen na, hebben de meeste mensen op die leeftijd minder dan een derde van hun leven voor zich.

De tijd raakt op voor mij en voor mijn dochter. 'Op een dag' is nú geworden en aangezien mijn dochter onweerlegbaar een volwassen vrouw is, zal haar leven, hoe het ook gelopen mag zijn, waarschijnlijk wel een vaste vorm hebben. Daarom is het onwaarschijnlijk dat als ik erin verschijn dit onherstelbare ontwrichting zal veroorzaken, ook indien het haar aanvankelijk schokt.

Dus wat de doorslag geeft niet die trein terug naar huis te nemen, is de overtuiging dat ik in een stad boordevol bronnen en met een aardig echtpaar bij de hand om me te helpen de grootste kans heb informatie te vinden over mijn dochter of over Coley Quinn. En alleen thuiszitten in het huis van Johanna en Anthony, in de landelijkheid van Béara, dat biedt me geen schijn van kans.

'Er was geen Amerikaans echtpaar?' Op de achtergrond hoor ik ge-
gier, gekletter en gerinkel van apparatuur en gereedschap. Bob heeft
mijn telefoontje aangenomen in de werkplaats van zijn bedrijf. 'Maar
waarom heeft hij er niets aan gedaan, zodra hij daar achter kwam?'

'Toen hij wat bedaard was, heb ik hem dat gevraagd. Maar zijn
antwoord klonk logisch. Hij had geen geld en niet het flauwste idee
hoe hij het moest aanpakken. Daarbij heb ik tussen de regels door begrepen dat hij in het verleden mogelijk aan de drank was. Maar Bob,
waarom zouden mijn grootouders opdracht hebben gegeven om dat
met een baby'tje te doen? Zoals zij het vertelt kan ik bijna begrijpen
waarom ze haar opsloten, hoe vreselijk dat ook was. Maar waarom
zouden ze, denk jij, gelogen hebben over de Amerikaanse adoptie?
Dat is ontstellend slecht!'

'Wie weet? Mensen hebben allerlei motieven. Ik denk dat het een
soort omgekeerde vriendelijkheid was. Ze wilden haar laten geloven
dat haar baby een goed leven zou krijgen. Ze wilden dat ze in staat
zou zijn om het los te laten.'

'Waarom hebben ze dan geen echte adoptie geregeld?'

'Dat laat zich makkelijker raden, erg als het is. Van wat Violet ons
vertelde, klonk het alsof hun goede naam boven alles ging in die familie. Denkelijk waren ze bang dat het kind misschien te weten zou komen wie ze waren, en terug zou komen om hen lastig te vallen en een
schandaal te veroorzaken.'

'Omgekeerde vriendelijkheid', ik laat er mijn gedachten over gaan. Daar moeten we ons dan maar aan vasthouden, veronderstel ik.

De voordeurbel gaat. 'Ik moet ophangen, Bob. Bel je me terug, zodra je in de gelegenheid bent?' Hij belooft het me en ik haast me naar de deur.

'Hopelijk ben ik niet te vroeg?' Druipend van de regen staat mijn telefoonmaatje, de verpleegkundige, op de stoep. Ik herken haar aan haar stem, al lijkt ze in niets op de grote, autoritaire vrouw die ik me had voorgesteld op grond van haar bazige gedrag aan de telefoon. Deze vrouw is een soesje, mollig en blond en niet veel groter dan een meter vijftig. 'Ik dacht, ik ga even bij je langs onderweg naar mijn werk.' Ze schudt haar paraplu uit en kijkt dan naar me op. 'Het is maar een klein stukje om. Ik woon in The Naul, weet je.'

'Prima! Kom toch binnen. Je bent helemaal niet vroeg.' Ik doe de deur wijd voor haar open. 'We zijn al tijden op.'

Na het uitwisselen van algemeenheden over het rotweer en over alle woning- en wegenbouw die het karakter van onze streek verpesten, voeren we een kort gesprekje in de hal. Ik vertel haar over Coley's weigering om verder nog tabletten te slikken en dat hij heeft aangekondigd vandaag te zullen vertrekken.

'Mooi.' Ze wordt er niet warm of koud van. 'We zullen zien.' Ze geeft me een handgeschreven kaartje met daarop haar naam (Rosemary plus iets wat met een c begint; haar handschrift is abominabel) en een mobiel nummer, voor het geval ik haar nodig heb. Daarna laat ik haar binnen in Coley's kamer en trek me terug in de keuken, waar ik wacht op ontwikkelingen, instructies of wat ook.

'Fysiek is hij pico bello!' Een kwartier later komt ze de keuken binnenwaaien. 'Het is een taaie, hoor. Ik hoop dat het niet arrogant klinkt, maar ik geloof dat ik hem heb omgepraat om hier nog een paar dagen te blijven. Als dat jou schikt tenminste.'

'Prima. Hij bezorgt ons geen overlast. We merken amper dat hij er is.'

'Je bent een engel, Claudine. We zullen wat fysio regelen voor die enkel en maak jij je daar geen zorgen over. Jij doet gewoon je eigen dingen. Hij wordt gehaald en gebracht. Vertrouw je hem met een sleutel van het huis?'

Ik aarzel geen seconde. Wat Coley Quinn verder ook geweest mag zijn, over zijn eerlijkheid bestaat bij mij geen zweem van twijfel. 'Volkomen.'

'Super. Ik zal mijn best doen om wat vaart te zetten achter de werk-zaamheden aan de maisonette. Ik heb prioriteit gegeven aan zijn geval, vanwege zijn leeftijd en dakloosheid. We zorgen ervoor dat je zo snel mogelijk van hem af bent. Maar ik zit met één ding. Fysiek is hij dan wel in orde, maar hij is wat opgewonden.' Het was "iets persoonlijks", zei hij. Maar volgens mij moet hij even door een arts bekeken worden. Misschien heeft hij baat bij een licht kalmeringsmiddel. Dat gebeurt met bejaarden, ze kunnen gespannen raken over de kleinste dingen.'

Nu aarzel ik. Moet ik het haar vertellen? Terwijl nieuwe ik aan-dringt op discretie, schreeuwt oude ik dat deze vrouw behulpzaam zou kunnen zijn bij de grote kwestie. Ze is tenslotte werkzaam op het gebied van gezondheidszorg en maatschappelijk werk en ze zal hier en daar de weg wel kennen. 'Luister, Rosemary, ik weet dat hem iets heel groots en ernstigs dwarszit, maar het is ontzettend vertrouwelijk en ik vraag me af of het aan mij is om je erover te vertellen. Ik heb de neiging om me halsoverkop in dingen te storten en er een zootje van te maken. Maar mijn motieven zijn goed,' voeg ik hier haastig aan toe, voor het geval ik de indruk wek een zenuwpees te zijn.

'Vertel het me niet als je het niet wilt.'

'Ik weet het niet. Ach, verdomme… heb je tijd voor een kop thee of koffie?'

'Altijd welkom. Koffie graag. En alles wat je me vertelt blijft bin-nen deze vier muren. God weet dat mijn arme hersentjes genoeg ge-heimen bevatten om de kelders van MI5 te vullen.' Ze trekt haar jas uit en neemt plaats op een keukenstoel.

Ze toont geen enkele verbazing als ik het verhaal vertel. Ik houd het kort, sla de torenkamer over, want dat zou te schokkend zijn, ter-wijl het voor wat ik wil vertellen niet relevant is. Ik vertel simpelweg dat er indertijd in Ierland niets schandaligers was dan ongetrouwd zwanger zijn, en dat Violet na haar bevalling een beetje een kluize-naarster was geworden.

'Ik zie het voor me,' zegt de verpleegkundige kordaat wanneer ik uitgepraat ben. 'Een bekend verhaal, nietwaar? Heel triest. Goddank staan we daar tegenwoordig iets onbevooroordeelder tegenover. Maar ik begrijp heel goed waarom je arme tante er indertijd niet voor koos om naar een tehuis voor ongehuwde moeders te gaan. De din-gen die we daar de laatste tijd over horen!' Ze rolt met haar ogen. 'Geen wonder dat die arme Colman een beetje gespannen is. Doel je erop dat hij en je tante erin geïnteresseerd zijn om het kind na al die tijd op te sporen? En maak je geen zorgen. Ik begrijp dat je het heel voorzichtig wilt aanpakken door de moeilijkheid dat zij momenteel niet van elkaars bestaan afweten.'

'Ik denk dat ze er inderdaad in geïnteresseerd zijn... maar,' zeg ik hier deugdzaam achteraan, 'ik zou niet willen dat het hele proces aan het rollen gaat zonder dat zij er zelf bij betrokken zijn.'

'Maar zelf wil jij die persoon graag vinden, toch?' Ze grijnst.

'Merk je dat?'

'Ik ruik het op een kilometer afstand, mens! Het kan geen kwaad om alvast te beginnen met wat onderzoek.' Ze staat op en plukt haar jas van de rugleuning van haar stoel. 'Zelf zal ik er niet bij betrokken zijn, maar er bestaan tegenwoordig behoorlijk goede systemen; en je weet toch dat de wetgeving is veranderd op dat punt?'

'Eerlijk gezegd weet ik helemaal niets. Minder dan een week geleden was alles wat er nu speelt nog niet gebeurd.'

Met een grote slok drinkt ze haar laatste beetje koffie op. 'Ik kan je niets beloven. Ik ben geen maatschappelijk werkster, maar ik denk dat het protocol is dat het initiatief van de ouders of van het kind zelf moet komen. Ik weet vrijwel zeker dat jij als nicht nergens komt zonder toestemming van de biologische moeder.'

'Natuurlijk. Ik begrijp het. Maar het zou fantastisch zijn als jij het aan een van je collega's wilt voorleggen. Gewoon zodat we advies...' Plotseling geef ik me er rekenschap van dat de oude ik weer met me op de loop wil en dus toom ik haar in. 'Maar beter dat ze er niet te veel van verwachten. Kan het voorlopig tussen ons blijven?'

'Natuurlijk, Claudine. Ik neem snel contact met je op. Je hebt mijn nummers.' En dan vertrekt ze.

Wanneer Bob enkele uren later belt, hoor ik op de achtergrond het journaal van één uur. Hieraan merk ik dat hij ontspannen is en in zijn eigen kantoor zit.

Ik geef hem een korte samenvatting van het bezoek van de verpleegkundige en noem de opsporing als iets wat hij zelf had voorgesteld. 'Dus mocht Violet erover beginnen, dan kunnen we erover praten met haar.'

'Zekers.' Hij zwijgt even en ik kan hem bijna horen denken. 'We kunnen altijd nog een privédetective inschakelen. Ik zal je vertellen, wij doen zaken met zo'n type. Hij least bij ons.'

'Klinkt nogal drastisch… maar misschien als onze eigen naspeuringen niets opleveren?'

'En wat denk je van krantenarchieven? Ik wed met je om wat je maar wilt hebben, ik wed met je om een nieuwe auto, Cee, dat dit voorpaginanieuws was in de periode rond kerst 1944. Een te vondeling gelegde baby? Elke keer als dat gebeurt pikken de kranten en ook andere media het verhaal op. Tegenwoordig is het op tv, in praatprogramma's. Mensen smullen ervan. De gedrukte pers heeft dat geheid toen ook gedaan. Kerst. Kerst in oorlogstijd, waarin iedereen snakte naar iets anders dan oorlogsnieuws, en dan heb je zo'n in doeken gewikkeld baby'tje? Zo'n verhaal is manna voor kranten. Als ik redacteur was, zou ik het kind in een kribbe gelegd hebben, met ezels en geiten en koeien en lammetjes, de hele mikmak. Wat een plaatje!'

'Walgelijk!'

'Een nieuwe auto, Cee? Wedje maken?'

'Wat moet ik jou geven als ik verlies?'

'We bedenken wel wat.' Ik zie hem gewoon grijnzen.

'In godsnaam, ga jij weer aan je werk en hou op met de held uithangen, joh.'

Terwijl ik het toestel terughang, bedenk ik dat we goed samenwerken als het moet. Maar de laatste tijd is dat weinig voorgekomen. Zoals de zaken nu gaan, zou ik wel eens op het randje van vergeving ten opzichte van hem kunnen zitten. Zonder dat ik het gemerkt heb, heeft vergeving me misschien al beslopen en blaast ze nu in mijn oor met haar naar vanille geurende adem.

41 ❦ *Een aardig hotelletje*

Ik ben helemaal in de war. Ik wilde een aardig hotelletje zoeken in een achterstraat, maar voor zover ik kan zien, is hier in de stad de ene straat nog erger dan de andere. Het is me toch een drukte van bussen en auto's en ronkende motorfietsen en onverschillige hordes gehaaste mensen. Mijn laatste bezoek hier was aan het Theatre Royal. Ik weet dat het lang geleden is afgebroken, maar ben zo gedesoriënteerd dat ik de plek waar het heeft gestaan niet eens kan vinden om me te oriënteren. De herrie is onbeschrijflijk. Zelfs O'Connell Street waar ik nu sta is niet langer herkenbaar, maar is bedolven onder schuttingen, kranen en zware machines. Alles lijkt helemaal ontmanteld te zijn.

Dan herinner ik me opeens dat vader hoog opgaf van het Gresham Hotel en ik herinner me vagelijk dat het in deze straat moet staan.

Ik bevind me nabij een bushalte, waar een lange rij mensen staat. 'Neemt u me niet kwalijk?' zeg ik als ik toestap op een vrouw van middelbare leeftijd, die zwaar beladen is met pakjes.

'Ja, lieverd?' Ze legt haar hand achter haar oor om nog iets te kunnen verstaan in het kabaal van de pneumatische boor vlakbij.

'Zou u me kunnen vertellen waar het Gresham Hotel is?' Ik moet zo hard mogelijk praten.

'Helemaal aan het eind,' schreeuwt ze, die kant uit wijzend, terug. 'En het is aan deze kant. U kunt het niet missen. Rechtdoor blijven lopen. Maar pas goed op jezelf hoor, lieverd. Doe het rustig aan. Je weet nooit waar de gaten zitten met al dat werk in uitvoering. Elke dag nieuwe! Ze jongen!'

Ik bedank haar en ga op pad, blijf zo dicht mogelijk aan de binnen-kant van het trottoir lopen om niet onder de voet gelopen te worden. Gelukkig heb ik maar een kleine weekendtas bij me, maar zelfs die blijkt nogal zwaar.

Het is een opluchting om het hotel te bereiken. Als ik mijn tas op de geboende marmeren vloer neerzet, zie ik dat het veel te duur zal zijn voor mijn beperkte budget. Op dit moment ben ik echter uitge-put door het gebrek aan slaap, wat verergerd wordt door de eisen die de reis aan me stelde en ik breng het niet op om weer naar buiten te gaan, waar het is gaan regenen, zie ik door de draaideuren.

Terwijl ik daar besluiteloos sta, komt er een kleine man in uniform naar me toe. 'Gaat het, mevrouw? Kan ik iets voor u doen?'

'Ik heb trek in een kopje thee,' zeg ik, puttend uit mijn laatste beet-je zelfvertrouwen, 'maar ik ben hier voor het eerst en ik weet niet waar ik heen moet.'

'Geeft niets.' Hij pakt mijn tas op. 'Komt u maar mee, dan haal ik iemand die zich over u ontfermt. Deze kant uit.' Hij gaat me voor naar een luxueuze bar, gemeubileerd met makkelijke stoelen en ban-ken en aan de muur hangt naar mijn idee echte kunst. Aan een kant heeft de bar grote ramen, die direct uitkijken op de straat. De sfeer is prettig, ook al zijn veel van de tafeltjes bezet. De man installeert me in een hoekje naast een raam. 'Gaat u maar lekker zitten, dan stuur ik meteen iemand naar u toe,' zegt hij en haast zich weg.

Dubliners zijn erg vriendelijk, denk ik, en dankbaar leun ik tegen de kussens.

Het daarop volgende uur nip ik aan mijn thee en knabbel ik van een erg duur maar smakelijk broodje gerookte zalm, terwijl ik naar mijn idee de hele bevolking van Dublin mijn raam zie passeren. Aan deze kant van de straat zijn de bouwwerkzaamheden minimaal, de re-gen was slechts een buitje, de zon schijnt en het is een verrukking om jonge vrouwen te zien die fier stevig, gebruind vel laten zien terwijl ze hun baby's in buggies voortduwen. De jonge mannen, met uitzon-dering van die in een pak, vind ik minder modebewust. Ze schijnen de voorkeur te hebben voor t-shirts en spijkerbroeken in allerhande modellen, van superstrak tot slobberig. Niemand heeft me aangezet tot haast maken of dit heerlijke plekje verlaten, en ik merk dat ik me enorm vermaak. Dat is iets volkomen nieuws voor me, maar het ge-nieten heeft een ondertoon van spijt. Ik heb zo'n rustig en eenzaam leven geleid, denk ik, wat jammer dat het me pas nu mijn leven ten einde loopt, is vergund om een glimp op te vangen van dat wat had kunnen zijn.

Ik schud de gedachte onmiddellijk van me af. Waarom moet ik nu zo'n eenvoudig genot ingewikkeld maken?

Ik ben gefascineerd door het jonge stel dat in de andere hoek van de bar zit. Ik vind het moeilijk om de leeftijd te schatten van jonge mensen, maar ze moeten minstens achttien zijn want ze hebben champagne gedronken en hebben zojuist nog twee flûtes besteld. Misschien hebben zij ook genoten van de langs hun raam trekkende parade, maar ze zijn zo verrukt van elkaars gezelschap dat ze nergens anders kunnen kijken dan in elkaars ogen, tortelduifjes in een glazen kooi. Ze hebben niet gemerkt dat ik al minstens een kwartier naar ze staar.

In geen enkel opzicht zou ik kunnen zeggen dat ze me doen denken aan Coley en mij op die leeftijd. Ze verschillen van ons als geel van zwart, niet alleen in hun glamoureuze knapheid en de nonchalante elegantie van hun kleren, maar vooral in het feit dat ze zich geen moeite geven hun seksuele hunkering naar elkaar te verbergen. Zonder enige gêne aaien en strelen, giechelen en fluisteren ze. Wat vieren ze? Hun verloving? Of zouden ze op huwelijksreis zijn? Geen van beiden draagt een ring, dus dat laatste zal het niet zijn.

Terwijl ik ze nog steeds bekijk, staat het meisje op, pakt haar handtas, kust haar jonge man en zegt, zo hard dat ik het kan verstaan, dat hij niet moet weggaan en dat ze zo weer terug is. Dan trippelt ze, hem een kushandje toewerpend, vrolijk weg en kijkt ondertussen speurend omhoog langs de muren – naar bordjes die aangeven waar toiletten zijn, natuurlijk. Op dat moment zie ik met een schok dat ze zwanger is, wat me eerder niet is opgevallen onder de zijden sjaal met franje die ze over haar laag uitgesneden, zwarte jurk draagt.

Alle vreugde bloedt weg uit de middag en heel even lijkt de wereld zwartwit te worden. Niet omdat ik haar zwangerschap afkeur, maar van de uithollende pijn: kon er een schriller contrast bestaan dan tussen dit levendige jonge stel en Coley en mij zestig jaar geleden?

Nu zie ik uitholling alom in deze bar. Dat ranke Amerikaanse meisje – ze draagt een jasje met op haar rug de tekst PROUD TO BE A DEMOCRAT – dat alleen zit en aantekeningen maakt uit een zwaar gebonden boek. Een studente? Heeft mijn dochter er veertig jaar geleden misschien zo uitgezien toen ze in Amerika hoger onderwijs volg-de? Hoe ziet ze er nu uit? Ik weet niet eens hoe ze heet.

Die oudere vrouw die gezellig wijn drinkt in gezelschap van twee jongere vrouwen. Alle drie lachen ze uitbundig om een grapje; moeder en dochters?

Het stel dat naast elkaar zit. Hij met een pen in zijn hand, en beiden rustig nadenkend over een aanwijzing in een kruiswoordpuzzel. Coley en ik van middelbare leeftijd?

Dit is wat het leven te bieden heeft. Het is wat het leven mij niet bood. Voor de allereerste keer in vele, vele jaren woedt er razernij, heet en onbeteugeld als een bosbrand, door mijn lichaam.

Ik pak mijn weekendtas, mijn jas en mijn paraplu en loop naar de receptie van het Gresham Hotel om een kamer te nemen. Ik moet me ogenblikkelijk kunnen afzonderen.

Ik vergewis me van de kamerprijs en ofschoon een kamer razend duur is voor iemand met mijn middelen, boek ik voor een nacht. Er wordt me gevraagd naar een creditcard.

'Het spijt me, die heb ik niet. Ik betaal contant.'

De jonge vrouw achter de balie is verbijsterd en ze vraagt me of ik heel even wil wachten. Ze komt terug met een man, die me vraagt of ik me kan identificeren. Ik word steeds kwader, maar ik overhandig hem het pasje dat me recht geeft op gratis openbaar vervoer.

'Is dit uw enige identiteitsbewijs, mevrouw?'

'Inderdaad. Is daar iets mis mee?' Ik ben me ervan bewust dat ik met stemverheffing spreek.

'Absoluut niet, mevrouw.' Hij kijkt rond om te zien of iemand iets heeft gemerkt. Hij wil geen woordenwisseling en heeft gezien dat er voor mij heel weinig nodig is om er een met hem aan te gaan. Hij geeft me de pas terug met een verontschuldigend glimlachje. 'Mijn verontschuldigingen, mevrouw.'

Hij is aldoor uiterst vriendelijk gebleven, evenals de jonge vrouw. Zij zijn vrij van blaam, en ik heb me slecht gedragen. Mijn kwaadheid zakt weg als hij me een formulier overhandigt en me aanwijst waar ik moet tekenen. Vervolgens vraagt hij me vooruit te betalen. Ik betaal het bedrag en terwijl ik het uittel, zie ik dat ik nu minder dan twintig euro overhoud in mijn portemonnee.

'Dank u wel, mevrouw. Een prettige avond gewenst. Het ontbijt is vanaf halfzeven. Wenst u een ochtendkrant?'

313

'Nee, dank u.'

'Uw sleutel. Kamer 227 op de tweede verdieping.' Hij overhandigt me een kaartje in een mapje. Ik knipper niet met mijn ogen. Ik ga echt geen blijk geven van mijn onwetendheid over hoe dit platte stukje plastic zou kunnen werken als sleutel. Hij wijst me waar de lift is.

Ik bedank hem, onthoud mezelf de hulp van een piccolo (ik denk aan mijn verminderde geldvoorraad; de noodzaak om daar zuinig mee om te springen is belangrijker dan recht op fooien), en in het bewustzijn dat de man en de jonge vrouw me nakijken, houd ik mijn rug kaarsrecht als ik me naar de lift spoed. Hoe een lift werkt, weet ik tenminste. In het gebouw waar meneer Thorpe kantoor houdt is er een.

Ik vind mijn weg naar kamer 227. Gelukkig bevat het mapje instructies hoe het kaartje te gebruiken. Na maar één valse start ben ik binnen. Ik heb nauwelijks oog voor mijn omgeving. Mijn woede is weggeëbd en heeft mijn laatste restje energie meegezogen. Ik ben gevloerd.

Johanna leed gedurende de laatste weken van haar leven aan ernstige slapeloosheid en kreeg hiertegen tabletten voorgeschreven. Er bleef een restantje van over in ons badkamerkastje. Tijdens langdurige perioden van slapeloosheid heb ik er zelf van ingenomen en dit bleek heilzaam. Omdat ik de twee nachten ervoor zo slecht sliep, had ik uit voorzorg het potje ingepakt. Ik spoel er een weg met het flessenwater dat welwillend ter beschikking is gesteld door het Gresham Hotel. Het kan me niet schelen dat het pas zes uur 's avonds is.

Ik trek de zware gordijnen dicht om het licht tegen te houden en tegen de tijd dat ik uitgekleed en in bed ben, begint het medicijn te werken. Het laatste wat ik voor me zie voordat ik in slaap val op de eerste avond die ik ooit in Dublin heb doorgebracht, is gek genoeg geen beeld van mijn dochter of van Coley. Ik zie mijn moeder. Ze draagt het gewaad van de beschermengel op juffies prent en ze zweeft boven mijn toren op Whitecliff.

De volgende morgen na het ontwaken, lig ik nog enkele minuten na te genieten van mijn slaap. Ik voel me verrukkelijk, zo licht als een veertje, op drift in de lucht. Het is een gevoel dat ik wil laten voortduren. Ik rek me in mijn volle lengte uit en ik geniet ten volle van de warmte en gladheid van lakens en zachte kussens in de onmetelijkheid van dit vreemde bed.

Langzaam, als zich openvouwende origami, herinner ik me waar ik ben en waarom. Ik kijk naar de rood opgloeiende cijfers op de klok op het nachtkastje. Hoewel ik het gedempte geluid van verkeer buiten hoor, is het pas kwart over zes. Ik heb ruim twaalf uur geslapen.

Ik kruip lekker tegen de kussens aan, zodat mijn hersenen, verfrist maar nog nauwelijks actief, loom de mogelijkheden voor de komende dag kunnen aftasten. Maar zodra mijn bewustzijn terugkeert, is daar ook weer de drang om mijn naspeuringen te beginnen. Moet ik Claudine opbellen, zodra het uur zich daartoe leent? Opeens herinner ik me dan de genietingen en niet de pijn van gistermiddag, en ik vraag me af of ik haar er wel meteen bij moet halen en ons beiden opnieuw in de intensiteit te werpen. Moet ik niet profiteren van deze ongekende vrijheid om even vakantie te nemen? Niemand in de wereld weet waar ik op dit moment ben.

Met zo weinig geld in mijn portemonnee zijn de mogelijkheden beperkt, maar met mijn reispas kan ik me de hele dag in bussen laten rondrijden en ik weet dat de musea en de National Art Gallery gratis toegankelijk zijn. Ik heb tot vanavond halfzes, dan gaat mijn trein. Elf hele uren, een aantrekkelijk vooruitzicht.

Alles lijkt vanmorgen zoveel lichter, nu ik in dit reusachtige, heerlijke bed lig. Geen wonder dat dit hotel zo duur is: de wasserijrekeningen voor beddengoed van dit formaat zijn vast astronomisch. Ik merk dat ik honger heb; de laatste tijd eveneens een ongewone gewaarwording voor me. De jongeman van de receptie zei dat ik vanaf halfzeven kon ontbijten. Ik zal een van de eerste klanten zijn en ik ga zoveel eten, dat ik de rest van de dag niet meer hoef te eten.

Misschien komt het door Johanna's medicijn, maar de woede en de pijn van gistermiddag lijken nu melodramatisch, hun intensiteit een verre herinnering. In die bar heb ik me laten gaan in verbitterde, onbetamelijke gedachten en nu vraag ik me af wat ik daaraan heb gehad. Wat hebben mensen aan verbittering, behalve dat ze het bloed op onaangename wijze aan de kook houdt?

Ik kom uit bed om het bad te laten vollopen. Ik ga gretig gebruik maken van alles wat dit hotel te bieden heeft. Ik zal iedere druppel gebruiken uit de flesjes shampoo en haarversteviger en ik ga mijn haar drogen met die handige haardroger aan de muur. Ik zal mijn badwater geurig laten schuimen en alle vier de handdoeken op het rek gebruiken. Als ik daarmee klaar ben en gekleed, is het tijd voor het ontbijt, waar ik van alles op het menu zal eten en drinken zoveel als ik kan.

Daarna stap ik de Dublinse morgen in. Ik zal kiezen tussen een tochtje naar Howth of naar Dalkey, die betoverende plaatsen waarover ik zoveel heb gelezen in de krant, om met eigen ogen te gaan zien 'hoe de andere helft leeft'. Of ik zou naar een boekwinkel kunnen gaan om me over te geven aan het kosteloze genoegen van neuzen en bladeren, of zelfs een poosje in een café kunnen gaan zitten waar niemand naar me kijkt of een oordeel over me velt, goed of slecht. Het genot van de anonimiteit!

Het bad zal inmiddels vol zijn, denk ik, maar hier zie ik in de leren map op mijn toilettafel dat ik niet voor vanmiddag twaalf uur uit het hotel vertrokken hoef te zijn. Misschien doe ik dan vanmorgen niets anders dan in weelde luieren en van deze schitterende kamer genieten.

Wat een heerlijke keuzes, denk ik, als ik in het bad stap. Wat een prachtige dag!

Mijn frivoliteit ebt meer dan een beetje weg, wanneer ik er weer uit stap. Want door de stoom zie ik niet het spiegelbeeld van het zorgeloze elfje dat ik van mezelf had gemaakt, maar dat van een in een witte badhanddoek gewikkeld roze, dwaas oud dametje met druipend haar. Deze oude dame is hier op een missie en niet op een snoepreisje, en met die gedachte overwint het gezond verstand. Bijna. Want terwijl ik naar mezelf staar, besef ik weemoedig dat ik nooit eerder in mijn leven zo'n zorgeloze dag in het vooruitzicht heb gehad.

De opwinding en intensiteit van de ontmoetingen tussen Coley Quinn en mij indertijd waren niet de gemoedsgesteldheden die ik me bij vandaag had voorgesteld – een ervaring die de meeste mensen als normaal ervaren. Het is moeilijk om wat ik me in mijn hoofd heb gehaald los te laten.

Ik besluit de gulden middenweg te nemen. Ik zal met mijn naspeuringen beginnen zodra kantoren opengaan en de rest van de ochtend zal ik van mijn vrijheid genieten. Rond lunchtijd zal ik Claudine opbellen en wel zien wat daarvan komt.

42 ❦ *Zoutvaatjes*

Vroeg de volgende ochtend, nadat Coley opgehaald was voor zijn fysiotherapie, maak ik me gereed om naar Dublin te gaan. Ik was van plan om naar de burgerlijke stand en naar de National Library te gaan, waar de krantenarchieven zich bevinden. En die zal ik moeten raadplegen als ik het tweede van Bobs twee geopperde ideeën overneem. Let wel, een idee van Bob, en geen inval van mij. Geen stormloop van een olifant op een porseleinkast in het vooruitzicht – gewoon rustig snuffelen. Het kan geen kwaad, denk ik, om hier en daar wat navraag te doen, zodat, mocht Violet er ooit over beginnen, ik in elk geval wat informatie voor haar heb.

Mijn intuïtie zegt me dat dit niet lang op zich zal laten wachten. Als ik al in zo'n staat van opwinding verkeer over de gedachte een nichtje op te sporen, hoeveel sterker moet dan bij een moeder de drang zijn om het kind te zoeken dat zij het leven schonk? Kinderloos als ik zelf ben is de intensiteit van die drift moeilijk in te schatten, maar ik kan me zo voorstellen dat het zowel iets emotioneels als fysieks is. Ik ben ervan overtuigd dat al heeft ze eerder niet gezocht, ze dit ook nu niet zal doen. Vooral omdat ik met mijn twee grote voeten haar pantser heb opengetrapt.

Ik ben opgewonden over wat ik eventueel zou kunnen vinden, maar tegelijk nerveus over de technische aspecten. Ik was nog nooit in de National Library en hoewel de vrouw die me telefonisch informeerde over de toegangsprocedures erg charmant was, was ik nooit eerder het woord 'microfiche' tegengekomen en ik wilde geen flater slaan in gezelschap dat naar ik veronderstelde academisch zou zijn en technologisch kundig.

Onderweg naar de stad echter, gaat mijn mobieltje. Het is Tommy O'Hare. Hij heeft voor zichzelf twee afspraken voor dezelfde tijd gemaakt en daar zit hij vreselijk mee. Greenparks, dat momenteel de meeste rekeningen van OHPC betaalt, heeft een directievergadering om tien uur. En op het allerlaatste moment wil het bedrijf dat Tommy die bijwoont vanwege een aantal punten op de agenda, dus moet hij daarheen. Maar ook had hij een ontmoeting geregeld met een Engelse klant, die speciaal hierheen vliegt voor een bezichtiging.

'Ik moest alle registers opentrekken om hem hierheen te krijgen. Ik weet dat het een grote gunst is, Claudie, maar ik heb je hulp hier echt bij nodig.'

Ik kan moeilijk weigeren. 'Hoe laat arriveert hij?'

'Je bent een moordwijf!' Tommy's opluchting danst door de ether. 'Hartstikke bedankt, Claudie. Ik sta bij je in het krijt. Sla hem aan de haak. Trek alles uit de kast, slaap met hem als het moet.'

'Haha, grapjas.'

Daarna vraagt hij me of ik nog vorderingen heb gemaakt met de Whitecliffdeal. 'Ik zal haar bellen, zodra jij ophangt, Tom. Als er iets is, laat ik het je weten.' Ik voel me toch al een beetje schuldig, dat ik niets meer van me heb laten horen na dat we-houden-contacttelefoontje van de dag ervoor.

Los van dat ik Coley's verblijfplaats (tijdelijk) voor me houd – ook hij heeft rechten – hoort zij te weten wat er in werkelijkheid met haar dochtertje gebeurde. Maar wanneer ik haar thuis bel wordt er niet opgenomen. Ik heb er geen idee van of dit vreemd is of niet, want ik ken haar gewoontes niet. Waarschijnlijk is ze gewoon boodschappen aan het doen.

De bezichtiging met de Engelse klant verloopt naar wens en zodra ik hem heb afgezet bij de luchthaven, rapporteer ik dit vroeg in de middag wanneer ik onderweg ben naar huis.

Het antwoordapparaat knippert me toe wanneer ik mezelf binnenlaat, maar vanuit Coley's kamer komt het geloei van de tv en ik ga eerst naar hem toe.

Hij zit op de stoel naast zijn bed naar *Judge Judy* te kijken. 'Dag, Colman. Wat is dat?' Ik wijs naar een glas vol roze smurrie op de tafel naast hem. 'Aardbeiendrank.' Hij werpt er een woedende blik op. 'In het ziekenhuis zeiden ze dat ik te weinig weeg voor mijn lengte.'

'Ging het daar goed?'

'Ik moet over drie dagen terug. Ze hebben me een kruk gegeven!' Hij klinkt geagiteerd.

'Vind je het erg als ik dit wat zachter zet?' Het valt me zwaar om te concurreren met *Judge Judy*, die op strenge toon een reprimande geeft aan een dikke vrouw van middelbare leeftijd met blonde vlechten. 'Zo, da's beter. Je bent vast toe aan een kop thee. Heb je honger?'

'Nee, dankjewel. In het ziekenhuis heb ik een maaltijdbon voor de kantine gekregen.'

'Nou, het is zowat etenstijd, dan breng ik je later iets.'

'Doe geen moeite.' Hij mijdt mijn blik, alsof hij zich schuldig voelt; of omdat er iets is wat hem dwarszit. Ik wacht, maar wanneer er niets komt, laat ik hem alleen, maar spoor hem aan dat hij zijn belletje moet gebruiken als hij me nodig heeft. 'Of,' zeg ik, nog in de deuropening staand, 'misschien vind je het prettig om naar de keuken te komen. Verandering van decor, Colman.'

'Niks hoor, niks hoor. Ik zit hier puik. Kon niet beter.'

'Nou, als je van gedachten verandert...' Ik laat het aan hemzelf over.

De boodschap op het antwoordapparaat is van Violet. Goddank staat Coley's tv weer op haar allerhardst. Ik kan haar moeilijk verstaan, er is veel lawaai en geklets op de achtergrond. Ze gebruikt duidelijk een publieke telefoon. 'Dit is Violet Shine,' zegt ze op die ansichtkaartmanier van mensen die slecht op hun gemak zijn met technologie. 'Spijtig dat je niet thuis bent. Ik zal later weer bellen. Dank je. Dag.'

Het gesprek is negentig minuten eerder binnengekomen, zie ik. Ik bel meteen terug, maar bij haar thuis wordt nog steeds niet opgenomen. Ze kan toch niet al vanaf halverwege de ochtend aan het winkelen zijn? Ik maak me ongerust. Kwam het telefoontje misschien vanuit een ziekenhuis?

Doe niet zo mal, Claudine. Als ze in een ziekenhuis lag zou ze je niet met een publieke telefoon bellen. En bovendien zou je dan niet door haar zelf worden gebeld, maar door een verpleegkundige of een arts.

Ik moet eigenlijk een mobiele telefoon voor haar kopen.

En zodra ik dat denk, merk ik dat ik nu al aan haar denk op de manier waarop ik anderen hoor praten over de oudere familieleden voor wie ze de verantwoordelijkheid op zich hebben genomen. Het is een heerlijk gevoel. Ik vind het fijn. Het geeft me het gevoel dat ik ergens bij hoor dat groter is dan ikzelf.

Dit gedacht hebbende, gaat de telefoon. Waarschijnlijk is dat Violet, die nogmaals belt. Ik neem op met een vrolijk 'hallo'. Het is niet Violet maar Rosemary C, de verpleegkundige. Ze heeft me niet veel te vertellen, en wil me enkel de naam en het telefoonnummer van een maatschappelijk werkster doorgeven.

'Ik heb haar kort gesproken over die andere kwestie, Claudine, en ze verwacht je telefoontje. Vanmiddag heeft ze het druk en ze zegt dat je haar na zessen kunt bellen op haar mobieltje. Maar als ik jou was zou ik wachten tot morgenochtend. We stellen ons in dienst van mensen, maar hebben er allemaal een hekel aan om thuis gestoord te worden. Hoe maakt de patiënt het?'

'Bedankt voor de raadgeving, Rosemary. Ik zal wachten tot morgen. En Colman maakt het goed! Is bezig om televisieverslaafd te raken, geloof ik.'

'Hij kon aan veel erger dingen verslaafd zijn. Het goede nieuws is, dat ik hemel en aarde bewogen heb om dat huisje voor hem te regelen. Feitelijk zit ik nu te wachten op een telefoontje erover.'

'Geweldig.'

'Moet rennen. Succes met je zoektocht.'

Ik bedank haar nogmaals en we verbreken de verbinding.

Als ik een kwartier later de vaatwasser uitruim, hoor ik een geluid achter me en draai me om. Het is Coley, minus zijn kruk. Hij steunt tegen het deurkozijn en houdt zijn geblesseerde voet van de vloer. 'Colman! Is er iets? Heb je iets nodig?'

'Niets, niets. Als je het druk hebt kom ik later terug... maar je zei...'

'Kom erin, ik heb het helemaal niet druk.'

'Dank je. Stoort het je als ik even kom zitten?'

'Natuurlijk niet.' Ik trek een keukenstoel voor hem naar achteren, en steun zoekend tegen de muur hinkt hij erheen en gaat zitten. 'Hier.' Ik breng hem het krukje dat ik gebruik om achter in de kasten te kunnen komen. 'Leg je voet hierop.'

'Heel erg bedankt, Claudine. En moet je eens horen, ik was mijn manieren vergeten. Ik had je horen te bedanken voor je gastvrijheid.

Ik geloof niet dat ik je dat al heb gezegd. Maar ik zal je niet veel langer tot last zijn. Liefdadigheid, da's niks voor mij, weet je.'

Mijn hart smelt als ik kijk naar hem; oude leeuw, onderworpen. 'Natuurlijk weet ik dat, Colman. Maar dat je hier bent is geen liefdadigheid van ons. Zet dat nu maar meteen uit je hoofd. We hebben het fijn gevonden om je hier te hebben, al hebben we je natuurlijk amper gezien. Je mag blijven zolang als je wilt.' Ik meen het.

'Nou ja, het nieuwe huis hoort toch over een paar dagen klaar te zijn, zeiden ze me in het ziekenhuis.'

'Fantastisch!' Ik houd mezelf in. Zelf schijnt hij het niet fantastisch te vinden. Hij is onrustig. Ziet er gekweld uit, eigenlijk. 'Ben je er niet blij mee, Colman?' Ik zit op de stoel schuin tegenover hem. 'Maar je beseft toch dat je hoe dan ook niet meer buiten kunt wonen zoals je deed? Je had geluk met je enkel, dat het maar een verstuiking was. Maar stel je voor dat er iets ernstigs met je gebeurde en dat niemand je zag tussen al die braamstruiken en zo?'

'Ik zal er het beste van moeten maken, maar ik houd er niet van dat anderen me gaan vertellen wat ik moet doen. Ik ga niet doen alsof het makkelijk wordt. Maar trouwens, daar gaat het niet om…' Zijn stem sterft weg.

'O? Is het iets waarmee ik kan helpen?'

'Ik wil alleen je mening horen over iets, Claudine.'

'Vertel op.'

'Weet je nog dat we het gisteren over mijn dochter hadden?'

'Zeker.'

'Tja, ik dacht…' Hij begint te spelen met het zoutvaatje dat voor hem op tafel staat, draait het rond om zijn as.

'Neem de tijd, Colman.' En om hem die te geven sta ik op en doe alsof ik ben vergeten om de uitknop van de vaatwasmachine in te drukken.

Wanneer ik terugkom, lijkt hij rustiger, hoewel hij zich tot het zout en niet tot mij richt wanneer hij weer begint te praten. 'Ik word inmiddels een dagje ouder, snap je,' mompelt hij. 'Iedereen hamert daar op en ik word er gek van, maar ze hoeven het me niet te vertellen. Ik weet het zo ook wel. Dit…' Hij tilt zijn geblesseerde voet enkele centimeters omhoog. '… is er het bewijs van.' Hij zet het zout precies op de middenlijn van een hoek van de tafel. 'Het zou fijn zijn om haar te ontmoeten, te zien wat voor iemand het is.' Eindelijk kijkt hij op. 'Een keertje maar. Ik zou me niet aan haar opdringen of niets dat daar op lijkt. Gewoon haar een keertje zien.'

'En je wilt mijn mening over of dat mogelijk is?'

'Jaah.' Hij kijkt me stralend van opluchting aan. 'En hoe ik dat moet aanpakken.'

'Nou ja, kijk, ze is ook mijn nicht, weet je. Het kind van mijn tante. Ik wil haar zelf ook best ontmoeten.'

'Godsamme, je hebt gelijk!' Zijn lach wordt breder en dan barst hij uit in dat blaffende lachen van hem. 'Natuurlijk!'

'Er is een officiële weg die je kunt bewandelen om mensen zoals je dochter op te sporen. Ik zal je wat vertellen, ik heb er de verpleegkundige naar gevraagd toen ze hier eerder vandaag was. Zij brengt me nu in contact met… met iemand die zou kunnen helpen als we dat willen.' Gelet op wat ik heb gezien van hoe Coley over het maatschappelijk werk denkt, acht ik het beter om vooralsnog mijn mond te houden over een maatschappelijk werkster.

'Ik wist wel dat je ideeën zou hebben, Claudine!' Onverwachts vullen zijn ogen zich met tranen. 'Sorry. Sorry, hoor.' Hij probeert ze te drogen.

Dit keer, en ik voel me steeds meer een Judas omdat ik hem nog niet over Violet heb verteld, doe ik alsof ik een verdwaalde kruimel op de vloer zie liggen. Maar terwijl ik me buk om hem op te rapen, houd ik mezelf nogmaals voor dat ik haar rechten moet respecteren. Ik kan niet anders.

Ik sta weer rechtop en verdraag het niet om de hoop in zijn ogen te zien. Als die hoop de grond in werd geboord, zou ik dat niet kunnen verwerken. 'Er is geen garantie, Coley,' zeg ik zacht. 'Feitelijk zijn er allerhande risico's. Indien het ons lukt om haar te vinden, kan ze er afkerig van zijn om mee te werken. Het valt niet te voorspellen hoe mensen zich zullen gedragen.'

'Ik weet zeker dat ze daar helemaal niet afkerig van zal zijn. Waarom zou ze? We kunnen haar toch van tevoren vertellen dat we haar niet zullen lastigvallen? We kunnen haar zeggen dat we haar maar een keertje willen zien, Claudine!'

In zijn hoofd loopt de arme man al naar haar toe. Ik ben zo bezig geweest met Violets pijn en verlies, dat ik me eigenlijk niet heb verdiept in de zijne. Mijn fout. Tijd om de hoop terug te geven en ervoor te zorgen dat daartoe grond bestaat. 'Ik dacht er ook over dat we misschien moesten proberen om een geboortebewijs van haar boven water te krijgen. En ik wil met je wedden dat er indertijd iets in de krant heeft gestaan over haar. Een vondeling, dat moet een prachtig kerstverhaal zijn geweest. En ik wed dat er zelfs foto's zijn.' (Dank je, Bob!) 'Wat denk je, Colman?'

'Eigenlijk...' Hij zwijgt. Hij wordt rood, knalrood. 'Als we nou eens naar de Amerikaanse ambassade gingen, misschien kunnen ze ons daar helpen om erachter te komen wat er met Violet is gebeurd?'

43 ❦ *Whisky en schuimtaart*

'Ik moet het hem vertellen, Bob!' Ik pleeg dit telefoontje vanuit onze slaapkamer, zodat Coley het onmogelijk horen kan. 'Ze heeft hier al een keer naartoe gebeld en heeft een boodschap achtergelaten op het antwoordapparaat. Ze gaat opnieuw bellen en straks hoort hij haar. Hij zou het me nooit vergeven, en belangrijker nog, zij zou het me nooit vergeven. En nu hij er zelf over begonnen is, kun je me niet beschuldigen van bazigheid of dat ik me bemoei met het leven van andere mensen!'

'Rustig aan, Cee. Je hebt gelijk. We moeten het hem vertellen, het hun allebei vertellen. Op het moment dat we het bespraken, hadden we er immers geen idee van dat Coley in onze logeerkamer zou belanden? En voordat je nou iets zegt,' hij gaat sneller praten als hij me naar adem hoort happen, 'ik weet hoe dat is gebeurd en waarschijnlijk zou ik hetzelfde hebben aangeboden als jij. Je zou wel een hart van steen moeten hebben om de arme man van het kastje naar de muur te laten sturen, omdat hij de pech heeft niemand te hebben die voor hem kan zorgen. Maar je doet het toch wel rustig aan, hè?'

'Ja. Weet je wat. Ik stel het uit tot jij thuiskomt. Zijn reactie valt niet te voorspellen. Onder al dat machogedrag is hij erg emotioneel. Het probleem is alleen dat zij het als eerste hoort te weten, en ik kan haar thuis niet te pakken krijgen. Trouwens, dit is niet iets wat ze over de telefoon moet horen. Ik zal daar weer heen moeten...'

'Hou het nou effe rustig. Hij is tenslotte degene die bij ons woont.

We vertellen het hem. Kijken wat hij wil doen. Hij mag dan oud zijn, hij is volwassen en in bezit van zijn volle verstand.'

'Wat een puinzooi. En als jij nu gaat zeggen "Ik heb je gewaarschuwd", dan vermoord ik je!'

'Zal ik niet doen. Maar ik heb het gezegd.'

'Ik heb me keurig gedragen en me ingehouden. Jij hebt geen idee hoezeer.'

'Jawel hoor. Ik ken je erg goed, Cee. Maar luister, het kon veel erger zijn. Waar jij je nu zorgen over maakt, zijn details. Verlies het geheel niet uit het oog. Toen Violet met ons sprak, is je toen opgevallen hoe haar gezicht veranderde, iedere keer dat ze zijn naam noemde? En van wat jij me over hem vertelt, willen ze elkaar allebei even graag weerzien. Een kleine hapering in de timing of wie er het eerst over de ander hoorde, dat zal er uiteindelijk geen bal toe doen. Als dit goed uitpakt, zullen ze ons voor de rest van hun leven dankbaar zijn.'

'Maar stel dat het niet goed uitpakt? Ze kunnen ons de schuld geven, Bob. Violet kan mij de schuld geven!'

'Hé, da's mijn tekst. Als je het over omkering van rollen hebt!'

'Tot straks. Glimlachend hang ik op, maar de glimlach beklijft niet lang en gedurende het halfuur erna val ik aan op de kleerkast in mijn slaapkamer en vul voddenzakken voor het goede doel, stop er zelfs kledingstukken bij die nog dienst kunnen doen.

Voor het eerst neemt Coley mijn uitnodiging aan om 's avonds met ons mee te eten in de keuken. Aanvankelijk heeft hij bedenkingen, maar laat zich dan toch overhalen. Tijdens de maaltijd vertelt hij ons aarzelend, we moeten het uit hem trekken, een beetje over de ontberingen van het 'aan de overkant' werken in een tijdperk waarin het loon karig was en werk krijgen afhing van de luimen van corrupte ploegbazen. Volgens Coley werd de Ierse werkman geminacht door huisbazen en door de Britse samenleving als geheel, omdat hij de naam had een zuipschuit en een vechtersbaas te zijn. 'In bepaalde kringen werd er ook gezopen en gevochten, en ik moet bekennen dat ik in dat opzicht zelf ook niet onschuldig was. Er zijn heel wat zondagochtenden geweest dat ik met een bont en blauw gezicht wakker werd en me echt niet herinnerde hoe dat nou kwam. Begrijp me niet verkeerd, ik was groot en sterk en kon mezelf in bedwang houden, maar het gebeurde gewoon. De naam van een windhond kon de aanleiding zijn.'

Bob en ik nemen gewoonlijk geen toetje, maar ter ere van onze gast had ik een citroenschuimtaart uit de vrieskast gehaald. Wanneer we de lasagna op hebben zet ik die met een zwierig gebaar op tafel. 'Hopelijk houd je van zoet, Colman.'

'Ja. Dank je. Ziet er lekker uit.'

Hij is nu erg ontspannen, vind ik, en ik kijk snel naar Bob, die me met een hoofdknik zijn fiat geeft.

'Zeg, Coley, Bob en ik hebben je iets te vertellen.' Opzettelijk heb ik het verkleinwoord gebruikt en ik zie dat hem dat is opgevallen, want op zijn gezicht strijden schrik en verbazing met elkaar.

'Wat?'

'Rustig maar, het is niets ergs.' Ik schuif wat naar achteren op mijn stoel om niet te veel bovenop hem te zitten. 'Misschien is het een schok voor je, maar dan toch een prettige, hoop ik. Eerder vandaag had je het over op zoek gaan naar je dochter... en daarna liet je vallen dat je ook graag Violet wilt opsporen.'

'Ja?' Hij werpt een blik op Bob en kijkt dan weer naar mij.

Ik aarzel en zoek naar de juiste woorden, wat me niet meevalt. Ik moet het hem gewoon onomwonden vertellen. 'Wat Violet betreft, hebben we goed nieuws voor je. We hebben haar in West-Cork ontmoet toen we daarheen gingen om over Whitecliff te praten. Ze woont in het huis van Johanna.'

Binnen enkele seconden wordt hij rood vanaf zijn hals tot aan zijn haargrens. 'Maar dat kan niet... hoe...' Opeens is hij krijtwit. 'Waarom heb je me dat niet verteld toen ik het met je over haar had?' Ik wil zijn verweerde hand pakken, maar hij weert het gebaar af. 'Ik ben maar een ouwe zot, is dat het?'

'Het spijt me heus dat ik het je niet eerder vertelde, Colman,' zeg ik rustig. 'Ik vond niet dat het aan mij was. Niet totdat ik zeker wist wie je was.' Ondanks zijn reactie, ontspan ik een beetje, opgelucht dat de situatie nu duidelijk is. 'Je moet me geloven wanneer ik je vertel – nogmaals – dat mijn connectie met Whitecliff een totale verrassing voor me was, evenals het feit dat ik nog levende verwanten van moederskant had. En trouwens, het was Violet en niet ik, die zich dat realiseerde: zij had in de peiling dat ik op Marjorie leek.'

Hij knippert snel met zijn ogen. Het begint tot hem door te dringen.

'Dus ik weet dat je op dit moment waarschijnlijk woest op me bent,' ploeter ik door, 'maar denk even door, Coley. Dit is fantastisch nieuws voor je.'

'En waarom heb je het me niet verteld?' vraagt hij nog eens, maar minder vijandig, want zijn hersens zijn aan het werk.

'Ik kon toen toch niet weten dat jij de Coley was waarover ze sprak. Jij hebt me je voornaam verteld die eerste keer, maar er hadden wel zo veel Colmans kunnen bestaan. En pas toen de verpleegkundige jou Colman Quinn noemde, ach! Wat maakt het uit, ik heb het je nú verteld!'

'Hmm!' Maar als een gloed van een vuur in de verte, zie ik in zijn ogen de opwinding ontbranden. 'En wat is er veranderd?'

'Jouw ongeluk. Dat is wat de zaken heeft veranderd. Ik stortte me erin, want ik wilde niet dat je in een afschuwelijk oord terecht zou komen, maar dat compliceerde de boel wel. Ik wist niet wat ik moest doen of wie ik het als eerste moest vertellen. En ik heb toen maar een paar dagen in het wilde weg voortgestunteld, in de hoop dat er iets anders gebeuren zou waardoor het allemaal terecht kwam en ik het niet helemaal in een puinhoop zou laten ontaarden voor een van jullie of voor jullie allebei.'

'Ik denk...' zegt hij en ik zie het vuur aanslaan. Dan kijkt hij omlaag naar zijn werkmanshanden, hammen van knuisten die op zijn knieën liggen. 'Is ze getrouwd?' Hij vraagt het heel rustig.

'Nee. Dat kan ik je met absolute zekerheid zeggen, Coley.'

'Heeft ze iets over mij gezegd?' Zo zacht dat het nauwelijks verstaanbaar is.

'Nou en of!' Dit komt van Bob, die tot nu toe gezwegen heeft.

Het hoofd van de oude man schiet omhoog. 'Wat zei ze?'

'Ik kreeg van haar de indruk dat jullie liefdesverhouding van bijbelse proporties was, Colman.' Bob grijnst, van man-tot-man, maar Coley heeft zijn hoofd weer laten zakken.

'Gaat het, Coley?' Zijn reactie toen ik hem zonet wilde aanraken indachtig, bedwing ik me. 'Het is ook veel ineens...'

Hij antwoordt niet. Bob en ik wisselen een blik, terwijl we de stilte laten voortduren. Ik houd mezelf onledig met het aansnijden van de taart. Dan zie ik opeens dat de nog steeds tot vuisten gebalde handen op de knieën van de oude man nat zijn. Hij huilt.

Hij schudt me niet van zich af wanneer ik opspring om mijn armen om hem heen te slaan, al draait hij zijn hoofd zo ver mogelijk van me weg. Hij maakt geen enkel geluid, maar zijn ademhaling gaat hortend en hij beeft. 'Niet huilen…' Zelf ben ik ook bijna in tranen. 'Toe, huil nou niet, Coley. Dit is toch ontzettend goed nieuws? Na al die jaren?'

'Ze wil niets met me te maken hebben, wanneer ze hoort…'

'Je weet niet wat je zegt!'

Nu mept hij me wel van zich af, maar dan lijkt hij zich te vermannen. 'Sorry.'

'Je hoeft je niet te verontschuldigen.' Wanhopig kijk ik naar Bob.

'Colman, hoorde je wat ik zei?' Nu hij echt nodig is, staat Bob er. 'Naar mijn idee is ze nooit opgehouden met van je te houden. Ik zat erbij, weet je nog? Ik hoorde hoe ze over je sprak.'

'Maar zij is een mooie vrouw, ze is een dame… en moet je mij zien. Wie wil mij nou hebben?' Zijn wanhopige gebaar bestrijkt zijn zere voet, zijn oude kleren, de hele keuken.

'Ja, ze is nog steeds mooi, maar ze is zesenzeventig, Colman. Voor haar heeft de tijd evenmin stilgestaan, hoor.' Bob staat op. 'Volgens mij hebben we allemaal een borrel nodig.' Hij loopt naar de kast waarin we de drank bewaren. 'Iedereen een stevige whisky?'

Hij is vast vergeten dat ik hem heb verteld dat de oude man er openlijk voor uitkwam dat hij neigt naar alcoholisme. Ik werp een blik op Coley, die ik zie verstijven. Mijn zaken niet, denk ik. Hij is volwassen. Maar wanneer Bob de whisky's brengt, krijgt hij een beleefd doch ferm 'Nee, voor mij niet' te horen.

'Neem me niet kwalijk.'

'Dat is een goede vriend en een verschrikkelijke vijand.' De oude man schuift zijn glas opzij.

'Groot gelijk! Maar niettemin heb ik nu wel trek in een slok. En jij, Cee?' Prompt zet Bob de twee andere glazen neer en pakt dat van Coley weg. 'Dus thee voor jou, Coley?' Hij loopt naar de gootsteen, giet het derde glas leeg en zet de waterkoker aan.

'Ik heb jullie in verlegenheid gebracht.' Coley tilt zijn elleboog op en begraaft zijn ogen in de stof van zijn jasje, waarna hij zijn hoofd schudt als om dat helder te maken. 'Dit zal niet meer gebeuren.'

Ik neem een stevige slok whisky, die niet goed combineert met de hap citroenschuimtaart die ik heb genomen om de stilte van daareven te verbloemen. De tweede slok smaakt beter, merk ik. 'Ik vind dat je het risico moet nemen om Violet te ontmoeten. Wat heb je te verliezen? Ik rijd je er met alle liefde naartoe, wanneer je maar wilt.'

Coley raadpleegt het plafond. En dan: 'Bedankt voor het aanbod, Claudine, maar ik neem het niet aan. Ik ga alleen, als je het niet erg vindt.' Opeens is hij heel vastberaden. 'Wij tweeën hebben veel te bepraten.'

'Dat denk ik ook!' Hoe je dat gesprek begint, daarvan kan ik me amper een voorstelling maken. 'Maar ondertussen, Coley, wat doen we als ze belt? Ze gaat straks bellen, weet je. Ze heeft eerder vandaag een bericht ingesproken.'

'Komt tijd, komt raad.'

'Oké, jij bent de baas. Dan moeten we gewoon maar op ons gevoel afgaan.' In een brandende teug ledig ik mijn glas whisky en hierdoor moediger geworden, vraag ik dan: 'Er is iets waarnaar ik nieuwsgierig ben. Als je vindt dat ik er niets mee te maken heb, moet je dat zeggen, Coley. Maar jij maakt je zorgen dat ze je iets zal verwijten. Wat eigenlijk?'

Hij reageert niet en zit er roerloos bij.

'Dat wat haar is overkomen? Jij hebt die trap naar de zolder weggehakt, hè?' Ik zeg het voorzichtig, opdat hij niet zal denken dat ik hem beschuldig.

'Dat hout heeft me menige winternacht op het land warm gehouden,' zegt hij een beetje agressief, 'maar als jullie of iemand anders er weer een trap in willen zetten...'

'Natuurlijk niet. Ik heb daar niets over te zeggen. Nog niet, in elk geval. Hoe vaak heb ik je dat al niet gezegd. Dus dat was enkel omdat je brandhout nodig had?'

Voordat hij antwoordt kijkt hij me heel lang doordringend aan. 'Dat is een lang verhaal, Claudine.'

'Je hoeft het ons niet te vertellen, als je niet wilt.' Bob is met theezakjes in de weer bij het aanrecht.

'Jullie zijn goed voor me geweest, eerlijk is eerlijk. Ik wil het best vertellen.'

'Weet je het zeker?' Ik meen het. 'Ik wil niet dat je jezelf weer van streek maakt.'

Hij slaat geen acht op me. 'Toen ik eindelijk terugkwam van de overkant, had ik nergens onderdak. Ik ging naar Whitecliff omdat ik wist dat daar inmiddels niemand meer in woonde. Ik brak in. Ik overwoog om in een kamer te gaan kamperen. Tenslotte stond daar die kast van een huis naar de verdommenis te gaan, dus wie kon het wat schelen als ik bezit nam van een klein stukje ervan? Ik zou niemand last bezorgen. Ik was voorzichtig hoor,' voegt hij er stijfjes aan toe. 'Heb nauwelijks schade aangericht. Het hout van de achterdeur was verrot en daarna heb ik hem gerepareerd.'

'Ga door.'

'Ik ben iedere kamer binnengegaan.' Hij begint langzamer te praten en ik kan zien dat hij het opnieuw beleeft. 'Mijn vader en ik kwamen nooit verder dan de keuken wanneer we de pacht betaalden en dit was pas de tweede keer dat ik andere ruimtes zag in het echte huis. Ze nodigde me een keer uit voor een feest, snappen jullie, waar er werd gedanst...' Het wordt te veel voor hem en zijn stem zakt weg.

'Colman, maak jezelf nu niet weer van streek. Dit is voorlopig genoeg, hè Claudine?' Hij werpt me een waarschuwende blik toe, maar ook nu gaat de oude man verder alsof niemand iets heeft gezegd.

'Die avond was de salon prachtig, met lampen en bloemen en mooie jurken en de jongens in uniform. Je weet dat twee van hen zijn gesneuveld in de oorlog, Claudine?' Hij maakt een abrupte zijsprong in zijn verhaal.

'Ja, dat weet ik.'

'God hebbe hun ziel.' Hij is bedachtzaam. 'Al die mooie kleren en al dat eten die avond en zo veel drank dat er een slagschip op had kunnen liggen dobberen, en waarvoor helemaal? En minder dan een jaar erna waren die twee dood. En als je nu naar dat huis kijkt, helemaal leeg en vuil. En de hoeveelheid spinnenwebben, die slaat alles. Ze waren zo groot als bruidssluiers die spinnenwebben, ze hingen voor de schouw, voor de ramen en dikke lagen rond de gaslampen. Ik heb ze zo goed en zo kwaad als dat ging verwijderd, trouwens, en daarna ook nog af en toe.' Hij kijkt mij zijdelings aan.

'Ga door, Coley.'

'En de keuken! Toen ik daar via de achterdeur in kwam, waren bergen achtergelaten spullen het eerste wat ik zag: melkkannen, emmers, pannen op het grote keukenfornuis, dat soort dingen. Ik borg ze op in de provisiekamer. Ik weet niet waarom ik dat nou deed. Maar ik deed het toch, en hield wat spullen opzij die ik misschien zelf nodig had, zoals steelpannen en de kannen; niemand gebruikte ze.'

Bob zet thee voor hem neer, maar Coley reageert daar niet op. 'Ik liep het hele huis door. Boven, beneden, overal, met het idee dat ik misschien een hoekje voor mezelf zou uitkiezen. En ik raapte hier en daar een stukje lint op, of een knoopje waarvan ik me dan afvroeg of dat van Violet was geweest, of dikke pluizen en ik luisterde naar de muizen. Die hoor je altijd erg goed in een leeg huis. In een van de slaapkamers vond ik een goede, warme deken die ik best kon gebruiken en die hing ik over de trapleuning, maar daarna ging ik die zolder op...'

Dan merkt hij de thee op die voor hem staat. Hij tilt het kopje op, maar zet het dan weer neer zonder het naar zijn lippen gebracht te hebben. 'Die zolder zag er net zo uit als zij hem verlaten moet hebben. Ik zag haar spullen, haar bed. Keurig netjes allemaal, haar schilderijtje met de engel...'

Ik herinner me de afbeelding die ik had gezien in zijn geïmproviseerde slaapkamer op het land van Whitecliff.

'Toen zag ik dat luik in de deur,' zegt hij, 'en de grootte van dat hangslot aan de buitenkant. Het was niet moeilijk om te bedenken wat hier was gebeurd. En daar op die plaats wist ik dat Violet Shine nergens heen was gestuurd.'

'Wat deed je toen?'

'Wat denk je?' Zijn ogen vlammen van hernieuwde razernij. 'Ik kocht een bijl, goddomme. Haar kamer, daar wilde ik met geen vinger aankomen, dat zou niet juist geweest zijn. Maar ik zette hem in die trap. Ik maakte er een verschrikkelijke zooi van. Ik zwaaide hem in het rond alsof ik de hele wereld aan splinters wilde slaan. Ik geloof zelfs dat ik schreeuwde en brulde. Maar goed,' zegt hij, en kijkt hierbij uitdagend naar mij, 'toen ik de volgende dag terugging zag ik dat ik de muren een beetje beschadigd had, maar daar kon ik verder niets aan doen. Maar die trap, dat was keurig werk. En zoals ik eerder zei, ik heb hem aan stukken gehakt en mee naar mijn eigen vuur gesleept. Ik heb die trap beetje bij beetje verbrand en bij iedere kringel rook vervloekte ik het hele geslacht Shine. Sorry, Claudine.' Hij herinnert zich waar hij is en met wie. 'Indertijd was ik denk ik een beetje gek.'

Ik voel me als verlamd, niet alleen door de intensiteit van zijn razernij maar omdat ik me Violets levendige beschrijving van haar toren herinner, zie ik wat hij gezien moet hebben bij het betreden van die Mary Celeste-achtige kamer: naaidoos halfopen, een vergeten potlood, de schuin onder het getraliede raam staande stoel – door haar gebruikt als uitkijkpost om de zon en de zee te zien –, maar het bed keurig opgemaakt, want zo waren Johanna en zij opgevoed. 'Haar spullen moeten daar nog steeds staan.'

'Dat zal wel,' zegt Coley Quinn. 'Ik heb een ding meegepakt.'

'Het schilderijtje met de engel.'

Het lijkt hem niet te verbazen dat ik dat weet.

'Dus daarom denk je dat ze jou iets verwijt, Coley? Dat ze jou verwijt dat ze werd opgesloten?'

Hij kijkt me aan alsof de vraag beneden alle peil is. 'Wat denk je, Claudine?'

'Ik denk dat ze je niets verwijt. De gedachte is niet eens in haar opgekomen. Waar dacht jij dat ze naartoe was gegaan, nadat ze vrijgekomen was?'

'Weet niet.' Hij schokschoudert.

'Wilde je haar niet gaan zoeken? Misschien nog een keertje naar Johanna gaan, omdat zij vast wel wist waar Violet zat? Ze leefde nog in de tijd waarover jij het hebt, en je was er al eens geweest.' Dat zou me een verrassing geweest zijn, denk ik, maar Coley zegt even niets en kijkt me triest aan.

'Je begrijpt het niet. Het lag toen anders,' zegt hij dan. 'De eerste keer had ik werk, ook al was dat slecht werk. Maar toen ik in dat huis inbrak, had ik helemaal niets. Ons eigen huis in Rathlinney was verkocht, mijn familie was uiteengevallen en weg. Ik was te oud om weer naar de overkant te gaan. Engeland was voor mij afgelopen. Ik moest nokken met dat land en met de lui met wie ik omging. Mensen met wie ik woonde in plaatsen als Camden waren opgebrand. Mijn leven werd erg slecht na die eerste keer dat ik terugkwam en ontdekte wat die familie met Violets kind had gedaan. Maar ik kreeg mijn gezondheid pas weer terug nadat ik hier weer voorgoed was en een paar dingen voor mezelf op een rijtje had gezet, als jullie begrijpen wat ik bedoel. En dat duurde even.'

'Ik snap het.' Wat moest ik anders zeggen? Zijn leven werd erg slecht? Die paar woorden behelsden een hele wereld van zelfdestructie en chaos. 'Goddank dat je bent teruggekomen, Coley.'

'Hmm. Dus toen ik terugkwam, bleef ik het almaar uitstellen iets aan Violet te doen. O, ik had er zat ideeën over. Eerst mijn gezondheid opvijzelen, en wanneer ik in een betere vorm was, ging ik op zoek naar werk op de bouwplaatsen. Ik dacht dat een lokale aannemer me misschien zou aannemen, maar ik heb het over een tijd waarin er niet zo gebouwd werd als nu, en bovendien was ik in de zestig. Dus zelfs als ze me had willen hebben, wat kon ik iemand als Violet nou bieden? Geen baan? Geen geld? Geen huis? Dus ik bleef het maar uitstellen en voordat ik het wist was ik oud en was het te laat om haar wat ook te bieden.'

'En uiteindelijk besloot je dat je niet in het huis ging wonen?'

'Dat huis? Na wat ze haar in dat huis aandeden? Maar...' Coley kijkt naar Bob, die teugjes van zijn whisky nemend aldoor heeft gezwegen, en hij zegt dan alsof hij steun zoekt bij hem: 'Op dat land wonen was iets anders, snap je? Helemaal neutraal was het niet, maar zij hadden die grond altijd alleen maar bezeten en hem niet bewerkt, hem altijd verpacht. Mijn vader en zijn vader voor hem hadden er altijd vee lopen. Dus het voelde eigenlijk alsof ik er recht op had om daar te zitten. Maar de echte reden, en dat heb ik Claudine al verteld, is dat ik altijd hoopte dat ze, waar ze ook woonde, ooit terugkwam om het oude huis te bezoeken. Mensen plegen dat te doen. Achteraf gezien was dat stapelgek van me. Zij zou van haar leven niet terugkomen naar Whitecliff. Niet na wat dat volk haar had aangedaan. En om die reden ook weet ik dat het een luchtkasteel is om iets meer te willen dan haar weer te zien. Ik zal niets meer dan dat verlangen, haar een keer zien. Sorry dat ik zo heb doorgezanikt.' Hij pakt zijn kop thee en drinkt met grote teugen. Daarna zet hij hem voorzichtig weer voor zich neer.

Ik ben sprakeloos. Ik vermoed dat we geneigd zijn, overigens met de beste bedoelingen, om te vergeten dat het karakter van mensen zijn gloed niet verliest, al zijn ze op hoge leeftijd. We infantiliseren en betuttelen ouderen, vooral wanneer ze ziek zijn. En in die context moet ik tot mijn schande bekennen dat ik mezelf bij Coley dat hoge, opgewekte toontje hoor gebruiken, precies zoals de ziekenverzorgster deed.

'Dankjewel, Bob en Claudine,' zegt hij rustig, ons beurtelings aankijkend. En terwijl wij banaliteiten mompelen over dat we 'niets, echt niets' gedaan hebben, is hij er niet bij met zijn aandacht. Hij kijkt ingespannen naar iets dat niets met ons twee of de keuken te maken heeft, en opeens zie ik geen grijze, oude man, maar de hartstochtelijke jongen die mijn tante ons beschreef.

Het is inmiddels even na zeven uur 's avonds en al gaat er een late trein naar Cork, die zal ik niet nemen. Ik heb een tweede nacht in het Gresham Hotel geboekt. Zodra ik die beslissing vanmiddag nam, belde ik meneer Thorpe om uit te leggen waar ik was en wat ik daar wilde doen. Maar vervolgens bekende ik hem dat ik erg weinig geld bij me had, en toen was hij zo vriendelijk om met het hotel te regelen dat hij met zijn creditcard voor mij zou betalen. Hij bood ook aan om telegrafisch wat contant geld aan me over te maken, maar ik verzekerde hem dat dit niet nodig was. De enorme ontbijten die ze serveren in dit hotel zijn zo voedzaam. Meneer Thorpe gaat de kosten op de rekening zetten die hij me stuurt, zodra alles geregeld is, zei hij. Daarna wenste hij me succes en bood hij zijn hulp aan 'voor zover in mijn vermogen ligt, mevrouw Shine'. Meneer Thorpe is Johanna en mij enorm behulpzaam geweest. Hij is ongehuwd. Soms denk ik dat hij de eenzame momenten in zijn leven opvult met zijn grote betrokkenheid bij de zaken van zijn cliënten.

Vanmiddag had ik nog maar elf euro en een paar cent over, na mijn telefoontje naar hem en naar Claudine – heel oneerlijk werd me de volle prijs berekend, terwijl ik nog geen halve minuut gesproken heb – en nadat ik mezelf getrakteerd had op een ijshoorntje en mezelf, eenmaal terug in de stad, beloonde voor mijn avontuurlijkheid met een kop koffie en een scone.

Ik had een productieve dag. Helemaal in de verwachting dat ik, zoals ik voornemens was, de trein van halfzes zou nemen, liet ik mijn weekendtas achter bij de conciërge van het hotel, en toen ik het verliet ontdekte ik vlakbij een kantoortje met toeristeninformatie, waar ze stadsplattegronden verstrekten. De jongeman achter de balie heeft op zo'n kaart voor me aangekruist waar zich de Dartstations bevonden en ook de Burgerlijke Stand, die ik als eerste wilde aandoen.

Toen ik enkele maanden terug de bepalingen in Johanna's testament besprak met meneer Thorpe, liet ik zelf ook mijn laatste wilsbeschikking opmaken. Ik benoemde hem als mijn executeur en daarom moest ik hem in vertrouwen nemen over het bestaan van mijn dochter. Zij moest namelijk mijn erfgename worden en zou, afhankelijk van hoe lang ik nog leven zal, een aanzienlijke som geld erven. Hoewel ik dagenlang moed verzameld had om hem deze bekentenis te doen, vertrok hij geen spier toen hij het hoorde. Hij beloofde dat hij, in geval ik kwam te overlijden (en dat dit nog maar heel lang niet gebeuren mag, mevrouw Shine!) naspeuring naar haar zou doen, mocht ik dat zelf inmiddels niet al gedaan hebben. Van hem kwam de suggestie dat ze voor een rijbewijs of een paspoort of wat voor officieel document ook een geboortebewijs nodig gehad zou hebben. 'Mocht u zelf op enigerlei moment in de toekomst naar haar op zoek willen gaan, mevrouw Shine, dan moet u allereerst naar de Burgerlijke Stand.'

Al had ik vlinders in mijn buik, toch bleek de wandeling erheen aangenaam. Ze voerde me langs de Liffey Quays, die in niets meer leken op toen ik vroeger het Theatre Royal bezocht. Tegenwoordig staan er aan weerskanten prachtige glazen gebouwen die, schitterend in de ochtendzon, de ogen verblinden. Het was spitsuur natuurlijk, en als je die enorme bruggen oversteekt zet je je leven op het spel.

De procedure om een geboortebewijs te krijgen bleek verbazend eenvoudig, ook indien je, zoals ik, over incomplete gegevens beschikt. Met hulp van het efficiënte, behulpzame personeel vond ik al snel de folianten waarin de geboorten zijn opgetekend die plaatshadden rond kerstmis 1944 in de regio van Dublin. Helaas werd nergens melding gemaakt van Maghcolla, van Rathlinney of mijzelf of zelfs vader, ook al ging ik zover terug als 1 december, een datum waarvan ik weet dat die te vroeg is, en zocht ik door tot eind januari 1945. Ik deed dit op voorstel van een van de beambten – 'Soms worden er vergissingen gemaakt met de feitelijke data, met name wanneer de bevalling thuis plaatsvond en laat wordt aangegeven door iemand van buiten de familie.' Met haar hulp zocht ik opnieuw. Nu zochten we in die periode naar de geboorteaangifte van meisjes waarbij vader en moeder als zijnde 'onbekend' vermeld stonden. We vonden twee Mary's en een Eve Mary. Een Mary was aangegeven in Co. Longford, dus die viel af. De andere Mary en Eve Mary werden begin januari aangegeven in Dublin met de geboortedatum 20 december voor de Mary en 24 december voor de Eve. De bodem leek uit mijn maag te vallen, toen ik besefte dat dit mijn kind was.

Ik kreeg te horen dat er voor elk geboortebewijs betaald moest worden, maar dit zou een gat geslagen hebben in mijn kleine beetje geld. Daarom noteerde ik met toestemming van de vrouw de namen en adressen van de mensen die de aangevers waren van deze twee geboorten, waarbij ik mijn best deed om niets te laten merken van hoe ik me voelde. In Mary's geval was dat een *gárda* van het bureau Fitzgibbon Street. In dat van Eve ene zuster Benedict, die als beroep 'directrice' opgaf, met een adres in Newtown, Dublin. Mijn hand trilde echter zo dat mijn handschrift bijkans onleesbaar was.

'Gaat het wel met u?' vroeg de beambte. 'Wilt u een glas water? Of zal ik u een kopje thee brengen?'

'Nee, dank u wel. Dat is erg vriendelijk van u.' Het enige wat ik wilde was daar wegkomen om te kunnen nadenken over wat ik hier te weten was gekomen. Ik nam een schoon vel papier en noteerde de gegevens opnieuw, in blokschrift dit keer, terwijl de twee namen als een drumritme in mijn borstkas bonkten: Eve, Mary, Mary, Eve. Wie van de twee was mijn kind?

Ik bedankte het meisje en vertrok.

Toen ik het zonlicht in stapte, was Claudine bellen mijn eerste impuls. Maar op de een of andere manier voelde ik dat ik deze informatie even in alle rust alleen moest verwerken. Ik was degene die mijn baby gedragen had, en ik wilde haar heel even alleen koesteren. Ik zou mijn nichtje later bellen. Ik zou hulp nodig hebben bij het duiden van de namen en adressen van de 'aangevers' en zeker bij het vinden van hen of van mensen die iets over hen wisten.

Ik was overdonderd door wat ik had gedaan; en gevonden. Hoewel ik van tevoren erg nerveus was geweest, had ik zo'n snel succes nooit verwacht. De zoektocht was nu concreet geworden en in vele opzichten angstaanjagend. Wees voorzichtig met wat je je wenst; is dat geen treffend gezegde? En daarbij waarschuwt een klein stemmetje diep in mij dat ik niet te voorbarig mag zijn met mijn vreugde.

('Dit zijn maar namen op geboortebewijzen. Je bent er nog lang niet…') Maar ik slaagde erin om dit te negeren. Als ik Claudine toch niet meteen ging bellen, dan moest ik mijn plannen voor die dag doorzetten, vond ik.

Dus liepen Mary, Eve en ik het kleine stukje naar het Dartstation om de trein naar Howth te nemen.

Ik zal u niet vervelen met een beschrijving van mijn omzwervingen gedurende de rest van vandaag. Voor mij was de dag het equivalent van een tocht naar het basiskamp in de Himalaya, maar dat kwam door de roes van opwinding en zelfvoldoening over mijn eigen moed waarin ik verkeerde, terwijl ik weet dat iedere stadsbewoner er zijn schouders over op zou halen, zo gewoon zijn die voor hem of haar. Toch ervoer ik iets unieks: elke stap die ik zette werd begeleid door het drumritme dicht bij mijn hart. Wanneer ik iets zag wat mijn interesse wekte – zoals een grote zeeduivel op het dek van een schrobnet-visser in Howth – dan nam het volume gedurende enkele seconden af om weer aan te zwellen als ik doorliep.

Ik besloot een tweede nacht te blijven, toen ik in St. Mary's Pro-Cathedral was, om de hoek van mijn hotel. Het was toeval dat ik daar belandde, ik ging er puur uit nieuwsgierigheid binnen, maar ook, vermoed ik, was de naam van invloed: ik had misschien een dochter die Mary heette.

Nooit eerder was ik in een rooms-katholieke kerk geweest.

Ik weet dat het absurd klinkt. In mijn jeugd gingen we heel wellevend om met onze katholieke buren in Maghcolla, maar het werd als ongepast ervaren om elkaars kerkdiensten bij te wonen, ook niet voor een begrafenis. Deze kerk was enorm, helder verlicht en het rook er naar iets waarvan ik dacht dat het wel wierook zou zijn. Voetstappen klosten en echoden op de tegels van het middenpad en concurreerden met de zilveren klanken van een koor dat repeteerde op de galerij.

Ik zat in een bank achter in de kerk te luisteren en merkte opeens dat ik naast een licht snurkende, oude man zat. Hoewel het buiten warm was hing zijn hoofd voorover op de revers van zijn dikke, bruine winterjas, die met een stuk touw was dichtgebonden.

Toen ik rondkeek, zag ik dat er met ons twee meegerekend steeds zo'n twintig bezoekers in de kerk waren, waar gelovigen de knieën bogen in het passeren van het hoge altaar, knoppen indrukten om votieflampjes te ontsteken aan de voet van mooie pastelkleurige beelden, kort knielden om te bidden, om zich daarna weer weg te haasten. Ze leken even ongevoelig voor de zangers als mijn buurman. Ik denk dat ikzelf en een tweetal jongelui – toeristen, te oordelen naar hun donkere huidskleur en met waterflessen behangen rugzakken – de enigen waren die luisterden terwijl de koormeester zijn zangers aanpakte.

Dit was oude muziek en toen ik snel naar boven keek zag ik dat het koor ook een aantal jonge jongens telde. Ze stonden vooraan. Hun stemmen rezen en daalden. Door de koorleider werd hun gezegd te stoppen en het opnieuw te doen, tot ze op het laatst een aangrijpende, schitterende en ondeelbare eenheid van zuiver geluid voortbrachten.

Plots was ik in tranen. Niet om mezelf of mijn dochter. Hoewel in het licht van alle schokken in de voorgaande dagen dat deels misschien wel zo was. De reden van mijn tranen was complex. Ik huilde omdat de wereld, op zich, zo mooi is.

Ik vroeg me af hoeveel jaren ik nog hebben zou om te genieten van de schoonheid van de wereld. Ondertussen snurkte mijn kerkbankgenoot, zich nergens van bewust, rustig verder. En zou God wanneer ik voor Zijn troon verscheen me niet vragen hoe goed ik had gedeeld in waarin Hij had voorzien?

Niet goed tot dusver, dacht ik en ik snoot mijn neus. Ik was geboren in een groot gezin maar had het grootste deel van mijn leven in afzondering doorgebracht; ik had een kind gebaard maar kinderloos geleefd.

Als er één ding was wat deze korte vakantie me had geleerd, dan was het dat er iets veranderen moest. Op dat moment besloot ik nog een nacht in Dublin te blijven.

Ik was in alle opzichten moe, fysiek, mentaal en emotioneel, toen ik terugkwam in het Gresham Hotel om mijn weekendtas op te halen en me weer bij de receptie te melden. Dit keer werd er natuurlijk niet moeilijk gedaan over credit cards. Meneer Thorpe had wonderen verricht. 'Er is voor alles gezorgd, mevrouw Shine,' zei dezelfde jongeman achter de balie als gisteren. 'En we hebben u een erg mooie kamer gegeven. Ik hoop dat hij u bevalt en dat u van uw verblijf bij ons geniet.'

Dit keer was de kamer niet alleen 'mooi', hij was grandioos, met niet alleen een slaapkamer maar ook een zitkamer. En niet alleen dat, op een lage tafel stond een mand met fruit. Die toverkracht van meneer Thorpe was geweldig, dacht ik, toen ik mijn schoenveters losmaakte en op het bed ging liggen om een dutje te doen.

Ik werd pas vijf minuten geleden wakker, om iets voor zeven uur.

Nog half slaperig liep ik naar de badkamer om koud water in mijn gezicht te gooien. (Er hingen twee zachte, witte badjassen aan de achterkant van de deur!) Ik was me vaag bewust dat er iets was gebeurd, maar kon me niet herinneren wat. Toen begon het drumritme opnieuw. Mary of Eve.

Ik ben nu weer terug in mijn kamer, zit achter een reusachtig bureau met een verlichte spiegel erboven. Ik staar naar de telefoon, want ik moet mijn gedachten ordenen voordat ik met Claudine praat.

Wanneer ik weet wat ik moet zeggen, pak ik de hoorn van de haak.

Op het derde signaal wordt er opgenomen. 'Hallo, spreek ik met Claudine? Met Violet.' Ik probeer kalm en nonchalant te klinken, een moeilijke combinatie. 'Ik heb eerder geprobeerd om je te bellen. Ik heb een bericht achtergelaten.'

'Jeetje, ja.'

Ze klinkt wat problematisch, vind ik, en ik bied meteen aan om haar een andere keer te bellen. 'Het klinkt alsof het niet uitkomt, Claudine.'

'O, nee. Doe dat niet. Ik heb je bericht gehoord. Ik vond het zelfs fantastisch dat je belde. Ik heb het diverse keren bij jou thuis geprobeerd, maar er werd steeds niet opgenomen. Was er iets met de lijn?'

'Nou, ik ben in Dublin. Ik ben hier sinds gisteren.'

'In Dublin? Wat een verrassing!' Ze klinkt inderdaad verrast. Een beetje gealarmeerd zelfs, misschien? 'En al sinds gisteren?' gaat ze verder. 'Waar ben je? Moet ik je komen oppikken?'

'O, nee, niks hoor. Doe alsjeblieft geen moeite. Ik weet dat je me hebt uitgenodigd om bij jullie te komen logeren, Claudine, heel aardig van je en ik waardeer dat zeer, maar ik zit hier zeer comfortabel. Ik logeer in het Gresham Hotel. Een korte vakantie, begrijp je, en meneer Thorpe heeft alles geregeld. Maar ik beloof je, de volgende keer logeer ik bij jou en Bob. Maar er is iets wat ik je moet vertellen.'

Ze luistert als ik haar vertel over Mary of Eve en besluit met de opmerking dat ik haar hulp nodig zal hebben. 'Althans, als je dat niet erg zou vinden.'

'Ik doe het dol- en dolgraag,' zegt ze opgewekt. 'Wat spannend! Bob zal het fantastisch vinden. Goed werk, Violet! Om je de waarheid te zeggen, we hadden zelf ook plannen in die richting – met jouw goedvinden uiteraard. Maar je was ons voor. Je bent er vast erg gelukkig mee.'

Ondanks haar woorden en haar opgewekte stemgeluid, zit er een ondertoon van gespannenheid in haar stem die ik niet kan plaatsen. Ik meen op de achtergrond twee mannenstemmen te horen. 'Weet je zeker dat het niet ongelegen komt? Moet ik je niet een andere keer bellen, Claudine?'

'Tante Violet, moet je horen…' Opeens praat ze niet verder, en aan het plotseling gedempt klinken van het geluid weet ik dat ze haar hand over de hoorn heeft gelegd. Haar stem was ook veranderd, zachter en ernstiger klonk die. De spanning erin was toegenomen. Er is daar absoluut iets gaande. Ik heb altijd een hekel gehad aan communiceren via de telefoon: het is zo moeilijk om eruit op te maken wat mensen écht zeggen. Als ik niet van aangezicht tot aangezicht met iemand spreken kan, heb ik veel liever een brief.

Claudine is terug. 'Ik hoop niet dat je erdoor van streek raakt, Violet, maar wij hebben ook nieuws voor jou.'

'O? Wat voor nieuws?' In hun nesten onder mijn borstbeen maken Mary en Eve een plotselinge rukbeweging. 'Hopelijk is het niets slechts?'

'Dat hangt ervan af. Het zit zo, tante Violet, hier thuis hebben we iemand die graag even met je wil praten.'

Weer volgt een pauze en ik hoor iets van geschuifel en daarna een klap alsof de hoorn is gevallen. 'Sorry, Violet, maar kun je nog heel even wachten?' Daarna hoor ik haar dringende gefluister. 'Schiet op, schiet op! Ze wacht. Haast je, straks hangt ze nog op!'

'Hallo?' Het is een mannenstem. 'Ben jij dat Violet? Je spreekt met Coley. Coley Quinn.'

In mijn prachtige kamer in het Gresham Hotel laten de spieren van mijn benen me in de steek. Ik ben niet van het flauwvallerige soort, maar ik merk dat ik niet meer kan staan.

45 ♥ *Haar opgeheven gezicht*

Ik nam op in de keuken toen Violet belde, maar zodra ik haar Coley gaf trokken Bob en ik ons terug in de televisiekamer om hun privacy te geven.

We zijn gespannen, ik meer dan hij. Al wil ik niet weten wat Coley zegt en ik me echt op de televisie probeer te concentreren, toch houd ik een oor gespitst omdat ik de toon wil horen waarop hij met haar praat. Ik hoor evenwel helemaal niets, wat veel te veel ruimte laat om mijn fantasie op volle toeren te laten draaien.

Om met het gunstigste te beginnen: ze halen herinneringen op. Aan het andere eind van de schaal: hij pleit bij haar voor zichzelf en zij wijst hem af. Zal hij ondersteboven zijn? Zal zij ondersteboven zijn? Zijn ze beiden ondersteboven?

Na een minuut of tien wordt het wachten onverdraaglijk. 'Wat zou er gebeuren?'

'Laat ze, Claudine. Ze hebben veel bij te praten.' Bob pakt de afstandsbediening om het volume nog hoger te zetten, en ik moet geduld hebben.

Het duurt nog vijf minuten waar geen eind aan komt, voordat Coley in de deuropening verschijnt. Zijn haren zitten helemaal in de war, alsof hij er met zijn vingers doorheen geharkt heeft. Hij is ontzettend geagiteerd. 'Ze wil me zien. Ze wil weten of ik vanavond naar Dublin kan komen om haar te zien.'

'Is ze nog aan de lijn, Coley?' Ik spring overeind.

Hij houdt zich vast aan de deurpost, maar gebaart met zijn vrije hand naar de keuken. 'Snel, Claudine, toe…'

Ik race en wanneer ik de telefoon oppak hoor ik zelfs in haar 'Hallo?' dat ze net zo in de war is als hij; ze klinkt buiten adem. Hoe ga ik dit aanpakken? 'Wil je Coley vanavond zien, Violet?'

'Is dat mogelijk?'

'We kunnen naar Dublin rijden om je te komen ophalen…'

Ze laat me niet uitpraten. 'Zou het mogelijk zijn dat jullie hem hierheen rijden, Claudine? Ik denk dat we daar de voorkeur aan geven.'

'Tuurlijk, tuurlijk. Maar hoe komt hij hier dan weer terug?'

'Dit is erg gênant en ik verontschuldig me hiervoor, maar ik ben bang dat ik nogal impulsief ben geweest wat contant geld betreft en ik heb erg weinig bij me. Ik heb geen creditcard, dus als jullie Coley voldoende geld meegeven voor een taxi zou ik zo dankbaar zijn. En natuurlijk vergoed ik het jullie bij de eerste gelegenheid.'

'Dat is helemaal geen probleem. Dat doen we met plezier, Violet.'

'Dank je.' Ze klinkt onmiddellijk rustiger, maar ik voel opeens een grote beschermingsdrang jegens haar. 'Gaat het wel goed met je, Violet? Weet je zeker dat je hem vanavond wilt zien? We kunnen hem net zo goed morgenochtend naar Dublin brengen. Het moet een hele schok voor je zijn geweest.'

'Ja,' zegt ze droog na een korte stilte. 'Hij heeft uitgelegd hoe het zo kwam dat hij bij jullie in huis zit en waarom jullie tot nu toe… Ach, wat doet het er ook toe! We hebben nu met elkaar gesproken, dat is de hoofdzaak. Hij is kennelijk erg dol op jullie. Hij is ontzettend dankbaar. Ik ook,' voegt ze er zacht aan toe. 'Je hebt een groot hart, Claudine.'

'Weet je zeker dat je me niet eigenlijk een bemoeial vindt?' Weer voel ik iets prikken achter mijn ogen.

'In deze contreien zijn buren in staat van ontbinding op hun keukenvloer gevonden, omdat mensen bang waren om hun neus in andermans zaken te steken. Als jij je nergens mee bemoeid had, liever, dan zou ik hier nu niet in deze prachtige hotelkamer op Coley Quinn zitten wachten. Feitelijk betwijfel ik of ik hier dan wel zou zitten, met of zonder dit heerlijke vooruitzicht. Ik weet niet of je het beseft, maar in die paar dagen dat ik je nu ken, heb je een diepgaande invloed op mijn leven gehad, Op het gevaar af dat dit schoolmeisjesachtig klinkt, je hebt me opgegraven uit een voortijdig graf.'

Diepgaande invloed? Dit is te veel voor me; zeker met Coley Quinn binnen gehoorsafstand. 'Ik heb erg weinig gedaan, Violet, alleen wat eenieder gedaan zou hebben.' Daarna, om de aandacht van mij af te leiden: 'Heeft Coley je iets verteld over zijn leven tot nu toe?' Ik wil dat ze voorbereid is.

'Een beetje. Hij zegt dat hij me de details zal geven wanneer hij me ziet.'

'Ben je zenuwachtig?'

'Ik geloof niet dat ik ooit zo zenuwachtig ben geweest. Hoewel,' zegt ze lacherig, 'misschien is dat niet correct. Ik denk dat ik het onderscheid ben vergeten tussen nervositeit en opwinding. Leeftijd en ervaring willen de scherpe kanten wel eens afstompen. Ik ben niet onverstoord, laat ik het zo zeggen. En waarom zou ik ook zenuwachtig zijn? We zijn enkel twee oude vrienden die veel gemeenschappelijk hebben en elkaar na een lange scheiding gaan ontmoeten.'

Beiden denken we over deze zin na.

'Misschien ligt het toch niet zo simpel.' Haar lachje klinkt voller, vrolijker en hoger dan daarnet, en net zoals ik me verbeeldde de hartstocht van de jonge Coley te zien in de woede van de oude man, meen ik nu de echo te horen van een opgewonden jonge meisjesgiechel. 'We komen nú met hem naar je toe, Violet. Ik wens je alle geluk en ik hoop dat jullie samen een heerlijke avond hebben.'

'Dankjewel.'

'En?' Coley hangt rond bij de keukendeur. 'Ga ik of ga ik niet?' Hij is teruggevallen in de bazige toon die ik me herinner van Whitecliff.

'Natuurlijk ga je. Ben je klaar om nu meteen te vertrekken?'

Hij kijkt omlaag naar zijn versleten broek. 'Ik kan niet naar haar toe als ik er zo uitzie.' Hij klinkt kwaad, maar zijn gezicht staat wanhopig.

'Zal ik kijken of Bob iets heeft wat jou past? Jullie zijn ongeveer even lang, maar jij bent een stuk dunner. Daar kunnen we helaas niets aan doen. Laat me even bij hem kijken.'

Twintig minuten later help ik Coley achterin de BMW. Bobs antracietgrijze pak hangt een beetje af bij zijn schouders en het parelgrijze overhemd zit veel te wijd rond zijn hals. Van wit had ik afgezien, want dat accentueerde de bleke gelaatskleur van de oude man. Maar het lichte, iriserende blauw van de zijden stropdas versterkt de kleur van zijn ogen. Hij heeft koppig geweigerd om zijn kruk mee te nemen, en het vergt veel van mijn overredingskracht om in plaats daarvan een van de wandelstokken te nemen die we voor Louise in huis hebben. Ondanks deze uitbarsting heb ik moeite om in deze zenuwachtige man het uiterst eigenzinnige maar toch zelfverzekerde mens te zien die ik die eerste keer tegenkwam op het terrein van Whitecliff. Wanneer hij veilig in de auto zit, buig ik impulsief naar binnen en kus hem op zijn pasgeschoren wang. 'Je ziet er fantastisch uit, Coley Quinn. Als ik geen getrouwde vrouw was, zou ik er zelf met je vandoor gaan.' Om hem niet in verlegenheid te brengen, sluit ik daarna het portier en loop om naar de voorkant om naast Bob te gaan zitten.

Onderweg naar de stad zijn we alle drie stil. Het is een regenachtige dag geweest en zodra we op de grote weg zijn, maken de banden een suizend geluid. Een keer werp ik een blik over mijn schouder naar Coley, maar zijn hoofd is helemaal afgewend. Hij staart naar de voorbijzoevende grasberm.

Het Gresham heeft een afzetpunt aan de voorzijde. Wanneer we daar stoppen zet Bob de knipperlichten aan en we stappen allebei uit om Coley van de achterbank te helpen.

Coley heeft evenwel andere ideeën. Prikkelbaar gebaart hij ons opzij te gaan. Ik vermoed dat hij denkt dat Violet hem gadeslaat vanachter een raam. Eenmaal op het trottoir richt hij zich namelijk in zijn volle lengte op en vrijwel zonder de stok te gebruiken gaat hij de paar treden naar de hotelingang op en de glazen draaideur door.

Eenmaal binnen blijven we staan om ons te oriënteren. Coley staat naast me en ondanks zijn rechte houding, kan ik vanuit mijn ooghoek zien dat de mouw van Bobs pak licht trilt op zijn pols.

'Zullen we bij de receptie naar haar gaan vragen?' Bob loopt bij ons weg, maar ik heb haar al gezien. Ze zit in een oorfauteuil achter in de lobby, bij de ingang van het restaurant. Haar handen liggen gevouwen op haar schoot, op een dicht boek. Ze zit met een rechte rug, knieën, enkels en voeten onberispelijk op één lijn. Ze draagt een zilvergrijs vest over een zachtroze blouse en een donkerder grijze rok. Het licht vangt de bescheiden sieraden rond haar nek. Ze ziet eruit als een gedistingeerde actrice die vol aandacht wacht op haar aanwijzing. Hoewel ik er niet aan twijfel dat ze ons gezien heeft, verroert ze zich niet.

'Bob,' roep ik zacht. Hij hoort me en draait zich om in de rij bij de receptie, waar hij heeft staan wachten achter een stel snaterende Japanse meisjes. 'Ze is hier,' zeg ik tegen Coley.

'Waar?' Hij kijkt wild naar rechts en naar links. 'Ik zie haar niet.'
En dan ziet hij haar wel.

Ze ziet dat hij haar heeft gezien en staat op.

Zijn mankheid valt nauwelijks op als hij naar haar toe loopt. Hij gebruikt de stok bijna als een rekwisiet en hij houdt zijn schouders naar achteren als een soldaat.

Bob maakt aanstalten om hem achterna te gaan, maar ik haak mijn arm door de zijne en houd hem tegen. 'Nee, laat ze. Wij moeten gaan.'

Buiten is de avondzon door de wolken heen gebroken en O'Connell Street, het werk in uitvoering incluis, baadt in het licht. Ik kijk achterom door de glasdeuren, voordat ik het stoepje afloop en weer in de auto stap. Beiden staan ze voor haar stoel. Zij houdt met allebei haar handen haar boek tegen haar borst, de zijne houdt hij langs zijn zijden, Louise's stok hangt schuin achter hem op de vloer. Hoewel ze elkaar niet aanraken, zijn er maar enkele centimeters tussen hen, en hij buigt zijn hoofd over naar haar opgeheven gezicht.

46 ❦ De zoon van een pachtboer

Wat mijn verstand me ook zei, in mijn hart was Coley Quinn een sterke jongen.

Vader omklemde mijn arm zo hard die laatste avond dat ik er blauwe plekken aan overhield, maar doodsbang als ik was, bleef ik toch omkijken naar mijn lieveling. Sedertdien word ik in mijn dromen geplaagd door het beeld dat Coley, te geschrokken om op te staan, naast onze meidoorn geknield bleef zitten, zijn naaktheid bleek als een oesterschelp in het verraderlijke, rusteloze maanlicht. Het allerlaatste wat ik van hem zag, was dat hij zich op zijn knieën liet zakken en zijn hoofd op de grond legde; een palominopaard, dodelijk gewond.

In dat licht bezien is, nu hij bij me staat, de beleefde begroeting tussen twee oude mensen die ik me in alle haast had voorgenomen niet relevant.

Hij verbreekt de stilte, maar niet op memorabele wijze. 'Dag, Violet,' zegt hij en daarna weet hij kennelijk even weinig te zeggen als ik. We staan daar elk de veranderingen en het onveranderde in elkaars gezicht op te nemen, tot ik bang ben dat we de aandacht trekken. 'Zullen we naar de bar gaan, Coley?' Ik voel geen ongemakkelijkheid in zijn gezelschap en ik voel zeker niet de behoefte om beleefd te zijn of om me een hartelijkheid aan te meten die vreemd is aan mijn aard.

'Ik drink niet meer, Violet. Maar ik neem wel mineraalwater.'

'In dat geval, waarom gaan we niet naar mijn kamer? Die is prachtig met een bank en een stoel en zelfs een bureau. Er staat een waterkoker en er zijn thee, koffie, fruit en biscuitjes.'

'Weet je wel zeker dat je het niet erg vindt dat men over je zou kunnen gaan praten?'

Ik vind dit zo grappig dat ik moet lachen. 'Het enige wat mensen zien zijn twee beverige oude mensjes.'

'Ik voel me op dit moment niet oud.'

Hij lijkt verlegen. Ik herinner me Coley Quinn niet als verlegen. Ik glimlach hem toe. 'Ik ook niet, Coley.'

We hebben de lift voor onszelf. Ik spreek niet tot we in mijn kamer zijn. Als we net de drempel over zijn blijft hij staan. 'Je maakte geen grapje, Violet. Wat een kamer!'

Ik doe de deur achter ons dicht. 'Ben jij echt Coley Quinn?' Een retorische vraag, die ik alleen stelde om zijn naam hardop uitgesproken te horen.

'Na al die jaren...' Zijn verlegenheid was van voorbijgaande aard. Er ligt verbazing in zijn stem. 'Ik herkende je meteen. Je had niemand anders kunnen zijn, Violet Shine. Je bent nog altijd zo mooi.' Hij raakt mijn wang aan en hoewel het een vlinderachtig lichte aanraking is, voel ik toch het eelt op zijn vingers, en ik weet dat mijn gezicht als perkament voor ze moet aanvoelen. Niettemin sluit ik mijn ogen en sla deze gewaarwording van huid tegen huid in mijn geheugen op. Afgezien van handen schudden met meneer Thorpe en met mensen aan wie ik soms door de vrouwen van het postkantoor word voorgesteld, ben ik in geen jaren aangeraakt. Oude mensen worden niet aangeraakt, tenzij misschien door een arts of als ze over de middelen beschikken om een masseur te betalen. Coley haalt zijn hand weg, en de betovering is verbroken.

We staan nog steeds bij de deur. 'Laat me een kop thee voor je zetten. Of wil je water uit de fles?'

'Water zou lekker zijn.'

Ik loop naar mijn tafel, maar bereik die niet, want ik draai me naar hem om. 'O, Coley, ik weet niet hoe ik moet beginnen of waar!'

'Ik ook niet. Mag ik gaan zitten, Violet?'

'Waar je maar wilt.'

Hij gaat zitten op de stoel bij de schrijftafel. Ik geef hem zijn water, verschuif de leunstoel om dicht bij hem te zijn en we beginnen aan een merkwaardige, haperende conversatie die, wanneer buiten het licht verflauwt, meer ontspannen wordt tot we elkaar na bijna een uur over en weer ons levensverhaal vertellen.

Hij vertelt op zo'n alledaagse manier over zijn ervaringen dat het moeilijk is om me een juiste voorstelling te maken van de ontberingen die hem troffen toen hij in Engeland werkte: de met anderen gedeelde, smerige kamers en kraakpanden, de pensions, de wreedheid van het systeem om alleen losse arbeiders aan te nemen op bouwplaatsen, en de arrogantie van de voormannen wier willekeur bepaalde of jongens en mannen als Coley aten of verhongerden. Het verschilde zo van mijn eigen verhaal. Terwijl ik in redelijke luxe leefde, zij het dat ik geen keus had, was hij, de zoon van een pachtboer uit een Iers dorpje, gedwongen om over de betonnen lengte en breedte van Engeland en zijn steden de werkgelegenheid achterna te gaan. 'Het valt moeilijk uit te leggen wat ik van Ierland miste, los van jou natuurlijk!' Hij grijnst, op zijn gemak nu.

'Je hebt vast vooral Rathlinney gemist. En je moeder.'

'Ik miste het gras en vogels en de bomen,' zegt hij langzaam. 'De zee miste ik ook, en de wind. En zelfs de regen van Ierland. Ach, je zult me gek vinden dat ik dat zeg.'

'Natuurlijk niet, Coley. En toen kwam je terug?'

'Ja, ja...' En wanneer hij me zijn verhaal doet, valt het me nog moeilijker dan daarnet te bevatten dat hij de afgelopen paar jaar buiten heeft geleefd, op het land rond Whitecliff. 'Maar waarom, Coley?'

'Weet ik niet echt. Wilde ik gewoon, denk ik.' Hij is ontwijkend. Ik voel dat ik weet waarom, maar ik ga liever niet graven; dat zou overhaaste intimiteit zijn, aanmatigend zelfs. We zijn nu ontspannen in elkaars gezelschap, maar net zoals tijdens ons telefoongesprek concentreren we ons op de gebeurtenissen in ons leven, terwijl we om de essentie heen draaien. Het regent weer en het licht van de straatlantaarn buiten schijnt door de straaltjes water op het glas heen, waardoor Coley's gezicht en een deel van de muur ernaast een patroon van rollend kant krijgen.

'Moet ik een lamp aandoen, Coley?'

'Dit is fijn, vind je ook niet?'

'Als dat is wat je wilt?'

'Ik houd van het donker. In het donker kun je zijn wie je maar wilt, Violet.' In zijn toon hoor ik een onderdrukte gedachtestroom. Het op zijn gemak zijn van daareven is helemaal weg.

We vervallen in zwijgen. Misschien, denk ik, moet ik hem helpen met zijn worsteling, als ik die correct interpreteer. 'Heeft Claudine je verteld dat jij en ik een dochter hebben, Coley?' Ik snijd het voorzichtig aan.

'Dat hoefde ze niet te doen. Ik wist het al.' En vervolgens vertelt hij mij, al even voorzichtig, hoe het kwam dat hij het wist, en hij schijnt te vinden dat ik dokter Willis hoor te veroordelen.

'Dat is allemaal te lang geleden, Coley. Iedereen handelde naar de regels die toen golden.'

Hij denkt hierover na. En dan: 'Ben je nooit naar haar gaan zoeken?'

'Tegen de tijd dat ik aan Whitecliff ontsnapte, vond ik het daarvoor te laat. Het zou niet eerlijk tegenover haar zijn geweest. Ben jij gaan zoeken?'

'Zodat ze tegen haar vrienden kon opscheppen dat haar vader op een veld woonde? Ze zou me niet hebben willen kennen, Violet... maar...'

Ik heb het verkeerd geïnterpreteerd. Hij worstelt met iets anders. Ik zie het en ik voel het, maar ik vind dat hij zelf het tempo moet bepalen. 'Wat is het, Coley?' Ik raak zijn knie aan en hij neemt mijn hand in de zijne.

'We zullen weer over onze dochter praten,' zegt hij. 'Maar nu is het moment gekomen om iets aan haar te doen! Claudine en Bob zijn de mensen die ons erbij kunnen helpen. Maar voordat we het daarover hebben, is er iets wat je over me moet weten.' Zijn greep om mijn hand wordt krachtiger, tot mijn botjes er pijn van doen. Hij merkt dit en laat los, legt mijn hand op mijn schoot alsof ze een lieveheersbeestje is dat hij op een blad zet. 'De reden dat ik het donker wil, Violet,' zegt hij rustig, 'is dat ik niet wil dat er geheimen tussen ons staan. En nadat ik het je heb verteld, wil je me misschien niet meer kennen, niet voor jezelf of als vader voor je dochter. Maar ik moet het je vertellen. En het is makkelijker voor me als je me niet goed zien kunt.'

'Niets wat jij me zou kunnen vertellen, Coley...'

'Lúísteren, Violet!'

'Ik luister'

'Ik vertelde je niet de volledige waarheid, toen ik over mijn leven aan de overkant praatte.' Hij haalt zijn handen door zijn haar en achter hem lijken de door de invalshoek van het straatlantaarnlicht vergrote en vervormde handen van zijn schaduw als een zwerm vogels naar een aardhoop te pikken. Plotseling ben ik bang dat zijn vrees gerechtvaardigd zal blijken; dat wat hij straks gaat zeggen echt verschrikkelijk is en dat ik er naast hem onder moet lijden of, erger nog, dat ik door de verdorvenheid ervan gedwongen zal zijn hem van me af te stoten. Nu ik hem weergevonden heb, zou ik dat niet verdragen. 'Ik hoef de details niet te weten... wat het ook is, ik zal het aanvaarden en je niet veroordelen. Ga je gang, Coley...'

'Ik moet het je vertellen. Schoon schip maken, Violet, anders kan ik jou, en ook mezelf, niet recht in de ogen kijken. Jij moet daarna beslissen of je me nog wilt kennen en of ik een geschikt iemand ben als vader voor je kind.'

Ik zit er sprakeloos bij.

'Ik ben het slechte pad opgegaan, Violet.' Hij spreekt krachtig en duidelijk. 'Begrijp je wat ik daarmee bedoel? Daarom kwam ik op het laatst terug. Daarom kampeerde ik op jouw pappies land. Ik hoopte dat als ik maar genoeg ontbering leed, ik *clean* zou zijn als ik je weerzag. Begrijp je me?'

'Ik begrijp het.' Het raakt me dat hij zo veel en zo lang aan me gedacht heeft. En omdat ik tussen de regels van zijn relaas over het leven in Engeland door heb gelezen, ben ik ook erg opgelucht dat dit alles is waarover hij zich zorgen maakt. Zoals iedereen heb ik documentaires gezien over Ierse grondwerkers en losse arbeiders. 'Drank, Coley? Zwelgpartijen? Vechten?'

'Ja, en meer nog.'

Ik blijf roerloos zitten. Ik kan zijn ogen niet zien, er is te veel schaduw. De regen is opgehouden, het was maar een buitje. En al ligt er nog een patroon over zijn gezicht, dat patroon beweegt niet meer. 'Meer?'

'Jij was er daar niet, Violet,' roept hij uit. 'In die tijd dacht ik dat jij in Amerika zat, getrouwd was. Ik dacht dat ik je voor altijd kwijt was! Het kon me niet meer schelen wat ik deed...'

'Je bedoelt dat je met vrouwen bent geweest?'

'Ze betekenden niks voor me, niet een van hen. Ik was altijd dronken. Van geen enkele zou ik je de naam kunnen vertellen. Jij was de mijne voor altijd, mijn schone, lieve Violet. En jij was weg. Het spijt me, misschien had ik het je niet moeten vertellen, maar ik moest het. Ik zal nu gaan.' Hij probeert op te staan, maar wankelt, valt bijna, maar blijft overeind door zich vast te grijpen aan de rand van het bureau. 'Verdomme! Waar is die rotstok?'

Ik sta langzaam op en knip de dichtstbijzijnde lamp aan, een staande, naast het raam. Ik word gewaar dat mijn drumritme, dat zich vanavond tot dusver koest heeft gehouden, weer de kop opsteekt.

Coley kijkt naar de lamp, hij lijkt als verdoofd. Hij heeft zijn stok gevonden en leunt er zwaar op.

'Je bent een domoor, Coley Quinn.' Ik loop weg bij de staande lamp en kom langzaam op hem toe. 'Wat een drukte om niets. Ik dacht dat je me ging vertellen dat je een moordenaar was of erger.' Ik voel me langer dan ik ben. Ik voel me onoverwinnelijk, mijn eigen leger, een koningin in mijn rijk.

'Wat moordenaar?' zegt hij bevreemd.

'Al was je met duizend vrouwen per nacht gegaan, onze liefde is niet te evenaren. Al waren het een miljoen vrouwen, een miljoen miljoen maal miljoen vrouwen, het kan me niet schelen.'

Zijn gezichtsuitdrukking is bijna komisch. Mijn reactie is waarschijnlijk precies het tegenovergestelde van wat hij zich voorstelde toen hij zijn bekentenis formuleerde. Ik gedraag me echter niet zo vanwege de dramatiek of het effect, omdat ik hem zou willen troosten of niet zou willen dat hij zich uit de voeten maakt. Het is mijn oprechte gevoel. Het kan me niet schelen, al was hij naar bed geweest met ieder vrouwelijk schepsel in ons melkwegstelsel.

Misschien zou mijn houding een interessant onderwerp van studie zijn voor een psycholoog. Misschien ook is ze louter een ander voordeel van de ouderdom, wanneer het makkelijker wordt om de wereld te accepteren zoals ze is en niet te proberen haar aan te passen aan eigen verlangens. Maar hoofdzakelijk denk ik toch dat die houding voortkomt uit een leven lang in eenzaamheid nadenken. Vraag me niet waarom, maar ik ben gaan geloven dat ware liefde, die immuun is voor krachten van buitenaf, bestaat. Heeft iemand het geluk in dit leven ware liefde te vinden, dan kan niets haar laten wankelen. Ze zal scheidingen overleven, invloeden die er van buitenaf op inwerken en ondoordachte pogingen van de twee betrokkenen zelf om hun liefde te beteugelen of te ondermijnen.

Ware liefde overleeft zelfs de dood. Al had ik Coley Quinn op deze aarde nooit weergezien, toch zou ik onverminderd van hem zijn blijven houden en ik zou nooit het vertrouwen zijn kwijtgeraakt dat hij hetzelfde voelde en dat ten laatste, ergens, onze zielen zouden versmelten.

Toen ik ouder werd heb ik misschien wel eens een kort moment van twijfel gekend, wanneer ik besefte hoe anderen hier wellicht tegenaan zouden kijken, dat zo'n overtuiging misschien wel ongepast was voor een vrouw van zesenzeventig, maar dat betekent niet dat ik eraan twijfelde. Mijn ware liefde is bij me teruggekeerd en nu kan het mij geen sikkepit schelen wat mensen denken. En trouwens wie heeft het recht, of meet zich dat toe, om te dicteren wat emotioneel gepast is voor een ander, of die ander nu jong of oud is? En in geen enkele context mag men oude mensen wegzetten als mappen in een archiefkast.

'Je vindt het niet erg?' Hij kijkt me nog steeds aan alsof ik gek ben.

'Het kan me niet schélen. En je hoeft me niet te vertellen dat die vrouwen niets voor je betekenden. Ik weet dat ze niets betekenden. Dat had ook nooit gekund. Voor mij betekenen ze ook niets. Jij bent van mij en mij alleen, en jij zult nooit een ander toebehoren.' Ik trek zijn hoofd omlaag en kus hem op zijn lippen.

47 ❦ *Menselijke liefde*

Later die avond, in de aangrenzende badkamers van onze aparte slaapkamers, maken Bob en ik ons gereed om naar bed te gaan.

Op weg naar huis zijn we iets gaan drinken in de Coachman's Inn, vlak bij de luchthaven. Zoals gewoonlijk zat het bomvol mensen die op de luchthaven werken en forenzen die langskomen om te eten. Het was er zo lawaaiig dat we niet echt gelegenheid hadden om te praten, ook al sneed Bob het onderwerp Whitecliff aan: 'Nog steeds aan het tobben dat wij het moeten kopen?'

'Dat moet maar even opgeschort worden,' zei ik hem eerlijk. 'Ik denk dat we mogen stellen dat we verrast zijn door de gebeurtenissen.'

'Nou, houd je me op de hoogte wat je gedachten erover zijn?' Hij zegt het laconiek. ' Ik zou je niet anders willen dan je bent, Cee, maar soms is het moeilijk om je bij te houden.'

We vertrokken al na een drankje en in de auto op weg naar huis stelde hij voor dat we meerdere wegen moesten bewandelen bij het zoeken naar Violets dochter. 'Naast al het andere, weet je nog dat ik je over die privédetective vertelde, die man in ons klantenbestand? Ik heb hem nagetrokken, lijkt me de juiste kwalificaties te hebben. Wat hebben we te verliezen?'

'Ik dacht dat jij vond dat we ons terughoudend hoorden op te stellen?'

'Natuurlijk, dat horen we te doen en dat hebben we gedaan. Maar ik zei dat toen jij je zo liet meeslepen, Claudine. Het gevaar bestond dat jij veel te snel zou gaan voor je tante. Maar, zoals je zegt, de gebeurtenissen hebben ons verrast. Dus kan het kwaad om te kijken naar wat voor vlees we in de kuip hebben met die knaap? En hoe eerder we die vrouw vinden, des te sneller de boel hier weer bedaart. Het is alsof we in een toneelstuk leven. Zo voel ik het tenminste.' Hij klonk een beetje treurig, waardoor ik besefte dat ik onvoldoende rekening had gehouden met zijn reacties en gevoelens. 'Dus wat denk je?' sprak hij verder. 'We kunnen het voorstellen aan de twee tortelduifjes.'

'Toe, Bob, doe niet zo gemeen!'

'Ik ben niet gemeen!' Hij was oprecht van zijn stuk. 'Ik bedoelde het lief. Jeetje, ik ben inmiddels net zo betrokken bij wat er gebeurt als jij.'

Dat was waar, dacht ik, terwijl ik naar zijn profiel keek. Hij was meer dan inschikkelijk en behulpzaam geweest. Het pleegt te gebeuren in een huwelijk, veronderstel ik, dat je in het begin denkt dat de ander in al je behoeften zal voorzien, en als die belachelijke verwachting de grond in wordt geboord, verandert de teleurstelling in wrok en dat maakt je blind voor wat je eigenlijk ooit in je partner hebt gezien. 'Dank je, Bob.'

'Voor wat?' Hij was behoedzaam, toen hij snel een blik op me wierp. Wanneer hij in het donker of de schemer rijdt, draagt hij een bril met getint glas, dus ik kon zijn ogen niet zien.

'Ach, ik weet het niet. Omdat je een goeie vent bent.'

Hij antwoordde niet, maar richtte zijn aandacht weer op de weg, wat mij een ietwat opgelaten gevoel gaf, waarschijnlijk doordat wat ik zojuist zei niet rijmde met de andere dingen die ik recentelijk tegen hem had gezegd of met de klap in zijn gezicht. Dit was niet om hem van blaam te zuiveren, maar misschien, zo dacht ik, nam ik iets van Violets instelling over.

'Ik vraag me af wat er in Dublin tussen die twee gebeurt.'

'Dat zullen we nooit weten. En sommige dingen hoeven we ook niet te weten.'

'Je hebt gelijk.' Maar toen we hard naar huis reden, voorbij de snel donker wordende velden aan weerskanten van ons, werd ik ondanks mezelf erg sentimenteel. Hoewel ik ze niet in slow motion naar elkaar toe zag rennen op een weiland vol madeliefjes, hoopte ik echt dat het op een bepaalde manier weer aan zou raken tussen Violet en Coley. Ze verdienden het beslist.

Ik sta mijn tanden te poetsen en nog over ze na te denken, wanneer er op de deur van mijn badkamer wordt geklopt. 'Kunnen we praten, Claudine?'

Bob draagt de kamerjas die ik afgelopen kerst voor hem heb gekocht. Aan zijn toon en zijn gezicht merk ik dat het om iets ernstigs gaat. 'Kan het wachten? Ik ben vreselijk moe.' Dit is ook echt zo. Mijn benen en rug doen pijn. 'Gaat dit weer over vergeving?'

'Deels, maar er is ook iets wat ik je al een hele poos had wil zeggen. Ik neem aan dat het kan wachten, maar komt het ooit wel goed uit? Weet je nog dat jij me die avond vroeg om je vijf minuten te geven over Whitecliff? Heb jij nu vijf minuten voor mij?'

'Kom er dan maar in.' Ik spoel mijn mond en draai de kraan dicht. Ik ben ongerust.

In de slaapkamer stap ik in bed en hij neemt de gemakkelijke stoel die ik soms gebruik om in te lezen. Het licht in onze kamer is zacht, misschien omdat zachtroomkleurig er de overheersende tint is. 's Avonds is de sfeer in de kamer rustig en veilig door de twee lampen naast het bed, de staande lamp in een hoek en de make-uplampen op de spiegel van mijn toilettafel. Bob friemelt aan een knop in de bekleding van de armleuning. 'Het gaat om dit,' zegt hij op rustige toon, 'ik weet dat ik me niet kan meten met je vader, Claudine. Dat heb ik altijd geweten.'

'Wat?' Dit komt zo onverwachts, ik ben hoogst verbaasd.

'Je hebt me best gehoord. Ik weet niet of je het jezelf bewust bent geweest, maar ons hele huwelijk lang is hij het lichtende voorbeeld gebleven waaraan je mij afmeet, en tegen die stralende zon kan niemand op.'

Mijn automatische verdedigingsmechanisme treedt onmiddellijk in werking. 'Ik heb nooit iets gezegd wat je zo zou kunnen uitleggen.'

'Dat hoefde je ook niet. De aanwezigheid van jouw vader heeft heel onze relatie gekleurd. Ik weet dat je denkt dat ik zou moeten zijn als hij, dat ik je in zijn stijl zou moeten onderhouden. Het spijt me dat ik de hoogten die hij bereikte niet heb geëvenaard. Maar tenzij er iets uitzonderlijks gebeurt, bijvoorbeeld dat ik de lotto win,' zegt hij glimlachend, 'denk ik dat ik waarschijnlijk de top heb bereikt van wat ik zal kunnen en wat ik zal verdienen. En als dat niet genoeg voor je is, Cee, dan zal ik daar begrip voor hebben.'

'Wat bedoel je met "begrip"? Waar zul jij begrip voor hebben?'

'Ik zal er begrip voor hebben als jij er een punt achter wil zetten. Vooral nu ik je ontrouw ben geweest. Ik weet dat ik een beetje heb gekropen, met dat vergiffenisgedoe, maar ik zal er begrip voor hebben als je dat niet opbrengt. Heus. Jij verdient het beste, en misschien ben ik dat niet.'

'Dat... dat gedoe is voorbij, Bob, ik hou van je,' roep ik uit, en ik merk dat ik het meen. Ik duizel nog als ik denk aan wat hij net vertelde over de gevoelens die hij al die jaren over pappie koesterde, vooral nu er de laatste dagen gaten zijn geschoten in mijn eigen achting voor mijn vader. Dit is zo verdrietig. Ik kom onder het dekbed vandaan en ga op de bedrand zitten om dichter bij hem te zijn. 'Luister eens, geen enkel huwelijk loopt volgens een vast stramien of bepaalde wetmatigheden. We modderen allemaal maar wat aan. Misschien heb ik uit het oog verloren wie je echt bent, Bob, en dat spijt me. En het spijt me ook dat jij denkt dat ik je aldoor vergeleken heb met pappie. Misschien deed ik dat ook wel, en daarover zal ik moeten nadenken. Maar dat je dat voelt, dat is belangrijk. En wat betreft het eigenaar zijn van de zaak, ik ben niet, en ik herhaal níét, teleurgesteld dat de zaak niet van jou is. Ik dacht dat jij daarover teleurgesteld was.'

Hij laat dit tot zich doordringen. 'Ik was teleurgesteld, omdat ik dacht dat jij teleurgesteld was.'

'Ik vermoed dat wij onze communicatieve vaardigheden moeten aanscherpen.'

'Dat vermoed ik ook.' Hij grijnst. 'Meende je het, toen je zei dat je van me hield?'

'Ja, dat meende ik.' Ik kom van het bed en loop naar mijn toilettafel, wat me tijd geeft om na te denken. Dan draai ik me om, en leunend op het meubel, kijk ik hem weer aan. 'Ik hou van je. En ik had me al gerealiseerd dat ik pappie op een onmogelijk hoog voetstuk had geplaatst.' Het is pijnlijk voor mezelf, maar ik ga door. 'Ik was verwend, Bob. Hij had niet mogen toestaan dat ik Pamela tiranniseerde. Ze was zijn vrouw. En hij had me niet mogen laten geloven dat mijn grootouders en overige familie van mijn moeder dood waren. Hij had me na haar dood contact met ze moeten laten houden. Als hij dat had gedaan, wie weet? Voor Violets omstandigheden was dat misschien beter geweest, en zeker voor de mijne. Familie hebben, zelfs die Shines, is waarschijnlijk beter dan geen familie hebben. Ik zal nooit echt weten waarom hij dat heeft gedaan.'

'Je hebt bedacht dat ook je vader maar een mens was?'

'Zo ver wil ik niet gaan.' Nu is het mijn beurt om te grijnzen. 'Ik heb je,' zeg ik dan voorzichtig, 'dat andere ding vergeven en ik zal proberen om er niet meer aan te denken. Daar mijn uiterste best voor te doen. Nu heb ik er niet veel aan gedacht, moet ik zeggen, want ik had zo veel andere dingen omhanden. Je was gezegend met je timing.'

'Zekers, ik ben even gelukkig als een zwart katje,' zegt hij, maar het klinkt automatisch. En dan: 'Ik wilde het eigenlijk niet tegen je zeggen, maar... ik heb met haar gesproken, Claudine. Haar verteld dat je het weet. Je zult niet van haar horen.'

'En wat voel je er nu over?' Ik kan me er niet toe zetten om het woord 'haar' te gebruiken.

'Niets,' zegt hij rustig. 'Nou, dat is niet waar, denk ik... Wil je het echt weten?'

'Ja.' Misschien is het masochistisch, denk ik, maar ik wil het weten.

'Ik ben opgelucht om van het probleem verlost te zijn. Haar, dus,' zegt hij, de blik binnenwaarts gekeerd. 'Het doet me verdriet dat ik jou verdriet heb gedaan, vind het vreselijk dat ik zo'n uilskuiken ben geweest.' Hij haalt zijn schouders op. 'Dat is het eigenlijk wel. Ik heb me ook vast voorgenomen om mezelf nooit meer in zo'n situatie te brengen. Misschien zeg ik het niet vaak, Claudine, maar jij bent alles voor me. Dit smakeloze gebeuren heeft me wakker geschud. Ik zag in dat ik jou, met al je grillen en gekkigheden, kon verliezen en ik raakte helemaal ondersteboven.'

'Wat voor grillen en gekkigheden?' Ik meen het niet en dat weet hij.

'Zeg, wil je niet opnieuw met me trouwen? De laatste keer was niet echt om over naar huis te schrijven.'

'Je hebt nooit gezegd dat je onze trouwerij niet leuk vond, Bob.'

'Vond jij het dan leuk?'

'Tja...' In een flits zie ik mezelf in mijn eentje, vaderloos en moederloos, stiefmoederloos zelfs, snel over het middenpad van een vrijwel lege kerk lopen, voorafgegaan door een meisje in een blauwe jurk met ruches, waarop ik helemaal niet zo dol was, en helemaal vooraan, rechts op het bankje, zie ik Bobs smalle schouders in het smokingjasje. 'Hallo, Bob. Ik rouwde nog om mijn vader, en de rechtszaak droeg ook niet bij aan de feestvreugde.'

'Precies. Het was een lange rouw. En een problematische verlovingstijd.'

Ik bestudeer zijn gezicht. 'Meen je het echt?'

'Ja, als jij het ook wilt. Het hoeft geen grootscheeps iets te zijn.'

'Het is een krankzinnig idee...' Maar ik wilde het best overwegen. 'Laten we er een poosje over nadenken, oké?' Maar ik loop terug naar het bed en kus zijn wang.

Hij pakt mijn schouders stevig beet. 'Dank je, Claudine.'

'Niets te danken.' Vervolgens weten we geen van tweeën wat nu te zeggen.

'Dan moest ik het er maar allemaal uitgooien,' zegt hij ten slotte.

'O, god, toch niet nog wat? Hebben we vanavond al niet genoeg besproken?' Ik ga weer op het bed zitten.

'Dit kost niet veel tijd. Je noemde Pamela zonet.'

'Ja, en?' Instinctief verstijf ik.

'Ik mocht haar, weet je. En nu er zoveel tijd overheen is gegaan... wacht effe.'

Hij komt uit de leunstoel, loopt de kamer uit en ik hoor hem snel naar de kamer lopen waar hij de laatste tijd slaapt. Hij komt terug met een oude portefeuille, zo een waarin geld een bijkomende zaak is. Een enorm ding met allerlei vakjes, vol visitekaartjes, onkostenbonnen, vodjes papier met telefoonnummers erop gekrabbeld. Hij heeft de portefeuille op het bed gelegd en rommelt erin, strooit de inhoud uit over het bedovertrek. 'Ik wil je dit al jaren lang laten zien... verdikkeme, waar is het? Ik weet dat ik het hierin heb gestopt...'

Ik begreep er niets van. 'Wat? Waar zoek je naar?'

'Hier heb ik het!' Triomfantelijk plukt hij een in vieren gevouwen velletje schrijfpapier uit de rommel. Het is zo oud dat het bruin is op de vouwen. 'Herinner je je dit?' Hij vouwt het open en geeft het me.

Het is Pamela's begeleidende briefje bij de vijfduizend dollar die ze ons stuurde. 'Dat heb je bewaard?' Ook nu weer ben ik perplex.

'Ik dacht dat je haar adres misschien op een dag zou willen hebben.'

Ik ga op het bed zitten. 'Jij vindt dat ik contact met haar moet zoeken. Misschien woont ze daar niet eens meer.'

'Als dat zo mocht zijn heeft ze misschien een doorstuuradres achtergelaten.'

'Misschien is ze dood.'

'Wie weet. Ik geef je helemaal niets in overweging, Cee. Ik geef je dit briefje alleen. Het is nu aan jou. Zoals ik net zei, ik dacht dat je het misschien zou willen hebben. Op een dag.'

'Halve gare die je bent! En dat bedoel ik aardig, Bob.'

'Zelf ben je ook zo slecht nog niet.' Hij bekijkt de ravage die hij heeft aangericht met de inhoud van zijn portefeuille. 'Kom, laat me dat opruimen.' Hij maakt er een begin mee. 'Trouwens,' zegt hij als terloops, 'herinner je je onze weddenschap? De nieuwe auto?'

'Die weddenschap loopt nog, dacht ik. Ik heb nog geen tijd gehad om naar de National Library te gaan.'

'Vergeet die weddenschap. Ik heb de auto gisteren besteld. Winnen, verliezen of gelijk spel, Cee, je hebt die auto verdiend. En ik heb hem besteld nog voordat ik wist of je me eruit zou schoppen.'

'O, Bob. Dat zou nooit gebeurd zijn, nooit! Zeg, het is toch niet om me om te kopen, hè?' Ik maak een grapje, maar hij niet.

'Nee, niks hoor. Noem het een geschenk.' Hij pakt mijn hand. 'Het is om je te laten zien, en je te zeggen – en dat is voor de allerlaatste keer, want ik kan niet aan de gang blijven – hoe erg het me spijt wat ik heb gedaan. Jij bent een geschenk in mijn leven, Claudine. En ik dank je daarvoor.'

Bob doet niet aan bloemrijke taal. En in alle jaren dat ik hem ken is dit het bloemrijkste dat ik ooit van hem heb gehoord. Hij gaat verder met het opruimen van zijn rommeltjes. 'Laat dat.' Ik pak zijn hoofd en trek het naar me toe. Ik kus hem, op de mond dit keer.

De kus wordt vrijen, rustig maar in ons eigen bed, zoals het hoort. Twee mensen, elkaars gelijken, die hun feilbaarheid, hun goede bedoelingen en, het allerbelangrijkste, hun vergiffenis aan elkaar overbrengen. Menselijke liefde met andere woorden.

48 ❦ De enige weg

De smaak van Coley's mond verschilde natuurlijk van de smaak die ik zo onverdroten had opgeslagen in mijn zintuiglijk geheugen. En hoewel hij me terug kuste, nadat hij zich had hersteld van zijn verbazing, gedroegen we ons kuis. We waren niet langer kinderen, in wie seksueel verlangen allesverterend is, en toch, en nu spreek ik voor mezelf, was het niet afwezig.

We deden een stapje achteruit om elkaar eens goed te bekijken. 'Wat gaan we nu doen, Coley Quinn?'

'Wat wil je doen?' Hij was geschokt. 'Meende je wat je zei over dat die andere vrouwen je niet konden schelen?'

'Ik meende het Coley. Misschien rest ons erg weinig tijd; wie zal het zeggen? Waarom dat te verknoeien? Het verleden is dood, wij niet.'

'Je bent me er een, Violet Shine.' Hij stapte naar voren en nam me helemaal in zijn armen. Hij trilde, merkte ik, en ik omhelsde hem heel stevig.

Na deze veelbelovende start werden we lichamelijk verlegen met elkaar, even verlegen over naaktheid als we waren geweest die avond bij de meidoorn; en met meer reden. Dus, bij zwijgende overeenkomst, stapten we slechts gedeeltelijk ontkleed in mijn prachtige bed. We kusten en knuffelden en praatten tot in de kleine uurtjes, maar we bedreven de liefde niet. Ik denk dat dit niet louter aan de leeftijd lag: ik denk dat we beiden bang waren dat hoe groot onze liefde ook was, onze fysieke hartstocht voor elkaar er toch niet meer zou zijn. We hadden elkaar weergevonden en voor het moment was dat genoeg.

Bovendien hadden we heel veel om over te praten. Het praten ging makkelijk terwijl we zij aan zij lagen, zijn oude hand in de mijne, zijn zware hoofd op mijn schouder of het mijne op de zijne. We dronken thee tot de kleine voorraad theezakjes opraakte. (We bespraken de mogelijkheid roomservice te bellen en meer thee te vragen, en ook wat te eten, maar we kregen de slappe lach bij de gedachte aan de schok die de arme kelner zou krijgen bij onze aanblik.) Terwijl we zo aan het spelen en aan het plannen maken waren hadden we pret, als waren we de kinderen die we vroeger waren.

Het was bijna drie uur in de ochtend toen Coley in slaap viel, en daarmee was de pret afgelopen. Ik lag nog heel lang wakker, malend over wat hij me over onze dochter had onthuld.

Ik begon erover, door hem enthousiast te vertellen over Mary of Eve. 'Het is absoluut een van hen, Coley. Is dat geen heerlijk nieuws?'

Hij, die tot dan zo speels en ontspannen was geweest, werd geagiteerd. Dit was niet de reactie die ik had verwacht. 'Wat is er? Zeg het me.'

Hij ging zitten om me te kunnen aankijken en hij pakte me bij de schouders. 'Ik vind het heel naar dat ik het moet zijn die het je vertelt. Het is geweldig dat je die namen hebt gevonden; we zullen haar nu vinden, maak je geen zorgen. Maar er was geen Amerikaans echtpaar, Violet.' Dan vertelt hij me wat er werkelijk gebeurd is.

'Ze werd niet... ik begrijp het niet.' Zijn vingers die in mijn schouders groeven, voelde ik niet meer. Maar helaas begreep ik het maar al te goed. Ik staarde Coley aan, wiens ogen zich op luttele afstand van de mijne bevonden. 'Je bedoelt dat ze al die tijd in Ierland zou hebben kunnen zijn?'

'Zou kunnen. Of waar ook.' Hij wierp zich op zijn rug en trok me tegen zich aan, wiegde me. 'Violet, ik weet wat dit voor je betekent. En nu weet je waarom ik die viezerik, Willis, wilde vermoorden. Als ik iets had kunnen doen, had ik het gedaan. Ik had iets horen te doen. Ik heb je laten stikken.'

'Jij hebt helemaal niemand laten stikken.' Mijn stemgeluid ging verloren tegen zijn borst.

'Heb ik wel gedaan, heb ik wel gedaan, maar ik wist niet waar je was.' Hij klemde me zo hard tegen zich aan, dat ik geen adem kreeg. Ik maakte me los uit zijn omhelzing. Ik dacht helemaal niet aan dokter Willis, ik probeerde het feit onder ogen te zien dat vader en moeder over zoiets fundamenteels zo hardnekkig gelogen hadden; dat ze zo diepgaand hadden gelogen leek me te bizar voor de rechtschapen mensen die ik kende.

Ik probeerde het op een rijtje te krijgen en deed mijn best om Coley te overtuigen van wat ik eerder had gezegd in de context van zijn 'slechte verleden': dat achteromkijken nergens toe leidde. 'Inmiddels heeft ze het leven geleid dat ze heeft geleid, Coley, en ik heb haar geboortegegevens. Wij kijken vooruit.' Het kwam erop neer dat ik Coley voorhield dat zijn onthulling niets veranderde aan onze huidige situatie.

Echter, het is vrijwel onmogelijk een overtuiging, of een illusie, die je je leven lang hebt gekoesterd zomaar overboord te zetten.

Het grootste deel van mijn leven had ik me mijn dochter voorgesteld als een gezonde, gelukkige Amerikaanse, die inmiddels misschien eminent was in het vak dat ze voor zichzelf had gekozen – ter compensatie van mijn eigen verschrompelde bestaan. Dit nieuws had al die jaren waarin ik, in plaats van uit alle macht naar haar te zoeken, die innerlijke drang beteugeld had, tot absolute nonsens gemaakt.

Los van de motieven van mijn ouders; ik denk dat zij niet vonden dat het enig verschil maakte als ze me de waarheid hadden verteld. Ik was bevallen en het kind was weg.

De dag breekt nu bijna aan. Het voelt zo vreemd en toch heerlijk vertroostend om Coley hier te hebben. Het is vreemd omdat ik sinds ik in mijn kindertijd gezellig met mijn zusters onder de dekens kroop, nooit meer met een ander in een bed heb geslapen, laat staan met zo'n boom van een vent als Coley Quinn. En vertroostend is het omdat ik op een moment als dit, die ene mens naast me heb die zal begrijpen hoe ik me voel.

Toen hij in slaap viel, probeerde ik mijn ademhaling te synchroniseren met de zijne, en elke keer dat hij zich omdraaide, draaide ik ook en krulde mezelf langs zijn lange rug. Op dit moment ligt hij half om mij heen gevouwen, met een arm om mijn buik, zijn buik en borstkas tegen mijn zij.

Ik heb besloten wat ik zal geloven over de leugen die moeder en vader me vertelden. Ik zal geloven dat ze handelden vanuit een pervers soort compassie: dat ze door het wegnemen van elke hoop die ik zou kunnen koesteren over een hereniging met mijn dochter en door mijn bestaan in mijn gevangeniscel zo prettig mogelijk te maken, ervoor probeerden te zorgen dat ik op den duur vrede zou vinden.

Dit geloven is de enige weg, want zou ik hen in staat achten tot zulk een opzettelijke wreedheid, dan zou ik duivels van hen maken en dat kan geen kind geloven van haar ouders: dat is tegen de natuur.

49 ❦ Seymour Brick

Bob en ik slapen allebei uit op de ochtend na onze verzoening, en in de haast en drukte om naar het werk te komen, breng ik pas tegen halfnegen een ontbijt naar Coley's kamer. Het was niet verbazingwekkend dat ik hem 's nachts niet had horen binnenkomen: ik had zo diep geslapen dat ik de ontspanning nog steeds in mijn kuiten voel terwijl ik druk bezig ben in de keuken.

Zijn bed is leeg en onbeslapen.

Onmiddellijk bel ik Bob op zijn mobiele telefoon. 'Denk je dat er met een van hen iets gebeurd is?'

'Dan zouden ze wel gebeld hebben. Of iemand had dat gedaan; slecht nieuws hoor je altijd. Waarschijnlijk werd het gewoon te laat.'

'Je bedoelt dat hij bij haar is blijven slapen?'

'Wat dan nog? Waarom verbaast dat je? Ze hebben veel te bespreken.'

'Maak je nou een grapje? Denk je dat ze... je weet wel.' Ik laat mijn fantasie weer met me aan de haal gaan.

'Dat zijn jouw zaken niet, Claudine.'

'Weet ik. Maar zou het niet geweldig zijn?'

'Ik zie je vanavond. En laat ze ondertussen met rust. Ze zijn volwassen. Ze hebben ze nog allemaal op een rijtje.' Grinnikend hangt hij op.

Ze bellen mij op mijn mobieltje terwijl ik een bezichtiging doe van een halfvrijstaand huis in een woonwijk in Balbriggan. 'Wilt u me een ogenblik excuseren,' zeg ik tegen de klant, een meisje dat in dezelfde wijk al een huis bezit, maar overweegt om dit huis te kopen als een investering. Ze is ongehuwd, voor in de twintig en werkt in de lagere echelons van het bankwezen – dit is het nieuwe Ierland.

Het is Violet die spreekt, heel nuchter. Ze vraagt me met haar beschaafde stem of het 'eventueel mogelijk' voor me is om Coley's bezittingen af te leveren in het Gresham, ruim voordat de avondtrein van halfzes vertrekt. 'Hij heeft erin toegestemd om met me mee naar huis te komen voor een bezoek. Met zijn enkel gaat het veel beter. Zou je dat aan zijn verpleegkundige willen vertellen? En vanzelfsprekend zullen we je het geld teruggeven dat jullie hem voor zijn taxi gaven, want die heeft hij nu niet nodig. Maar wel zal hij de stok moeten houden. En is het ook in orde als hij Bobs kleren nog heel even houdt? Ik zal het pak laten stomen voordat we het teruggeven.'

'O, Violet, maak je over al die dingen nu maar geen zorgen.' Ik kijk op mijn horloge, het is even na elven. Ik heb tijdens lunchtijd nog een bezichtiging, maar de middag is vrij. 'Wat gaan jullie in de tussentijd doen?'

'We zullen wat tijd in Dublin doorbrengen.'

'Dan zie ik jullie rond een uur of vier. En ik kan jullie bij de trein afzetten.'

'Dat zou…' De lijn is dood. Hun beltegoed is op.

Om die twee hoef ik me geen zorgen te maken, denk ik, als ik de telefoon uitschakel. Die hebben ze allemaal heel goed op een rijtje.

Ze wachten op me in de lobby van het hotel. Ik probeer me te gedragen alsof er helemaal niets bijzonders gebeurt, dat ze niet voor het eerst in zestig jaar met elkaar geslapen hebben, en dat ik hier gewoon ben om twee zeventigjarigen die elkaar toevallig kennen een gunst te bewijzen. Maar te oordelen naar de blikken die ze wisselen en hun veelvuldige gebruik van het woordje 'we', is er tussen hen iets belangrijks gebeurd in het afgelopen etmaal, denk ik, terwijl ik ze op de achterbank van mijn auto help en er een reistas van Bob bij schuif, die Coley's rommeltjes bevat. Toen ik voor hem inpakte, vond ik het amusant om te zien dat hij zijn sleutelring nog altijd had. Onze eigen reservesleutel hing er niet aan, maar die zou hij natuurlijk ook bij zich hebben. Ik vermoedde dat deze sleutels voor Whitecliff waren, die had hij vast bij zich toen hij viel.

Terwijl we in slakkengang over de Quays naar Heuston Station rijden, breng ik Whitecliff ter sprake bij Violet. Tommy O'Hare was er weer over gaan zaniken bij me. 'Heb je er nog verder over nagedacht, tante Violet?' vraag ik haar, en kijk in de achteruitkijkspiegel naar haar reactie.

'Ik ben er niet helemaal bij geweest met mijn hoofd.' Zij en Coley wisselen opnieuw een blik. 'Maar ik beloof je dat ik er serieus over ga nadenken wanneer ik thuis ben. En ik zal meneer Thorpe raadplegen. Je begrijpt toch dat ik dat moet doen?'

'Er staat geen druk op,' verzeker ik haar en ondertussen zie ik voor mijn geestesoog het woedende gezicht van Tommy O'Hare.

Even na vijven heb ik ze op het perron. Hoewel de trein er staat en zich al vult, talmen wij voor de perronkaartjescontrole. 'Ik zal je missen, Coley; en pas een beetje op die enkel.' Ik moet schreeuwen vanwege al die draaiende dieselmotoren onder dat ene ijzeren dak. 'En jij, Violet, het was fantastisch om je terug te zien.'

Ze overhandigt me een vel papier, de oogst van haar tocht naar de burgerlijke stand. 'Dit zal vast nuttig zijn, denk je niet?' Ook zij moet schreeuwen.

'Ongetwijfeld.' Vol bewondering voor haar durf, stop ik het met zorg in mijn handtas. 'Als jullie nog een zitplaats willen vinden, denk ik dat jullie nu moeten gaan.' Dan probeert Coley me het taxigeld terug te geven, maar ik sta erop dat ze het houden. 'Bob zou me vermoorden als hij wist dat ik het van je aannam. Alsjeblieft. Er is een restauratiewagen. Gebruik het geld om lekker te gaan eten samen.'

Hij kijkt haar aan en zij glimlacht hem verrukt toe. 'Goed, doen we,' zegt hij. 'Maar we betalen jullie vast en zeker snel terug.' Zij bedankt me 'voor alles, Claudine', en ik omhels haar en schud hem de hand. Ze laten hun gratis-reizenpassen zien en gaan door het hekje. Gedurende enkele minuten sla ik ze gade, terwijl ze langzaam de hele trein langs lopen, telkens stilstaand om door het raam te kijken of er stoelen voor ze zijn, hij loopt licht mank, zij schrijdt voort als een koningin.

Drie dagen later gaan Bob en ik op afspraak op bezoek bij zijn privédetective, een schriele Nieuw-Zeelander die zich mag verheugen in de prachtnaam Seymour Brick.

Het was Rosemary's maatschappelijk werkster en mij niet gelukt om op korte termijn een afspraak te maken die ons beiden schikte: de vrouw was zwaar overbelast. En zelf werkte ik lange dagen om bij

Tommy weer goed te maken dat ik het recentelijk zo dikwijls had laten afweten op mijn werk, waardoor ik niet meer naar Dublin was gegaan om archieven te raadplegen. Bob had me hierdoor makkelijk weten te overtuigen dat de detective met zijn deskundigheid en ervaring waarschijnlijk veel sneller met resultaten kwam, als die te behalen waren, dan als we onze hoop vestigden op mijn amateuristische geklungel.

'Het is een delicate zaak, meneer en mevrouw Ehrmstrong,' zegt meneer Brick tegen ons, vanachter het bureau vol krassen in zijn saaie kantoor, een van een aantal in een gebouwtje in een Dublinse buitenwijk. 'We hebben een groot slagingspercentage bij het opsporen van mensen, maar we werken strikt binnen de wet. Ik hoop dat u dat begrijpt. En indien een persoon vermist wenst te blijven proberen we hem in het belang van onze cliënten op andere gedachten te brengen, maar uiteindelijk respecteren we zijn wens.'

'Maar zij is niet vermist.'

'Wij behandelen zaken als de uwe als ging het om een vermissing.' Hij blijft zakelijk. 'Maakt u zich geen zorgen, mevrouw Ehrmstrong, we weten wat we doen.'

'Sorry.' Ik schuif hem de twee namen en die van de 'aangevers' toe, die Violet bij de Burgerlijke Stand had gevonden. Daarna vertel ik hem dat Bob denkt dat er in de krantenarchieven wel wat te vinden zal zijn over deze zaak en ik beklemtoon dat we graag zien dat er prioriteit aan wordt gegeven. 'De ouders zijn achter in de zeventig.'

'Ik begrijp het, meneer en mevrouw Ehrmstrong.' Hij stopt het ene velletje papier in een dossiermap en schrijft onze namen erop. Ondanks zijn niet-innemende verschijning en zijn miniatuur driedelige pak, stelt deze officiële daad me gerust en vind ik het opwindend. We betalen hem het gevraagde voorschot op zijn honorarium, plus een bedrag om zijn eerste kosten te dekken en laten het verder aan hem over.

Ook in de daaropvolgende paar dagen ga ik helemaal op in mijn werk. Tommy heeft onlangs een vergunning gekregen om als hypotheekadviseur werkzaam te zijn, en er is een administratieve achterstand. Daarbij schijnt het Greenparksconsortium de boel op orde te krijgen en het tempo wordt ook daar wat hoger. Zodoende keer ik terug naar mijn leven voor Violet, afgezien van dat ik mijn tante om de paar dagen snel even bel om te informeren naar haar welbevinden, en dat van Coley, en om haar ervan te verzekeren dat op de achtergrond onze detective hard aan het werk is. Ze is geen babbelkous aan de telefoon, dat had ik vrijwel meteen ontdekt. Daarom zijn onze telefoongesprekken kort en zakelijk. Coley, vertelt ze me iedere keer, maakt het goed. En, ondanks Tommy's gezanik, begin ik niet weer over Whitecliff. Ik ben beschermend geworden jegens die twee, en of ik het huis zelf ambieer begin ik mezelf almaar meer af te vragen. Ik heb het idee nog niet opgegeven, maar precies zoals veel mensen afkerig zijn van het kopen van een huis waarin iemand is overleden, begin ik te betwijfelen of ik me daar ontspannen zou voelen, wetend wat ik inmiddels weet over de geschiedenis van het huis.

Op een zaterdagochtend, een dag of tien nadat ik mijn tante en Coley had uitgewuifd op het station, gaat de telefoon. 'Wie zou dat zijn?' Ik heb helemaal geen zin om op te nemen. Ik lig nog in bed en luister naar de radio – een zeldzame luxe 's morgens – en ben nog bezig met een kop koffie die Bob me heeft gebracht. Hij was al op en naar buiten geweest en bladerde nu de kranten door, een van zijn zaterdagse genoegens. 'Wil jij opnemen?' vraag ik hem. 'En als het Tommy is, zeg maar dat ik terugbel.'

Bob pakt de telefoon. 'Ja, daar spreekt u mee…' Hij luistert. 'Mm-mm? Mm-mm?' Hij schrijft heftig in de lucht, om me te seinen dat hij een pen nodig heeft. Ik geef hem de pen die ik altijd in de la van mijn nachtkastje heb en zie hem in de marges en lege ruimten van de krant op zijn schoot een op het oog bijzonder lang verhaal neerkrabbelen. Vast een klant, denk ik lui en pak mijn koffiekop weer op.

'Hartelijk bedankt. We waarderen het zeer.' Kennelijk beëindigt hij het gesprek. 'We houden contact. En kunt u de rekening naar dit adres sturen?'

Na een afscheidsgroet zie ik Bob bestuderen wat hij heeft opgeschreven. 'Nou,' zegt hij, 'dat heeft goed uitgepakt.'

'Wat?'

'Dat was Seymour Brick. Let op, Claudine. Je nicht heet inderdaad Eve. Seymour zegt dat toen hij het adres in Newtown eenmaal had nagetrokken – een weeshuis dat inmiddels kennelijk niet meer bestaat – de zaak vrij eenvoudig werd en hij het spoor vond. Hij kon haar arbeidsverleden nagaan, van toen ze als hulp in de huishouding werkte. Gelukkig heeft haar werkgever sociale lasten voor haar afgedragen. Ze is jong getrouwd, hij vond haar huwelijksakte. Ze heeft drie volwassen kinderen, Arabella, Willow en Rowan. Ben je er nog?' Hij grijnst.

'Ga door!' Ik knijp zo hard in mijn kop dat ik mijn vingers voel kloppen.

'Eigenaardige namen, hè?'

'Bob!'

'Oké. Laat me eens kijken.' Hij laat zich vermurwen en draait de krant op zijn kant en tuurt naar zijn krabbels. 'De oudste twee zijn dochters en ze wonen in Dublin. Willow is getrouwd en heeft twee kinderen. De derde, Rowan, dat is de zoon, is momenteel in de Verenigde Staten. Net zoals Eve zelf. Ze woont daar. Ze leeft tegenwoordig, om onduidelijke reden, onder de naam Eve Rennick, hoewel dat niet haar gehuwde naam is. En ze woont, je zult het niet geloven, alleen op een woonwagenkamp in Arizona. Ik heb het adres en het telefoonnummer van de beheerder daar.'

Zijn grijns wordt breder. 'Die goeie ouwe Seymour zegt dat je nicht dolgraag wil dat we met haar in contact treden. Ze zou er "ontzettend gelukkig mee zijn", waren de woorden die hij gebruikte.'

Coley Quinn en ik rijden met grote vaart naar het huis van mijn nicht-je. We zitten achter in Bobs auto. Hij is ons komen afhalen van het bus-station in het centrum van de stad. Dit keer kwamen we met de snel-bus, omdat we allebei al met de trein hadden gereisd. Ik vond het erg comfortabel en het was interessant om echt door steden te rijden in plaats van langs hun periferie, waar de spoorbanen liggen. Een negatief puntje was de ook hier pregnante geur van *cheese-onion* chips. Bob zegt dat het nu nog maar een kwartier rijden is naar hun huis. Ik ben opge-wondener en nerveuzer dan ooit, als dat al mogelijk is, over wat er te gebeuren staat. Niet over Claudine natuurlijk, maar over dat ik morgen met Coley naar de luchthaven ga om onze dochter te ontmoeten.

Er is de afgelopen tweeëneenhalve week zo veel gebeurd. We heb-ben het hele gamma (en meer) van emoties doorlopen. De hoogte-punten waren natuurlijk het bijzondere telefoontje van Claudine op die zaterdagochtend en later diezelfde dag het nog veel bijzonderder telefoongesprek tussen onze dochter en ons, waarbij we alle drie overweldigd waren.

Sedertdien hebben we nauwelijks geslapen. We waren beurtelings gelukkig, ondersteboven en verschrikkelijk angstig en we hebben menig nachtelijk uur elkaars hand vastgegrepen om steun te zoeken terwijl we koortsachtig speculeerden over hoe we met Eve zouden kunnen opschieten. Intellectueel weet ik dat ik uitgeput ben en op een gegeven moment overwoog ik weer een tabletje van Johanna in te nemen, maar omdat ik me nog steeds energiek en even scherp als vaders figuurzaag voel, besloot ik dat niet te doen. Ik wil elke steek en rilling ervaren van de emoties die deze wonderbaarlijke ontdekking met zich meebrengt.

Aanvankelijk was Coley de mening toegedaan dat we Eve naar West-Cork moesten uitnodigen. Maar ik dacht dat ze liever in Dublin zou blijven om in de nabijheid te zijn van haar eigen dochters en haar kleinkinderen; onze klein- en achterkleinkinderen, die we ook nog moeten ontmoeten! We hebben een uitnodiging om zo lang als we willen bij Bob en Claudine te logeren, maar vooralsnog hebben we geen idee hoe lang dat zal zijn. Dat hangt af van Eve. We hopen haar veel te zien.

Behaaglijk gezeten op de achterbank van Bobs auto pakt Coley mijn hand. We zijn eigenlijk nog geen minuut zonder elkaar geweest sinds die eerste avond in het Gresham Hotel. Hem bij me hebben heeft de aard van mijn leven in West-Cork enorm veranderd. In zekere zin zijn we teruggekeerd tot onze jeugd en we spelen 'vader en moedertje'. Het is ontzettend aangenaam om mijn eigen man bij me te hebben om het huishouden mee te delen en sommige dingen zelfs helemaal aan hem over te laten. We hebben plezier. Dat staat volkomen los van onze persoonlijke relatie, van de wereldschokkende ontdekking van onze dochter.

Ik heb geen idee wat de brave lieden in ons dorp over ons denken, maar wat anderen denken kan mij geen sikkepit schelen; hoewel Coley – allerliefst – zich nog steeds zorgen maakt over mijn reputatie! Er vielen ons veel verbaasde blikken ten deel, zoals in het postkantoor, toen hij me op de eerste pensioendag vergezelde om het adres in zijn eigen pensioenboekje te laten veranderen. Op pensioendag is het er altijd erg druk, maar we sloegen ons erdoorheen en de twee vrouwen daar waren aardig als altijd en zwegen.

Ondanks mijn preoccupatie met wat er morgen te gebeuren staat, ben ik toch gefascineerd door de veranderingen in de topografische kenmerken van het gebied waar we met grote snelheid door rijden. In mijn jeugd moet ik vertrouwd zijn geweest met dit gebied in North County Dublin, dat nu kennelijk Fingal heet. Ik herinner het me echter als een slaperige, groene omgeving met een netwerk van zich tussen hoge heggen voortslingerende weggetjes en her en der op het kruispunt van wegen een gehucht of dorp, en niet als dit uitgestrekte kale gebied met enorme snelwegen, woonwijken en bouwkranen. 'Het is vast erg veranderd, Violet, sinds jij het voor het laatst zag.' Claudine's echtgenoot heeft mijn fascinatie opgemerkt.

'Nou en of.'

'We zitten niet zo ver van Whitecliff af, weet je,' zegt hij langzaam. 'Het zou maar een paar minuten omrijden zijn. Wil je het huis misschien zien?'

'Nee!' De heftigheid waarmee ik dit zeg doet hem schrikken, en daarom corrigeer ik mezelf met: 'Nee, dank je, Bob. Claudine verwacht ons.'

Het was betrekkelijk makkelijk voor me om uit noodzaak, zoals ik al uitlegde, en vanuit de veiligheid van Johanna's huis in West-Cork Whitecliff te bespreken met meneer Thorpe en, zij het kort, met Claudine en haar man. Maar nu ik er zo dichtbij ben, word ik doodsbang alleen al bij het horen van de naam. Misschien heeft het geheugen in de tussenliggende jaren iets onverdraaglijks gemaakt van een situatie die ik enkel als wreed ervoer toen het mijn leven was. Hoe dan ook, ik wil er nooit meer heen! Zoals ik er nu over denk is dat ik wanneer het huis mijn eigendom wordt het ogenblikkelijk verkoop aan de eerste bieder ongeacht de hoogte van het bod. Als dat Claudine is, prima. Maar ik betwijfel of ik haar daar ooit zal bezoeken. Ik ben niet van plan om haar dit te zeggen, voor het geval dit haar beslissing zal beïnvloeden. Ze heeft een zacht hart en ze moet vrij zijn om zelf haar standpunt over het huis te bepalen. Op een bepaalde manier, ook al wil ik niets met het huis te maken hebben, zou het toch leuk zijn als het in de familie bleef.

Meneer Thorpe heeft dit aangevoeld en maant me tot voorzichtigheid. 'U moet bereid zijn om het een beetje uit te zitten, mevrouw Shine. U zult in het bezit zijn van een eersteklas stuk grond waarvoor veel belangstelling zal zijn. U moet zichzelf niet tekortdoen bij de verkoop.' Maar ik ben niet op mijn achterhoofd gevallen. Als tussenpersoon werkt hij voor een percentage van de verkoopprijs en zijn commissie stijgt of daalt met wat Whitecliff opbrengt, daarvan ben ik me bewust. Hij is niet wat je noemt onpartijdig en daarom zal ik zijn adviezen in dezen negeren.

Ik ben me ook terdege bewust van de ironie van de situatie: het is amusant dat ik als degene die het meest geleden heeft op Whitecliff (dat mag ik gerust zo stellen, denk ik) nu zijn laatste begunstigde zal zijn. Gods wegen, zoals mijn lieve juffie placht te zeggen, zijn ondoorgrondelijk.

51 ❦ *Zien jullie haar?*

In de aankomsthal van luchthaven Dublin is zojuist op het elektroni-sche bord verschenen dat Air Lingus 104 uit New York is geland. Maar het is de ochtend van de officiële vrije vrijdag in augustus en bo-vendien zijn er nog enkele vliegtuigen, waaronder een andere vanuit de Verenigde Staten, die pas zijn geland of over enkele minuten zul-len landen. Het wordt lang wachten, want als we moeten afgaan op de drommen afhalers en thuiskomers wordt het een chaotische toe-stand in de bagagehal. Bob en ik hebben in elk geval een prima plekje weten te bemachtigen, vrijwel vooraan in de menigte, die ondanks het walgelijk vroege uur in feestelijke stemming verkeert, met overi-gens respectabele volwassenen die gekke hoedjes dragen en met bal-lonnen zwaaien.

Violet en Coley, wiens enkel helemaal genezen is, zitten samen een beetje uit de buurt van de mensenmenigte. Zij draagt een ci-troengele linnen jas en japon tot op de kuit, hij een blazer, een camel-kleurige broek en een kraakwit overhemd. Ze hebben gewinkeld, dat is duidelijk. Het valt me op dat ze naast haar handtas ook krampachtig een grote bruine envelop vasthoudt.

We zijn hier maar met zijn vieren. Tijdens een lang telefoonge-sprek met Eve's twee dochters, Arabella en Willow, waren we het er-over eens geworden dat de eerste ontmoeting met Eve erg emotio-neel zou zijn voor Violet en Coley en dat het allemaal veel te veel zou worden als al die andere nieuwe mensen er ook nog eens bij kwamen. Violet en Coley waren het daar helemaal mee eens.

En die twee hebben wat te verwerken. Ze ontmoeten niet alleen deze vrouw na bijna zestig jaar, ze krijgen er haar levensverhaal bij, en bovenal de ontdekking dat net zoals Eve zelf verlaten werd, zij haar eigen drie kinderen had verlaten en naar Amerika was gevlucht. Dit was, naar ik begreep, uit wanhoop en vanuit de overtuiging dat ze hun hiermee een betere kans in het leven gaf. Hoewel de omstandigheden waaronder dit gebeurde verschilden, is de parallel verbazend. Ik heb ook begrepen dat ze jaar na jaar van plan was geweest om naar Ierland terug te komen om de kinderen te halen en 'het goed te maken', zoals ze zelf zegt, maar ze was daar nooit in geslaagd. Ook al is de situatie tussen haar en haar kinderen inmiddels redelijk stabiel, toch zit ze nog altijd vol schuldgevoelens en draagt ze allerlei onverwerkte emoties met zich mee.

En al is er al wat gepraat tussen die drie, er valt nog veel meer te zeggen. Zoals het er nu voorstaat is het plan dat Eve na de eerste ontmoeting straks, vanmiddag naar Arabella, Willow en haar kleinkinderen gaat. Morgenavond komen we allemaal bij elkaar in ons huis. Dat zal me het feest worden.

Er trekt een rilling door de dicht opeengepakte menigte als de eerste golf verdwaasd kijkende reizigers de douane is gepasseerd en door de uitgang komt. Het is niet ogenblikkelijk duidelijk uit welk toestel vanuit de vs ze afkomstig zijn, maar met hun heuptasjes en bleke, afgetrokken gezichten na de lange vlucht kunnen het niet anders dan Amerikanen zijn: mannen die karretjes voortduwen met daarop stapels koffers zo hoog als Liberty Hall, vrouwen op lichte veterschoenen en met pastelkleurige bodywarmers aan.

Het aantal decibellen stijgt voortdurend, met kinderen die rennen, vallen of schommelen aan de hekken en een combinatie van opgefokt gebabbel, constant gejengel van mobiele telefoons en een stroom van mededelingen die wordt omgeroepen over de intercom van de luchthaven juist als een tweede golf aangekomen passagiers zich achter de eerste aan naar binnen perst. In de aankomsthal krioelen de mensen nu echt door elkaar en het is erg moeilijk om elkaar te vinden, zowel voor de passagiers als voor degenen die hen komen afhalen. Ik maak me zorgen dat Violet en Coley misschien te gestrest worden. Ze zijn hier nooit eerder geweest, op geen enkele luchthaven feitelijk. Met name Coley is als gebiologeerd. Als ik naar die twee kijk lijkt zij me de rustigste, maar dan ook maar een beetje.

Ik zeg tegen Bob dat ik naar ze toe ga. 'Breng Eve naar ze toe, zo-dra ze er is, ja? Je weet toch hoe ze eruitziet?' We hadden foto's uitge-wisseld.

Ik heb de oude mensen nog niet bereikt, als ik zie dat hun dochter is gearriveerd. Ik merk het aan de uitdrukking op Violets gezicht en hoe haar hand naar haar mond gevlogen is. Ik weet het aan hoe die twee tegen elkaar aan staan, aan zijn hand die haar onderarm omklemt. Ik draai me om maar haal er niemand uit die op haar lijkt in die zich ver-mengende zwermen passagiers en vrienden. 'Zien jullie haar?'

Ik had natuurlijk gehoord dat het erg druk kon zijn op de luchthaven Dublin, maar deze drukte had ik nooit voorzien. De verhalen in de kranten, op de radio of het journaal ten spijt, had ik me evenmin kunnen indenken hoe ontzaglijk vervelend een luchthaven kan zijn. Op de een of andere manier was ik blijven steken in het idee dat wegvliegen in een vliegmachine iets heel glamoureus is.

We waren alle twee gespannen en opgewonden tegelijk. We gingen onze dochter van het vliegveld afhalen, iets wat iedere Ier tegenwoordig heel gewoon schijnt te vinden. Maar ik weet zeker dat maar weinigen ooit het voorrecht zullen hebben om dat onder omstandigheden als de onze te doen. Vooral voor Coley was het idee dat hij naar een echte luchthaven ging een extra bonus. 'Misschien vliegen jij en ik op een dag ergens heen, Violet. Wat dacht je van Parijs?'

'Daarvoor hebben we nog tijd genoeg.' Zelf kon ik aan niets of niemand anders denken dan aan Eve.

Ik was het besef kwijtgeraakt van hoe lang we daar al zaten te wachten. We waren door zinvolle gespreksstof heen en vervallen tot het uitwisselen van futiliteiten als hoe warm het was of hoe langzaam de tijd verstreek; of naar Parijs vliegen!

Naast opwinding voelde ik ook zo'n grote bezorgdheid dat ik er misselijk van was. Ik wist van mezelf dat ik me onder vrijwel alle omstandigheden wist te beheersen, maar ik betrad nu onbekend terrein en ik wilde mijn dochter absoluut niet in verlegenheid brengen door me in het openbaar te laten gaan.

Zoals ik eerder al zei, ik heb er een hekel aan om de telefoon voor andere dingen te gebruiken dan het overbrengen van essentiële informatie of om afspraken te maken. Daarom wilde ik niet dat Eve en ik elkaar helemaal van elkaars levens 'op de hoogte' zouden brengen via een erg kostbare transatlantische telefoonkabel en schreef ik haar een lange brief waarin ik haar alles vertelde wat ik wist over haar familie en over Whitecliff. Zij het met een grove omissie: ik heb Claudine gevraagd om haar op de hoogte te stellen van de kwestie met de toren. Want ondanks mijn vele pogingen en het verspillen van goed schrijfpapier, merkte ik dat ik er niet adequaat over kon schrijven. De naakte feiten stellen moeder en vader, en ook de rest van mijn familie, in een slecht daglicht en ik wilde niet dat ze al te slecht over hen dacht. Als ik deze feiten zou aanvullen met mijn visie op het gebeurde, zou het klinken alsof ik vol zelfmedelijden zat en razend was over hoe ik was misleid, of ik zou zo dapper en heilig klinken dat ik mezelf afschilderde als een hedendaagse Jeanne d'Arc, en dat ben noch was ik ooit.

In haar antwoord op mijn brief, verstuurd voordat Claudine haar opbelde over de toren, verontschuldigde Eve zich voor haar povere schrijfkunst. Ze legde uit dat ze ondanks een 'moeizame start' in het leven in haar weeshuis, het nu 'tiptop maakte', maar dat haar slechte opleiding nog altijd een hindernis in haar leven vormde. Klaarblijkelijk was ze een groot deel van haar leven schoonmaakster geweest, omdat ze, zei ze, niet bekwaam was voor iets beters. Ze was tot alcoholisme vervallen – van Coley overgeërfd, vroeg ik me af – maar staat inmiddels al vele jaren 'droog'.

Maar toch het meest trieste dat ze bekende, was dat ze was weggelopen bij haar gewelddadige, dronken en vreemdgaande echtgenoot, en haar drie 'schattige, onschuldige kinderen' in de steek had gelaten. Ook al schijnen die kinderen haar dit vergeven te hebben, het is duidelijk dat ze zelf diepbedroefd blijft over haar daad.

Het laat zich moeilijk beschrijven hoe ik me voelde bij het lezen van die hartverscheurende opsomming, die zo ver afstaat van het leven dat ik me voor haar fantaseerde. Maar dit alles is nu vergeten. Ik sta. Mijn hart klopt zo snel dat ik het er benauwd van krijg. Coley en ik ondersteunen elkaar. Ze is hier. Onze dochter is hier.

Als ze dichterbij komt, zie ik mijn zusters en Coley – zelfs vader – in haar lengte, haar stevige bouw en knappe uiterlijk. Met een schok herken ik, zelfs op zeven meter afstand, de ogen van mijn moeder, die ook door mijn tweelingbroers werden geërfd. Ze zijn heldergrijs met een donkerblauwe buitenrand. Plannen, zelfbeheersing en gevoel voor decorum laten me in de steek. 'Eve!' Ik strek mijn handen naar haar uit.

'Dag, moeder.' Ze neemt mijn handen in de hare. 'Goddank.'

Die ogen zijn op gelijke hoogte met de mijne. De blik erin is niet veroordelend, zoals ik vreesde, hij is vol liefde, maar ik lees er ook angst in: ze is even nerveus als wijzelf. 'Ik ben blijven leven, Eve, om dit moment te mogen meemaken,' zeg ik tegen haar, en het lijkt alsof mijn stem aan een ander toebehoort. 'Tot nu toe heb ik dat zelf niet geweten, en dat spijt me zo.'

'Toe. Niet doen. Ik ben degene met spijt. Ik heb je zo ontzettend in de steek gelaten...' Ze dreigt zelf van streek te raken, en daarom draait ze zich naar haar vader. 'Ben jij Coley?'

Hij legt zijn hand stevig om haar schouder. 'Ik ben je papa, Eve.' Ook zijn stem is onherkenbaar, en het is aan de arme Claudine, die zelf in tranen is, ons te hulp te snellen en te voorkomen dat de situatie ontaardt in *grand guignol*.

'We kunnen hier niet met z'n allen staan huilen.' Ze wenkt Bob die zich op de achtergrond houdt en Eve's koffer draagt. Wanneer hij zich bij ons voegt, doet hij het verstandige voorstel om nu regelrecht naar huis te rijden en te gaan ontbijten.

Wanneer we de luchthaven verlaten en naar Bobs auto lopen, heb ik alleen oog voor mijn dochter, die een eindje voor me uit loopt met Claudine. Ik drink haar in, hoe ze beweegt, hoe ze haar hoofd neigt, de ronding van haar rug. In mijn verbeelding houd ik haar vast. Ik kam haar haren. Ik hul haar in een gouden kleed – de bijbeltaal uit mijn kindertijd overvalt me. 'Ik heb een cadeautje voor je.' Ik tik haar op haar schouder en geef haar de envelop, warm uit mijn handen, maar ze is afgeleid door iets wat Claudine tegen haar zegt, en ze stopt de envelop in het buitenvak van haar schoudertas.

'Ik zal hem later openmaken. Dank je, moeder,' zegt ze, en voor de tweede keer gebruikt ze het mooiste woord dat er bestaat.

53 ❦ Een fluwelen hamer

We rijden tegen de verkeersstroom in de stad in. Ik zit achterin met Violet en Coley. Eve, de eregast, zit voorin bij Bob. 'Ik veronderstel dat Whitecliff hier niet zo ver vandaan is?' Ze strekt haar hals om ons drieën aan te spreken. 'Ik zou het heel graag zien, als dat kan.' Het bevreemdt me wat. Haar vraag had als terloops gesteld geklonken, maar naar mijn idee iets te welbewust.

Maar aan het verstijven van Violets lichaam tegen het mijne, merk ik dat dit voorstel verre van welkom is. Ik zit achter Bob, de beste plaats om Eve's gezichtsuitdrukking te kunnen zien, maar die kan ik niet duiden. 'Het is inderdaad geen grote omweg naar ons huis, dat is waar. Maar ben je niet erg moe? Een jetlag en zo? Ik vind het prima om er op een andere dag met je naartoe te gaan, wanneer je geacclimatiseerd bent.'

'O, god, Claudine, bedankt. Maar al gaf je me nu een klap met een fluwelen hamer, dan nog zou ik niet kunnen slapen. Ik dacht alleen omdat we er zo vlakbij zijn...'

'Er valt niet veel aan te zien. Het is een bouwval, besef je dat? En ik weet zeker dat Violet en Coley aan een kop thee toe zijn,' doe ik nog een poging. Ik kijk naar de twee oude mensen, die allebei naar hun schoot staren en me niet erg behulpzaam zijn.

'Het hoeft toch niet zo lang te duren? Het is niet vervelend voor jou, Bob?'

'In het geheel niet.'

Bob, die vermoedelijk niet helemaal doorheeft wat hier speelt, concentreert zich op het veranderen van rijbaan. Waarom drukt Eve dit door? Maar voordat ik iets kan zeggen, hoor ik Coley. 'Als je daar echt heen wilt, Eve, ik heb de sleutels.'

Ik kan hem wel vermoorden. Maar tja, hij kent Violet het beste van ons allemaal. Toch wil ik haar hier nog steeds van redden. 'Zeg, kunnen we dit even doordenken? In het huis komen, dat is allemaal goed en wel, Coley, maar hoe krijgen we iedereen door die vreselijke braamstruiken?'

'Ik heb een sleutel van het hangslot op het toegangshek.' Coley kijkt snel naar Violet.

Dat blijft onopgemerkt, want haar ogen zijn gesloten. Dan opeens doet ze ze open en zegt tot mijn verbazing: 'Als je daar echt heen wilt, Eve, vind ik het niet erg.'

Ik begrijp het. Ze zouden alles, werkelijk alles doen om het hun dochter naar de zin te maken.

Nog geen twintig minuten later stoppen we voor het hek dat ik me zo goed herinner.

Gelukkig heeft Coley het slot zo open en vervolgens rijden we in slakkengang tussen de muren van braamstruiken over het hobbelige pad, dat ooit de imposante oprijlaan naar Whitecliff was.

'Wow!' Eve is helemaal ondersteboven, wanneer na een grote bocht, het huis in zicht komt. 'Ik dacht dat je zei dat het een bouwval was, Claudine?'

'Dat is het ook, al zijn de buitenmuren in orde, evenals een deel van het interieur. Er is bijvoorbeeld een prachtige schouw, en ook een ongelooflijk mooi trappenhuis…' Bijna alsof ik een klap krijg, kan ik Violets reactie voelen. Ik krijg niet de tijd om nog iets te zeggen, want de auto staat als een broedse hen op de ronde parkeerplaats voor het huis.

We stappen allemaal uit. Het is een heerlijke ochtend, windloos en warm, zij het lichtbewolkt. Whitecliff met zijn grijze steen en zijn fraaie portiek biedt een imposante aanblik.

Eve kijkt omhoog naar de afbrokkelende goten. 'Ik zie wat je bedoelt. Het is beeldschoon, maar een bodemloze put.'

'Ik ga niet naar binnen,' mompelt Coley plotseling en hij geeft me zo abrupt zijn sleutelring dat ik die laat vallen. 'Ik weet immers hoe het eruitziet. Even de hond uitlaten.' Hij haast zich naar de braamstruiken.

Het valt me op dat Violet, ondanks de warmte, huivert. En hoe aardig ik Eve ook vind, toch ben ik kwaad op haar. Ze is ongetwijfeld in staat om te zien wat het effect van dit gebeuren op haar moeder is. 'En jij, tante Violet? Misschien ben je wel moe na alle opwinding en zo'n vroege start vandaag. Zou je niet liever in de auto willen wachten? Ik kan Eve een rondleiding geven.'

Ik heb me echter vergist in mijn nicht. Ze komt naar voren en pakt zacht haar moeders handen tussen de hare – mooi gevormd en sterk, zie ik nu, maar rood en geruïneerd van het harde werk. 'Dit zal zo zwaar voor je worden,' zegt ze zacht. 'En om jou zal het zwaar voor mij worden. Daarom moeten we het samen doen. We bieden die demonen daarbinnen samen het hoofd. We gaan ze afstraffen, Violet, zodat ze je nooit meer komen plagen. En weet je wat? Voordat ik terugga naar huis, gaan we hier met zijn allen een feest houden. Een barbecue misschien. Slaan we de hele boel kort en klein. Dus kom nu maar mee.' Ze knijpt in Violets handen. 'Niet bang zijn, bij mij ben je veilig. Ben je zover?'

Violet glimlacht maar haar ogen zijn nog steeds groot van angst. 'Ja,' fluistert ze, 'ik heb mezelf gezworen dat ik nooit meer bij Whitecliff in de buurt zou komen, maar, ja, ik ben nu zover.'

Eve draait zich om naar mij. 'Ik denk dat dit iets is dat wij alleen moeten doen, Claudine. Vind je dat erg? We blijven niet lang weg, maar wel zo lang als we nodig hebben. Heb jij de huissleutel?'

'Tuurlijk...' Ik overhandig haar de sleutelring. 'Die is van de achterdeur.'

Ik volg de twee met mijn blik als ze rechtsom naar het huis lopen. Ze zijn even lang, maar Violet is slanker. Na een poosje legt Eve haar arm beschermend om haar moeder, trekt haar in een halve omhelzing tegen zich aan en zo lopen ze, in de pas, langs de zijmuur, gaan aan de achterkant van het huis de hoek om en verdwijnen uit mijn zicht.

Mijn dochter draait de sleutel van de achterdeur om en we betreden Whitecliff.

Ik ben nooit bang geweest voor muizen, maar wanneer we over de drempel stappen en daarmee de vaste bewoners schrik aanjagen, wijkt Eve terug. Zij, die me ondersteunde toen we om het huis heen liepen, blijft in de deuropening staan. 'Ik haat ze!' zegt ze. 'Je zou denken dat ik met al mijn jaren van schrobben en vegen in de hoeken van oude huizen wel aan ze gewend zou zijn, maar dat is niet zo.'

'Je kunt nu binnenkomen, ze zijn weg.' Zij had mij bemoederd, nu is het mijn beurt.

'Jaah, maar ze kunnen ook weer tevoorschijn komen! Daar ben ik bang voor... ach, wat ook.' Ze komt binnen en wil de deur gaan dichtdoen.

'Nee, laat dat!' Ik wil niet worden opgesloten in dit huis.

'Logisch!' Ze doet de deur zo ver open als gaat en het gezegende zonlicht stroomt de keuken binnen, helemaal tot aan de provisiekast.

Alles is zoals ik het me herinner, structureel tenminste. De keukentafel, waarop Coley's 'provisiekast', zoals hij het omschreef, prijkt is intact. Maar voor het eerst in mijn zesenzeventig jaar aanschouw ik in dit huis een vieze vloer en voel ik geen warmte van het grote fornuis komen, dat langs de hoeken weggevreten en roestbruin is. Ook is het pijnlijk om in plaats van moeders gebleekte en gesteven vliegennetten, een dik kantgordijn van grijze, warrige spinnenwebben voor de smerige ruiten te zien hangen. En zonder haar fleurige geraniumtuin op de vensterbank lijkt het wel alsof de hele keuken, ondanks de redelijk schone gootsteen, vaalbruin ineengezakt is, als een oude hond die berustend en stilletjes in een hoek gaat liggen om te sterven.

'Is dit wat je verwachtte?' Eve kijkt omhoog naar het bruine, bladderende plafond.

'Ja.' Langzaam loop ik naar de andere kant van de keuken en open de halve deur naar de provisiekast, waar ik me de ochtend na het feest verstopte om me te verkleden en waar het vergiet stond waaronder ik mijn vermaledijde nachtpon propte, die ik later vergat weg te halen. Dat vergiet staat er niet meer, hoewel er op de planken nog altijd pannen en ander keukengerei staan. Ik doe de deur weer op de klink, verander dan opeens van gedachte, trek de deur wijd open en doe hetzelfde met de onderste helft. De intuïtie van mijn dochter dat ik mijn demonen het hoofd moest bieden, klopte. Ik ben nu voornemens om iedere binnendeur in dit huis open te gooien en ze bij ons vertrek zo te laten.

Feitelijk voel ik de gerechtvaardigde woede in me roeren, en dat heb ik al heel lang niet gevoeld, misschien wel nooit; ik heb zonder twijfel meer zelfvertrouwen. Hoewel ik zo min mogelijk aan het huis probeerde te denken, was het wanneer ik dat toch deed uitgegroeid tot een spookhuis op de kermis. Hier te zijn echter, tussen de versleten, gewone dingen waaraan niemand nog wat heeft, brengt het terug tot wat het is: gewoon een huis dat bezig is tot stof te vergaan, een vergankelijk huis waar eens een onvolmaakt gezin woonde.

Ik werp een blik over mijn schouder naar mijn dochter, die zich voorzichtig een weg zoekt over de keukenvloer, en ik ervaar volmaakt geluk.

Mijn dochter.

Gerechtvaardigde woede was een kort leven beschoren. 'Zullen we verder gaan, Eve?'

Met de keukendeur open begeven we ons in het halfduister van de hal, waar de luiken allemaal vergrendeld zijn. Toch is zichtbaar dat de inspanningen van Johanna en mij – en degenen na ons – om de natuurstenen tegels te boenen kennelijk hebben gerendeerd. Tegen mijn verwachting in zitten er geen putten en kuiltjes in, en gelakt als ze in de loop der jaren en zelfs eeuwen zijn met vele lagen was, glimmen ze nog altijd onder al het stof.

'Dit is prachtig, moeder! Wat een ontzagwekkend trappenhuis!' Eve kijkt omhoog naar de grote overloop.

'Ik wil de luiken graag opendoen.' Ik trek aan de spanjolet het dichtst bij me, maar we worstelen tevergeefs met het zware ijzerwerk. Het is verroest en behoeft krachtiger handen dan de onze.

Tegen de muur bij de voordeur zie ik opeens het silhouet van vaders taxushouten bankje. 'Heb je de envelop die ik je gaf, Eve?'

'Natuurlijk heb ik die.' Ze trekt hem uit haar schoudertas. Ze heeft de tas meegedragen, ondanks Claudine's aansporingen hem in de auto te laten liggen. 'Bedankt, Claudine, maar wie weet hebben we zakdoekjes nodig!'

'Waarom maak je hem niet open? Het is iets waarvan ik graag wil dat je het ziet. Kom in het licht staan. Voor zover ik me herinner hebben de openslaande deuren in de salon geen luiken.'

Mijn geheugen heeft me niet in de steek gelaten. Hoewel de erkers voor donker zijn, is het licht dat door de openslaande deuren binnenvalt, ook al wordt het gefilterd door roet, betrekkelijk helder. Terwijl ik dicht bij Eve sta, schuift ze uit de envelop een kleurenfoto van het bankje waarvan het silhouet is achtergebleven in de hal. Het is belicht vanuit een hoek die zijn zuiverheid van lijn en volheid van kleur maximaal doet uitkomen. Ik liet de foto maken door een beroepsfotograaf uit Béara. 'Wat is dit?' Ze trekt rimpels in haar voorhoofd.

'Dit is voor jou. Het is het enige meubelstuk dat ik heb uit dit huis. Mijn vader, jouw grootvader, maakte het met zijn eigen handen. We kunnen regelen dat het naar Arizona wordt getransporteerd. Zal het in je wagen passen?'

'O, moeder, het is prachtig. Ik zorg wel voor een nieuwe wagen, als het drie meter breed en drie meter hoog is.' Ze omhelst me stevig. Dan laat ze los. 'Maar als hij het heeft gemaakt, waarom wilde je het hebben na alles wat hij je aandeed?'

'Dat laat zich moeilijk beantwoorden. Misschien heeft het er iets mee te maken dat ik weet dat niemand zoiets moois kan scheppen zonder daar een beetje van zijn eigen ziel in te stoppen. Ik wil dat jij iets hebt waar je hem om kunt bewonderen, Eve, hen allebei om kunt bewonderen. Ik zal je ook over haar vertellen, over haar vlijt en haar spaarzaamheid en over de goede dingen. Ik wil niet dat jij hen de rest van je leven afmeet aan wat ze mij hebben aangedaan.'

Als ik zo over ze spreek raak ik aangedaan, maar niet op de manier die ik gevreesd had. Ondanks dat ik werkelijk geen enkele bitterheid koester, was ik bang dat ik in dit huis oude flarden van een boosaardige aanwezigheid zou voelen. In plaats daarvan word ik overspoeld door deernis met mijn ouders. Ik voel dat ze hier gevangen zitten vanwege hun daden en dat ze alleen door mij verlost kunnen worden. Het is vergezocht, eigenaardig misschien, en ik ben me er terdege van bewust hoe ontvankelijk ik momenteel ben, maar toch voel ik heel sterk dat ze me gadeslaan en met vrees op me wachten.

Plotseling herinner ik me die eerste nacht in het Gresham, toen ik de uitwerking van Johanna's slaaptablet begon te voelen en ik dat wonderlijke beeld voor me zag van mijn getransfigureerde moeder die boven mijn toren zweefde in het gewaad van de beschermengel op juffies prent. Ik sluit mijn ogen en zeg hun dat ik het hun vergeef. Ik meen het. Ga heen in vrijheid, moeder. Ga heen in vrijheid, vader. Ik hou van jullie allebei en ik vergeef jullie, zoals jullie vast ook mij vergeven.

'Gaat het, Violet? Je bent heel bleek geworden.' Eve's aanraking brengt me terug naar de realiteit.

'Het gaat prima met me. Zullen we nu de rest van het huis bekijken?'

Terwijl we de salon uit lopen, zet ik de toegangsdeuren op hun allerwijdst open. Terwijl we door de lege kamers boven dwalen, is mijn dochter onmiskenbaar onder de indruk van de schaal en de verhoudingen van het huis. 'Had ik maar geweten dat ik zo chic was.' Ze giechelt wanneer ik haar het reusachtige bad op klauwpoten laat zien. Johanna vond het zeker te log en onhandelbaar om het na vaders dood naar de inboedelveiling te sturen. Eve's Amerikaanse enthousiasme werkt aanstekelijk. Ik amuseer me zelfs, en ontleen een grote bevrediging aan het kabaal waarmee ik – beng! krak! beng! – op de weergalmende overloop alle deuren zo ver open knal als hun scharnieren toelaten.

Dan bereiken we de deur naar de zolder. 'Hier is het.' Ik trek haar open en ik schrik als het zonlicht me tegemoet slaat. Geen trap. Niemand had me gewaarschuwd. Als ik de restanten van de keurig afgehouwen trap bekijk, weet ik ogenblikkelijk wie dat heeft gedaan.

'O, moeder.' Eve is ontzet, terwijl we opkijken naar het dak vol gaten boven de overloop voor mijn gevangenisdeur. 'Ik ben maar blij ook dat we niet naar boven kunnen. Wat hebben ze je aangedaan! Toen Claudine het me vertelde, kon ik het nauwelijks geloven. Het klonk als iets uit een sprookje van Grimm.' Dit is voor het eerst dat ze rechtstreeks verwijst naar mijn gevangenschap en indirect naar haar eigen geboorte daarboven. Ik pak haar hand. 'Maar, Eve, geloof jij niet in een goede afloop? Moet je ons nu zien.'

'We hebben zoveel tijd verloren...'

'Des te beter, in sommige opzichten. Meer dan de meeste mensen zullen wij waarschijnlijk de tijd die we samen hebben waarderen en ervan genieten. Hoe lang blijf je?'

'Ik heb een open ticket.' Dan aarzelt ze. 'Al mijn vrienden wonen in Arizona, moeder. Dat is nu mijn thuis. Het zou een erg grote stap zijn om weer hierheen te verhuizen.'

'Ik weet dat je dat niet zult doen. Dat is ook niet wat ik vroeg.' Mijn arme hart, toch al overbelast, krijgt een schok bij het vooruitzicht om opnieuw afscheid van haar te moeten nemen.

'Maak je geen zorgen. Zo snel zal ik niet vertrekken. Niet alleen jij en ik hebben veel in te halen, moeder – iets wat ik nooit heb durven dromen. Wij allebei zijn Claudine heel veel verschuldigd.'

'Die lieve Claudine.' Ik glimlach. 'Ze is zo... zo...' Ik zoek naar het juiste woord. 'Ze is zo energiek!'

'Daar mogen we God dankbaar voor zijn. Maar zoals je weet,' voegt ze daar langzaam aan toe, 'heb ik nog heel wat bij mijn drietal in orde te brengen.' Dan begint ze aarzelend over Arabella, Willow en Rowan te praten, die ik alleen van foto's ken. 'Wat ik hun heb aangedaan... maar indertijd...'

'Jij liet je kinderen en je eigen uitzichtloze, afschuwelijke leven in de steek, in de verwachting dat je kinderen een beter leven zouden krijgen dan jij ze geven kon.' Ik probeer krachtig en opbeurend te klinken. In haar brief had ze me hartverscheurend gedetailleerd verteld over de gewelddadigheid en lamlendigheid van haar man en over het verlaten van haar kinderen. Ze verweet zichzelf de neergang van haar zoon, die dakloos was geworden door drank- en drugsmisbruik. 'Ze maken het nu goed. In je brief vertelde je me dat zelfs Rowan de goede kant op gaat.'

'Ja, dat is wel zo. Maar Willow zal het me nooit vergeven. Dat weet ik zeker. Waarom zou ze ook, als ik het me mezelf al niet eens vergeven kan?'

'Willow zal bijtrekken. Dat zul je zien.' Eveneens uit Eve's brief en uit wat Claudine me vertelde over telefoongesprekken met Willow, weet ik dat mijn tweede kleinkind nog steeds vastzit in wrok en woede. 'Ik zal met haar praten. Ze luistert vast naar me…' Dan stokt mijn adem. 'Jij hebt het over jouw kinderen in de steek laten. Ik heb jou ook in de steek gelaten, Eve. Kun je me vergeven?'

Ze kijkt me stomverbaasd aan. 'Natuurlijk, moeder. Het verschil tussen jou en mij is dat jij geen keus had. Ik wel.'

'Ik had eerder naar je op zoek kunnen gaan.'

'O, jeetje!' Ze lacht. 'We doen een wedstrijdje in kijken wie zich het afschuwelijkst gedragen heeft. Rare familie zijn we, Violet! In ieder geval kan niemand zeggen dat we saai zijn.'

'Wie moet nu weten hoe een familie hoort te zijn?' Ik raak haar gezicht aan. Met haar lichaamshouding en haar bijzondere ogen is ze nog altijd knap, maar ik zie hoe mooi ze geweest moet zijn toen ze jonger was. Maar haar huid voelt ruw aan onder mijn hand. 'Eve, mijn allerliefste Eve, ik vind het zo onnoemelijk erg wat er met je is gebeurd.'

'Moet jij eens naar me luisteren.' Ze vouwt haar armen voor haar borst. 'We zijn verantwoordelijk voor ons eigen leven, ongeacht wat er in onze kindertijd is gebeurd. Er is geen enkele reden om een ander de schuld te geven. Dus nu houd je op. Je houdt op met jezelf de schuld te geven van wat ook dat mij is overkomen. Gesnopen?'

'Evenzo zullen jouw kinderen dat begrijpen. Jij moet ophouden met je zelfverwijten, liever.'

We kijken elkaar doordringend aan. Dan haalt ze haar schouders op. 'Zo is het leven, Violet. Soms is het waardeloos. In jouw geval deed je niet meer dan verliefd worden op een jongen en betrapt worden. Dat gebeurt dagelijks in iedere stad en in ieder dorp in dit land; verdikkeme, het gebeurt in de vs, in Afghanistan, overal.' Ze ziet een versleten gordijnkwast op de grond liggen, pakt hem op, laat hem door haar vingers glijden en richt heel haar aandacht daarop. 'Zoals ik net zei, jij had geen keus in wat er met mij gebeurde.'

Met veel zorg scheidt ze een kwaststreng van zijn collega's. 'Ik had kunnen blijven en wat er gebeurde kunnen slikken, moeder.' Nu fluistert ze. 'Anderen in mijn situatie deden dat. Ik had kunnen terugkomen. Ik was altijd van plan om terug te komen om ze op te halen. Maar wat heeft het verdomme voor zin om dit te zeggen en niets te doen. Sorry voor mijn taalgebruik, moeder, ik weet dat je beschaafd bent, een dame. Maar de naakte waarheid is dat ik die drie kleine kinderen aan hun lot overliet en het aan hen was of ze zwommen of verzopen.'

387

'O, Eve!' Bij de aanblik van haar gebogen hoofd verlies ik de moed. Mijn gebrek aan ervaring in het moederschap is op pijnlijke wijze merkbaar als ik niets verstandigs weet te bedenken dat ik kan zeggen om haar te troosten. Instinctief wil ik haar omhelzen, en voor een keer laat ik instinct het winnen van terughoudendheid en mijn gevoel van wat gepast is. Ik strek mijn armen uit. 'Kom hier, mijn arme lieveling!'

'Nee, nee, het gaat best. Mij mankeert niks...' Ze weert me af maar dan opeens komt ze tegen me aan staan en barst in tranen uit.

Terwijl ik haar krampachtig schokkende lichaam vasthoud, word ik overspoeld door een diepe emotie, fel als een vlam. Haar lijden doet me fysiek anders pijn dan mijn eigen lijden ooit gedaan heeft. Ik ben ook kwaad en sta machteloos. Ik wil deze beker verwijderen en kan het niet. (Nog een bijbelse verwijzing? Is dit de dag waarop ik de kindsheid in glijd?) Opeens begrijp ik dat dit moederschap is.

Ik sla mijn armen steviger om mijn dochter heen en laat haar huilen. En toch zit er ergens diep in me een kleine worm. Ik weet dat zij en ik nooit meer zo intiem zullen zijn. Ik weet niet hoe ik het weet, maar ik weet het.

Alsof zij dit ook begrijpt maakt ze zich van me los. 'God, moet je ons zien.' Ze lacht. 'Dit was niet de bedoeling. Het was mijn bedoeling om jou tot steun te zijn. Ik had dat helemaal uitgedacht. Het moet de moeheid na de vliegreis zijn.' Ze graaft in haar schoudertas en haalt er een pakje papieren zakdoekjes uit. 'Om terug te komen op waarover we het hadden voordat dit gebeurde...' Ze snuit haar neus. '... nu we elkaar gevonden hebben, hoef je je geen zorgen te maken, want ik kom weer terug. Ik zal geregeld overkomen. En verder, jij moet mij komen opzoeken. Jij en papa samen? Tegenwoordig is de wereld klein, moeder. Ik zou het heerlijk vinden om jullie ons deel van Amerika te laten zien. Het is daar prachtig, vooral in de woestijn, waar de lucht schoon is. En de kleuren! Jullie zullen niet weten wat je ziet!'

Haar herstel is opmerkelijk en ik voel me verplicht om niet voor haar onder te doen.

'Nee, daartoe voel ik me niet verplicht. Ik volg haar voorbeeld als vanzelf. Het voelt geweldig. 'Lieverd, dat klinkt fantastisch. Bedankt voor de uitnodiging.'

Ik moet denken aan Coley's niet ernstig gemeende uitnodiging om met hem naar Parijs te vliegen. Afgezien van het verschil in afstand, zou het echt veel moeilijker zijn om naar Arizona te vliegen? Het aan boord gaan van de vliegmachine en het opstijgen zouden het moeilijkste zijn, stel ik me voor. De rest zou een kwestie zijn van tijd uitzitten en god weet dat ik daaraan gewend ben.

Ik besef dat we, nota bene op Whitecliff, ongemerkt zijn overgegaan van ons verdiepen in het verleden naar het maken van toekomstplannen. Tot Claudine in mijn leven opdook, beperkten mijn plannen zich tot het regelen van enig comfort voor een eenzame levensavond. En nu sta ik met een dochter, die ik nooit dacht te zullen zien, de mogelijkheid te bespreken van een luchtreis naar de woestijn aan de andere kant van de wereld, samen met haar vader, mijn allerliefste Coley Quinn.

Het zonlicht dat door het lege trapgat naar binnen schijnt, verwarmt ons beiden. Ongetwijfeld als reactie op alle emotie, voel ik me zorgeloos, lichtzinnig zelfs. Ik kan me niet heugen wanneer ik me voor het laatst lichtzinnig voelde. Coley en ik zullen op de luchthaven worden uitgezwaaid door heel mijn familie. Ik koop een borrel en zal Coley verbieden om te drinken. Ik word teut in mijn vliegtuigstoel en Coley zal voor me moeten zorgen. We zullen arriveren op de luchthaven in Eve's woestijn en onze dochter zal ons in bed stoppen en mij een aspirine geven…

'Waaraan denk je, moeder?' Alleen Eve's rode ogen verraden wat er zonet is gebeurd. Ze glimlacht warm naar me.

'Waarom vraag je dat?'

'Je ziet eruit als een ondeugend kind.'

'Lieverd, ik dacht gewoon dat ik van je zal genieten terwijl je hier bent en niet te veel zal nadenken over wat er daarna gebeurt.'

'Ik ook.' Ze kijkt weg van ons eiland van licht, dat geïsoleerd ligt van de halfduistere grote overloop, kijkt naar de rij openstaande deuren, toetsen op een reusachtige piano. 'Heb je het hier gezien? Ik anders wel. Zeg, Violet,' zegt ze met iets van spijt in haar stem, 'sorry van die vertoning die ik daarnet weggaf. Ik had voor jou moeten zorgen.'

'Ik wil het woord "sorry" niet meer van je horen, Eve.'

'Oké, dat is dan wederzijds. Wij beginnen helemaal opnieuw. Bij de problemen tussen mij en mijn drietal ligt het anders, maar wat jou en mij betreft kan er geen sprake zijn van omkijken naar het verleden. Afgesproken?'

'Afgesproken.'

'Geweldig. Ben je gereed om nu te gaan, Violet Shine?'

'Ik ben gereed, Eve.'

'En laten we deze deur ook open?'

Ik ben verrukt over haar: ze is opmerkzaam. Ze leert haar moeder kennen. Ik ben verrukt over hoe ze me afwisselend moeder en Violet noemt. Ik ben verrukt over het bruisende gevoel in mijn borst. Ik ben verrukt, punt uit. Ik kijkt voor het laatst omhoog door de met licht gekroonde schacht, die niet langer enige macht heeft over mijn leven, verleden, heden of toekomst. 'Ja, dat doen we.'

55 🍒 Een meidoorn

'Ze blijven vreselijk lang binnen.'

'Ontspan, Coley, ze hebben die tijd daar binnen samen nodig.'
Terwijl Bob in de auto zijn krant zit te lezen, heb ik niets bijzonders
gedaan, alleen van de zon genoten.

'Ja, maar er kan wel van alles met ze gebeurd zijn. Dat huis is niet
veilig.'

'Weet je wat, Coley. Ik zal naar binnen gaan om te zien waar ze
blijven. Vind je het erg om hier even alleen te zitten?'

'Ik ga met je mee.'

We lopen linksom naar de achterkant van het huis. Wanneer we de
hoek om komen, langs de vernielde beuk, zie ik dat Violet, nauwlettend gadegeslagen door Eve, over het hangslot van de achterdeur gebogen staat en dat dichtdoet met Coley's sleutel. 'Dag, dames. Alles
goed gegaan?' roep ik, terwijl ik naar hen toe loop.

Ze wisselen een samenzweerderige blik, en het is Eve die antwoordt: 'Geweldig. Het is inderdaad een fantastisch object, maar de
nieuwe eigenaar zal er een zware klus aan hebben.'

Violet gaat rechtop staan. Ik had verwacht dat ze bleek en over-
stuur zou zijn na de beproeving die ze heeft ondergaan, maar haar
ogen twinkelen en ze is absoluut vrolijk. 'O, onze Claudine heeft
plannen voor Whitecliff,' zegt ze, 'zij en haar vrienden in het onroerend goed.'

Wat is er daar binnen voorgevallen? Iets is veranderd. Eve, die rode
ogen heeft, maakt een vermoeide, zelfs uitgewrongen indruk. Ter-

wijl Violet dermate gestimuleerd is dat ze niet met kaarsrechte rug voortschrijdt als altijd, maar bijna huppelt. Dit is het tegenovergestelde van wat ik verwachtte. Nu heeft ze Coley ontdekt, die zich verdekt heeft opgesteld bij de verwoeste beuk. Ze loopt langs me heen en ze kijkt hem aan. 'Jij hebt die trap weggehakt, is het niet?'

'Violet, ik…' Hij zwijgt, omdat ze langs hem heen kijkt. 'O! En dat zie ik nu pas. Je hebt ook mijn arme beuk in de fik gestoken, niet waar? Er was niets mis met die boom, Coley Quinn.'

Omdat Eve en ik achter haar staan, kunnen we haar gezichtsuitdrukking niet zien, maar te oordelen naar de grijns waarmee Coley naar haar kijkt, kan die niet te bar zijn. 'Ik hield het niet uit. Ik beschermde je niet toen ik je hoorde te beschermen. Ik denk dat ik het heb afgereageerd op een paar dingen.'

'Waar heb je het nog meer op afgereageerd? Ik vermoed dat jij als je niet genoeg sprokkelhout had gevonden, het hele huis in brand had gestoken.'

Hij is ontzet. 'Dat zou verschrikkelijk zijn geweest. Dan hadden ze me naar de gevangenis gestuurd, Violet.'

'Maar je hebt erover gedacht, waar of niet?' En voordat hij hierop heeft kunnen reageren, zegt ze: 'Ik wist altijd al dat je een domoor was, Coley Quinn!' Er wordt iets heel intiems tussen hen uitgewisseld terwijl ze elkaar aankijken, en in zekere zin zitten Eve en ik gevangen. Als we ons omdraaien en weglopen, zullen ze weten dat we het hebben gezien.

'En hoor 'es, Violet.' Ze zijn nog niet klaar.

'Wat?'

Hij laat zijn stem zakken, maar het is een windstille dag en zijn stem draagt ver. 'Ik ben helemaal naar het zeeveld geweest.'

'Ja?' Haar rug verstrakt.

'Die meidoorn heeft zich hersteld. Hij is even groot als hij was. Er moeten zaden geweest zijn. Of misschien is het niet dezelfde boom.'

Weer kijkt hij over haar hoofd heen. Ik doe alsof ik iets zoek in mijn handtas en daarom zie ik haar reactie niet. Maar wanneer ik opkijk, komen ze beiden naar Eve en mij toe gelopen. Vele van de jaren die Violet heeft geleefd, zijn uit haar gezicht verdwenen.

56 ❦ De opgaande zon

We waren er allemaal bij toen Violet stierf. Zelfs Eve was op tijd over vanuit Arizona. Men zegt wel dat stervenden altijd besluiten om te gaan wanneer ze alleen zijn. Violet Shine was het grootste deel van haar leven alleen geweest en als het aan ons lag, zou ze niet alleen sterven.

Ik zou graag hebben kunnen vertellen dat ze enkele gedenkwaardige laatste woorden sprak, maar dat was niet het geval. Haar spraak, die elegante zinsbouw, was in haar laatste week verzwolgen door de kanker, maar ze was bijna tot het einde bij bewustzijn en was in staat om ons een voor een vol liefde aan te kijken. Maar haar blik bleef altijd hangen bij Coley, die dagenlang niet van haar zijde geweken was, anders dan om naar de wc te gaan. Hij zou niets gegeten hebben als wij er niet in hadden volhard hem broodjes te brengen en koppen sterke thee, en erbij waren blijven staan terwijl hij ze nuttigde. Hij sliep onder een deken in een ligstoel die de directrice van het verpleegtehuis naast Violets bed had laten zetten.

Tijdens haar laatste dag gleed ze weg in een coma waar ze, zo waarschuwde men ons, niet meer uit zou komen. Haar nieren werkten niet meer en in haar ademhaling werden de intervallen steeds langer.

Met de verzekering dat we elkaar indien nodig zouden waarschuwen, waakten we, op Coley na, in ploegen om arts en verpleegkundigen niet te hinderen. Twee van ons zaten bij Violet en Coley, terwijl de anderen rondhingen in de kantine van het verpleegtehuis of, zoals Bob en Willow, naar hun werk waren. Tommy O'Hare had niet inschikkelijker kunnen zijn, en ik mocht voor mijn tante zorgen zo lang als ik zelf wilde. Dat hij Whitecliff had kunnen aankopen schreef hij op mijn conto, maar dat was niet de reden dat hij zo fatsoenlijk was. Hij was een Ier van de oude stempel, voor wie dood en sterven altijd vóór zakendoen komen.

Ik had mijn eigen droom over op Whitecliff wonen zonder wroeging losgelaten en was nu van mening dat mijn aanvankelijke gretigheid om het zelf te verwerven het symptoom was geweest van andere behoeften. Geleidelijk aan kwam ik tot het besef dat ik niet kon wonen in de kamers onder die vervloekte zolder, hoe mooi ze ook waren. Violet mocht dan geen wrok koesteren, en eerlijk gezegd ikzelf evenmin, maar hoe je het inpandig ook verbouwde, die balken en dat dak zouden er altijd zijn. Het was een besluit dat ik nam lang voordat ze ziek werd, en het werd op generlei wijze beïnvloed door die calamiteit.

Ze had van geen enkele emotie blijk gegeven toen ik het haar vertelde. Voor haar waren huis en grond nu domweg een middel om haar toekomst – en die van Eve, vertrouwde ze me toe – veilig te stellen. Ook zou er een comfortabele oude dag voor Coley zijn 'als ik als eerste ga'. Ze had Tommy's bod geaccepteerd, tegen de wens van haar meneer Thorpe in, die, zei Violet, haar adviseerde Whitecliff ter veiling te brengen. Hangende het afgeven van bouwvergunningen, overweegt mijn baas allerlei bestemmingen voor het huis. De koploper, ten tijde van Violets dood, was verbouwd tot een restaurant, fitnessruimte en clubhuis bij een golfbaan met negen *holes*, waaromheen hij een keten van luxeueuze, vrijstaande huizen wilde bouwen. Ik vraag me af wat mijn grootvader en vooral mijn grootmoeder daarvan gevonden zouden hebben.

Het was opnieuw juni en het toeval wilde dat het een voor Ierland ongewoon warme en zonnige maand was. Violets verpleegtehuis was hoefijzervormig en gebouwd rond drie zijden van een grote en goed onderhouden tuin. Na een korte bui eerder die middag geurde haar hele kamertje, waarvan beide ramen openstonden, naar rozen. In de maand van Violets dood waren in heel Ierland de rozen zoals junirozen altijd zouden moeten zijn, zo weelderig en zwaar dat hun stengels doorbogen onder het gewicht. Ook de bloembedden bij ons thuis boden een verrukkelijk schouwspel.

Ze vertelde me over haar ziekte voordat ze het aan Coley vertelde.

Het was begin april. 'Pancreaskanker gaat erg snel, geloof ik. Dat is een zegen. Maar ik weet niet hoe ik het hem vertellen moet, Claudine. Hij gaat ook dood en dat is niet eerlijk.'

Ze vond een manier en Coley en zij kwamen enkele dagen bij ons logeren, tot haar geen andere keuze bleef dan zich dag en nacht te laten verplegen. Tijdens die dagen, terwijl ze verzwakte, kreeg je nauwelijks een woord uit Coley. Hij at weinig en verliet haar kamer niet. Hij kon niet bij haar in bed slapen, daarvoor was ze te ziek, maar hij sliep naast haar op de grond. Hij weigerde zelfs een matras, alsof hij door zulke kleine ontberingen te ondergaan, iets van haar lijden kon verlichten. Op haar laatste ochtend bij ons thuis ging ik vroeg haar kamer binnen en trof hem aan terwijl hij met een zachte handdoek voorzichtig het zweet opdepte van haar weggeteerde borsten, want ze moest vaak ontzettend transpireren.

Op de dag van haar dood had ik meer dan een uur aan haar bed gezeten met Eve en Coley. En terwijl Coley Violets zwart wordende hand vasthield en streelde, had Eve me op gedempte toon verteld over haar leven in Arizona. Ik begon honger te krijgen – zulke banaliteiten wijken zelfs niet voor crises als deze. We zorgden inmiddels bijna een maand voor Violet en hoewel we wisten dat het einde nabij was, was er toch iets van routine ingeslopen.

Zonder op te houden met praten, doopte Eve een staafsponsje in de beker met ijswater op het nachtkastje en boog zich over haar moeder heen met de bedoeling haar gebarsten lippen te bevochtigen. Met het sponsje in de lucht verstrakte Eve. Violets hoofd had niet bewogen, maar haar ogen waren open en op Coley gericht.

'Ze is bij bewustzijn! Moet ik de zuster roepen?' Geagiteerd draaide Eve zich om naar mij.

'Nog niet.' Het was Coley die op haar vraag reageerde, zonder zijn blik af te wenden van Violet. 'Ik wil haar iets zeggen, alleen, als jullie het niet erg vinden.'

'Natuurlijk niet.' Ik sta op en gevolgd door Eve verliet ik de kamer. Maar we lieten de deur op een kier staan, voor het geval dat.

Op de gang, met zijn zachtroze muren en dikke groene tapijt, was het stil. Het was etenstijd en de ambulante bewoners waren allemaal beneden in de eetzaal. En van hen die in hun kamer aten, achter de zware deur van blond hout, hoorde je niets.

Eve en ik zwegen. Ongetwijfeld probeerde ze zich, net als ikzelf, voor te stellen wat Coley tegen Violet zei, en dacht ze, eveneens net als ik, aan het komende etmaal. En allebei wisten we wat dat brengen zou.

De geest is echter als een konijn en laat zich niet insluiten. En evenwijdig aan mijn gedachten over het hier en nu, moest ik vreemd genoeg ook denken aan Violets meneer Thorpe. Toen hij, op haar verzoek, met ons kwam praten over de overdracht van Whitecliff, had ik een pompeuze, dickensiaanse figuur verwacht, misschien met een snor en met zorgvuldig geolied haar. Op de een of andere manier was dat altijd het beeld geweest dat zich vormde wanneer zij over hem sprak.

Violets meneer Thorpe reed bij ons thuis voor in een lage, ronkende sportwagen. Toen hij zich eruit vouwde, zag ik dat hij wel een meter negentig was en niet ouder dan achtentwintig jaar; hij was zeker onder de dertig.

Hij bleek inderdaad zo slim te zijn als Violet altijd over hem had gezegd, want hij raadde mijn verbazing onmiddellijk. 'Het is de sportwagen, hè? Verwachtte u wellicht een iets ouder iemand?'

'Inderdaad. Maar ik wil u bedanken dat u voor mijn tante hebt gezorgd. U schijnt haar een beetje onder uw hoede genomen te hebben.'

'Zodra mevrouw Shine voor het eerst mijn kantoor binnenkwam, zag ik dat ze iets bijzonders was. Mijn ouders waren allebei enig kind, mevrouw Armstrong. Ik heb geen tantes, ooms of nichten en neven. Uw tante is een dame, het soort tante dat ik dolgraag gehad zou hebben; het type dat me, vijftig jaar geleden, meegenomen had op de Grand Tour langs de Europese hoofdsteden,' zei hij met een glimlach. 'Ondanks haar klaarblijkelijke onafhankelijkheid, zag ik toch dat ze iemand nodig had die ze in vertrouwen kon nemen en...' Hier aarzelde hij een beetje, '... om toe te zien op de... zullen we zeggen wereldser aspecten van haar leven? Dat werd mijn voorrecht. En dat meen ik.'

Ik glimlachte bij de herinnering, en op datzelfde moment greep Eve mijn arm vast. 'Hoor jij het ook? Zingen?'

Ik luisterde. Inderdaad achter Violets deur hoorde ik zingen. Een mannenstem.

'Wat zullen we doen?' Eve's ogen waren vochtig. 'Denk je dat ze al is gestorven en dat hij nu een gezang zingt?'

'Dit is geen gezang.'

Op de voet gevolgd door Eve, duwde ik de deur wijd open. We gingen naar binnen en bleven vrijwel meteen stilstaan. Coley zat over Violet heen gebogen en zong zachtjes met een zuivere bariton:

My young love said to me,
My mother won't mind
And my father won't slight you
For your lack of kine;
And then she went homeward
With one star awake,
As the swan in the evening
Moves over the lake.

De roodomrande ogen van mijn tante waren nog open en keken in de zijne. Ze waren glasachtig door de glans van tranen die ze niet meer kon vergieten.

She stepped away from me
And she moved through the fair,
And fondly I watched her
Move here and move there,
And then she came to me
And this she did say:
It will not be long, love,
Till our wedding day.

Eve en ik hadden de anderen snel horen te halen, dat wist ik. Ik kon niet zien of Violets borstkas wel of niet rees en daalde. Maar ik merkte dat ik me niet kon bewegen. En Eve kon dat evenmin, vertelde ze me later, terwijl Coley, die zich onze aanwezigheid bij de deur niet bewust was of daar niet om maalde, door zong:

Last night she came to me,
My young love came in.
So softly she moved
That her feet made no din;

We zagen dat Violet nog niet dood was. Haar oogleden trilden en haar ogen draaiden naar boven, weg van Coley, die bleef zingen:

She laid her hand on me
And this she did say:
It will not be long, love,
Till our wedding day…

Violets borstkas bewoog. Ze slaakte een lange zucht, en bewoog toen niet meer. Haar ogen bleven open. Coley hield op met zingen. Hij wachtte op de volgende ademtocht en toen die niet kwam, sloot hij met zijn wijsvinger en duim oneindig teder haar ogen.

Haar mond was een stukje opengevallen. Hij pakte haar handdoekje van het nachtkastje, rolde dat zorgzaam op en legde het onder haar kin om steun te geven aan haar kaak. Toen ging hij staan, boog zich over haar heen, streek een haarpiek uit haar gezicht en drukte een zachte kus op haar voorhoofd.

Een van ons twee moet een geluid gemaakt hebben, want hij keek om en zag Eve en mij staan. Hij maakte een beheerste indruk. Hij liep naar de ramen van haar kamer, een beetje stijf na zolang te hebben gezeten, en zette die helemaal open om haar ziel ruim baan te geven. 'Ik zal niet lang na haar gaan,' zei hij. Ik wist niet of hij dit tegen zichzelf zei of tegen Eve en mij.

★ ★ ★

Coley weigerde om naar Violets begrafenis te gaan en wij drongen niet aan. De aanwezigen waren gering in aantal: alleen haar nieuwe familie, meneer Thorpe, de twee vrouwen van het postkantoor in West-Cork, Bobs tante Louise en Tommy O'Hare, uit respect voor mij en voor de dode. Ze werd te rusten gelegd in het met korstmos overdekte, verwaarloosde Shine-mausoleum, waarvan de roestige toegang naar de kant van de opgaande zon en de zee ligt, net zoals het raam van haar toren.

Coley Quinns voorspelling dat hij haar niet lang zou overleven werd bewaarheid. Hij stierf op een prachtige septemberochtend, nog geen drie maanden later, alleen, maar vredig te oordelen naar de serene, bijna joviale uitdrukking op zijn gezicht, toen Bob hem vond, liggend op zijn zij, alsof hij lekker sliep op het gazon van onze achtertuin. Coley was vroeg opgestaan om rode rozen te plukken voor in huis, en in zijn val had hij instinctief geprobeerd om de rozen te beschermen, want zijn vuist had zich er zo vast omheen geklemd dat de doornen zijn huid hadden doorboord en er bloed tussen zijn vingers door was gedrupt. Het lukte de begrafenisondernemer niet om de rozen los te krijgen, en Coley werd weggedragen met de rozen nog in zijn hand. De arts die Coley's dood officieel vaststelde, zei dat hij door een hersenbloeding was getroffen en geen pijn had geleden.

In opdracht van Eve en met de medewerking van de predikant van Rathlinney, ligt Coley nu naast Violet in de grafkelder van de Shines, en ook hij ligt naar de kant waar de zon opgaat.

Ze hebben maar een jaar samen gehad, minder als haar maanden van ziekte er worden afgetrokken. Maar het was een rijke en vreugdevolle tijd en als men dat al kan zeggen van de dood, Violet had een gelukkige dood, evenals Coley.

Ik ging van haar houden in de korte tijd dat we elkaar kenden, maar kreeg nooit het gevoel dat ze me echt toeliet. Eve heeft hetzelfde gevoeld, weet ik. Ze deed haar best. Maar zij woonde in Arizona en hoewel ze na dat eerste bezoek nog twee keer naar Ierland kwam, bleek de brug te lang en de tijd te kort om samen dat punt in het midden te bereiken. Violets dochter wist dat haar moeder haar volkomen toegewijd was, dat haar hunkering naar haar echt was, en haar emotie bij hun ontmoetingen oprecht was, en toch was Eve het met me eens dat de diepste gevoelens van Violet Shine naar slechts een mens uitgingen.

Haar erfenis aan mij is familie: Eve, Eve's kinderen en kleinkinderen. Ook leerde ik door haar hoe ik mijn leven moet leven.

Onlangs ben ik naar Whitecliff gereden. De bulldozers en graafmachines, kranen, afvalcontainers, mobiele toiletcabines en steigers werden gegroepeerd voor de afscheidingsmuur. Het wachten was op het startsein. De ijzeren hekken waren al van hun pilaren gehaald. Toen ik arriveerde waren de aannemers de waarschuwingsborden en rollen tape aan het uitladen. De ploegbaas zei dat hij me binnen zou laten om nog een laatste keer naar Whitecliff te kijken. Ik nam zijn aanbod niet aan.

Maar één ding staat vast in het leven: niets blijft hetzelfde. In de tijd die de secondewijzer op mijn horloge nodig heeft om van 59 op 60 te springen, verandert alles.

Dankwoord

Mijn vorige roman, *Children of Eve*, was de tiende en bij die gelegenheid bedankte ik familie, vrienden en collega's, van vroeger en van nu, voor hun steun en hulp tijdens die onderneming. Ik hoop dat ze weten dat ik ze hiervoor nog steeds innig dankbaar ben.

Dit keer wil ik in het bijzonder hulde brengen aan mijn geduldige collega's bij Headline U.K. en Hodder Headline Ireland, die alle technische en redactionele registers opentrokken om dit boek ondanks alle hindernissen op tijd te kunnen laten verschijnen. Marion Donaldson, Kate Burke, Breda Purdue, Ciara Considine en Ruth Shern hadden niet meer begrip aan de dag kunnen leggen voor mijn geworstel met IT dan ze hebben gedaan. Hazel Orme is een briljante persklaarmaakster, en ik kan me eigenlijk geen voorstelling maken van hoe de productieafdeling het hoofd bood aan de problemen waarvoor ik dit team stelde. Ik wil jullie allemaal bedanken.

Daarnaast gaat mijn dank uit naar met name Mary O'Dea en haar ouders, Helen en Frank, voor informatie over Dublin halverwege de jaren veertig van de vorige eeuw en ook naar Carol en Roger Cronin voor hun hulp bij ander onderzoek.

Ten slotte moet ik mijn rustige en trouwe agent Clare Alexander bedanken. En zoals altijd: Kevin, Adrian en Simon, het is allemaal voor jullie.